आर. गुप्ता® कृत

पॉपुलर मास्टर गाइड

NCET

राष्ट्रीय सामान्य प्रवेश परीक्षा

BA/B.Sc/ B.Com B.Ed

4-वर्षीय एकीकृत शिक्षक शिक्षण कार्यक्रम (ITEP)

हिन्दी भाषा और साहित्य

Conducted by

National Testing Agency (NTA)

2027
EDITION

रमेश पब्लिशिंग हाउस, नई दिल्ली

प्रकाशक
ओ.पी. गुप्ता, रमेश पब्लिशिंग हाउस

प्रशासनिक कार्यालय
12-H, न्यू दरियागंज रोड, ऑफिसर्स मेस के सामने,
नई दिल्ली-110002 ✆ 23275224, 23245124

E-mail: info@rameshpublishinghouse.com
For Online Shopping: www.rameshpublishinghouse.com

विक्रय केन्द्र
- बालाजी मार्किट, नई सड़क, दिल्ली-6 ✆ 23253720, 23282525
- 4457, नई सड़क, दिल्ली-6, ✆ 23918938

Book Code: R-2678

ISBN: 978-93-5477-675-5

मूल्य: ₹ 260

मुद्रक: दीपक ऑफसैट, दिल्ली

अनुक्रमणिका

परीक्षा की योजना

खंड-1: हिन्दी भाषा एवं साहित्य

इस भाग में 23 प्रश्नों का एक प्रश्न-पत्र होगा, जिसमें से 20 प्रश्नों के उत्तर देने होंगे।

परीक्षा का पैटर्न

भाषा खंड के प्रश्न निम्नलिखित विषयों पर आधारित होंगे, लेकिन यहीं तक सीमित नहीं होंगे।

1. **पाठ अवबोध:**

   इसमें एक अनुच्छेद (अधिकतम 150-300 शब्द) निम्न पर आधारित होगा:

   (i) तथ्यात्मक

   (ii) वर्णनात्मक

   (iii) साहित्यिक

2. **मौखिक क्षमता**
3. **भागों को पुनर्व्यवस्थित करना**
4. **सही शब्द का चुनाव**
5. **पर्यायवाची एवं विलोम**
6. **शब्दावली**

- **टेस्ट का तरीका** : कम्प्यूटर आधारित टेस्ट (CBT).
- **टेस्ट पैटर्न** : सभी प्रश्न वस्तुनिष्ठ प्रकार के एवं बहुविकल्पीय (MCQs) होंगे।

सैम्पल पेपर-1

NCET : BA/B.Sc/B.Com—B.Ed

4-Year Integrated Teacher Education Programme (ITEP)

हिन्दी भाषा और साहित्य*

निर्देश (प्र.सं. 1-5): *निम्नलिखित गद्यांश को ध्यान से पढ़िए और पूछे गए प्रश्नों के उत्तर दीजिए।*

प्रायः सुनने में आता है कि कविता का उद्देश्य मनोरंजन है। पर जैसा कि हम पहले कह आए हैं, कविता का अंतिम लक्ष्य जगत के मार्मिक पक्षों का प्रत्यक्षीकरण करके उनके साथ मनुष्य-हृदय का सामंजस्य-स्थापन है। इतने गंभीर उद्देश्य के स्थान पर केवल मनोरंजन का हल्का उद्देश्य सामने रखकर जो कविता का पठन-पाठन या विचार करते हैं, वे रास्ते ही में रह जाने वाले पथिक के समान हैं। कविता पढ़ते समय मनोरंजन अवश्य होता है, पर इसके उपरांत कुछ 'और' भी होता है और वही 'और' सब कुछ है। मनोरंजन वह शक्ति है जिससे कविता अपना प्रभाव जमाने के लिए मनुष्य की चित्तवृत्ति को स्थिर किए रहती है, इधर-उधर जाने नहीं देती। अच्छी से अच्छी बात को भी कभी-कभी जो केवल कान से सुन भर लेते हैं, उनकी ओर उनका मनोयोग नहीं होता। केवल यही कहकर कि 'परोपकार करो', 'दूसरों पर दया करो', 'चोरी करना महापाप है' हमें यह आशा कदापि न करनी चाहिए कि कोई अपकारी उपकारी, कोई क्रूर दयावान या कोई चोर साधु हो जाएगा। क्योंकि ऐसे वाक्यों के अर्थ की पहुँच हृदय तक होती ही नहीं, वह ऊपर ही ऊपर रह जाता है। ऐसे वाक्यों द्वारा सूचित व्यापारों का मानव-जीवन के बीच कोई मार्मिक चित्र सामने न पाकर हृदय उनकी अनुभूति की ओर प्रवृत्त ही नहीं होता।

पर कविता अपनी मनोरंजन-शक्ति द्वारा पढ़ने या सुनने वाले का चित्त रमाए रहती है, जीवन-पट पर उक्त कर्मों की सुंदरता या विरूपता अंकित करके हृदय के मर्म स्थलों का स्पर्श करती है। मनुष्य के कुछ कर्मों में जिस प्रकार दिव्य सौंदर्य और माधुर्य होता है, उसी प्रकार कुछ कर्मों में भीषण कुरूपता और भद्दापन होता है। इसी सौंदर्य या कुरूपता का प्रभाव मनुष्य के हृदय पर पड़ता है और इस सौंदर्य या कुरूपता का सम्यक प्रत्यक्षीकरण कविता ही कर सकती है।

1. कविता पढ़कर मनुष्य को मिलता है:

(*a*) जगत के मार्मिक पक्षों का प्रत्यक्षीकरण

(*b*) मनोरंजन

(*c*) हृदय का सामंजस्य-स्थापन

(*d*) चित्तवृत्तियों की स्थिरता

(*e*) उपरोक्त सभी

नीचे दिए गए विकल्पों में से **सबसे उपयुक्त उत्तर** का चयन कीजिए:

A. (*c*) B. (*a*)
C. (*b*) D. (*e*)

2. उपरोक्त गद्यांश का उचित शीर्षक लिखिए:

A. मनोरंजन
B. प्रत्यक्षीकरण
C. कविता का उद्देश्य
D. सौंदर्य

3. सौंदर्य या कुरूपता का सम्यक प्रत्यक्षीकरण किससे होता है?

A. परोपकार से B. कविता से
C. कहानी से D. नाटक से

4. कविता मनुष्य की चित्तवृत्तियों को .... करती है।

A. गतिशील B. मनोरंजन
C. स्थिर D. चंचल

5. गद्यांश के अनुसार कविता का मुख्य उद्देश्य है:

A. मनोरंजन
B. परोपकार करना
C. जगत के मार्मिक पक्षों का प्रत्यक्षीकरण
D. दूसरों पर दया करना

1. D	**2.** C	**3.** B	**4.** C	**5.** C

* *Only 20 questions need to be attempted.*

6. सूची-I का सूची-II से मिलान कीजिए:

सूची-I (कारक)	सूची-II (विभक्तियाँ)
(*a*) संबंध	I. से
(*b*) अपादान	II. में, पर
(*c*) कर्म	III. को
(*d*) अधिकरण	IV. का, के, की

निम्नलिखित विकल्पों में से सही उत्तर का चयन कीजिए:

	(*a*)	(*b*)	(*c*)	(*d*)
A.	I	II	III	IV
B.	IV	I	III	II
C.	IV	I	II	III
D.	IV	III	II	I

7. 'ईश्वर में आस्था न रखने वाला' के लिए उपयुक्त शब्द है:
A. आस्तिक B. अजर
C. नास्तिक D. भक्त

8. निम्नलिखित में से कौन-से रचनाकार प्रेमचंद के समकालीन हैं?
A. जयशंकर प्रसाद B. यशपाल
C. फणीश्वरनाथ रेणु D. किशोरी लाल गोस्वामी

9. अकर्मक क्रिया का उदाहरण है :
A. राम ने खाना खाया।
B. राम हँस रहा है।
C. राम ने रावण को मारा।
D. राम पत्थर तोड़ रहा है।

10. 'कठपुतली होना' मुहावरे का अर्थ है :
A. कलाओं में निपुण होना
B. दूसरों के इशारे पर चलना
C. नृत्य में पारंगत होना
D. दूसरों से क्रोधित होना

11. 'चरण कमल बंदौं हरि राई' में कौन-सा अलंकार है?
A. श्लेष B. रूपक
C. उपमा D. यमक

12. 'पानी' शब्द है:
A. स्त्रीलिंग B. पुल्लिंग
C. नपुंसक लिंग D. उभय लिंग

13. 'निर्वाह' में प्रयुक्त उपसर्ग है:
A. नि B. निर्
C. निः D. निरि

14. निम्नलिखित में से कौन-सा वाक्य शुद्ध है?
A. मेरो को जाना है।
B. मुझे जाना है।
C. मैंने जाना है।
D. मुझको जाना है।

15. 'राम बालक को मिठाई देता है।' में कौन-सी क्रिया है?
A. सकर्मक B. अकर्मक
C. द्विकर्मक D. सकर्मक और अकर्मक

16. शृंगार रस का स्थायी भाव है:
A. क्रोध B. जुगुप्सा
C. विस्मय D. रति

17. निम्नलिखित में से कौन-सा शब्द 'रात्रि' का पर्यायवाची नहीं है?
A. रजनी B. पंकज
C. निशा D. विभावरी

18. सूची-I का सूची-II से मिलान कीजिए:

सूची-I (शब्द)	सूची-II (विलोम)
(*a*) शुष्क	I. निस्तेज
(b) शाश्वत	II. मंडन
(c) खंडन	III. आर्द्र
(d) ओजस्वी	IV. क्षणिक

निम्नलिखित विकल्पों में से सही उत्तर का चयन कीजिए:

	(*a*)	(*b*)	(*c*)	(*d*)
A.	I	II	III	IV
B.	II	III	IV	I
C.	III	IV	I	II
D.	III	IV	II	I

19. नीचे दो कथन दिए गए हैं:

कथन I : दो वर्णों के मेल से होने वाले विकार को संधि कहते हैं

कथन II : शब्द रचना में संधियाँ उसी तरह सहायक हैं, जैसे उपसर्ग, प्रत्यय और समास।

A. कथन I और II दोनों सही हैं
B. कथन I और II दोनों गलत हैं
C. कथन I सही है, लेकिन कथन II गलत है
D. कथन I गलत है, लेकिन कथन II सही है

6. B **7.** C **8.** A **9.** B **10.** B **11.** B **12.** B **13.** B **14.** B **15.** C
16. D **17.** B **18.** D **19.** A

20. सूची-I का सूची-II से मिलान कीजिए:

सूची-I (लेखक)	सूची-II (रचनाएँ)
(*a*) प्रेमचंद	I. मैला आँचल
(*b*) फणीश्वरनाथ रेणु	II. गोदान
(*c*) यशपाल	III. महाभोज
(*d*) मन्नू भंडारी	IV. दिव्या

निम्नलिखित विकल्पों में से सही उत्तर का चयन कीजिए:

	(*a*)	(*b*)	(*c*)	(*d*)
A.	I	II	III	IV
B.	II	I	IV	III
C.	III	I	IV	II
D.	II	I	III	IV

21. 'यमलोक की यात्रा' क्या है?

A. कहानी
B. नाटक
C. संस्मरण
D. निबंध

22. व्यावसायिक पत्र में संबोधन की सही प्रयुक्ति का चयन कीजिए:

A. आदरणीय
B. महोदय/महोदया
C. परम पूज्य
D. प्रिय

23. नीचे दो कथन दिए गए हैं:

कथन I : सामासिक शब्दों का संबंध व्यक्त कर दिखाने की रीति को विग्रह कहते हैं।

कथन II : 'धनसंपन्न' समास का विग्रह 'धन से संपन्न' है।

A. कथन I और II दोनों सही हैं
B. कथन I और II दोनों गलत हैं
C. कथन I सही है, लेकिन कथन II गलत है
D. कथन I गलत है, लेकिन कथन II सही है

20. B **21.** D **22.** B **23.** A

सैम्पल पेपर-2

NCET : BA/B.Sc/B.Com—B.Ed

4-Year Integrated Teacher Education Programme (ITEP)

हिन्दी भाषा और साहित्य*

निर्देश (प्र.सं. 1-6): *निम्नलिखित गद्यांश को पढ़कर पूछे गए प्रश्नों के उत्तर दीजिए।*

भारतीय धर्मनीति के प्रणेता नैतिक मूल्यों के प्रति अधिक जागरूक थे। उनकी यह धारणा थी कि नैतिक मूल्यों का दृढ़ता से पालन किए बिना किसी भी समाज की आर्थिक व सामाजिक प्रगति की नीतियाँ प्रभावी नहीं हो सकतीं। उन्होंने उच्चकोटि की जीवन-प्रणाली के निर्माण के लिए वेद की एक ऋचा के आधार पर कहा कि उत्कृष्ट जीवन-प्रणाली मनुष्य की विवेक-बुद्धि से तभी निर्मित होनी संभव है, जब सब लोगों के संकल्प, निश्चय, अभिप्राय समान हों, सबके हृदय में समानता की भव्य भावना जाग्रत हो और सब लोग पारस्परिक सहयोग से मनोनुकूल कार्य करें। चरित्र-निर्माण की जो दिशा नीतिकारों ने निर्धारित की, वह आज भी अपने मूल रूप से मानव के लिए कल्याणकारी है। प्रायः यह देखा जाता है कि चरित्र और नैतिक मूल्यों की उपेक्षा वाणी, बाहु और उदर को संयत न रखने के कारण होती है। जो व्यक्ति इन तीनों पर नियंत्रण रखने में सफल हो जाता है, उसका चरित्र ऊँचा होता है।

सभ्यता का विकास आदर्श चरित्र से ही संभव है। जिस समाज में चरित्रवान व्यक्तियों का बाहुल्य है, वह समाज सभ्य होता है और वही उन्नत कहा जाता है। चरित्र मानव-समुदाय की अमूल्य निधि है। इसके अभाव में व्यक्ति पशुवत व्यवहार करने लगता है। आहार, निद्रा, भय आदि की वृत्ति सभी जीवों में विद्यमान रहती है। यह आचार अर्थात् चरित्र की ही विशेषता है, जो मनुष्य को पशु से अलग कर, उससे ऊँचा उठा मनुष्यत्व प्रदान करती है। सामाजिक अनुशासन बनाए रखने के लिए भी चरित्र-निर्माण की आवश्यकता है। सामाजिक अनुशासन की भावना व्यक्ति में तभी जाग्रत होती है, जब वह मानव प्राणियों में ही नहीं वरन सभी जीवधारियों में अपनी आत्मा के दर्शन करता है।

1. 'चरित्र मानव समुदाय की अमूल्य निधि है' का आशय है:
A. पशु और मनुष्य दोनों का अपना चरित्र होता है।
B. हमें चरित्र का पालन करना चाहिए।
C. चरित्र ही मनुष्य व पशु में अंतर करता है।
D. चरित्र के बिना मनुष्य पशु के समान है।

2. सभ्य और उन्नत समाज उसे कहा जाता है जहाँ ....।
A. सभ्य लोग रहते हों
B. पढ़े-लिखे ज्यादा हों
C. अधिक अमीर लोग रहते हों
D. चरित्रवान लोगों का बाहुल्य हो

3. आहार, निद्रा, भय आदि की वृत्तिः
A. केवल पशुओं में मिलती है
B. सभी जीवों में मिलती है
C. मनुष्यों में ही मिलती है
D. केवल पक्षियों में मिलती है

4. सामाजिक अनुशासन की भावना मनुष्य में तब जाग्रत होती है जब वह ....।
A. आत्मदर्शन कर लेता है।
B. आध्यात्मिक दर्शन कर लेता है।
C. बहुत पढ़-लिख लेता है।
D. शक्तिशाली हो जाता है।

5. भारतीय धर्मनीति के प्रणेता किस प्रकार के मूल्यों की बात करते हैं?
A. आर्थिक मूल्यों B. नैतिक मूल्यों
C. सांस्कृतिक मूल्यों D. धार्मिक मूल्यों

6. जब सब लोगों के संकल्प, निश्चय, अभिप्राय समान हों तो:
A. सबके हृदय में प्यार उमड़ जाता है।
B. सभी लोग मिल-जुल कर रहने लगते हैं।
C. सभी एक-दूसरे से प्रेम करते हैं।
D. सबके हृदय में समानता की भव्य भावना जाग्रत होती है।

1. D	**2.** D	**3.** B	**4.** A	**5.** B	**6.** D

* *Only 20 questions need to be attempted.*

7. सूची-I को सूची-II से मिलाएं (सरल वाक्य को उपयुक्त मुहावरे से मिलाएं।)

सूची-I	सूची-II
(*a*) कार्यालयों में कार्य बड़ी धीमी गति से होता है	(*i*) फूट-फूट कर रोना
(*b*) यह तो अति सरल कार्य है	(*ii*) मिट्टी में मिलाना
(*c*) पुत्र के शोक में माँ जोर-जोर से रोई	(*iii*) बाएँ हाथ का खेल
(*d*) मूर्ख पुत्र ने पिता का सारा मान नष्ट कर दिया	(*iv*) चींटी की चाल

नीचे दिए गये विकल्पों में से **सही** उत्तर का उल्लेख करें:

	(*a*)	(*b*)	(*c*)	(*d*)
A.	(*iii*)	(*ii*)	(*i*)	(*iv*)
B.	(*iv*)	(*iii*)	(*i*)	(*ii*)
C.	(*iv*)	(*i*)	(*ii*)	(*iii*)
D.	(*iv*)	(*iii*)	(*ii*)	(*i*)

8. 'स्थूल' शब्द का उचित विलोम शब्द है:

A. भारी B. असली
C. सूक्ष्म D. सहज

9. रिक्त स्थान की पूर्ति रेखांकित शब्द के उचित विलोम शब्द से कीजिए।

वसंत ऋतु में जड़ और .... सभी प्रसन्न हो जाते हैं।

A. जड़ता B. निजता
C. निर्जन D. चेतन

10. सूची-I का मिलान सूची-II से कीजिए।

सूची-I	सूची-II
(*a*) रक्षक	(*i*) मृदुल
(*b*) बेचैन	(*ii*) सीमित
(*c*) कठोर	(*iii*) भक्षक
(*d*) विस्तृत	(*iv*) शांत

नीचे दिए गये विकल्पों में से **सही** उत्तर का उल्लेख करें:

	(*a*)	(*b*)	(*c*)	(*d*)
A.	(*ii*)	(*i*)	(*iv*)	(*iii*)
B.	(*iii*)	(*iv*)	(*i*)	(*ii*)
C.	(*i*)	(*ii*)	(*iii*)	(*iv*)
D.	(*iv*)	(*iii*)	(*ii*)	(*i*)

11. निम्नलिखित पदों को उचित क्रमानुसार व्यवस्थित कीजिए।

नाटक एक ऐसी ....।

(*a*) रहता है (*b*) रचना है,
(*c*) और कल्पना (*d*) दोनों का संयोग
(*e*) जिसमें अनुकरण

नीचे दिए गए विकल्पों में से **राही** उत्तर का चयन कीजिए:

A. (*a*), (*b*), (*c*), (*e*), (*d*) B. (*b*), (*c*), (*d*), (*e*), (*a*)
C. (*b*), (*e*), (*c*), (*d*), (*a*) D. (*e*), (*a*), (*b*), (*c*), (*d*)

12. निम्नलिखित पदों को उचित क्रमानुसार व्यवस्थित कीजिए।

नियंत्रण की आड़ में ....।

(*a*) रिश्तों में खटास (*b*) शान-शौकत का लिफाफा
(*c*) अपनी अमीरी या (*d*) घोल रहा है
(*e*) बढ़े वजन के साथ

नीचे दिए गए विकल्पों में से **सही** उत्तर का चयन कीजिए:

A. (*b*), (*e*), (*c*), (*a*), (*d*)
B. (*a*), (*c*), (*b*), (*e*), (*d*)
C. (*c*), (*b*), (*e*), (*a*), (*d*)
D. (*d*), (*b*), (*c*), (*a*), (*e*)

13. रिक्त स्थान की पूर्ति कोष्ठक में दिए गए शब्द के सही पर्यायवाची शब्द से कीजिए।

भारतीय परंपरा के अनुसार '.......... देवो भव' है। (पाहुन)

A. सारंग B. सम्राट
C अतिथि D. जननी

14. 'कौशल'— शब्द के पर्यायवाची शब्द हैं:

(*a*) निपुणता (*b*) दक्षता
(*c*) समानता (*d*) पटुता
(*e*) वनिता

नीचे दिए गए विकल्पों में से **सही** उत्तर का चयन कीजिए:

A. (*b*), (*c*), (*e*) B. (*d*), (*c*), (*e*)
C. (*c*), (*a*), (*b*) D. (*a*), (*b*), (*d*)

15. 'वृत्ति— शब्द के सही पर्यायवाची शब्द हैं:

(*a*) समर (*b*) स्वभाव
(*c*) ढंग (*d*) तरीका
(*e*) समूह

नीचे दिए गए विकल्पों में से **सही** उत्तर का चयन कीजिए:

A. (*a*), (*b*), (*c*) B. (*b*), (*c*), (*d*)
C. (*b*), (*d*), (*e*) D. (*c*), (*b*), (*a*)

16. ''काली घटा का घमंड घटा'' पंक्ति में कौन-सा अलंकार प्रयुक्त हुआ है?

A. उपमा B. रूपक
C. उत्प्रेक्षा D. यमक

7. B **8.** C **9.** D **10.** B **11.** C **12.** A **13.** C **14.** D **15.** B **16.** D

17. सूची-I का मिलान सूची-II से कीजिए।

सूची-I	**सूची-II**
(*a*) कोटि कुलिस-समवचन तुम्हारा	(*i*) उत्प्रेक्षा
(*b*) मैया मैं तो चन्द्रखिलौना लैहों	(*ii*) रूपक
(*c*) मनहुँ नीलमनि सैल पर, आतप परयौ प्रभात	(*iii*) उपमा
(*d*) कनक-कनक ते सौ गुनी, मादकता अधिकाय	(*iv*) यमक

नीचे दिए गये विकल्पों में से **सही** उत्तर का उल्लेख करें:

	(*a*)	(*b*)	(*c*)	(*d*)
A.	(*i*)	(*iii*)	(*ii*)	(*iv*)
B.	(*iii*)	(*ii*)	(*i*)	(*iv*)
C.	(*ii*)	(*iv*)	(*i*)	(*iii*)
D.	(*iii*)	(*iv*)	(*i*)	(*ii*)

18. निम्नलिखित वाक्यांश के लिए उपयुक्त विकल्प चुनिए।

जिसका कोई शत्रु नहीं जन्मा हो।

A. शत्रुहीन B. सर्वप्रिय
C. अजातशत्रु D. उदासीन

19. सूची-I का मिलान सूची-II से कीजिए।

सूची-I	**सूची-II**
(*a*) जो किए गए उपकार को नहीं मानता	(*i*) जितेंद्रिय
(*b*) जानने की इच्छा रखने वाला	(*ii*) जिज्ञासु
(*c*) इंद्रियों को जीतने वाला	(*iii*) कृतघ्न
(*d*) जो बहुत बोलता है	(*iv*) वाचाल

नीचे दिए गये विकल्पों में से **सही** उत्तर का उल्लेख करें:

	(*a*)	(*b*)	(*c*)	(*d*)
A.	(*i*)	(*ii*)	(*iii*)	(*iv*)
B.	(*iii*)	(*ii*)	(*i*)	(*iv*)
C.	(*iii*)	(*i*)	(*ii*)	(*iv*)
D.	(*iv*)	(*iii*)	(*ii*)	(*i*)

20. 'निस्' उपसर्ग से रहित शब्द है:

A. निश्चल B. निस्सार
C. निष्काम D. निवारण

21. 'कुटज' निबंध के रचयिता हैं।

A. धर्मवीर भारती
B. हजारी प्रसाद द्विवेदी
C. जयशंकर प्रसाद
D. रामधारी सिंह 'दिनकर'

22. निम्नलिखित में हरिवंशराय बच्चन की रचनाएँ हैं:

(*a*) बसेरे से दूर
(*b*) क्या भूलूँ क्या याद करूँ
(*c*) सीढ़ियों पर धूप में
(*d*) मधुशाला
(*e*) सतह से उठता आदमी

नीचे दिए गए विकल्पों में से **सही** उत्तर का चयन कीजिए:

A. (*c*), (*d*), (*e*) B. (*b*), (*c*), (*d*)
C. (*a*), (*c*), (*e*) D. (*a*), (*b*), (*d*)

23. सूची-I का मिलान सूची-II से कीजिए।

सूची-I	**सूची-II**
(*a*) मेरा परिवार	(*i*) फणीश्वर नाथ रेणु
(*b*) अनाम दास का पोथा	(*ii*) धर्मवीर भारती
(*c*) परती परिकथा	(*iii*) महादेवी वर्मा
(*d*) ठेले पर हिमालय	(*iv*) हजारी प्रसाद द्विवेदी

नीचे दिए गये विकल्पों में से **सही** उत्तर का उल्लेख करें:

	(*a*)	(*b*)	(*c*)	(*d*)
A.	(*i*)	(*ii*)	(*iv*)	(*iii*)
B.	(*ii*)	(*i*)	(*iii*)	(*iv*)
C.	(*iii*)	(*iv*)	(*i*)	(*ii*)
D.	(*iv*)	(*iii*)	(*ii*)	(*i*)

17. B **18.** C **19.** B **20.** D **21.** B **22.** D **23.** C

हिन्दी भाषा

हिन्दी साहित्य का इतिहास

पूर्वपीठिका

अतीत के किसी भी तथ्य, तत्त्व एवं प्रवृत्ति के बर्णन, विवरण, विवेचन व विश्लेषण को, जो कि कालविशेष या कालक्रम की दृष्टि से किया गया हो, इतिहास कहा जा सकता है।

यद्यपि उन्नीसवीं शती से पूर्व विभिन्न कवियों और लेखकों द्वारा अनेक ऐसे ग्रंथों की रचना हो चुकी थी जिनमें हिंदी के विभिन्न कवियों के जीवनवृत्त एवं कृतित्व का परिचय दिया गया है, जैसे : 'चौरासी वैष्णवन की वार्ता', 'दो सौ बावन वैष्णवन की वार्ता', 'भक्तिमाल', 'कविमाला', 'कालिदास हजारा' आदि; किंतु इनमें कालक्रम, सन्-सवंतु आदि का अभाव होने के कारण इन्हें 'इतिहास' की संज्ञा नहीं दी जा सकती। वस्तुतः अब तक की जानकारी के अनुसार, हिंदी साहित्य के इतिहास-लेखन का सबसे पहला प्रयास एक फ्रेंच विद्वान **गार्सा द तॉसी** का ही समझा जाता है, जिन्होंने फ्रेंच भाषा में 'इस्त्वार द ला लितरेत्युर ऐन्दुई ऐ ऐन्दुस्तानी' ग्रंथ लिखा, जिसमें हिंदी और उर्दू के अनेक कवियों का विवरण वर्णक्रमानुसार दिया गया है। इसका प्रथम भाग 1839 में तथा द्वितीय 1847 ई. में प्रकाशित हुआ था।

तॉसी की परंपरा को आगे बढ़ाने का श्रेय **शिवसिंह सेंगर** को है, जिन्होंने 'शिवसिंह सरोज' (1883) में लगभग एक सहस्र भाषा-कवियों का जीवनचरित उनकी कविताओं के उदाहरण सहित प्रस्तुत करने का प्रयास किया है। कवियों के जन्मकाल, रचनाकाल आदि के संकेत भी दिये गये हैं, यह दूसरी बात है कि वे संकेत बहुत विश्वसनीय नहीं हैं। इतिहास के रूप में इस ग्रंथ का भी महत्त्व अधिक नहीं है, किंतु फिर भी इसमें उस समय तक उपलब्ध हिंदी कविता संबंधी ज्ञान को संकलित कर दिया गया है।

सन् 1888 में एशियाटिक सोसायटी ऑफ बंगाल की पत्रिका के विशेषांक के रूप में **जार्ज ग्रियर्सन** द्वारा रचित ' द मॉडर्न वर्नेक्युलर लिटरेचर ऑफ हिंदुस्तान' का प्रकाशन हुआ, जो नाम से 'इतिहास' न होते हुए भी सच्चे अर्थ में हिंदी साहित्य का पहला इतिहास कहा जा सकता है।

मिश्रबंधुओं द्वारा रचित 'मिश्रबंधु-विनोद' चार भागों में विभक्त है, जिसके प्रथम तीन भाग 1913 ई. में प्रकाशित हुए तथा चतुर्थ भाग 1934 ई. में प्रकाशित हुआ। मिश्रबंधुओं ने अपने ग्रंथ को 'इतिहास' की संज्ञा न देते हुए भी भरसक इस बात का यत्न किया कि यह एक आदर्श इतिहास सिद्ध हो। इसे परिपूर्ण एवं सुव्यवस्थित बनाने के लिए उन्होंने एक ओर तो इसमें लगभग पांच हजार कवियों को स्थान दिया है तथा दूसरी ओर इसे आठ से भी अधिक काल-खंडों में विभक्त किया है।

हिंदी साहित्येतिहास की परंपरा में सर्वोच्च स्थान **आचार्य रामचंद्र शुक्ल** द्वारा रचित 'हिंदी साहित्य का इतिहास' (1929) को प्राप्त है, जो मूलतः नागरीप्रचारिणी सभा द्वारा प्रकाशित 'हिंदी-शब्द-सागर' की भूमिका के रूप में लिखा गया था तथा जिसे आगे परिवर्द्धित एवं विस्तृत करके स्वतंत्र पुस्तक का रूप दे दिया गया।

वस्तुतः आचार्य शुक्ल ने इतिहास के मूल विषय को आरम्भ करने के पूर्व ही हिन्दी साहित्य के 900 वर्षों (आदिकाल से लेकर छायावादी युग तक) के इतिहास को चार सुस्पष्ट काल-खंडों में विभक्त किया जो सच्चे अर्थों में साहित्य का इतिहास प्रतीत होता है। इसके बाद उन्हीं के अनुकरण पर अनेक इतिहास ग्रंथ लिखे गए, जिनमें कुछ प्रमुख निम्नांकित हैं–

1. इस्तवार द ला लितरे-त्यूर ऐन्दुई ऐन्दुस्तानी – फ्रेंच विद्वान गार्सा दा तासी, फ्रेंच भाषा में 1839 ई॰ में प्रथमतः प्रकाशित।
2. द माडर्न वर्नाक्यूलर लिटरेचर ऑफ हिन्दुस्तान– जार्ज ग्रियर्सन, सन् 1888
3. मिश्रबंधु विनोद-मिश्रबंधु-प्रथम तीन भाग 1913 में चतुर्थ भाग– 1934 में
4. शिवसिंह सरोज-शिवसिंह सेंगर – 1873
5. हिन्दी साहित्य का इतिहास-आ॰ रामचंद्र शुक्ल-1929 ना॰प्र॰स॰ वाराणसी
6. हिन्दी साहित्य की भूमिका–आ॰ हजारी प्रसाद द्विवेदी
7. हिन्दी साहित्य : उद्‌भव और विकास – हजारी प्रसाद द्विवेदी
8. हिन्दी साहित्य का आदिकाल – हजारी प्रसाद द्विवेदी
9. हिन्दी साहित्य का आलोचनात्मक इतिहास – डॉ॰ रामकुमार वर्मा – 1938
10. हिन्दी साहित्य का वृहत् इतिहास – नागरी प्रचारिणी सभा, 1961
11. हिन्दी साहित्य – डॉ॰ धीरेन्द्र वर्मा
12. हिन्दी साहित्य का इतिहास – सं॰ नगेन्द्र
13. राजस्थानी साहित्य की रूपरेखा–मोतीलाल मनेरिया, 1939
14. जैन इतिहास की पूर्व पीठिका तथा हमारा अभ्युत्थान् – हीरालाल जैन, 1939
15. Modern Hindi Literature–डॉ॰ इन्द्रनाथ मदान, 1939
16. A Scatch of Hindi Lit. – Adwin Greeks, 1917
17. A History of Hindi Lit. – एफ. इ. के. महोदय, 1920
18. हिन्दी भाषा और साहित्य – श्यामसुंदर दास, 1930
19. हिन्दी भाषा और उसके साहित्य का विकास – अयोध्या सिंह उपाध्याय, 1930
20. हिन्दी साहित्य का विवेचनात्मक इतिहास – सूर्यकांत शास्त्री, 1930
21. हिन्दी साहित्य का इतिहास–रमाशंकर शुक्ल रसाल, 1931
22. आधुनिक हिन्दी साहित्य का इतिहास -- कृष्ण शंकर शुक्ल, 1934
23. हिन्दी साहित्य का अतीत – डॉ॰ विश्वनाथ प्रसाद मिश्र, 1960
24. हिन्दी साहित्य का संक्षिप्त इतिहास – डॉ. विश्वनाथ त्रिपाठी, 1985
25. हिन्दी साहित्य और संवेदना का विकास – रामस्वरूप चतुर्वेदी
26. हिन्दी साहित्य का दूसरा इतिहास – बच्चन सिंह

काल विभाजन और नामकरण

सामान्यतः इतिहास के लेखन में विद्वानों के काल विभाजन के लिए निम्नलिखित आधार रहे हैं–

1. ऐतिहासिक कालक्रम
2. शासक और उनका शासन काल
3. लोकनायक एवं उनका प्रभाव
4. साहित्यिक नेता एवं उसकी प्रभाव-परिधि

5. राष्ट्रीय, सामाजिक एवं सांस्कृतिक आन्दोलन
6. साहित्यिक प्रवृत्ति

सामान्यतः काल विभाजन का आधार निम्नानुसार होना चाहिए–

1. काल विभाजन साहित्यिक प्रवृत्तियों और आदर्शों में समानता के आधार पर
2. कालों का नामकरण मूल साहित्य-चेतना को आधार मानकर साहित्यिक प्रवृत्ति के अनुसार
3. कालों का सीमांकन मूल प्रवृत्तियों के आरम्भ और अवसान के अनुसार

इस लक्ष्य को आधार मान कर हिंदी साहित्य का कालविभाजन तथा नामकरण सामान्यतः इस प्रकार किया जा सकता है:

आदिकाल : सातवीं शती के मध्य से चौदहवीं शती के मध्य तक।

भक्तिकाल : चौदहवीं शती के मध्य से सत्रहवीं शती के मध्य तक।

रीतिकाल : सत्रहवीं शती के मध्य से उन्नीसवीं शती के मध्य तक।

आधुनिक काल : उन्नीसवीं शती के मध्य से अब तक:

1. पुनर्जागरणकाल (भारतेंदुकाल) 1857–1900 ई.
2. जागरणसुधारकाल (द्विवेदीकाल) 1900–1918 ई.
3. छायावादकाल 1918–1938 ई.
4. छायावादोत्तरकाल
   (क) प्रगति-प्रयोगकाल 1938–1953 ई.
   (ख) नवलेखनकाल 1953 ई. से अब तक

आचार्य शुक्ल का काल विभाजन

हिन्दी काव्य साहित्य का प्रारम्भ सामान्यतया 11वीं शताब्दी से माना जाता है। यद्यपि इससे पूर्व भी काव्य ग्रंथों की रचना हुई थी, लेकिन अधिकांश विद्वान उन्हें अपभ्रंश की रचनायें मानते हैं, हिन्दी की नहीं। 11वीं शताब्दी से लेकर अब तक हिन्दी काव्य की धारा स्वाभाविक गति से प्रवाहमान रही है। इस सम्पूर्ण काल का व्यवस्थित व क्रमबद्ध इतिहास उपलब्ध है।

11वीं शताब्दी से अब तक की अवधि को आचार्य रामचन्द्र शुक्ल ने चार कालों में विभाजित किया है: (1) वीरगाथा काल, (2) भक्ति काल (3) रीति काल और (4) आधुनिक काल। इनका समय इस प्रकार है:

वीरगाथा काल – (सं. 1050 से 1375 तक)

भक्ति काल – (सं. 1375 से 1700 तक)

रीति काल – (सं. 1700 से 1900 तक)

आधुनिक काल – (सं. 1900 से अब तक)

आचार्य शुक्ल ने उपरोक्त काल विभाजन, काल विशेष की रचनाओं की मुख्य प्रवृत्तियों के आधार पर किया है। किसी विशेष काल में जिस विशेष ढंग की रचनाओं की प्रचुरता रही, उसी के आधार पर उन्होंने उस काल का नामकरण किया। उदाहरण के लिए जिस काल में वीरों की गाथायें अधिक लिखी गईं, उसे उन्होंने वीरगाथा काल कहा। जिस काल में भक्ति की रचनाओं की प्रचुरता रही, उसे उन्होंने भक्ति काल का नाम दिया। इसी प्रकार जिस काल में रीति ग्रंथ अधिक लिखे गये, उस काल का नाम उन्होंने रीति काल रखा। आधुनिक विचारों, समस्याओं तथा नए अलंकारों, प्रतीकों, नए प्रयोगों और नई अभिव्यक्ति प्रणालियों से समृद्ध साहित्य वाले काल को उन्होंने आधुनिक काल की संज्ञा प्रदान की।

आदिकाल

वीरगाथा काल को आदि काल भी कहा जाता है। इस काल में भारत का राजनैतिक वातावरण अशान्त था। देश पर बाहर से आक्रमण हो रहे थे। देश के भीतर कोई शक्तिशाली केन्द्रीय सत्ता नहीं थी। अनेक छोटे-छोटे शासक थे, जिनके बीच पारस्परिक ईर्ष्या-द्वेष था। वे आपस में लड़ते भी रहते थे। अतः देश की राजसत्ता निरन्तर क्षीण होती जा रही थी।

जब देश में युद्ध और संघर्ष का वातावरण हो, तो स्वाभाविक ही था कि इस काल के कवि वीर रस की कवितायें लिखते। यद्यपि इस काल की रचनाओं में वीररस की प्रधानता थी, किन्तु श्रृंगार रस की भी उनमें प्रचुर मात्रा थी। कवियों ने जहां किसी राजा (प्रायः अपने आश्रयदाता) की वीरता, उसके यश और शौर्य का अतिशयोक्तिपूर्ण वर्णन किया है, वहीं वे राजकुमारियों के सौन्दर्य का सुन्दर अंकन करने में भी नहीं चूके हैं। अतः इस काल की कविता का सामान्य विषय है– किसी राजकुमारी के रूप पर किसी राजा का आसक्त होना; उसी राजकुमारी को लेकर दोनों पक्षों के बीच युद्ध होना। इन परिस्थितियों में कवियों को राजाओं के पराक्रम, शौर्य प्रशस्ति और राजकुमारियों के श्रृंगार, उनके स्वयंवर व हरण का विस्तृत एवं अतिरंजित वर्णन करने का सुअवसर मिला। अतः इस काल के कवियों की रचनायें वीर और श्रृंगार रस से परिपूर्ण हैं जिनमें वीर रस प्रधान है और श्रृंगार रस गौण है।

वीरगाथा काल की कविता युद्ध के उन्माद, खड्गों की झनकारों और विजय की हुंकारों की कविता है। अतः इसमें ओजपूर्ण शब्दावली की भरमार है।

सम्पूर्ण वीर गाथा काल की रचनाओं की गणना करना यहां आवश्यक नहीं है, किन्तु उपलब्ध साहित्य का सामान्य परिचय दिया जाता है।

इस काल की रचनायें दो रूप में मिलती हैं:– (*i*) प्रबन्ध काव्य के रूप में, और (*ii*) मुक्तक रूप में। मुक्तक रचनायें सामान्यतया वीर गीत हैं।

वीरगाथा काल का सबसे प्राचीन ग्रंथ 'खुमान रासो' है। इसका रचयिता दलपति विजय था। इस काल का सबसे प्रसिद्ध काव्य 'पृथ्वीराज रासो' है, जिसके रचनाकार चन्दबरदाई थे, जो पृथ्वीराज के समकालीन थे। पृथ्वीराज रासो में दिल्ली के शासक पृथ्वीराज चौहान की गौरवगाथा है। यह काव्य बड़ी मार्मिक और ओजपूर्ण भाषा में है।

इसमें नायक के प्रेम पक्ष और शौर्य – दोनों का बड़ा सजीव और प्रभावोत्पादक वर्णन मिलता है। इस काल की एक अन्य रचना 'आल्हा खण्ड' है। इसका लेखक जगनिक था। इस ग्रंथ में आल्हा और ऊदल की वीर-कथा का वर्णन है। यह बड़ी ओजस्वी रचना है। आजकल भी वर्षा ऋतु में देहातों में लोग बड़े उत्साह और उमंग से आल्हा गाते और सुनते हैं। नरपति नाल्ह रचित 'बीसलदेव रासो' नामक काव्य इस काल का एक अन्य प्रमुख ग्रंथ है। इसमें राजपूताना के राजा बीसलदेव की कीति का वर्णन है। भट्ट केदार द्वारा लिखा गया 'जयचन्द प्रकाश' और मधुकर द्वारा रचित 'जय मयंक जस चन्द्रिका' इस काल के अन्य ग्रंथ हैं।

इस काल के अन्त के लगभग हमें दो अन्य कवियों की रचनायें मिलती हैं– अमीर खुसरो और विद्यापति। अमीर खुसरो ने पहेलियां और मुकरियां लिखी हैं और विद्यापति के श्रृंगार और भक्ति के गीतों का संग्रह पदावली में है। खुसरो की पहेलियों और मुकरियों में खड़ी बोली के प्रारम्भिक रूप का दर्शन होता है। विद्यापति की पदावली के गीतों पर मैथिली का प्रभाव है।

प्रमुख प्रवृत्तियाँ एवं विशेषताएँ

हिन्दी साहित्य का प्रथम काल जो वीरगाथा काल, आदिकाल, चारणकाल, संधिकाल आदि नामों से जाना जाता है, हिन्दी साहित्य का महत्त्वपूर्ण काल है। यह हिन्दी भाषा और हिन्दी काव्य का सूर्योदय काल है। इस काल की प्रमुख प्रवृत्तियाँ एवं विशेषताएँ निम्नलिखित हैं :–

आश्रयदाताओं की प्रशंसा : इस काल के कवियों ने अपने-अपने आश्रयदाताओं की बढ़-चढ़कर प्रशंसा की है। अपने आश्रयदाताओं को ऊँचा दिखाने के लिए इन्होंने अपनी पूरी ताकत खर्च कर दी है। स्वर्णमुद्रा के लोभ में इन कवियों ने राजाओं का झूठा यशोगान किया है। परिणामस्वरूप इस काल का साहित्य स्तुतिपरक होकर सिमट गया है।

ऐतिहासिकता का प्रभाव : इन रचनाओं में इतिहास प्रसिद्ध चरित्र नायकों को लिया गया है किन्तु उनका वर्णन ऐतिहासिक नहीं है। इनके कार्यकलापों की तिथियाँ इतिहास से मेल नहीं खातीं। इनमें इतिहास की अपेक्षा कल्पना की प्रधानता है। इनमें कवियों ने कल्पना और अतिरंजना का समिश्रण किया है।

संदिग्ध रचनाएँ : इस काल की रचनाओं की प्रामाणिकता संदिग्ध है। भाषा शैली और विषय वस्तु की दृष्टि से कई रचनाओं में व्यापक परिवर्तन मिलता है। लगता है, इन पुस्तकों में शताब्दियों तक परिवर्तन होने के कारण इनका वर्तमान स्वरूप संदिग्ध हो गया है।

युद्धों का सजीव वर्णन : इन ग्रंथों का मुख्य विषय युद्धों का वर्णन है। ये युद्ध वर्णन अत्यन्त सजीव हैं क्योंकि ये कवि राजाओं के साथ युद्ध भूमि में एक सैनिक की तरह भाग लेने वाले होते थे।

संकुचित राष्ट्रीयता : इस काल की रचनाओं में राष्ट्रीयता का पूर्ण अभाव है। इस काल के कवियों के आश्रयदाता ही उनके लिए राष्ट्र थे। राजाओं ने भी अपने सौ-पचास गाँवों को राष्ट्र समझ रखा था। यह देश का दुर्भाग्य था। राजाओं का आपसी संघर्ष ही राष्ट्रीयता के अभाव का प्रतीक है।

वीर और शृंगार रस : इन वीर गाथाओं में वीर तथा शृंगार रस का अच्छा समन्वय दिखाई पड़ता है। उस समय बालक से वृद्ध तक में युद्ध का उत्साह था। उस समय प्रचलित था–

बारह बरस तक कुकुर जीये, और तेरह तक जियै सियार।
बरस अठारह क्षत्रिय जीयै आगे जीवन को धिक्कार।।

युद्धों का कारण प्रायः सुन्दरियां होती थीं। अतः उनका नख-शिख-वर्णन करके राजाओं के मन में प्रेम जगाया जाता था। इस समय का शृंगार वासना से ऊपर नहीं उठ पाया था।

जन-जीवन के चित्रण का अभाव : इस काल के कवियों ने अपने आश्रयदाताओं की झूठी प्रशंसा में जन-जीवन को भुला दिया है।

काव्य के दो रूप : इस काल में मुक्तक तथा प्रबन्ध दोनों प्रकार की रचनाएँ मिलती हैं। जैन-साहित्य में चरित्र साहित्य, पुराण साहित्य, रामकाव्य, कृष्ण काव्य, रोमांटिक काव्य अधिक मिलते हैं। लोक-साहित्य गीति शैली में लिखे गए हैं।

विविध छन्दों का प्रयोग : छन्दों की विशेषता के लिए यह काल सर्वोपरि है। दोहा, रोला, तोटक, तोमर, आर्या आदि इस काल के प्रसिद्ध छन्द हैं। ये छन्द प्रयोग चमत्कार प्रदर्शन से युक्त हैं।

भाषा : इस काल की मुख्य भाषा 'डिंगल' भाषा है। यह भाषा उस समय राजस्थान की साहित्यिक भाषा थी। कुछ लोग इस भाषा को अपभ्रंश भाषा कहते हैं। जैन साहित्य पश्चिमी अपभ्रंश और सिद्ध साहित्य पूर्वी अपभ्रंश में लिखा गया है। वीर काव्य डिंगल-पिंगल में लिखे गए हैं। लौकिक काव्य पिंगल और खड़ी बोली की ओर उन्मुख है।

अन्तर्विरोध : आदिकाल अन्तर्विरोध, मतभेद और विभिन्नताओं का काल है। इसमें पूर्व और पश्चिम का भी भेद है। पश्चिम का साहित्य रूढ़िगत है। इसमें राजाओं की झूठी प्रशंसा है, शृंगारिकता रचनाओं में घोली गई है और मिथ्या नैतिकता का प्रचार किया गया है। पूर्व का साहित्य इसके विपरीत है। इसमें रूढ़ियों का विरोध, ब्राह्मणवाद और जातिभेद पर प्रहार है। इस काल के कवि के एक काव्य में अन्तर्विरोध खोजा जा सकता है। विद्यापति इसी काल के कवि हैं जो शैव भी हैं और वैष्णव भी। वे भक्त भी हैं और शृंगारी भी।

रासक शैली की प्रधानता : आदिकाल में जितने भी काव्य मिलते हैं उनमें अधिकांश की शैली 'रासक' शैली है। रासक गेय रूपक को कहते हैं। इन्हें ताल और लय के अनुसार नाच-नाच कर गाया जाता है। इस काल के रचना ग्रंथों में 'रासो' शब्द जुड़ा हुआ मिलता है। चन्दवरदाई, दलपति विजय, नरपतिनाल्ह, जगनिक आदि इस काल के प्रमुख कवि हैं उनकी श्रेणी में विद्यापति सर्वश्रेष्ठ हैं।

राहुल जी तथा अन्य अनेक विद्वान आदिकाल का आरम्भ सरहपा (हिन्दी के प्रथम कवि, 769 ई.) से मानते हैं जिसे मानना उचित भी है। अपभ्रंश की साहित्यिक परम्परा पहले से ही चली आ रही थी और आदिकाल में हिन्दी के समान्तर लम्बे समय तक चलती रही। हम इस अध्याय में आदिकाल की समय-सीमा में रची गयी प्रमुख अपभ्रंश-रचनाओं का भी परिचय देंगे।

प्राकृत-/संस्कृत-/अपभ्रंश के लेखक –

1. **हेमचन्द्र (1088-1197)** – ने प्राकृत का व्याकरण 'सिद्ध हेमचन्द्र शब्दानुशासन' नाम से रचा। इसमें अपभ्रंश-रचनाओं से दोहे उद्धृत किये गये हैं। हेमचन्द्र जैन मुनि थे। इनकी अन्य रचनाएं हैं – 'कुमारपालचरित' तथा 'देशीनाम माला'।
2. **जैनाचार्य मेरुतुंग** – ने 'प्रबन्धचिन्तामणि' की रचना संस्कृत में की।
3. **सोमप्रभ सूरि** – की रचना है 'कुमारपाल प्रतिबोध'।
4. **प्राकृत पैंगलम्** – का रचनाकार अज्ञात है। इसमें प्राकृत और अपभ्रंश की स्फुट रचनाएं संग्रहित हैं। यह छंदशास्त्र संबंधी पुस्तक है। आचार्य शुक्ल ने इसमें मिले आठ छंदों के आधार पर ही 'हम्मीर रासो' के अस्तित्व का पता लगाया था तथा उसका रचयिता शार्ङगंधर को बताया था। राहुल जी ने 'हम्मीर रासो' को जज्वल कवि की रचना बताया; परन्तु शुक्ल जी का मत ही सही लगता है।

अपभ्रंश साहित्य के प्रमुख कवि/रचनाएं –

वैय्याकरण ने 'अपभ्रंश भाषा' शब्द का उल्लेख किया था। आदि काल की समय सीमा में आने वाले अपभ्रंश भाषा के प्रमुख कवि नीचे दिये जा रहे हैं:

1. **कवि स्वयंभू (कर्नाटक, 783 ई. लगभग)** – की रचना 'पउमचरिउ' में राम के चरित्र का विस्तार से वर्णन है। इनकी अन्य कृतियां हैं – 'रिट्ठणेमि चरिउ', 'पंचमी चरिउ', 'स्वयंभू छन्द', 'हरिवंश पुराण'।

2. **पुष्पदंत** (10वीं सदी) शैव थे, बाद में जैन हो गये। इनकी रचना 'महापुराण' में 63 महापुरुषों का चरित्र है। अन्य रचनाएं हैं – 'णयकुमारचरिउ', 'जसहरचरिउ', 'हरवंशपुराण'।
3. **धनपाल** (10वीं सदी) की रचना 'भविसयत कहा' में एक वणिक की कथा में मनुष्य के हृदय की मार्मिक अभिव्यक्ति है।
4. **अद्दहमाण या अब्दुर्रहमान** की श्रृंगारिक रचना 'संदेशरासक' (खण्डकाव्य) में विक्रमपुर की एक वियोगिन की विरह कथा है।
5. **जिनदत्त सूरि** का 'उपदेशरसायन रास' एक नृत्यगीत (रासलीला) काव्य है।
6. **जोइन्दु कवि** की रचनाएं 'परमात्म प्रकाश' तथा 'योगसार' से अपभ्रंश में 'दोहा-काव्य' आरम्भ होता है।
7. **रामसिंह** (11वीं सदी) की रचना 'पाहुड दोहा' में इन्द्रियनिग्रह, त्याग एवं ज्ञान आदि की चर्चा है।
8. **कनकामर मुनि** की रचना है 'करकंडचरिउ'।
9. **विनय चन्द्र सूरि** की रचना 'नेमिनाथ चउपई' में पहली बार बारहमासा मिलता है।
10. **हरिभद्र सूरि** 'नेमिनाथ चरिउ'।

स्मरणीय है कि अपभ्रंश में रामकथा 'पउमचरिउ', 'पउचरियम्' या 'पउमपुराण' जैसे नाम वाले ग्रन्थों में कही गयी है जबकि कृष्णकथा 'हरिवंश पुराण' में।

हिन्दी साहित्य

1. **सिद्ध साहित्य :** सिद्धों की संख्या 84 बतायी जाती है जिनका समय 8वीं से 12वीं सदी तक फैला है। सिद्ध बौद्धधर्म के परवर्ती स्वरूप में वज्रयानी शाखा से सम्बन्धित थे, जिसका स्वरूप आगे गुह्य और विकृत होता चला गया। सिद्धों ने ही 'महासुखवाद' का प्रवर्तन किया।

   प्रथम सिद्ध सरहपाद हिन्दी के प्रथम कवि माने जाते हैं (राहुल जी के अनुसार)। इनके अन्य नाम हैं – सरहपा, सरोरूहपाद, सरोजवज्र। सरहपा ने सहजयान का प्रवर्तन किया। इनका समय राहुलजी ने 769 ई॰ माना है।

   सिद्धों ने नैरात्म्य भावना, कायासाधना, सहज, शून्य तथा समाधि की भिन्न-भिन्न अवस्थाओं का वर्णन किया है। इन्होंने ब्राह्मणवाद, जाति-पाति तथा झूठे आचारों का तीव्र खंडन किया है।

   सिद्धों की भाषा संधा-भाषा है जिसमें प्रतीकों के माध्यम से अंतस्साधनात्मक अनुभूतियों का संकेत होता है। सिद्धों ने चर्यापद (अनुष्ठान गीत) तथा दोहे रचे हैं। अन्य प्रमुख सिद्ध हैं – कण्हपा, लुईपा, शबरपा, डोम्भिपा। (रचनाएं 'डोम्बि-गीतिका तथा अक्षरद्विकोपदेश')।

   म॰म॰ हरप्रसाद शास्त्री ने कुछ सिद्धों के चर्यागीतों और दोहाकोशों का 'बौद्धगान ओ दोहा' नाम से सन् 1917 में संपादन किया। प्रबोधचन्द्र बागची ने 'दोहाकोश' नाम से सिद्धों के दोहों को छपवाया। राहुल जी ने भी 'हिन्दी काव्यधारा' शीर्षक से चर्यापदों और दोहों का एक संकलन संपादित किया।
2. **नाथ साहित्य** – सिद्धों तथा नाथों में बहुत समानता है और केवल थोड़ा सा अन्तर। नाथ ब्रह्मचर्य और योगाभ्यास पर बल देते थे, जबकि सिद्ध कायासाधना पर। नाथों की संख्या 9 मानी जाती है। नाथ साहित्य के प्रारम्भकर्ता गोरखनाथ हैं जिनके गुरु मछंदरनाथ (मत्स्येन्द्रनाथ) एक सिद्ध थे। गोरखनाथ ने पतंजलि के योग को आधार बनाकर 'हठयोग' का प्रवर्तन किया।

   राहुल जी तथा हजारी प्रसाद द्विवेदी गोरखनाथ को दसवीं सदी का मानते हैं जबकि शुक्ल जी 13वीं सदी का। शुक्ल जी ने गोरखनाथ की दस हिन्दी पुस्तकों का उल्लेख किया है। डा॰ पीताम्बर दत्त बडथ्वाल ने गोरखनाथ की 40 रचनाएं मानी हैं। प्रमुख हैं– 'सबदी', 'पद', 'प्राणसंकली'। डा॰ बडथ्वाल ने सर्वप्रथम गोरख की बानियों का संग्रह 'गोरखबानी' (1930) नाम से छपवाया।
3. **जैन साहित्य** – जैन साहित्य मूलतः धार्मिक काव्य है, परन्तु उसमें काव्यत्व भी है। जैन साहित्य की रचना में आचार, रास, फागु, चरित आदि विभिन्न शैलियां मिलती हैं। हिन्दी में रचित जैन साहित्य की प्रमुख रचनाएं ये हैं–

   क. **श्रावकाचार (933 ई॰)** – एक ग्रन्थ के रूप में हिन्दी की प्रथम रचना है। इसमें 250 दोहों में 'देवसेन' ने श्रावक-धर्म का प्रतिपादन किया है। देवसेन की अन्य रचनाएं हैं – 'दब्ब–सहाव–पयास' (= द्रव्यस्वभावप्रकाश; अपभ्रंश में रचित), लघुनयचक्र, (हिन्दी) 'दर्शनसार' (हिन्दी)।

   ख. **भरतेश्वर-बाहुबली रास** – शालिभद्र सूरि रचित 205 छन्दों का खण्डकाव्य है। मुनि जिनविजय ने इसे जैनधर्म की रास परम्परा का पहला ग्रन्थ माना है। इसमें भरतेश्वर और बाहुबली का चरित वर्णन है।

   ग. **चन्दनबाला रास** – में आसुग, कवि ने चन्दनबाला का चरितवर्णन किया है। इनकी अन्य रचनाएं हैं : 'जीवदया रास'।

   घ. **स्थूलिभद्र रास** – में जिन धर्म सूरि ने स्थूलिभद्र और कोशा वेश्या की कथा कही है।

   ङ. **रेवन्तगिरि रास** – में विजयसेन सूरि ने तीर्थकंर नेमिनाथ की प्रतिमा तथा रेवंतगिरि तीर्थ का वर्णन किया है।

   च. **नेमिनाथ रास** – में सुमति गणि ने 58 छन्दों में नेमिनाथ का चरित वर्णन किया है।
4. **रासो-साहित्य** – 'रासो' शब्द की उत्पत्ति आचार्य शुक्ल 'रसायण' से तथा हजारी प्रसाद द्विवेदी 'रासक' से मानते हैं।

   क. **खुम्माण रासो** – रचयिता 'दलपति विजय'।

   ख. **रणमल्ल छंद (1397 ई॰)** – रचयिता 'श्रीधर'।
   (अनेक विद्वान् इसे आदिकाल में रचित न मानकर परवर्ती मानते हैं)

   ग. **विजयपाल रासो** – का रचयिता 'नल्ल सिंह' नामक कवि है। इसमें विजयपाल के पंग राजा से हुए युद्ध का वर्णन है। मिश्रबन्धुओं ने इसे यद्यपि 14वीं सदी की रचना कहा है लेकिन प्रायः सभी विद्वान् इसे आदिकाल से परवर्ती रचना मानते हैं।

   घ. **बीसलदेव रासो** – इसमें भोज परमार की पुत्री राजमती और अजमेर के चौहान राजा बीसलदेव तृतीय के विवाह, वियोग और पुनर्मिलन की कथा है। इसकी भाषा राजस्थानी हिन्दी है। रचयिता का नाम 'नरपति नाल्ह' है।

   ङ. **परमाल रासो** – इसे आल्ह खंड भी कहते हैं। इसके रचयिता 'जगनिक' कवि हैं। यह मौखिक परम्परा में इतना लोकप्रिय है कि

'आल्हा' लोकगीत की एक शैली बन गया है। यह पूरा का पूरा 'वीर' छन्द में है।

च. पृथ्वीराज रासो – राजस्थानी पिंगल (डिंगल मिश्रित पिंगल) शैली में लगभग 68 प्रकार के छन्दों में रचित यह ग्रन्थ हिन्दी का प्रथम महाकाव्य है। इस तरह 'चन्द' हिन्दी के प्रथम महाकवि ठहरते हैं।

5. लौकिक साहित्य –

क. ढोला-मारु-रा दूहा – कल्लोल कवि (कुशललाभ) द्वारा रचित यह ग्रन्थ शृंगारकाव्य है। कुछ लोग इसे आदि काल की समय सीमा (11वीं सदी) में रचित मानते हैं और कुछ लोग परवर्ती (भक्तिकाल में)। इसमें नरवर देश के राजकुमार ढोला (दूल्हा) और पूगल देश की राजकुमारी मारवणी के विवाहोत्तर प्रेम और विरह का मार्मिक निरुपण है। भाषा पुरानी राजस्थानी है तथा पूरी रचना दोहा, छन्द में है।

ख. बसन्त विलास – इसके रचयिता का पता नहीं चल सका है। इसमें 84 दोहों में प्रकृति और नारी पर बसन्त के मादक प्रभाव का मनोहारी चित्रण है। सर्वप्रथम 1952 में हाजी मुहम्मद स्मारक से यह रचना प्रकाशित हुई। केशवलाल हर्षदराय ध्रुव इसके प्रथम संपादक थे।

ग. 'जयचन्द प्रकाश' एवं 'जयमयंक जसचन्द्रिका' – 'जयचन्द प्रकाश' का रचयिता 'भट्ट केदार' हैं तथा 'जयमयंक जसचन्द्रिका' का रचयिता 'मधुकर' कवि। दोनों ही रचनाएं अप्राप्त हैं तथा दोनों का उल्लेख सिंघायच दयाल दास कृत 'राठौड़ॉ री ख्यात' में मिलता है। दोनों में पृथ्वीराज के शत्रु राजा जयचन्द की महिमा का वर्णन है।

घ. खड़ी बोली हिन्दी के प्रथम कवि 'अमीर खुसरो' (1253-1325) – खुसरो के गुरु ख्वाजा निजामुद्दीन औलिया थे। अमीर खुसरो ने फारसी और खड़ी बोली दोनों में प्रभूत मात्रा में रचना की है। इनके ग्रन्थों में 'खालिकबारी', 'पहेलिया', 'मुकरिया', 'गज़ल' एवं 'दो सुखने' प्रसिद्ध हैं।

ङ. मैथिल कोकिल 'विद्यापति (1360-1448) – विद्यापति का जन्म मिथिला के जिला दरभंगा (ग्राम बिसफी) में हुआ था। तिरहुत के राजा शिवसिंह के आश्रय में यह रहे। विद्यापति ने जयदेव (प. बंगाल) तथा चण्डीदास (बंगाल) की परम्परा में राधा-कृष्ण प्रेम की सरस अवतारणा की। उन्होंने संस्कृत, अपभ्रंश और मैथिली तीनों में रचना की है।

संस्कृत – शैवसर्वस्वसार, गंगावाक्यावली, भूपरिक्रमा, पुरुष परीक्षा, विभागसार, गोरक्षविजय नाटक आदि।

देशभाषा मिश्रित अपभ्रंश – कीर्तिलता, कीर्तिपताका

मैथिली – पदावली, लिखनावली।

6. गद्य साहित्य –

क. राउलवेल – यह शिलांकित कृति है। इसके रचयिता 'रोडा' नामक कवि माने जाते हैं। यह चम्पूकाव्य की प्राचीनतम हिन्दी कृति है। इसमें राउल नायिका का नखशिख-सौन्दर्य-वर्णन किया गया है। यह हिन्दी का पहला नख-शिख वर्णन का काव्य है। इसका पाठ बम्बई के प्रिंस ऑफ वेल्स संग्रहालय से उपलब्ध कराकर प्रकाशित कराया गया है। भाषा अपभ्रंश है।

ख. उक्तिव्यक्ति प्रकरण – का रचयिता 'दामोदर भट्ट' है। सुनीति कुमार चटर्जी ने इसकी भाषा को प्राचीन कोसली (अवधी) कहा है।

ग. वर्णरत्नाकर – यह मैथिली की पहली गद्य रचना है। इसके लेखक ज्योतिरीश्वर ठाकुर हैं। यह ग्रन्थ आठ कल्लोलों (अध्यायों) में विभक्त है।

भक्तिकाल

वीरगाथा काल समाप्त होते-होते भारत पर विदेशी प्रभुत्व स्थापित हो चुका था। भारतीय पराधीन हो गए थे; लोगों को अनेक प्रकार के अपमान सहने पड़े। निराशा और हताशा की अवस्था में प्रभु का स्मरण और अवलम्ब स्वाभाविक था। अतः धर्म आन्दोलन आरम्भ हुए और भक्ति-भावनाओं से पूर्ण कविताएं लिखी गई। कुछ कवियों ने इस काल में ऐसी कविताएं लिखीं; जिससे हिन्दुओं और मुसलमानों के बीच द्वेष की भावना समाप्त हो जाये और वे परस्पर मिलजुल कर रहने लगें। इन कवियों ने संकुचित धार्मिक दृष्टिकोण की निन्दा की; आडम्बर, ढोंग और दिखावे की कटु आलोचना की और यह बताने का प्रयास किया कि सब मनुष्य उसी परमात्मा की सन्तान हैं। उनका आशय था कि जाति-पाति और धर्म का भेद निरर्थक है। उन्होंने एकेश्वरवाद और संसार की नश्वरता का संदेश दिया।

भक्ति काल में लिखे गये काव्य को मोटे तौर पर दो भागों में बांटा गया है–(1) निर्गुण भक्ति काव्य और (2) सगुण भक्ति काव्य। इसी आधार पर इस काल के कवियों को भी हम निर्गुण धारा और सगुण धारा वाले कवियों में बांट सकते हैं। भक्ति काल की कविता का मुख्य विषय ईश्वर की आराधना और भक्ति था। ईश्वर के निर्गुण रूप की आराधना करने वाले निर्गुण धारा के और सगुण रूप की आराधना करने वाले सगुण धारा के कवि कहलाये।

निर्गुण धारा के कवियों में कबीर, नानक, सुन्दरदास, मलूकदास, रज्जब, जायसी, कुतबन और मंझन आदि के नाम उल्लेखनीय हैं। सगुण भक्ति धारा के कवियों में सूरदास, तुलसीदास, मीराबाई, नंददास, रसखान, ध्रुवदास आदि के नाम प्रमुख हैं।

प्रमुख प्रवृत्तियाँ एवं विशेषताएँ

हिन्दी साहित्य के भक्तिकाल को कुछ लोग पूर्व मध्यकाल और कुछ लोग उत्तर मध्यकाल या धार्मिक काल कहते हैं। भक्ति काल में विभिन्न परिस्थितियों पर नजर डालने की आवश्यकता है–

राजनीतिक परिस्थिति : मुहम्मद गोरी के आक्रमण के बाद से ही उत्तरी भारत का शासन मुसलमानों के हाथ में जा चुका था। मुसलमान शासकों की शासन पद्धति इस्लाम के सिद्धान्त पर आधारित थी। उसका शासन सामन्ती था। हिन्दू शासक कमजोर हो गए थे। हिन्दू शासकों में मुसलमान शासकों के विरुद्ध सिर उठाने की शक्ति नहीं रह गई थी। हिन्दुओं की आँखों के समक्ष उनके मंदिर गिराए जा रहे थे। उनके धार्मिक ग्रंथों की होली जलाई जा रही थी। फलतः इस्लामी राजनीति से पीड़ित और लांक्षित हिन्दुत्व किसी अजेय शक्ति का आश्रय ढूँढ रहा था।

सामाजिक परिस्थिति : मुसलमानों के प्रवेश और उनके द्वारा राजसत्ता हस्तगत कर लेने के परिणामस्वरूप इस्लाम की पताका फहराने लगी। हिन्दू अपने ही घर में विदेशी बन बैठे और मुसलमान विदेशी होकर हिन्दुस्तानी का गौरव प्राप्त कर लिए। हिन्दू-समाज के रक्त से इनकी आमोद-प्रमोद और वैभव-विलास की वाटिका सिंचित की गई। इस्लाम ने अपना द्वार खोल दिया था। जातियों, उपजातियों एवं नाना प्रकार के वर्गों में विभाजित हिन्दू जाति अपने ही पैरों में कुल्हाड़ी मारकर अपना गला घोंट रही थी।

धार्मिक परिस्थिति : धर्म के क्षेत्र में उन लोगों का प्रभुत्व था जो इस देश के जन-जीवन को राहु बनकर ग्रास बना लेना चाहते थे। धर्म की वास्तविक आत्मा समाप्त हो गई थी। व्यभिचार, जादू टोना, मंत्र का जाल फैलाकर हिन्दू धर्म को पतन की कीचड़ में डाल दिया गया था। रूढ़िवादियों एवं परम्परा के अंधभक्तों ने समाज की धर्म रूपी नौका को मझधार में छोड़ दिया गया था। धर्म ने जिनके ऊपर अपनी रक्षा का भार छोड़ दिया था वे ही धर्म को भ्रष्ट करने लगे थे।

साहित्यिक परिस्थितियाँ : जिन धार्मिक सम्प्रदायों ने संत काव्य की दार्शनिक पृष्ठभूमि तैयार की उन सम्प्रदायों की साहित्यिक प्रवृत्तियों का सन्त काव्य में स्वतः समावेश हो गया। भक्तिकाल की काव्यगत विशेषताओं को नीचे की सूची से समझा जा सकता है –

भक्ति काल की काव्यगत विशेषताएँ

काव्य-धारा	प्रमुख-कवि	विशेषताएँ
ज्ञानाश्रयी या ज्ञान मार्गी	कबीर	निर्गुण ब्रह्म की उपासना
शाखा (सन्त सम्प्रदाय)	धर्मदास	ईश्वर-प्राप्ति हेतु सद्गुरु आवश्यक
	रैदास	प्रायःकवि निम्न जाति के थे और जाति-पाँति का बन्धन नहीं मानते थे।
	गुरु नानक	रूढ़िवादिता, आडम्बर आदि का विरोध
	दादू दयाल	इस्लाम और वैदिक धर्म के समन्वय पर जोर
	सुन्दरदास	भक्ति और साधना की सफल अभिव्यक्ति परन्तु, काव्य शास्त्र के नियमों का निर्वाह नहीं।
	मलूक दास	वैयक्तिक साधनों पर जोर।
प्रेमाश्रयी या प्रेममार्गी	जायसी	लौकिकता के माध्यम से अलौकिकता का वर्णन
शाखा (सूफी सम्प्रदाय)	कुतुबन	भौतिक प्रेम कथाओं द्वारा ईश्वरीय प्रेम का चित्रण
	मंझन	गुरु का सर्वाधिक महत्त्व, फारसी की मसनवी शैली का प्रयोग, सम्पूर्ण जगत् एक ही ब्रह्म की अभिव्यक्ति है, जीव पति है और परमात्मा पत्नी।
राम-भक्ति शाखा	तुलसी	लोकहित पर सर्वाधिक जोर
	नामदास	समन्वय की भावना, हिन्दू जाति को एक सूत्र में बाँधने का प्रयास, कल्याण की भावना, कला पक्ष और भावपक्ष का उत्कृष्ट रूप
कृष्ण-भक्ति शाखा	सूरदास, नन्ददास परमानन्द दास कृष्णदास कुम्भनदास	ब्रज भाषा का उत्कृष्ट रूप, मधुरता, सरसता एवं रसात्मकता की सफल व्यंजना, शृंगार और वात्सल्य रस का वर्णन, कहीं-कहीं शृंगार का घोर वर्णन, राम-काव्य के समान यह हमारे सामने उच्च आदर्श नहीं रखता, लोक और शास्त्र-मर्यादा का बन्धन अस्वीकार।

भक्तिकाल (हिन्दी साहित्य का स्वर्णयुग)

हिन्दी साहित्य के चार कालों में केवल भक्तिकाल को ही अपने सामाजिक, नैतिक, साहित्यिक मान्यताओं के कारण स्वर्णकाल कहा जा सकता है। आदिकाल में आश्रयदाताओं का प्रशस्ति गान हुआ है। युद्धों के भयानक नाद, तलवारों की झनझनाहट तथा तीरों की सनसनाहट के स्वर इस युग में तीव्र रहे हैं। इस युग का साहित्य केवल वीर तथा शृंगार रस तक सीमित है। हिन्दी का रीतिकाल वासना तथा विलासिता का कुंज है। आधुनिक काल साहित्यिक उपलब्धियों के होते हुए भी अपनी प्रवृत्तियों में नित्य परिवर्तनशील है। जबकि भक्तिकाल के साहित्य का उद्देश्य सर्व उत्थान है। तुलसी ने लिखा है–

"कीरति भनिति भूति भलि सोई,
सुरसरि सम सब कर हित होई।"

आचार्य द्विवेदी के शब्दों में समूचे भारतीय इतिहास में भक्ति काल का साहित्य अपने ढंग का अकेला साहित्य है। इसी का नाम भक्ति-साहित्य है। यहाँ जीवन के सभी विषाद, निराशाएँ तथा कुंठाएँ मिट जाती हैं। इसमें निमज्जन करने से भारतीय जनता को अलौकिक सुख और शांति मिलती है। यह सुख, शांति अन्य किसी कारण में सम्भव नहीं।

भक्तिकाल की ईश्वरोपासना, सगुणात्मक तथा निर्गुणात्मक दोनों प्रकार की है। यह भिन्नता केवल साधन की दृष्टि से है। मध्यकालीन भक्ति धारा हठयोग के रूप में कबीर आदि सन्तों की वाणी में प्रकट हुई है। दूसरी धारा

जयदेव तथा विद्यापति के माध्यम से मधुर पदों में व्यक्त हुई है। तीसरी धारा राम तथा श्रीकृष्ण की सगुण भक्ति के रूप में प्रकट हुई है। इसमें ज्ञान, कर्म और भक्ति की त्रिवेणी बहती है। भक्ति साहित्य में हृदय, मस्तिष्क भाव और विवेक का ऐसा मणिकांचन संयोग हुआ है कि पाठक को बार-बार कहना पड़ता है--'गिरा अनयन नयन बिनु वानी।'

इस समय के काव्य का सौंदर्य तथा धार्मिक भावुकता हृदय को आनंदित करते हैं। यह गौरव अन्य किसी काल को प्राप्त नहीं है। निर्विवाद है कि भक्ति काल का साहित्य जहाँ एक ओर उच्चतम धर्म की व्याख्या करता है वहीं उच्चतम काव्यों के भी दर्शन कराता है। इसमें आत्माभिव्यक्ति है, इस काव्य का जीवन स्रोत रसपूर्ण और कलेवर मानवीय है।

भक्तिकाल की महत्ता अन्य कालों में इसलिए भी बढ़ जाती है क्योंकि इसमें समन्वय की विराट् चेष्टा मिलती है। भाव, काव्य, सगुण-निर्गुण, काव्यरूप, भाषा रूप आदि सभी दृष्टियों से समन्वय की भावना दिखाई पड़ती है। भारतीय संस्कृति केवल भक्ति काल से ही सुरक्षित है। भारतीय संस्कृति की चर्चा करके इन कवियों ने लोक आदर्श का सुन्दर चित्र प्रस्तुत किया है।

इस प्रकार काव्य रूप, लोकप्रियता, संगीतात्मकता, रचना, शैली, आध्यात्मिकता आदि तत्त्वों के आधार पर हम इस निष्कर्ष पर पहुँचते हैं कि भक्ति काल ही हिन्दी साहित्य का स्वर्णकाल या स्वर्ण युग कहलाने का वास्तविक अधिकारी है।

निर्गुण धारा

निर्गुण धारा के कवियों ने ईश्वर के निर्गुण रूप की उपासना की और साथ ही आडम्बर, ढोंग और दिखावे की कटु निन्दा की। उन्होंने जाति-पांति और धर्म के भेदभाव की भी आलोचना की। इस धारा के कवियों को दो श्रेणियों में बांटा जा सकता है : ज्ञानमार्गी और प्रेममार्गी। ज्ञानमार्गी कवि ईश्वर को ज्ञान के आधार पर जानना चाहते थे, जबकि प्रेममार्गी कवि प्रेम के माध्यम से ईश्वर को प्राप्त करने का प्रयत्न करते थे। ज्ञानमार्गी कवियों में कबीरदास सर्वप्रमुख थे। इनके अतिरिक्त नानक, सुन्दरदास, मलूकदास, रैदास, दादूदयाल और रज्जब भी इसी कोटि में आते हैं। इन कवियों को संत कवि कहा जाता है। अधिकांश संत कवि निम्नवर्ग में उत्पन्न हुए थे और उन्होंने जाति-पांति के भेदभाव, धार्मिक पाखंड, आडम्बर, अन्ध-विश्वास, कर्मकाण्ड और रुढ़िवाद की आलोचना की। प्रेममार्गी कवियों में सर्वप्रमुख मलिक मुहम्मद जायसी हैं। उनके अतिरिक्त कुतबन, मंझन और उसमान भी इसी श्रेणी के कवि थे। प्रेममार्गी कवियों का कहना था कि ईश्वर प्रेमस्वरूप है। इन कवियों पर सूफी सम्प्रदाय का बहुत प्रभाव था। अतः इन्होंने हृदय-पक्ष का सहारा लेकर 'प्रेम की पीर' को अभिव्यक्ति प्रदान की। प्रेममार्गी कवियों ने प्रतीक और रूपक के माध्यम से आत्मा को पति या प्रियतम और परमात्मा को पत्नी या प्रियतमा के रूप में मानकर भक्ति का प्रतिपादन किया।

ज्ञानमार्गी कवियों की रचनायें दोहों और पदों में हैं। इनमें ज्ञान, साधना, एकेश्वरवाद, संसार की निस्सारता आदि विषयों का रोचक निरूपण हैं कबीरदास की कवितायें 'बीजक' में संग्रहीत हैं। सन्तों की भाषा खिचड़ी या सधुक्कड़ी है। इनकी रचनाओं में भाव पक्ष प्रधान है और कला पक्ष गौण है।

प्रेममार्गी कवियों ने हृदय पक्ष का सहारा लेकर प्रेम का संदेश दिया। मलिक मुहम्मद जायसी का काव्य 'पद्मावत' प्रेम के सर्वव्यापक रूप तथा मधुर भावना की रहस्यात्मक कविता का उत्कृष्ट उदाहरण है। कुतबन की 'मृगावती' और मंझन की 'मधुमालती' भी प्रेम-मार्ग का प्रतिपादन करती हैं।

प्रेममार्गी कवियों ने दोहा और चौपाई में प्रबंध काव्य लिखे। उन्होंने ठेठ अवधी भाषा का प्रयोग किया।

संत काव्य

प्रवर्तक : कबीरदास (1397 – 1518 ई॰)

आचार्य रामानन्द : भक्तमाल के अनुसार यह आचार्य रामानुज की शिष्य-परम्परा में चतुर्थ शिष्य थे। इनके दीक्षा गुरु स्वामी राघवानन्द हैं। भक्तमाल में रामानन्दजी के बारह शिष्य गिनाये गये हैं। अनंतानंद, सुखानंद, सुरसुरानन्द, नरहर्यानन्द, भावानन्द, पीपा, कबीर, सेन, धन्ना, रैदास, पद्मावती और सुरसरी।

"अनंतानंद, कबीर, सुखा, सुरसुरा, पदमावति, नरहरि।
पीपा, भवानन्द, रैदास, धना, सेन, सुरसर की घरहरि।।"

– भक्तमाल

रामानन्द जी ने रामावत सम्प्रदाय का प्रवर्तन किया, जो आगे चलकर श्री सम्प्रदाय से मिलकर एक जैसा हो गया। वस्तुतः दोनों में अन्तर है – श्री सम्प्रदाय के आराध्य नारायण (विष्णु) हैं। जबकि रामावत सम्प्रदाय के राम। इस सम्प्रदाय का मूलमंत्र 'राम' या सीताराम' है। रामानन्द जी के संस्कृत ग्रन्थ प्रसिद्ध हैं – 'वैष्णव मतादभास्कर' तथा 'श्री रामार्चन पद्धति'। इस शाखा का नामकरण विभिन्न विद्वानों ने इस प्रकार किया है। निर्गुण ज्ञानाश्रयी (रामचन्द्र शुक्ल), निर्गुण भक्तिधारा साहित्य (हजारी प्रसाद द्विवेदी) संतकाव्य परम्परा (डा॰ रामकुमार वर्मा) संत काव्य धारा के आरम्भिक कवि हैं – नामदेद, त्रिलोचन, सदना, बेनी, धन्ना, पीपा, सेन तथा रैदास

नामदेव के अनेक पद हिन्दी में हैं। मराठी में अनेक अभंग प्रसिद्ध हैं।

सूफी काव्य

सूफी काव्यधारा के प्रवर्तक – मुल्ला दाउद (रचना चन्दायन)

परिचय : हमारे यहां लोक में प्रेमकथाओं के कहने की लंबी परम्परा मिलती है। कालिदास ने भी मेघदूत में 'उदयनकथाकोविद ग्रामवृद्धों' का जिक्र किया है। जिस तरह आदिकाल में जैन कवियों ने इन्हें साम्प्रदायिक रंग में रंगकर 'भविस्सयत्त कहा' जैसी रचनाएं की, उसी तरह भक्तिकाल में सूफी कवियों ने लोकप्रचलित कथाओं को सूफी ढाँचों में कसा हो ऐसा नही है। सूफी काव्य के समान्तर लौकिक-प्रेम काव्य भी रचे जाते रहे। इनमें ईश्वर दास की सत्यवती कथा, ढोला मारू रा दूहा, माधवानल-कामकंदला (कुशललाभ और आलम) सारंगा सदावृक्ष पर लिखी गयी प्रेमकाव्य रचनाएं गिनी जा सकती हैं।

सूफी रचनाएं प्रतीकात्मक हैं तथा दोहरा अर्थ (लौकिक के साथ अलौकिक के साथ भी संकेत) देने लगती है। चंदायन पहली सूफी रचना है। सभी भारतीय प्रेमाख्यानों एवं सूफी काव्यों में कथानक रूढ़ियों का प्रायः प्रयोग किया गया है। कथानक रूढ़ि से तात्पर्य किसी ऐसी घटना प्रसंगादि से है जो एक बार प्रयोग में आने के बाद परवर्ती प्रेमाख्यानों में बार-बार दोहराई जाती है तथा इस तरह रूढिगत हो जाती है। जैसे नायक और नायिका का पहली बार किसी मंदिर या फुलवारी में मिलन।

सूफीकाव्य परम्परा : इस्लाम धर्म में शरा (सनातनी) और बेशरा (मस्तमौला फकीर) दो कोटियां हैं। बेशरा साधक मलामती कहलाते हैं। भारतीय सूफी पुष्पतः बेशरा सम्प्रदाय के हैं। इनके प्रमुख उप सम्प्रदाय हैं – चिश्ती, कादिरी, सुहरावर्दी, नक्शावंदी और सत्तारी। 'सूफी' शब्द की व्युत्पति जिन विभिन्न शब्दों से की गयी है, वे हैं – 'सुफ्फा (चबूतरा)' 'सफ्फ (अगली पंक्ति)', 'सफा (पवित्र जीवन बिताने वाला साधु)', सोफिस्त (ज्ञानी)', सूफा (अरबों की जाति विशेष)', 'सुफ्फाह (भक्त विशेष)', 'सूफ (सादा ऊन)'।

इस 'सूफ (सादा ऊन)' शब्द पर अधिकांश विद्वान आज असहमत हैं तथा 'इन्साइक्लोपीडिया ब्रिटानिका' एवं 'इनसाइक्लोपीडिय आव इस्लाम' में भी इसी की पुष्टि है। सूफी मत का आदि स्रोत शायी मत में मिलता है। सूफियों का प्रमुख तत्त्व प्रेम यहीं से आया है इसके अतिरिक्त सूफी मत के विकास में मानी मत तथा प्लेटिनस के चिन्तन का भी प्रभाव पड़ा है। सूफी मत का प्रभाव भक्तिकाल की प्रायः सभी धाराओं पर कुछ न कुछ पड़ा है। पर प्रेमाख्यानक काव्यधारा पर यह सर्वाधिक है। सूफी मत का अपना विश्व तत्व ज्ञान है किन्तु कथा प्रबंधन में तत्व ज्ञान का आग्रह घुलमिल गया है। इन्होंने परम-सत्ता के मधुर दाम्पत्य-भाव ही जोड़ा है, अन्य कोई भाव नहीं। संसार में उसी की प्रतिछवि हैं यह प्रतिछवि में उसका प्रतीक है। सूफह इस प्रतीक को प्रतीकार्य (परम-सत्ता) का साधन मानते हैं। इसलिए उनके यहां प्रेम और उसमें भी विरह की प्रधानता है। सूफी 'प्रेम की पीर' के कवि कहे जाते हैं। इन्होंने प्रबंधकाव्य ही लिखे हैं। अवधी भाषा में दोहा-चौपाई में कड़वक बद्ध हैं। केवल 'अनुराग बांसुरी' में दोहे की जगह बैरवे का प्रयोग है। सूफी प्रबंधकाव्य मसनवी-शैली में रचित है। अर्थात सर्गबद्ध नहीं है, काव्य को घटनाओं के शीर्षक में विभाजित किया गया है।

चाहे शुद्धरूप से लौकिक प्रेमाख्यान हों या सूफी काव्य, दोनों ही काव्यरूप की दृष्टि से प्राकृत अपभ्रंश परम्परा के रोमांचक आख्यानों से जुड़े हैं। मध्यकालीन प्रेमाख्यानों/कथाकाव्यों की यह परम्परा हमें प्रारम्भ से ही मिलती है। ऋग्वेद के उर्वशी-पुरूरवा आख्यान से यह परम्परा शुरू होती है, परन्तु महाभारत से उसका अविच्छिन्न क्रम मिलता है। संस्कृत में वासवदत्ता (सुबन्ध), कादम्बरी (बाण), दशकुमारचरित (दण्डी), नल दमयन्ती प्रसंग (महाभारत), अन्य पुराणों के आख्यान तथा जैन कवियों के प्राकृत एवं अपभ्रंश में अनेक चरितकाव्य मिलते हैं। हिन्दी प्रेमाख्यान परम्परा की पहली कृति चन्दायन मानी जाती है, परन्तु कुछ विद्वानों ने अलग मत भी दिया है–

कृति	मानने वाले आलोचक
मृगावती (कुतुबन)	आचार्य रामचन्द्र शुक्ल
सत्यवती कथा (ईश्वरदास)	आचार्य रामचन्द्र शुक्ल
हंसावली (असाइत)	मोतीलाल मेनारिया
चन्दायन (मुल्ला दाऊद)	रामकुमार वर्मा

कालक्रम से इनका क्रम इस प्रकार है – हंसावली, चन्दायन, सत्यवती कथा तथा मृगावती। हंसावली की भाषा राजस्थानी हिन्दी है, परन्तु गुजराती विद्वान इसे शुद्ध रूप से गुजराती मानते हैं। आजकल प्रायः सभी आलोचक सूफी काव्यधारा की पहली कृति चन्दायन को ही मानते हैं।

सगुण धारा

सगुण धारा के कवियों ने ईश्वर के सगुण रूप की उपासना की और उसके लोकरंजक, लोकरक्षक और लोकलायक रूप को प्रतिष्ठित किया। चूंकि निर्गुण भक्ति दुरुह और भारतीय अवतारवाद की भावना से परे थी, अतः वह अधिक लोकप्रिय न हो सकी। सगुण धारा के कवियों ने कृष्ण और राम की सगुण भक्ति की महिमा गाई और उनकी लीला का वर्णन किया। सूर, तुलसी, मीरा, नंददास, रसखान आदि इस धारा के प्रमुख कवि हैं।

सगुण भक्ति धारा के कवियों को भी दो भागों में बांटा जा सकता है–(1) कृष्ण भक्ति शाखा और (2) रामभक्ति शाखा। कृष्ण भक्ति शाखा के प्रमुख कवि सूरदास थे। उनके अतिरिक्त मीरा, नंददास और रसखान भी इस शाखा के उल्लेखनीय कवि हैं। कृष्ण भक्ति का सर्वांगसुन्दर रूप हमें सूरदास के 'सूर सागर' में मिलता है। सूरदास की भक्ति सख्य-भाव की भक्ति है। उन्होंने अपने आराध्यदेव श्रीकृष्ण की भक्ति, उनके सौन्दर्य और शील का मान किया। भक्ति, शृंगार और वात्सल्य का जितना हृदयग्राही वर्णन हमें सूरदास की रचनाओं में मिलता है, उतना अन्यत्र नहीं मिलता। भक्ति भावना की दृष्टि से मीरा भक्त कवियों में सर्वश्रेष्ठ हैं। मीरा ने भगवान कृष्ण को अपना पति मानकर उनकी भक्ति की। नंददास और रसखान ने भी अपनी लेखनी से कृष्ण-भक्ति की मधुर धारा बहाई।

रामभक्ति शाखा के अग्रणी कवि तुलसीदास हैं। उनका सर्वोत्कृष्ट ग्रंथ 'रामचरितमानस' है। इसके अतिरिक्त विनयपत्रिका, कवितावली, गीतावली आदि उनके उल्लेखनीय ग्रंथ हैं। तुलसी ने रामचरितमानस में ज्ञान-कर्म समन्वित भक्ति मार्ग की स्थापना की है। तुलसी की भक्ति सेवक भाव की भक्ति है। उन्होंने राम के लोकरक्षक, लोकरंजक एवं मर्यादापूर्ण जीवन का अनुपम चित्रण किया है।

सूरदास ने कृष्णलीला, गोपियों के वियोग, उद्धव संदेश और भक्ति-भाव के अन्य पद लिखे। तुलसीदास का अवधी और ब्रजभाषा दोनों पर समान रूप से अधिकार था। उन्होंने श्री रामचरितमानस अवधी में लिखा। उनके अनेक पद ब्रजभाषा में हैं।

सगुण भक्ति काव्य

रामकाव्य : (आचार्य रामानुज, आलवार संत, रामानन्द, तुलसी तथा अन्य, प्राकृत-अपभ्रंश में राम काव्य परम्परा, हिन्दी रामकाव्य)

कृष्णकाव्य : (निम्बार्क, वल्लभ, हितहरिवंश, चैतन्य, सूर तथा अन्य कवि, विभिन्न सम्प्र. प्राकृत अपभ्रंश तथा हिन्दी कृष्णकाव्य)

मध्यकालीन भक्ति आन्दोलन : मध्यकालीन भक्ति आन्दोलन अखिल भारतीय था। इसकी सबसे बड़ी देन यही रही कि प्राकृत अपभ्रंश की परम्परा से पूरी तरह पल्ला छूटा तथा देश भाषाएं स्थापित हुई। भक्तिकालीन हिन्दी काव्य की प्रमुख भाषा ब्रजभाषा है जो ब्रजभूमि के बाहर भी काव्यभाषा के रूप में स्वीकृत हुई। इसीलिए भिरणीरीदास ने बाद में कहा है - 'ब्रजभाषा हेतु ब्रजभास ही न अनुमानौ।' बंगाल-असम से ब्रजभाषा प्रभावित बंगला-असमियां को 'ब्रजबुलि' कहा गया। भक्तिकाल की दूसरी भाषा अवधी है। भक्ति साहित्य अनेक विधाओं और छंदों में रचा गया है। गेय पद और दोहा-चौपाई में निबद्ध कडवक उसके प्रधान रचना रूप है। गेयपदों की परम्परा हिन्दी में सिद्धों से शुरू होती है। कडवक की परम्परा भी सरहपा से मिलने लगती है, किन्तु सरहपा ने कोई प्रबन्ध काव्य नहीं लिखा। अवधी में प्रबंधकाव्यों की परम्परा मिलती है - भीमकवि का 'दंगवै पुराण', सूरज की 'एकादशी कथा', पुरूषोत्तम का 'जैमिनी पुराण', ईश्वर दास की 'सत्यवती कथा', जायसी का 'पद्मावत', तुलसी का 'रामचरित मानस', आदि।

दोहे की परम्परा अपभ्रंश में मिलने लगती है। सरहपा का 'दोहाकोश' प्रसिद्ध है। दोहा नाम से आदिकाल में 'ढोला मारू रा दूहा' जैसा प्रबन्धकाव्य भी मिलता है। कबीर ने 'साखी' तथा तुलसी ने 'दोहावाली' दोहा छंद में लिखी। दोहे का ही एक रूप सोरठा है।

छप्पय, सवैया, कवित्त, भुजंग प्रभात, बैरवे, हरिगीतिका आदि भक्तिकाव्य के बहुप्रयुक्त छन्द हैं। सवैया, कवित्त हिन्दी के अपने (जातीय) छंद हैं जो भक्तिकाल में मिलते हैं, इनकी स्पष्ट परम्परा पहले नहीं मिलती। तुलसी ने नहछू, कलेऊ, सोहर, मंगलकाव्य जैसे काव्यरूपों का भी उपयोग किया है। मध्यकालीन भक्ति आन्दोलनों के अन्तर्गत सगुण और निर्गुण दोनों धाराएं आती हैं। हम यहां सगुण काव्यधारा की साम्प्रदायिक पृष्ठभूमि की संक्षिप्त चर्चा करेंगे।

धार्मिक पृष्ठभूमि : हिन्दू धर्म के अन्तर्गत शैव, शाक्त, सौर स्मार्त्त और गणपत्य की गणना की जाती थी। शैव धर्म के अन्तर्गत मध्यकाल में पाशुपत, वीरशैव, लिंगायत, कश्मीरी सम्प्र॰ विख्यात थे। वैष्णव धर्म के भागवत सम्प्रदाय से सगुण भक्तिकाव्य का सूत्रपात हुआ। वैष्णव धर्म के उपसम्प्रदायों में रावत, शास्तापूजक, धर्मठाकुर, सहजिया, सत्यपीर।

भागवत धर्म के प्रतिपादक तीन प्रमुख सम्प्रदाय हैं – नारायणी, सात्वत तथा पांचरात्र। भागवत धर्म अत्यन्त प्राचीन है। इसने विष्णु तथा वासुदेव में एक्य स्थापित किया। इसके पश्चात् सात्वत धर्म का स्थान आता है जिसके प्रवर्तक वासुदेव ही माने जाते हैं। 'वासुदेव' तथा 'सात्वत' शब्द पर्याय रूप में भी उपलब्ध हैं। उपर्युक्त दोनों के बाद 'पांचरात्र' धर्म का स्थान आता है। जो अधिक व्यापक शास्त्रीय आधार रखता है। 'पांचरात्र' शब्द में 'रात्र' का अर्थ है 'ज्ञान'। पंचवधि ज्ञान-वचन (परमत्व, मुक्ति, भुक्ति, योग, विषय या संसार) को पांचरात्र माना जाता है तथा उनके समवेत ग्रहण को पांचरात्र धर्म कहते हैं। भागवत धर्म में नवधा भक्ति मान्य हैं –

''श्रवणं, कीर्तनं, विष्णो स्मरणां, पादसेवनम्।
अर्चनं, वंदनं, दास्यम्, सख्यम्, आत्मनिवेदनम्।।''

नवधा भक्ति कहलाती है। मध्यकाल में प्रेम को भक्ति माना गया।

राम काव्य

राम को अवतार मानकर उनकी उपासना का सूत्रपात कब से हुआ यह बताना कठिन है, परन्तु जहां तक रामभक्ति के साम्प्रदायिक स्वरूप का प्रश्न है, वह आठवीं शताब्दी के पश्चात् प्रारम्भ हुआ। गुप्त साम्राज्य के पतन के बाद उत्तर भारत में भागवत धर्म का ह्रास होने लगा। वैष्णव साधना का गढ़ उत्तर भारत से दक्षिण में चला गया। जहां अलवारों ने रामभक्ति को अक्षुण्ण बनाए रखा। अलवारों का समय 800 ई॰- 1100 ई॰ के आसपास तक है। रंगनाथ मुनि (824-924 ई॰) ने इनके पदों का 'प्रबन्धम्' शीर्षक से संग्रह किया। 1100-1400 ई॰ में रंगनाथ मुनि (श्री सम्प्र.) के परवर्ती आचार्यों पुण्डरीकाक्ष, रामानुज तथा राघवानन्द आदि का युग आता है, जिन्होंने रामभक्ति के दार्शनिक आधार को प्रतिष्ठित किया। चौदहवीं सदी के आरम्भ में रामानन्द ने भक्ति का पुनः उत्तर में प्रचार किया।

हिन्दी रामकाव्य परम्परा : हिन्दी रामकाव्य परम्परा में कुछ जैन कवियों की रचनाएं प्रारम्भ में आती हैं। रावण-मन्दोदरी संवाद (मुनि लावण्य), रामचरित या रामरास (ब्रह्मनिदास), हनुमन्तरास (ब्रह्मजिनदास), हनुमन्तगामी कथा (ग्रह्मराममल्ल), हनुमान चरित (सुन्दरदास)।

रामकाव्य की विशेषताएं

राम का स्वरूप : राम-भक्ति-काव्य-धारा के कवियों ने राम को विष्णु का अवतार और ब्रह्म का स्वरूप माना है। इनके राम दशरथ के पुत्र और शक्ति-शील तथा सौंदर्य के पुंज हैं। मानव का रूप धारण कर उन्होंने धर्म तथा सन्तों की रक्षा की है तथा दुष्टों एवं राक्षसों का संहार किया है। वे राम को अवतारी पुरुष मानते हैं–

"विप्र, धेनु, सुर, सन्त हित लीन्ह मनुज अवतार।"

आदर्श चरित्र : राम-काव्य में राम मर्यादापुरुषोत्तम तथा आदर्श चरित्र प्रधान हैं। भाई, पुत्र, पति आदि सभी रूपों में राम आदर्श चरित्र का प्रतिनिधित्व करते हैं। इस काव्य में राम के साथ-साथ अन्य पात्रों को भी आदर्श के रूप में चित्रित किया गया है। दशरथ आदर्श पिता, कौशल्या आदर्श माता, सीता आदर्श पत्नी, भरत आदर्श भाई तथा हनुमान आदर्श भक्त हैं।

भक्ति की प्रधानता : राम भक्ति-काव्य में भक्ति की ही प्रधानता है। ये कवि ज्ञान और कर्म से भक्ति को श्रेष्ठ मानते हैं। भक्ति द्वारा जीव का लोक-परलोक दोनों सुधरता है। तुलसीदास तो यहाँ तक कह देते हैं–

"तुलसीदास सब भाँति सकल सुख, जो चाहसि मन मेरो।
तो भजु राम काम सब पूरन, करहिं कृपा निधि तेरो।।"

समन्वय की भावना : राम-काव्य-धारा में विविध प्रकार की समन्वयात्मक प्रवृत्ति दिखलाई पड़ती है। तुलसी का काव्य तो समन्वय की विराट् चेष्टा है। इनमें ज्ञान, भक्ति तथा कर्म के साथ-साथ विविध देवी-देवताओं की स्तुति में भी समन्वय की चेष्टा की गई है। काव्य के कला पक्ष अर्थात् भाषा, छन्द में भी समन्वय देखा जा सकता है। उपासना में समन्वय दिखलाते हुए तुलसीदास लिखते हैं :–

"शिव द्रोही मम दास कहावा,
सो नर सपनेहुँ मोहि न भावा।"

उत्कृष्ट काव्य : विषय वस्तु ही नहीं रचना शैली की दृष्टि से भी राम भक्ति काव्य उच्चकोटि के हैं। भक्तिकाल में प्रबन्ध और मुक्तक दोनों प्रकार के काव्य लिखे गए हैं।

जन-जीवन के कवि : राम-काव्य की परम्परा के कवि सही अर्थ में जनकवि हैं। किसी राजा के आश्रय में रहकर उसकी खुशामद में ये काव्य नहीं लिखे गए हैं। यही कारण है कि इनके काव्य, जीवन का प्रतिनिधित्व करते हैं। ये सभी कवि विनीत और विनम्र हैं। इनकी रचना लोकहितार्थ हुई है।

काव्य-भाषा : राम काव्य-परम्परा की अधिकांश रचनाएँ अवधी भाषा में लिखी गई हैं। ब्रजभाषा में लिखी जाने वाली रचनाएँ कम संख्या में हैं।

निर्गुण तथा सगुण रूपों की स्वीकृति : इस धारा में कवियों ने अपने उपास्य राम के निर्गुण तथा सगुण दोनों रूपों को स्वीकार किया है। राम-काव्य-प्रणेताओं ने स्वीकार किया है–"सगुनहिं अगुनहिं नहिं कहु भेदा"।

सेवक-सेव्य भाव : इस शाखा के कवियों ने राम की भक्ति सेवक-सेव्य भाव से की है। इस भावना से वे मोक्ष में विश्वास करते हैं। तुलसीदास लिखते हैं–

"सेवक सेव्य भाव बिनु, भव न तरिय उरगारि।"

लौकिक पुरुष के वर्णन का अभाव : इन कवियों ने अपने काव्य में किसी लौकिक पुरुष, राजा-महाराजा आदि का वर्णन नहीं किया है। राम के अतिरिक्त किसी को काव्य में चित्रित करना ये काव्य और कवित्व का अपमान समझते थे।

छन्द : इन कवियों ने उस समय की प्रचलित सभी शैलियों–दोहा, सोरठा, चौपाई, छप्पय, कवित्त, सवैया, बरवै आदि को अपनाया है।

हिन्दी साहित्य में रामभक्ति विषयक काव्य देने का सर्वाधिक गौरव तुलसीदास को प्राप्त है। ये ही राम भक्ति काव्य के सम्राट् हैं। तुलसीदास कवि के रूप में क्रान्तिदर्शी थे। धर्म और समाज के साथ इन्होंने राजनीति का मार्ग प्रशस्त किया। अपने समय की प्रचलित सभी काव्य शैलियों को इन्होंने स्वीकार किया।

कृष्ण काव्य

कुछ तथ्य :

- डॉ. भण्डारकर तथा लोकमान्य तिलक वैदिक ऋषि आंगिरस कृष्ण तथा गीता के उपदेष्टा महाभारत कालीन कृष्ण को पृथक्-पृथक् मानते हैं। ऋग्वेद के प्रथम, अष्ट्म तथा दशम मंडल में भी कृष्ण का उल्लेख है। डॉ. भण्डारकर गोपाल कृष्ण को गीता का उपदेष्टा महाभारतकालीन कृष्ण से भिन्न मानते हैं।
- ग्रियर्सन, कैनेडी, वेबर आदि पाश्चात्य विद्वान् कृष्ण की बाललीलाओं को क्राइस्ट के चरित का अनुकरण मानते हैं। कृष्ण की लीलाओं के भक्त के लिए प्रसाद की प्राप्ति परमध्येय है। इसे उन्होंने लवफीस्ट कहा है।
- श्रीकृष्ण विषयक प्रमुख पुराण भागवत (इसकी रचना दक्षिण भारत में हुई थी।) में राधा को वह महत्वपूर्ण स्थान प्राप्त नहीं है। जो हरिवंश, ब्रह्मवैवर्त आदि पुराणों। रास पंचाध्यायी में तो रासलीला का मोहक वर्णन होते हुए भी राधा का स्पष्ट नामोल्लेख तक नहीं है।
- रामभक्ति के लिए प्रसिद्ध दक्षिण के आलवार भक्तों में से कई कृष्ण के भी उपासक थे।
- माधुर्य कृष्ण का वर्णन पुराणों से प्रारम्भ होता है। इसके पूर्व महाभारत में षडैश्वर्यशाली कृष्ण (ज्ञान, शक्ति, बल, ऐश्वर्य, वीर्य तथा तेज) का ही वर्णन है।
- सहजिया सम्प्रदाय में कृष्ण और राधा को 'रस' और 'रति' नाम से पुकारते हैं।

संस्कृत/प्राकृत/अपभ्रंश साहित्य में कृष्णकथा

- कृष्णलीलाओं का संस्कृत काव्यों में सबसे पहले उल्लेख अश्वघोष के 'ब्रह्मचरित' काव्य में मिलता है।
- कृष्णकथा की कुछ मुख्य रचनाएं हैं।

गाहा सतसई (हालकवि), वेणीसंहार (नाटक), नाट्यदर्पण, अलंकार कौसतुभ, कंदर्प मंजरी, कृष्ण कथामृत, श्रीकृष्ण लीलामृत तथा गीत गोविन्द (जयदेव)।

- 12वीं से 15वीं सदी के मध्य की प्रमुख रचनाएं हैं।

हरिलीला (बोपदेव), यादवाभ्युदय (वेदान्त देशिक), हरिचरित काव्य, गोपलीला, कंसनिधन महाकाव्य, ब्रजबिहारी, गोपालचरित, मुरारिविजय नाटक हरविलास।

16वीं सदी में कृष्ण चैतन्य (चैतन्य महाप्रभु) के शिष्य षट्गोस्वामियों ने कृष्णभक्ति साहित्य को साहित्यशास्त्र की रस-परिघाटी पर स्थापित किया। इन्होंने संस्कृत में दो ग्रन्थ रचे–उज्जवल नीलमणि (रूपगोस्वामी), हरिभक्तिरसामृत सिन्ध (रूपगोस्वामी), षटसंदर्भ (सनातन गोस्वामी), भगवत्संद (जीवगोस्वामी)।

कृष्ण काव्य की विशेषताएं

कृष्ण काव्य धारा के प्रमुख कवि सूरदास हैं। इस शाखा में पुष्टिमार्ग और अष्टछाप का विशेष योगदान रहा है। वल्लभाचार्य और उनके अनुयायियों ने कृष्ण की लीलाओं का कीर्तन-गान किया। इस शाखा के कवि कृष्ण के अनन्य उपासक हैं। सूरदास ने सखा के रूप में कृष्ण-चरित्र का वर्णन किया है। इस काव्य की विशेषताओं में निम्नलिखित प्रमुख हैं:–

कृष्ण की लीलाओं का वर्णन : इन कवियों का प्रमुख विषय कृष्ण की लीलाओं का गान है। वात्सल्य भाव के अन्तर्गत कृष्ण की बाल-लीलाओं, चेष्टाओं तथा माँ यशोदा के हृदय की झाँकी मिलती है। सख्य भाव के अन्तर्गत कृष्ण और ग्वालों के जीवन की मनोरंजक घटनाएँ मिलती हैं। माधुर्य भाव के अन्तर्गत गोपी लीला प्रमुख है।

विषय वस्तु की मौलिक उद्भावना : कृष्ण काव्य का आधार भागवत पुराण है किन्तु इन कवियों ने पर्याप्त मौलिक उद्भावनाओं से काम लिया है। इन कवियों ने जयदेव तथा विद्यापति का आधार लेते हुए भी यथेष्ट कल्पना शक्ति से काम लिया है। इन्होंने कृष्ण-चरित्र में नवीन रूप-रंग भरकर उसे उभारा तथा निखारा है।

भक्ति-भावना–कृष्ण-काव्य के सभी सम्प्रदायों ने कान्ता भाव को, भक्ति को अधिक महत्त्व दिया है।

रस-चित्रण : कृष्ण काव्य में एक ही रस है और वह रस है भक्ति रस। शास्त्रीय दृष्टि से वात्सल्य, शान्त एवं श्रृंगार रस कह सकते हैं। इस काव्य में रस का पूर्ण परिपाक हुआ है। रस की दृष्टि से यह साहित्य अत्यन्त भव्य बन पड़ा है। वात्सल्य एवं श्रृंगार चित्रण में कृष्ण काव्य के कवि अद्वितीय हैं। श्रृंगार के संयोग एवं वियोग दोनों पक्षों का वर्णन अत्यन्त मनोरम बन पड़ा है।

प्रकृति-चित्रण : प्रकृति-चित्रण भाव की पृष्ठभूमि में हुआ है। यह उद्दीपन भाव के लिए या अलंकारों के अप्रस्तुत विधान के रूप में हुआ है। प्रकृति का स्वतंत्र चित्रण नहीं के बराबर है।

पात्र एवं चरित्र-चित्रण : कृष्ण-काव्य पात्रों के चरित्र-चित्रण की एक विशेषता है– प्रतीकात्मकता।

राधा–माधुर्य भाव की भक्ति की उच्चतम प्रतीक हैं। श्रीकृष्ण परमात्मा हैं और गोपियाँ जीवात्माएँ हैं।

सामाजिक पक्ष : कृष्ण-काव्य लीलावादी काव्य है। लीला, लीला के लिए होती है। उसका लोक मंगल भावना से विशेष सम्बन्ध नहीं होता है किन्तु इस काव्य में उस समय की सामाजिक, धार्मिक और सांस्कृतिक अवस्था का थोड़ा बहुत यथार्थ वर्णन मिल जाता है। सूर के पदों में परोक्ष रूप से समाज की झलक मिलती है।

काव्य-रूप : कृष्ण-काव्य मुख्य रूप से गेय मुक्तक रूप में लिखा गया है। इन कवियों ने कृष्ण के जीवन के जिस अंश को अपने काव्य के लिए चुना वह मुक्तक के लिए ठीक था। इसमें गीति-काव्य का सुन्दर विकास हुआ है।

शैली : इस काव्य में प्रमुख रूप से गीति शैली का व्यवहार किया गया है, जिसमें गीति शैली के तत्त्व–भावात्मकता, संगीतात्मकता, वैयक्तिकता, संक्षिप्तता, एवं भाषा की कोमलता विद्यमान है।

छन्द : इस साहित्य में अधिकतर गीति पदों का प्रयोग है। इसमें कवित्त, सवैया, छप्पय, कुण्डलियां, गीतिका एवं कुछ अन्य छन्दों का भी प्रयोग मिलता है।

भाषा : कृष्ण-काव्य में लोक-प्रचलित ब्रजभाषा का प्रयोग हुआ है।

रीतिकाल

इस काल में राजाओं और सुल्तानों के दरबारों में कविता और कवियों को आश्रय मिला। भक्ति काल की भक्तिधारा धीरे-धीरे लुप्त होने लगी। राधा-कृष्ण के प्रेम के स्थान पर नायक-नायिका के प्रेम को स्थान दिया जाने लगा।

इस काल को रीति काल इसलिए कहा जाता है कि इस समय रीति ग्रंथों की रचना हुई। रीति का अर्थ है–काव्यशास्त्र के विभिन्न अंगों, रस, ध्वनि, अलंकार, काव्य के गुण-दोष आदि का वर्णन। इस काल में जो रीतिग्रंथ लिखे गये, उनमें नायिका-भेद, नख-शिख, षट्ऋतु वर्णन, ध्वनि, अलंकार और काव्य के लक्षणों की विवेचना की गई। इस काल की कविता में पाण्डित्य प्रदर्शन की भावना दिखाई पड़ती है। कवियों ने भावपक्ष की अपेक्षा कलापक्ष को संवारने में अधिक रुचि दिखाई।

रीतिकाल में मुख्यतः शृंगार, नीति और भक्ति सम्बन्धी कवितायें लिखी गई–प्रधानता शृंगार सम्बन्धी रचनाओं की ही रही। इस काल की तीन मुख्य प्रवृत्तियाँ थीं–(1) शुद्ध शृंगारिक भाव, (2) रीति काव्य अथवा लक्षण ग्रंथों की विवेचना और (3) वीर रस की अभिव्यक्ति।

इस काल के कवियों ने कृष्ण और गोपियों के प्रेम की आड़ में नायक-नायिकाओं, उनके नख-शिख और अंग-प्रत्यंगों का वर्णन किया। इस वर्णन में अलंकारों का चमत्कार प्रचुर मात्रा में है। दरबारी कवियों ने अपने आश्रयदाताओं के बारे में लिखा।

बिहारीलाल, भूषण, मतिराम, देव, पद्माकर, सेनापति और घनानंद आदि इस काल के प्रमुख कवियों में हैं। केशवदास भक्त कवि थे किन्तु उन्हें रीति काल का आचार्य भी माना जाता है। इस काल के अन्य कवि ठाकुर, वृन्द, दीनदयाल गिरि, गिरधरदास, लाल, सूदन, नागरी दास आदि थे।

चिन्तामणि, मतिराम, देव, भिखारीदास, पद्माकर, बिहारी आदि कवियों ने जहां रीति ग्रंथों की रचना की, वहीं शृंगार, नख-शिख और नायिका भेद का भी मार्मिक चित्रण किया। भूषण ने वीर रस की कविताएं लिखीं। दीनदयाल गिरि की अन्योक्तियां उल्लेखनीय हैं। भूषण, सूदन और लाल की रचनायें राष्ट्रीय चेतना की द्योतक हैं। वृन्द और गिरधरदास ने सदाचार और नीति पर लिखा।

इस काल के कविता सम्राट् बिहारी थे। आपके दोहे विहारी सतसई में संग्रहीत हैं। बिहारी ने छोटे-छोटे दोहों में गम्भीर भाव भर कर 'गागर में सागर' की उक्ति चरितार्थ की है। महाकवि देव ने इस काल में सबसे अधिक लिखा। वह कवि और आचार्य दोनों थे। स्वाभिमानी भूषण ने स्वदेश प्रेम की कविताएं लिखीं।

रीतिकालीन साहित्य मुक्तक रचनाओं में है। आचार्य केशन ने 'राम चन्द्रिका' नामक एक प्रबन्ध काव्य लिखा। अन्य कवियों ने प्रायः मुक्तक रचनायें लिखीं। इस काल में काव्य की भाषा ब्रजभाषा थी। दोहा, कवित्त, सवैया जैसे छंदों की प्रधानता रही–बिहारी ने केवल दोहे लिखे। फारसी और अरबी के शब्दों का प्रयोग करने में भी कवियों को कोई हिचकिचाहट नहीं थी। रीतिकालीन कवियों ने शृंगार रस को रसराज का स्थान दिया। इस काल में अलंकार आदि से कविता के बाह्य रूप को सजाया-संवारा गया। इसलिए इस काल की कविताएं कलात्मक सौन्दर्य की दृष्टि से बड़ी उत्कृष्ट हैं।

प्रमुख प्रवृत्तियाँ एवं विशेषताएं

रीतिकाल को शृंगार काल भी कहा जाता है। रीतिकाल का उदय उस समय हुआ जब महलों में तलवारों की झनझनाहट के स्थान पर चूड़ियों की खन-खनाहट सुनाई पड़ रही थी। समाज में सुरा, स्वर्ण और सुन्दरियों का आदर बढ़ता जा रहा था। इस काल के कवियों ने–'आगे के सुकवि रीझिहैं तो कविताई न तो राधा गोविन्द सुमिरन को बहानो है'–कहकर संतोष कर लिया था। इस काल के कवियों में स्वान्तः सुखाय और परहिताय का अभाव है। इस काल की प्रमुख साहित्यिक प्रवृत्तियों एवं विशेषताओं को निम्नलिखित बिन्दुओं द्वारा स्पष्ट किया जा सकता है :–

लौकिक शृंगारिकता : इस काल के कवियों ने नायिका भेद, नखशिख आदि का जो कुछ भी वर्णन किया है सर्वत्र शृंगार की ही प्रधानता है। डॉ. नगेन्द्र ने ठीक ही कहा है–"साँचा चाहे जैसा भी रहा हो इसमें ढाली शृंगारिकता ही है। इसकी अभिव्यक्ति में किसी प्रकार का संकोच नहीं किया गया है। इस काल की कविता से विवेकहीन एवं विलासमयी वासना की दृष्टि होने लगी। शृंगार रस के संयोग एवं वियोग दोनों पक्षों को अच्छी तरह सजाया गया।" इस काल के कवियों ने संयोग में स्पर्श सुख का भी खुलकर वर्णन किया है। देव की रचना का एक उदाहरण है–

'श्वेद बढ़्यो तन कम्प उरोजनि,
आँखिन आँसू कपोलन हाँसी।'

लक्षण ग्रंथों का निर्माण : इस काल में कवि और आचार्य दोनों का काम एक ही व्यक्ति को करना पड़ा है। दोनों में से किसी को भी इस काल के कवि भली-भाँति निभा नहीं सके। उनमें संतुलित विवेचन शक्ति का अभाव था। संस्कृत आचार्यों का अनुकरण वे ठीक तरह से नहीं कर सके। स्वतंत्र और मौलिक रूप से काव्य शास्त्र का विवेचन नहीं हो सका। इस युग में दो प्रकार के कवि हुए। प्रथम श्रेणी के कवियों ने लक्षण लिखकर स्वरचित उदाहरण प्रस्तुत किए। जैसे–भूषण, देव आदि। द्वितीय श्रेणी के कवियों ने केवल उदाहरण दिए। जैसे–बिहारी लाल।

अलंकारिता : इस काल के कवि अलंकार प्रिय थे। उन्हें अपनी कविता-कामिनी को भली-भाँति सजाकर आश्रयदाताओं के समक्ष प्रस्तुत करना पड़ता था। सरस और सीधी सादी कविता उत्तेजना रहित होने के

कारण पसन्द नहीं की जाती थी। राज दरबार में सम्मान प्राप्त करने के लिए कवि को अलंकार शास्त्र का ज्ञान रखना अनिवार्य था।

ब्रजभाषा की प्रधानता : इस काल की प्रमुख साहित्यिक भाषा ब्रजभाषा थी। कोमलता और मधुरता की दृष्टि से भारतीय भाषाओं में इसका बहुत सम्मान है। अपने माधुर्य गुण के कारण यह अनेक मुसलमान कवियों द्वारा भी अपनाई गई।

मुक्तक काव्य शैली की प्रधानता : रीतिकाल प्रबन्ध रचना के लिए उपयुक्त नहीं था। उस समय कवियों में प्रतिक्षण बाजी जीतने की होड़ थी। वासना तृप्ति के लिए मुक्तक काव्य शैली ही उपयुक्त थी। कवि में प्रबन्ध काव्य लिखने के लिए धैर्य नहीं था। कवियों का मन कवित्त, सवैया और दोहा लिखने में विशेष रूप से रम गया।

भक्ति और नीति : रीतिकाल के कवियों का उद्देश्य अपने आश्रयदाता को रिझाना था। भक्ति की ओट में उन्होंने यह काम किया।

प्रकृति का उद्यीपन रूप : इस काल के कवियों ने प्रकृति के उद्यीपन रूप का ही चित्रण किया है। उन्हें प्रकृति के उन्मुक्त प्रांगण में विचरने और उसके स्वतंत्र रूप से चित्रण का अवकाश कहाँ था? संयोग और वियोग के उदाहरणों के लिए प्रकृति को माध्यम बनाया गया। वियोगिनी नायिका चन्द्रमा को कोसती हुई कहती है–

ए रे मतिमन्द चन्द, आवत न तोहि लाज,

होके द्विजराज, काज करत कसाई के।

नारी-चित्रण : नारी सौंदर्य ही वह धुरी है जिसके चारों ओर रीतिकाल की कविता चक्कर लगाती रही। रीतिकाल की नारी अपने आँगन में लाल के द्वारा उड़ाए हुए पतंग की छाया को चूमती फिरती है। ऐसा लगता है जैसे वासना ही उसके जीवन का सब कुछ हो–

उड़ी गुड़ी लखि लाल की अँगना अँगना माह।

बौरी लै दौरी फिरै छुवत छबीली छाँह।।

यहाँ नारी कोई व्यक्ति या समाज के संगठन की इकाई नहीं बल्कि सब प्रकार की विशेषताओं से यथासम्भव मुक्त विलास का एक उपकरण मात्र है। देव ने कहा है–

कौन गने पुखन नगर कामिनी एकै रीति,

देखत हटे विवेक को, चित्त हटै करि प्रीति।

इस प्रकार हम कह सकते हैं कि रीतिकाल, काव्य-शास्त्र की दृष्टि से चाहे इतना महत्त्वपूर्ण न हो, कवित्त की दृष्टि से बड़ा मनोरम है और इसका साहित्यिक मूल्य अक्षुण्ण है।

रीतिकाल में दो तरह की रचना शैलियां रही हैं– एक वे रचनाएं हैं जो लक्षण-लक्ष्य की परम्परा में आती है। इन्हें रीतिपरक रचनाएं कहते हैं। दूसरी वे रचनाएं हैं जो इस परम्परा से पूर्णतः या अधिकांशतः मुक्त हैं। ये रचनाएं रीतिमुक्त रचनाएं कही जाती हैं। काव्यशास्त्र की परिपाटी पर की गयी काव्य रचना को 'लक्ष्य ग्रन्थ' कहते हैं तथा इन लक्ष्यों को लिखने हेतु निर्मित काव्यशास्त्र 'लक्षण ग्रन्थ' कहलाते हैं। शास्त्र को सुगम बनाने के लिए लक्षणों के साथ प्रायः उदाहरण के रूप भी मिलते हैं जबकि 'लक्ष्य ग्रन्थों में केवल लक्षणों के आधार पर रचा गया काव्य न कि लक्षण'। लक्षण ग्रन्थों को रचने वाले आचार्य कहलाते हैं। विश्वनाथ प्रसाद मिश्र ने इन्हें रीतिबद्ध कवि कहा है तथा डा॰ नगेन्द्र ने रीतिसिद्ध कवि। हम सीधे-सीधे 'लक्षण ग्रन्थकार' एवं 'लक्ष्यग्रंथकार' कह कर ही उनका परिचय देंगे।

लक्षणग्रन्थकार : केशव, चिन्तामणि, कुलपति मिश्र, देव, मतिराम, भिखारीदास, जसवंतसिंह, तोष, सुरति मिश्र, श्रीपति, जनराज, कुमारमणि, सोमनाथ, याकूब खां, रामसिंह, सेवादास, बेनीप्रवीन, पद्माकर, उदयनाथ, कृष्णकवि, कालिदास, भूषण, गोप, दलपतिराम, रघुनाथ, दूलह, बैरीसाल, सुखदेव मिश्र, माखन, जयकृष्ण, भुजंगदास, दशरथ, रामसहाय आदि।

लक्ष्यग्रन्थकार : सेनापति, बिहारी, रसनिधि, वृंद आदि।

रीतिमुक्त कवि : घनानन्द, आलम, ठाकुर बोधा, द्विजदेव।

रीतिकाल की अन्य काव्य प्रवृत्तियां

संतकाव्य–

प्रमुख सन्त : यारी साहब, दरिया साहब, जगजीवनदास, पलटूसाहब, चरनदास, शिवनारायण, तुलसी साहब, गुरु तेगबहादुर, आनन्दघन (जैन), अक्षर अक्षन्य, प्राणनाथ, धरणीदास, बूला साहब, गरीबदास, दयाबाई एवं सहजोबाई।

सम्प्रदाय-प्रवर्तक : सतनामी सम्प्रदाय (जगजीवनदास), चरनदासी सम्प्रदाय (चरनदास), साहबपन्थ (तुलसी साहब), गरीबदास सम्प्रदाय (गरीबदास), राधास्वामी सत्संग (स्वामी शिवदयाल)।

प्रमुख रचनाएं : ज्ञानदीपक (दरिया साहब), गुरु अन्यास (शिवनारायण), घटरामायण (तुलसी साहब), प्रेम प्रगास (धरणीदास), रत्नावली (धरणीदास), शब्दसागर (बूला साहब), सहज प्रकाश (सहजोबाई), ककहरा, शब्द, रमैनी (महाराज विश्वनाथ सिंह)।

सूफी/प्रेमाख्यान काव्य

प्रमुख कवि : कासिमशाह, नूरमुहम्मद, शेख निसार, सूरदास, दुखहरनदास, दामोदर, हंस, बोधा, केसि तथा अन्य।

राम-काव्यधारा

प्रमुखकवि : सेनापति, लालदास, गुरुगोविन्द सिंह, जानकीरसिकशरण, भगवन्तराम खींची, जनकराजकिशोरीशरण, नवलसिंह कायस्थ, विश्वनाथसिंह, रामप्रियाशरणदासजी, रसिकअली, सरजूराम पण्डित, कृपानिवास, मधुसूदन, जानकीशरणजी, बाल अजीजू, गोकुलनाथ, मनियार सिंह, ललकदास, गणेश, प्रेमसखी, रामचरणदास, जीवाराम, युगनान्यशरण।

कृष्ण-काव्यधारा

प्रमुखकवि : गुमान मिश्र, ब्रजवासीदासी, मंचित कवि, रूपरसिकदेव, नागरीदास, अलबेली अलि, चाचा हितवृन्दावनदास, भगवतरसिक, वृन्दावनदेव, पीताम्बरदास, सुन्दरी कुंवरिबाई, प्रेमसखीजी, सहचरिसरनदास, मंजरीदास, कृष्णदास, रत्नकुंवरि दामोदर चौधरी 'उरदाम' भोला भण्डारडी, बणी-ठणी जी।

नीतिकाव्य

वृन्द (वन्द सतसई), गिरिधर कविराय (कुण्डलियां : लिखी हैं जिनमें 'गिरधर कविराय' की छाप है), बैताल ('विक्रम' को सम्बोधित करके कुण्डलियां लिखी हैं।)। सम्मन (दोहे लिखे हैं), रामसहायदास (राम सतसई, ककहरा), दीनदयाल गिरि (अन्योक्तिकल्पद्रम)।

रीतिकालीन गद्य साहित्य

ब्रजभाषा गद्य : चौरासी वैष्णवन की वार्ता (गोकुलनाथ), दो सौ बावन वैष्णवन की वार्ता, (गोकुलनाथ), हरतालिका कथा, (मीनराज प्रधान, 17वीं सदी), अष्टांग योग (अक्षरअनन्य 17वीं सदी), भावना संज्ञक टिप्पणी वाले वल्लभ सम्प्रदायी ग्रन्थ जैसे 'निजवार्ताभावना', 'भावभावना', आदि (हरिराय 18वीं सदी), पुष्टि प्रवाह मर्यादा (हरिराय), सेवक जू कोचरिग (प्रियादास), बैताल पच्चीसी (सूरति मिश्र), हितोपदेश ग्रन्थ महाप्रबोधिनी (देवीचन्द), स्वप्न प्रसंग (अनन्य अली), राजनीति (लल्लू लाल 19वीं सदी), ग्रन्थसजीवन (आलम 19वीं सदी)।

काव्यशास्त्रीय ग्रन्थ जिनमें टिप्पणी ब्रजभाषा गद्य प्रयुक्त है-

शृंगार मंजरी (चिन्तामणि), कविकल्पतरू (चिन्तामणि), रसरहस्य (कुलपति), काव्यनिर्णय (भिखारीदास), अलंकार रत्नाकर (दलपतिराय), रसपीयूषनिधि (सोमनाथ), अलंकार शिरोमणि (बेनी कवि), रसिक गोविन्दानन्दघन (रसिकगोविन्द), पिंगल (सुखदेव मिश्र), वृत्ततरंगिणी (रामसहाय दास), बलभद्रप्रकाश (करनेस), व्यंग्यार्थ कौमुदी (प्रतापसिंह), काव्यविलास (प्रतापसिंह), अलंकार भ्रमभंजन (ग्वाल), पद प्रसंगमाला (नागरीदास), अणभौविलास (रामचरणदास), प्रबोधचन्द्रोदय (जसवन्त सिंह), माधोविलास (लल्लू लाल)।

खड़ी बोली गद्य : 'फर्सनामा' या 'पोथीसलोत्री की' (रचनाकार अज्ञात), सुरासुर निर्णय (मुंशी सदा सुख लाल), मोक्ष मार्ग प्रकाश (टोडरमल जैन), चिद्विलास (दीप चन्द्र जैन), वार्तिक (मुंशी सदा सुख लाल), भाषा योग वशिष्ठ (रामप्रसाद निरंजनी), भाषा पद्पुराण या 'पदमपुराण वचनिका' (दौलतराम जैन), सुदृष्टि तरंगिणी वचनिका (टेकचन्द जैन), गीतानुवाद (बीरबल), सूर्य सिद्धान्त (पं. कामोदानन्द मिर अनूदित)।

फोर्ट विलियम कॉलेज : नासिकेतोपाख्यान (सदलमिश्र – कठोपनिषद् के नचिकेता प्रसंग पर), प्रेम सागर (लल्लूलाल), रानी केतकी की कहानी या उदयभान चरित (इंशा अल्ला खां), सुखसागर (मुंशी सदा सुख लाल नियाज), रामचरित्र (सदल मिश्र), सिंहासन बत्तीसी (लल्लूलाल), बैताल पच्चीसी (लल्लूलाल)।

दक्खिनी गद्य : रिसाले बजूदिया (शाह बुरहानुद्दीन कादिरी), गंजमखफी (मोहम्मद शरीफ)।

राजस्थानी गद्य : मौलिक गद्य रूप हैं – बात, ख्यात, वचनिका, वर्णन, दशवैत, सलोका, पत्र, वंशावली, पदावली, विगत, पीढी। अनूदित गद्य रूप हैं – बालाबोध, टीका, टिप्पण, भाषा।

भोजपुरी : गद्य रूप हैं – पत्र, दस्तावेज, सनद, पंचनामा आदि।

अवधी गद्य : रसविनोद (भानुमिश्र), उड्डील (नित्यनाथ), 'मानस' टीका (रामचरण), सगुनावली (गौतम ऋषि), व्यवहारदास (प्रियादास), कबीरदास टीका (विश्वनाथ), परमधर्मनिर्णय (विश्वनाथ सिंह)।

आधुनिक काल

इस काल में राष्ट्रीय भावनायें पनपने लगी थीं। राजनीति, धर्म, समाज, अर्थशास्त्र आदि क्षेत्रों में नए विचार आये; नई शिक्षा ने लोगों में नई चेतना, राष्ट्रभक्ति और देश प्रेम पैदा किया। इन सबके समग्र प्रभाव से देश में एक नई लहर पैदा हो गई, जिसे राष्ट्रीयता की लहर कहा जा सकता है।

आधुनिक काल की रचनायें उपरोक्त प्रवृत्तियों और आन्दोलनों से प्रेरित हैं। अध्ययन की सुविधा के लिए आधुनिक काल को तीन भागों में बांटा जा सकता है–(1) प्रथम उत्थान, (2) द्वितीय उत्थान, (3) तृतीय उत्थान। मोटे तौर पर भारतेन्दु बाबू के समय को हम प्रथम उत्थान, महावीर प्रसाद द्विवेदी के समय को द्वितीय उत्थान और उसके बाद के समय को तृतीय उत्थान मान सकते हैं।

प्रमुख प्रवृत्तियाँ एवं विशेषताएं

सामान्यतः आधुनिक काल का प्रारम्भ सन् 1843 ई. से माना गया परन्तु किसी भी नवीन युग की प्रवृत्तियों का जन्म अकस्मात् एक दिन में नहीं हो जाता। युग परिवर्तन की एक निश्चित तिथि का उल्लेख करना या उसकी स्थिर स्पष्ट विभाजन रेखा खींच देना बहुत कठिन है। आचार्य रामचन्द्र शुक्ल ने भी आधुनिक काल का प्रारम्भ सं. 1900 से माना परन्तु हिन्दी में नवीन विचारधाराओं का आगमन या आधुनिक कालीन प्रवृत्तियों का बीजारोपण इसके चालीस पचास वर्ष पूर्व ही हो चुका था। शिक्षा प्रसार और भाषा सम्बन्धी समस्याओं को सुलझाने के लिए सन् 1800 ई. में ही कोलकाता में फोर्ट विलियम कॉलेज की स्थापना हो चुकी थी। खड़ी बोली के विकास की नींव इस कॉलेज की स्थापना के साथ पड़ी। इस प्रकार आधुनिक काल का पूर्ववर्ती काल तभी से प्रारम्भ हुआ माना जाता है।

यह हिन्दी का एक महत्त्वपूर्ण काल है। इस काल में राष्ट्रीयता, स्वाधीनता और स्वदेश प्रेम की लहर फैली। इसमें साहित्यकारों ने राष्ट्र की अधोगति पर आठ-आठ आँसू बहाये, गद्य और पद्य दोनों का विकास हुआ। प्रिय प्रवास, साकेत, कामायनी, गोदान, चित्रलेखा, चन्द्रगुप्त आदि उच्चकोटि के ग्रंथों की रचना हुई। छायावाद, रहस्यवाद, प्रगतिवाद, प्रयोगवाद आदि के माध्यम से कवियों ने माँ सरस्वती का अनुपम शृंगार किया। इसकी प्रमुख प्रवृत्तियों का वर्णन निम्न बिन्दुओं के आधार पर किया जा सकता है–

गद्य का विकास : इस युग की सबसे बड़ी विशेषता गद्य का बहुमुखी विकास है। इस युग के पूर्व विशेषतः मुद्रण यंत्र के अभाव में केवल कविता का ही विकास हो पाया था। पद्य ही साहित्य का पर्यायवाची बना रहा। गद्य के विकास और उन्नति के कारण अनेक आलोचक इस युग को गद्यकाल के नाम से पुकारते हैं। वस्तुतः गद्य अपने विविध रूपों–नाटक, निबन्ध, कहानी, उपन्यास, समालोचना, जीवन चरित्र आदि के साथ इस युग को गौरवान्वित कर रहा है।

खड़ी बोली की प्रधानता : खड़ी बोली की प्रधानता हिन्दी पद्य और गद्य दोनों के लिए स्वीकार की गई। नव-युग की चेतना की अभिव्यक्ति के लिए खड़ी बोली ही उपयुक्त भाषा मानी गई। यही खड़ी बोली बढ़ते-बढ़ते राष्ट्र भाषा के उच्च पद पर आसीन होने योग्य हुई। इसका सम्बन्ध देश की प्रादेशिक भाषाओं से निरन्तर बढ़ता जा रहा है, जो राष्ट्रीय एकता के लिए सर्वथा वांछनीय है।

राष्ट्रीय भावना की वृद्धि : आधुनिक हिन्दी साहित्य में राष्ट्रीय भावना की वृद्धि इसकी तीसरी महान् विशेषता है। इस देश में राजनीतिक चेतना धीरे-धीरे बढ़ी। इसके रूप विभिन्न उत्थानों में परिवर्तित होते रहे। प्रथम उत्थान (भारतेन्दु काल) में साहित्यकारों का ध्यान राजभक्ति और देशभक्ति

दोनों की ओर था। भारत के अतीत गौरव का गान किया गया और उसके वर्तमान पर क्षोभ और असंतोष की भावनाएँ व्यक्त की गईं।

द्वितीय उत्थान (द्विवेदी युग) में राजनीतिक चेतना का विस्तार हुआ। कांग्रेस के कार्यक्रम बढ़े। कितने और मजदूर सामने आए। राष्ट्र-प्रेम का सन्देश देशभर में भली-भाँति गूँज उठा। चतुर्थ उत्थान में राष्ट्र प्रेम की भावना और अधिक प्रबल हो उठी। किसान, श्रमिक और हरिजन, सभी राष्ट्र प्रेम के महत्त्व को समझकर देश के लिए अपना सब कुछ बलिदान करने को प्रस्तुत हो गए और देश स्वतंत्र हुआ।

साधारण जन-जीवन का साहित्य : वीरगाथा काल में राजाओं और सामन्तों से सम्बन्धित काव्य रचना हुई। भक्तिकाल में राम और कृष्ण का गुणगान हुआ। रीतिकाल में आश्रयदाता राजाओं को रिझाने के उद्देश्य से काव्य-सुन्दरी को सँवारा गया। आधुनिक काल में हमारे साहित्यकारों का ध्यान सर्वसाधारण की ओर गया। जो गिरे हुए थे उन्हें उठाने की आवश्यकता महसूस की गई। कृषक, मजदूर, विधवा आदि सहानुभूति के पात्र बने।

कवि के व्यक्तित्व की प्रधानता : आधुनिक युग के पहले हमारे कवियों ने एक प्रकार से दूसरों को प्रसन्न करने के लिए काव्य-रचना की। उन्होंने वीर गाथा काल और रीतिकाल में यही किया। रीतिकाल की कविता खानापूरी मात्र थी। आधुनिक काल की कविता में कवि के व्यक्तित्व की प्रधानता है। इसी कारण इसका झुकाव मुक्तक की ओर अधिक और प्रबन्ध काव्य की ओर कम है।

प्रकृति का सुन्दर वर्णन : प्रकृति चित्रण की दृष्टि से हिन्दी का प्राचीन काव्य संस्कृत की ह्रासोन्मुख प्रवृत्ति और परम्परा का पोषण करता रहा। प्रकृति को नए प्राण देने की क्षमता आधुनिक युग के कवियों में ही पाई जाती है। इन्होंने प्रकृति का वर्णन उद्दीपन रूप में न करके आत्मालम्बन रूप में ही अधिक किया है। श्रीधर पाठक द्वारा रचित 'कश्मीर-सुषमा' में देश के शोभामय गौरव की मनोहर झलक है। पंत ने प्रकृति की कल्पना प्रेमी के रूप में की है। इनके अतिरिक्त महादेवी, प्रसाद, निराला आदि हिन्दी काव्य के प्रकृति-उद्यान में ऐसे कवि माली हैं जिन्होंने कविता-क्यारियों को सुन्दर काव्य पुष्पों से भली-भाँति सजा दिया है।

शृंगार की भावना का विकास : रीतिकालीन शृंगार की भावना का आधुनिक काल में विरोध किया गया। उसे अश्लील माना गया और त्याज्य समझा गया। छायावाद युग में उच्चकोटि के प्रेम काव्य की रचना हुई। शृंगार का शुद्ध, स्वच्छ और निखरा हुआ रूप सामने आया है। जैसे–

शशिमुख पर घूँघट डाले, आँचल में दीप छिपाए,
जीवन की गोधूली में कौतूहल से तुम आए।

वादों की प्रधानता : आधुनिक काल में वादों की प्रधानता रही। इस काल में वादों की बाढ़-सी आ गई। इनसे युग-साहित्य में वृद्धि हुई। इस काल के प्रमुख वाद हैं–छायावाद, रहस्यवाद, प्रगतिवाद, प्रयोगवाद आदि। इन विविध वादों के कारण इस युग का बौद्धिक विकास हुआ और इन्हें अपनाने वाले साहित्यकारों की वृद्धि के कारण साहित्य-निर्माण का क्षेत्र विस्तृत हुआ।

साहित्य पर अंग्रेजी का प्रभाव : आधुनिक युग पर अंग्रेजी साहित्य का प्रभाव भी कम महत्त्व नहीं रखता है। इस युग के पूर्व हमारे साहित्य पर पश्चिम का प्रभाव नहीं था। हिन्दी काव्य, नाटक, उपन्यास, कहानी, निबन्ध, आलोचना आदि विधाओं पर अंग्रेजी का प्रभाव प्रत्यक्ष और अप्रत्यक्ष रूप से पड़ा है। इससे भाषा और भाव दोनों दृष्टियों से हमारे पद्य और गद्य के विविध रूपों का विकास और परिष्कार हुआ है।

मनोविज्ञान का समावेश : आधुनिक काल के साहित्य में मनोविज्ञान का समावेश महत्त्वपूर्ण विशेषता है। मानव मन का अध्ययन मनोविज्ञान कहा जाता है। नाटक, कहानी, उपन्यास आदि के पात्रों का मनोवैज्ञानिक अध्ययन प्रस्तुत करना अच्छी आलोचना का प्रधान कर्त्तव्य है। मनोविज्ञान के आधार पर प्रस्तुत की गई कहानियाँ विशेष आकर्षण रखती हैं।

मार्क्सवाद का प्रभाव : आर्थिक विषमता का विरोध आधुनिक युग के साहित्य की एक बड़ी विशेषता है। वर्तमान युग मानव-मानव में आर्थिक दृष्टि से बहुत अधिक अन्तर नहीं देखना चाहता। यह प्रभाव मार्क्सवाद का है। दिनकर, रामवृक्ष बेनीपुरी, डॉ. देवराज, राम विलास शर्मा, शलभ श्रीराम सिंह आदि का साहित्य मार्क्सवाद से स्पष्टतः प्रभावित है।

भारतेन्दु युग

इस काल में कवियों की वाणी में देशभक्ति का स्वर था। अतः लोक-हित, मातृ-भाषा और समाज-सुधार जैसे विषयों पर कवितायें लिखी गईं। इस काल के आरम्भ में कविता की भाषा ब्रजभाषा ही थी : परन्तु बाद में धीरे-धीरे खड़ी बोली में कवितायें लिखी जाने लगीं। उस समय के प्रमुख कवियों में भारतेन्दु हरिश्चन्द्र, श्रीधर पाठक, जगन्नाथ दास रत्नाकर, प्रताप नारायण मिश्र आदि के नाम उल्लेखनीय हैं। भारतेन्दु बाबू ने भारत के अतीत के गौरव और वर्तमान भारत की दुर्दशा का बड़ा मार्मिक चित्रण किया। इस काल में कविता का हृदय बिल्कुल बदला हुआ था। प्रथम उत्थान काल के साथ ही हिन्दी कविता ने एक नई करवट ली।

रीतिकाल के समापन के समय ब्रजभाषा अपने सशक्त रूप में थी। खड़ी बोली आधुनिक युग की अनिवार्यता के रूप में उभरी। ब्रजभाषा तथा खड़ी बोली का लंबे समय तक संघर्ष चला जो छायावादी युग में जाकर निर्मूल हुआ। भारतेन्दु युग में यह विचित्र अन्तर्विरोध था कि हर कवि खड़ी बोली में एक ओर तो आधुनिक बोध वाली रचनायें कर रहा था, दूसरी ओर ब्रजभाषा में रीतिपरक, शृंगारी तथा भक्तिपरक काव्य रचनायें भी।

भारतेन्दु बाबू ने ब्रजभाषा में प्रभूतमात्रा में काव्यरचना की। प्रमुख हैं- प्रेममालिका, प्रेम सरोवर, गीतगोविन्दानन्द, वर्षाविनोद, विनय प्रेमपचासा, प्रेममाधुरी, प्रेमफुलवारी, वेणु-गीत आदि।

भारतेन्दु उर्दू में 'रसा' उपनाम से कविता करते थे। उन्होंने पहेलियां, मुकरियां, व्यंग्यगीत (पैरोडी, स्यापा, गाली), समस्यापूर्तियाँ तथा खड़ी बोली में देश की स्थिति पर कवितायें रचीं। प्रमुख हैं-

- अमानत के नाटक 'इन्दर सभा' की पैरोडी - 'बन्दर सभा'
- उर्दू की स्यापा (है है उर्दू हाय-हाय / कहाँ सिधारी हाय-हाय)
- समस्यापूर्ति (पिय प्यारे तिहारे निहारे बिना)
- खडी बोली की प्रसिद्ध कवितायें - विजयिनी विजय वैजयन्ती, भरतभिक्षा, विजयवल्लरी, रिपनाष्टक, प्रबोधिनी, बसन्त होली, प्रात समीरन (यह बंगला के पयार छंद में है।) आदि हैं।

द्विवेदी युग

द्वितीय उत्थान काल के अग्रणी साहित्यकार महावीर प्रसाद द्विवेदी थे। उनकी प्रेरणा से हिन्दी की खड़ी बोली में कवितायें धड़ाधड़ लिखी जाने लगीं। इससे खड़ी बोली का अधिकाधिक परिष्कार और संस्कार हुआ। इस काल में खड़ी बोली के प्रमुख कवियों के नाम अयोध्यासिंह उपाध्याय 'हरिऔध', मैथिलीशरण गुप्त और राम नरेश त्रिपाठी थे। इनके अलावा पं. रामचन्द्र शुक्ल, ठाकुर गोपालशरण सिंह, नाथूराम शर्मा शंकर और गया प्रसाद शुक्ल 'सनेही' के नाम भी उल्लेखनीय हैं। इस काल में ब्रजभाषा के प्रमुख कवि वियोगी हरि और श्री सत्यनारायण कविरत्न थे।

भारतेन्दु युग की ही भांति इस युग में भी अधिकांश रचनायें राष्ट्र-प्रेम, देश-भक्ति, समाज-सुधार, राष्ट्रीय अतीत का गौरव, देश की वर्तमान करुणापूर्ण अवस्था, ग्राम्य जीवन की महत्ता आदि विषयों पर लिखी गईं। इस समय तक खड़ी बोली कविता के लिए पूर्ण समर्थ हो गई थी।

द्विवेदी युग के बाद से अब तक का समय तृतीय उत्थान काल माना जाता है। हिन्दी कविता के लिए यह उत्कर्ष का काल है। इस काल में नए-नए छंदों, अलंकारों का प्रयोग शुरू किया गया। अतुकान्त, छंदमुक्त कविता और अकविता भी इसी काल में लिखी गईं। कविता के वस्तुविधान में भी परिवर्तन आया। प्रकृति-चित्रण, राष्ट्रीयता, आर्थिक वैषम्य, सामजिक कुरीतियों और करुणा-वेदना को कविता के माध्यम से व्यक्त किया गया। इसी प्रकार काव्यगत पद-लालित्य, अभिव्यंजना शैली, प्रतीक आदि का उत्कर्ष इस काल में हुआ।

इस काल के प्रमुख कवियों में जयशंकर प्रसाद, सूर्यकान्त त्रिपाठी 'निराला', सुमित्रानंदन पंत, महादेवी वर्मा, रामकुमार वर्मा, बालकृष्ण शर्मा 'नवीन', रामधारी सिंह 'दिनकर', हरिवंशराय बच्चन, श्यामनारायण पाण्डेय, सोहनलाल द्विवेदी, सियाराम शरण गुप्त, सुभद्राकुमारी चौहान, माखनलाल चतुर्वेदी, अज्ञेय, गिरिजा कुमार माथुर, भवानीप्रसाद मिश्र, धर्मवीर भारती आदि के नाम विशेष रूप से उल्लेखनीय हैं।

तृतीय उत्थान काल के विकास-क्रम में छायावाद, रहस्यवाद, प्रगतिवाद और प्रयोगवाद का प्रादुर्भाव स्मरणीय है।

छायावाद

छायावाद स्थूल के प्रति सूक्ष्म का विद्रोह है। छायावादी कविता में व्यक्तिवाद, अतृप्त प्रेम, निराशा और प्रकृति के मानवीकरण का चित्रण मिलता है। नए छन्द-विधान, नए प्रतीकों तथा लाक्षणिक शब्दावली का प्रयोग भी छायावाद की ही देन है। छायावादी कवियों में जयशंकर प्रसाद, सूर्यकान्त त्रिपाठी 'निराला', सुमित्रानन्दन पंत, महादेवी वर्मा और डा. रामकुमार वर्मा के नाम प्रमुख हैं।

रहस्यवादी कवि हृदय की भावुकता की सहायता से प्रकृति के विभिन्न अंगों में ब्रह्म का दर्शन करता है। रहस्यवादी कविता में लाक्षणिक भाषा, प्रतीकों और रूप-विधानों के माध्यम से अनुभूति की अभिव्यक्ति की जाती है। महादेवी वर्मा प्रमुख रहस्यवादी कवयित्री हैं और प्रसादजी की कविता में छायावाद और रहस्यवाद दोनों की छटा देखने को मिलती है। इस तरह छायावादी युग में कवियों ने अपनी अन्तर्मुखी अभिव्यक्ति द्वारा अत्यन्त गहराई की बात सोचने लगे तथा दुनिया की बात न कहकर अपने हृदय की बात कहने लगे।

प्रगतिवाद

प्रगतिवाद का अर्थ है—पुरानी अवांछनीय, हानिकर परम्पराओं का त्याग कर उन्हें बदले हुए समय के अनुरूप बदले हुए रूप में ग्रहण करना। वास्तव में प्रगतिवाद, साम्यवाद का साहित्यिक रूप है। प्रगतिवादी काव्य की मूल चेतना मार्क्स के विचारों से अनुप्राणित है और द्वन्द्वात्मक भौतिकवाद के नाम से जानी जा सकती है। प्रगतिवादी कविता में पीड़ित, शोषित और दलित समाज के प्रति सहानुभूति की तथा पूंजीवाद की कटु आलोचना की अभिव्यक्ति मिलती है। दिनकर और नरेन्द्र शर्मा इस कोटि के अग्रणी कवियों में गिने जाते हैं। इनके अतिरिक्त नागार्जुन, डा. रामविलास शर्मा, गजानन माधव मुक्तिबोध के नाम गिने जा सकते हैं।

प्रयोगवाद

प्रयोगवादी कवियों में अज्ञेय, गिरिजाकुमार माथुर, प्रभाकर माचवे, धर्मवीर भारती, डा. जगदीश गुप्त और नरेश मेहता के नाम उल्लेखनीय हैं। प्रयोगवादी रचनाओं का आरंभ 1943 से माना जाता है, जब 'तार सप्तक' प्रकाशित हुआ। उसके बाद 1950 के लगभग 'प्रतीक' के प्रकाशन से प्रयोगवाद को ठोस भूमि मिली। प्रयोगवादी कविताओं में व्यक्तिवाद की तीव्रतम अनुभूतियाँ अपने स्वाभाविक रूप में प्रकाश में आती हैं। प्रयोगवादी रचनायें बुद्धिवादी और विचित्रतापूर्ण होती हैं। इनमें नवीन विषय, नवीन भाषा और नवीन सृजन शैली और यहां तक कि सब कुछ नवीन होता है। प्रयोगवादी कविता के कवियों ने प्राचीन मूल्यों और परम्पराओं से हटकर नया प्रयोग करने का साहस किया है।

नई कविता

आधुनिक काल के कुछ कवियों ने किसी वाद या विचारधारा से बंधे बिना स्वतंत्र रूप में रचनायें लिखीं। ऐसे कवियों में सुभद्राकुमारी चौहान, सियारामशरण गुप्त, सोहनलाल द्विवेदी, श्यामनारायण पाण्डेय और बालकृष्ण शर्मा 'नवीन' के नाम विशेष उल्लेखनीय हैं।

नई कविता के क्षेत्र में उल्लेखनीय नाम हैं : नरेश मेहता, लक्ष्मीकान्त वर्मा, विजयदेव नारायण साही, सर्वेश्वरदयाल सक्सेना, कुंवरनारायण, रघुवीर सहाय, श्रीकान्त वर्मा, केदार सिंह आदि।

लोक जीवन से सम्बन्धित विषयों पर मधुर गीत लिखने वालों में शम्भूनाथ सिंह, गोपालदास 'नीरज', वीरेन्द्र मिश्र, सोम ठाकुर के नाम स्मरणीय हैं।

हिन्दी काव्य नये विषय, नवीन परिधान, नूतन प्रतीक, शैली और अनुभूतियों से सम्पन्न होकर निरन्तर प्रगति पथ पर अग्रसर हो गई।

वस्तुनिष्ठ प्रश्न

आदि काल

1. निम्नलिखित में से कौन हिन्दी का कवि था?
A. कालिदास B. बाणभट्ट
C. भारवि D. हेमचन्द्र

2. बौद्ध और जैन धर्म साहित्य किस भाषा में बहुलता से मिलता है?
A. हिन्दी में B. अवधी में
C. मागधी में D. पाली में

3. शौरसेनी भाषा किस क्षेत्र में प्रचलित थी?
A. सौराष्ट्र में B. महाराष्ट्र में
C. मथुरा में D. मगध में

4. प्राकृत भाषा की अन्तिम अवस्था जो लोकप्रिय हुई, क्या कहलाई?
A. अपभ्रंश B. मागधी
C. खड़ी बोली D. कन्नौजी

5. आदि काल/वीरगाथा काल का समय था–
A. 11वीं से 14वीं शताब्दी B. 7वीं से 14वीं शताब्दी
C. 7वीं से 11वीं शताब्दी D. 8वीं से 14वीं शताब्दी

6. निम्नलिखित में से कौन सिद्ध नहीं था?
A. सरहपा B. लूईपा
C. कण्हपा D. कल्हण

7. सिद्धों की साधना किस नाम से विख्यात हुई?
A. वज्रयान B. हीनयान
C. सहजयान D. नाथ पंथ

8. 'गोरखवाणी' का रचयिता कौन था?
A. मत्स्येन्द्रनाथ B. गोरखनाथ
C. मलूकदास D. दादू

9. निम्नलिखित प्रवृतियों में से कौन-सी प्रवृति आदिकाल के साहित्य की नहीं थी?
A. धर्म B. वीरता
C. शृंगार D. वात्सल्य

10. वीरगाथा काल की रचनाओं में वीर रस के साथ ही–
A. शान्त रस भी है B. शृंगार रस भी है
C. भक्ति रस भी है D. हास्य रस भी है

11. अमीर खुसरो–
A. फारसी और संस्कृत दोनों के विद्वान थे
B. विनोदी और सहृदय थे
C. की मुकरियां बहुत सरल हैं
D. उपरोक्त सभी

12. खालिकबारी किसकी रचना है?
A. निजामुद्दीन औलिया B. गुरु नानक
C. अमीर खुसरो D. कुतबन

13. अमीर खुसरो की मसनवियां किस भाषा में हैं?
A. उर्दू B. फारसी
C. हिन्दी D. अरबी

14. 'अभिनव जयदेव' की उपाधि किसे मिली थी?
A. चैतन्य महाप्रभु को B. विद्यापति को
C. भट्ट केदार को D. उपरोक्त में से कोई नहीं

15. 'खुमानरासो' का रचयिता कौन था?
A. दलपति विजय B. नरपति नाल्ह
C. चन्दबरदाई D. जगनिक

16. 'पृथ्वीराज रासो' का रचयिता कौन था?
A. नरपति नाल्ह B. चन्दबरदाई
C. शारंगधर D. परमाल

17. हिन्दी का प्रथम महाकाव्य किसे माना जाता है?
A. पृथ्वीराज रासो B. खुमान रासो
C. बीसलदेव रासो D. सन्देश रसिक

18. आल्हा खण्ड में किसकी वीरता का वर्णन है?
A. आल्हा और ऊदल की B. राजा हमीर की
C. पृथ्वीराज की D. बीसलदेव की

19. कुछ लोगों का विचार है कि पृथ्वीराज रासो ग्रंथ को चन्दबरदाई के पुत्र ने पूरा किया, जिसका नाम था–
A. जल्हण B. कल्हण
C. विल्हण D. उपरोक्त में से कोई नहीं

20. वीर काव्य के बारे में कौन-सा कथन गलत है?
A. इसमें युद्धों का वर्णन है
B. इसमें वीर रस के साथ शृंगार रस भी है
C. इनकी भाषा ओजपूर्ण है
D. ये पूर्णतः प्रामाणिक माने जाते हैं

21. अमीर खुसरो की रचना कौन-सी है?
A. आखिरी कलाम B. खालिकबारी
C. मधुमालती D. मृगावती

22. विद्यापति की विख्यात रचना कौन-सी है?
A. पद्मावत B. पदावली
C. मधुमालती D. मृगावती

23. शारंगधर द्वारा रचित ग्रंथ है–
A. आल्ह खण्ड B. वीसलदेव रासो
C. पृथ्वीराज रासो D. हम्मीर रासो

24. निम्नलिखित में से किस ग्रंथ में वीर रस की अपेक्षा शृंगार रस अधिक है?
A. पृथ्वीराज रासो B. हम्मीर रासो
C. बीसलदेव रासो D. आल्ह खण्ड

25. वीरगाथा काल की एक रचना 'संदेश रसिक' है। इसका रचयिता कौन था?
A. शारंगधर B. अमीर खुसरो
C. अब्दुल रहमान D. हेमचन्द्र

26. एक प्रतिष्ठित ग्रंथ 'उक्तिव्यक्ति प्रकरण' किसका लिखा हुआ है?
A. विद्याधर का B. मधुकर का
C. श्रीधर का D. दामोदर भट्ट का

27. किस ग्रंथ में राधा-कृष्ण के प्रेम का अनूठा वर्णन है?
A. पद्मावत B. पदावली
C. मृगावती D. मधुमालती

28. संस्कृत साहित्य में जो स्थान जयदेव का है, हिन्दी साहित्य में वही स्थान–
A. दलपति विजय का है B. विद्यापति का है
C. जगनिक का है D. चैतन्य का है

29. अमीर खुसरो की भाषा पर किसका प्रभाव दिखता है?
A. ब्रजभाषा का B. अवधी का
C. मागधी का D. भोजपुरी का

30. पृथ्वीराज रासो में वीर रस के साथ है–
A. भक्ति रस B. करुण रस
C. शान्त रस D. शृंगार रस

31. दलपति विजय की रचना है–
A. कीर्तिपताका B. पदावली
C. खुमान रासो D. बीसलदेव रासो

32. विद्यापति की पदावली में–
A. वीर रस प्रधान है
B. संयोग शृंगार नहीं, वियोग शृंगार है
C. भक्ति और शृंगार दोनों हैं
D. आश्रयदाता की प्रशंसा है

33. खुमान रासो में–
A. राजा शिवसिंह की वीरता का वर्णन है
B. चित्तौड़ के खुमान के युद्धों का वर्णन है
C. पृथ्वीराज के यश का वर्णन है
D. आल्हा-ऊदल की वीरता का वर्णन है

34. आदि काल में निम्नलिखित में से कौन-सी रचना तिरहुत के शासक की प्रशंसा में लिखी गई थी?
A. परमाल रासो B. कीर्तिलता
C. मृगावती D. मधुमालती

35. कौन-सा ग्रंथ-लेखक जोड़ा सही है?
A. पद्मावत – विद्यापति
B. पृथ्वीराज रासो – चन्दबरदाई
C. आल्ह खण्ड – नरपति लाल्ह
D. बीसलदेव रासो – जगनिक

36. किस कवि को हिन्दी का आदि गीतकार माना जाता है?
A. जायसी को B. जगनिक को
C. जयदेव को D. विद्यापति को

37. अपभ्रंश काव्य अधिकतर किस छंद में लिखा गया है?
A. रोला में B. छप्पय में
C. कवित्त में D. दूहा (दोहा) में

38. विद्यापति रचित मैथिली का विख्यात ग्रंथ है–
A. कीर्तिलता B. कीर्तिपताका
C. पदावली D. पद्मावत

39. आदिकाल को कुछ साहित्यकारों ने–
A. महाकाव्य काल कहा है B. आचार्य काल कहा है
C. चारण काल कहा है D. साधना काल कहा है

40. अमीर खुसरो की पहेलियां और मुकरियां किस भाषा में हैं?
A. अरबी में B. फारसी में
C. अवधी में D. खड़ी बोली में

भक्ति काल

41. निम्नलिखित में से कौन निर्गुण भक्ति धारा का कवि नहीं था?
A. जायसी B. कबीर
C. मीरा D. नानक

42. निम्नलिखित में से कौन सगुण भक्ति धारा का कवि नहीं था?
A. रसखान B. सूरदास
C. नन्द दास D. कुतबन

43. कौन-सा कवि ज्ञानमार्गी शाखा का नहीं था?
A. कबीर दास B. मलूक दास
C. दादू दयाल D. जायसी

44. 'प्रेम की पीर' की अभिव्यक्ति किन कवियों ने की?
A. प्रेममार्गी कवियों ने B. ज्ञानमार्गी कवियों ने
C. सगुण धारा के कवियों ने D. उपरोक्त में से कोई नहीं

45. 'बीजक' में किसकी कविताएँ संग्रहीत हैं?
A. जायसी की B. कबीर की
C. रहीम की D. नानक की

46. प्रेममार्गी कवियों पर किसका गहरा प्रभाव था?
A. सूफी सम्प्रदाय का B. अवतारवाद का
C. विशिष्टाद्वैत का D. नाथ सम्प्रदाय का

47. 'पद्मावत' की रचना किसने की थी?
A. मंझन ने B. कुतबन ने
C. जायसी ने D. रज्जब ने

48. प्रेममार्गी कवियों की रचनायें–
A. खड़ी बोली में हैं B. ब्रज भाषा में हैं
C. ठेठ अवधी में हैं D. मागधी में हैं

49. निम्नलिखित में से किसकी भक्ति सख्य भाव की थी?
A. मीरा की B. तुलसीदास की
C. रसखान की D. सूरदास की

50. सूरदास की रचनाओं में हमें किसका हृदयग्राही वर्णन मिलता है?
A. भक्ति का B. शृंगार का
C. वात्सल्य का D. उपरोक्त तीनों का

51. ज्ञानमार्गी कवियों की रचनाओं में हमें किसका वर्णन मिलता है?
A. ज्ञान का B. साधना का
C. एकेश्वरवाद का D. उपरोक्त तीनों का

52. निर्गुण भक्ति अवतारवाद की धारणा से–
A. ओतप्रोत थी B. पोषित थी
C. परे थी D. निसृत थी

53. निम्नलिखित में से कौन कृष्ण भक्ति शाखा का कवि नहीं था?
A. सूर B. मीरा
C. रसखान D. केशव

54. 'लहरतारा' स्थान का सम्बन्ध किस कवि से है?
A. जायसी से B. रसखान से
C. कबीर से D. मलूकदास से

55. कबीरदास किसके शिष्य थे?
A. रामानंद के B. वल्लभाचार्य के
C. रामानुजाचार्य के D. गोरखनाथ के

56. 'मगहर' और 'लोई' से किसका सम्बन्ध है?
A. रैदास का B. दादू दयाल का
C. मलूकदास का D. कबीर का

57. कबीरदास के सम्बन्ध में कौन-सा कथन गलत है?
A. वे गुरु-महिमा को मानते थे
B. वे अवतारवाद को मानते थे
C. वे धार्मिक पाखंडों के विरोधी थे
D. वे जीव और ब्रह्म की एकता में विश्वास करते थे

58. जायसी का पद्मावत काव्य–
A. मसनवी शैली में लिखा गया है
B. भक्ति काव्य है
C. खड़ी बोली में है
D. उपरोक्त सभी

59. सूरदास ने 'भ्रमरगीत' में–
A. निर्गुण ब्रह्म का उपहास किया है
B. निर्गुण ब्रह्म में आस्था प्रकट की है
C. कृष्ण की बाल लीलाओं का वर्णन किया है
D. यशोदा के वात्सल्य का अनूठा वर्णन है

60. 'रासपंचाध्यायी' किसकी विख्यात रचना है?
A. नंददास B. रसखान
C. कुम्भनदास D. स्वामी हरिदास

61. निम्नलिखित में से कौन 'अष्टछाप' के आठ कवियों में सम्मिलित नहीं था?
A. सूरदास B. नंददास
C. कुम्भनदास D. कबीर दास

62. बांदा जिले का राजापुर गांव किस कवि का जन्म-स्थान था?
A. बिहारी लाल B. मैथिलीशरण गुप्त
C. तुलसीदास D. भूषण

63. 'कवितावली' का रचयिता कौन है?
A. नंददास B. तुलसीदास
C. नरहरिदास D. केशवदास

64. तुलसीदास रचित 'विनय पत्रिका' में–
A. विनय और भक्ति के पद हैं
B. वैराग्य के पद हैं
C. बाल लीला के पद हैं
D. उपरोक्त सभी

65. राम भक्ति काव्य में–
A. ज्ञान को श्रेष्ठता प्रदान की गई है
B. भक्ति को श्रेष्ठ माना गया है
C. वैराग्य को श्रेष्ठ माना गया है
D. उपरोक्त दोनों को बराबर का स्थान दिया गया है

66. केशवदास कवि होने के साथ-साथ–
A. गायक भी थे B. आचार्य भी थे
C. संत भी थे D. पाखण्ड-विरोधी भी थे

67. किस कवि को 'कठिन काव्य का प्रेत' कहा जाता है?
A. घनानंद B. सूरदास
C. केशवदास D. तुलसीदास

68. केशवदास की रचनाओं में सबसे महत्वपूर्ण रचना कौन-सी है?
A. कविप्रिया B. रसिकप्रिया
C. रामचन्द्रिका D. विज्ञानगीता

69. रहीमदास के दोहों में–
A. नीति है B. भक्ति है
C. उपदेश है D. उपरोक्त सभी हैं

70. 'कवित-रत्नाकर' का रचयिता कौन था?
A. नरोत्तमदास B. केशवदास
C. सेनापति D. नंददास

71. 'भक्तमाल' का रचयिता कौन था?
A. अग्रदास B. नाभादास
C. नंददास D. नरोत्तमदास

72. "अजगर करै न चाकरी, पंछी करै न काम", यह उक्ति किसकी है?
A. कबीरदास B. मलूकदास
C. नंददास D. रहीमदास

73. दादू दयाल–
A. पर कबीर का प्रभाव था
B. सरलता व सादगी में विश्वास करते थे
C. ने गुरु को बहुत महत्व दिया
D. उपरोक्त दोनों

74. सूफी सम्प्रदाय के प्रमुख कवि थे–
A. जायसी B. रहीम
C. रसखान D. केशवदास

75. ''खीरा सिर से काटिये, मलियत नमक लगाय'', यह उक्ति किसकी है?
A. कबीर B. रहीम
C. रसखान D. दादू दयाल

76. 'अखरावट' और 'आखिरी कलम' किसकी रचनायें हैं?
A. रसखान B. खुसरो
C. जायसी D. कुतबन

77. 'मधुमालती' किसकी रचना है?
A. जायसी की B. कुतबन की
C. मंझन की D. रसखान की

78. नागमती का विरह वर्णन हिन्दी साहित्य का सर्वश्रेष्ठ विरह-वर्णन है? यह किस ग्रंथ में है?
A. अखरावट में B. पद्मावत में
C. मधुमालती में D. मृगावती में

79. सूफी कवियों के प्रेमाख्यानों में–
A. किसी धर्म-सम्प्रदाय का खंडन-मंडन नहीं है
B. शृंगार रस की प्रधानता है
C. आत्मा को प्रियतम और परमात्मा को प्रिया माना गया है
D. उपरोक्त सभी

80. मीरा के पदों में–
A. राजस्थानी भाषा का प्रयोग हुआ है
B. अवधी का प्रयोग हुआ है
C. खड़ी बोली का प्रयोग हुआ है
D. उपरोक्त सभी

81. 'प्रेमवाटिका' किसकी रचना है?
A. मीराबाई B. रसखान
C. जायसी D. विद्यापति

82. महाप्रभु वल्लभाचार्य ने पुष्टिमार्ग की स्थापना की। पुष्टिमार्ग में ईश्वर प्राप्ति का सबसे मुख्य साधन है–
A. ज्ञान B. वैराग्य
C. भक्ति D. गुरु

83. अष्टछाप के कवि–
A. सूफी थे B. निर्गुण ब्रह्म के उपासक थे
C. कृष्णभक्त थे D. रामभक्त थे

84. अष्टछाप के कवियों ने–
A. केवल ब्रजभाषा में लिखा
B. कृष्णभक्ति के केवल माधुर्य पक्ष को ग्रहण किया
C. किसी महाकाव्य की रचना नहीं की, केवल स्फुट रचनायें लिखीं
D. उपरोक्त सभी

85. केशवदास की रचनाओं में–
A. कला पक्ष की प्रधानता है B. काव्य सरसता है
C. भाव पक्ष की प्रधानता है D. प्रकृति का अनूठा चित्रण है

86. ''इन मुसलमान हरिजनन पै, कोटिक हिन्दू वारिये'', यह उक्ति किस कवि के बारे में है?
A. जायसी के बारे में B. रहीम के बारे में
C. रसखान के बारे में D. खुसरो के बारे में

87. जायसी की रचना 'पद्मावत'–
A. प्रेमाख्यान है B. रीति ग्रंथ है
C. भक्ति काव्य है D. वीर काव्य है

88. कौन-सा कथन सही नहीं है?
A. सूफी काव्य प्रायः अवधी में लिखा गया है
B. सूफी सम्प्रदाय खंडन-मंडन को महत्व देता है
C. सूफी सम्प्रदाय में गुरु की बड़ी महिमा है
D. सूफी संतों ने भारतीय लोकाचार को अपनाया

89. जायसी के ग्रंथ पद्मावत में 'हीरामन तोता' की क्या भूमिका है?
A. नायक की B. खलनायक की
C. गुरु की D. साधक की

90. श्री वल्लभाचार्य की शिष्य परम्परा में–
A. निराकार ब्रह्म की आराधना होती है
B. राम की उपासना होती है
C. कृष्ण की उपासना होती है
D. गुरु की महिमा का गान होता है

91. निम्नलिखित में से किसने 'ब्रह्म सत्यं जगन्मिथ्या' का उपदेश दिया था?
A. वल्लभाचार्य ने B. शंकराचार्य ने
C. विट्ठलनाथ ने D. रामानुजाचार्य ने

92. 'अलवार' संतों ने किस भाषा में लिखा?
A. तेलुगु B. उड़िया
C. गुजराती D. तमिल

93. गोस्वामी तुलसीदास ने रामचरितमानस की रचना किस उद्देश्य से की थी?
A. लोकरंजन के लिए
B. मोक्ष प्राप्ति के लिए
C. राम कथा का स्मरण करने-कराने के लिए
D. स्वान्तः सुखाय

94. निम्नलिखित में से किसने श्री राधावल्लभ सम्प्रदाय नामक नया पंथ चलाया?
A. हितहरिवंश B. वल्लभाचार्य
C. छीतस्वामी D. कृष्णदास

95. किस रस की अभिव्यक्ति में सूरदास संसार के सर्वश्रेष्ठ कवियों में गिने जाते हैं?
A. शृंगार B. शान्त
C. वात्सल्य D. उपरोक्त सभी

96. सूरदास का प्रमुख ग्रंथ 'सूर सागर' है। जनश्रुति के आधार पर इसमें कुल कितने पद थे?
A. एक लाख B. सवा लाख
C. दस हजार D. साठ हजार

97. सूरदास की एक रचना 'साहित्य लहरी' है। इसमें सूरदास ने–
A. कृष्ण की बाल-लीलाओं का चित्रण किया है
B. राधा का नख-शिख वर्णन किया है
C. कृष्ण की रास-लीलाओं का वर्णन किया है
D. उद्धव-गोपी संवाद लिखा है

98. रसखान ने किस भाषा में रचना की?
A. खड़ी बोली में B. अवधी में
C. ब्रजभाषा में D. भोजपुरी में

99. पुष्टिमार्ग के प्रवर्तक कौन थे?
A. रामानंद B. वल्लभाचार्य
C. रामानुजाचार्य D. शंकराचार्य

100. अष्टछाप के कवियों में सबसे बड़ा स्थान किसे प्राप्त है?
A. नंददास को B. छीतस्वामी को
C. सूरदास को D. विट्ठलनाथ को

101. "जाति-पाति पूछे नहीं कोई, हरी को भजै सो हरि का होई", उक्त पंक्तियां किस कवि की हैं?
A. नानक की B. कबीर की
C. रहीम की D. मलूक की

102. रतनसेन और पदूमावती की प्रेम-गाथा का वर्णन किस ग्रंथ में है?
A. रतन सेन में B. पदूमावत में
C. ज्ञान बोध में D. मधुमालती में

103. मृगावती किस कवि की रचना है?
A. मंझन की B. जायसी की
C. कुतबन की D. शेखनबी की

104. कृष्णभक्ति का प्रचार कब हुआ था?
A. 15वीं शताब्दी में B. 10वीं शताब्दी में
C. 19वीं शताब्दी में D. 11वीं शताब्दी में

105. श्री वल्लभाचार्य की उपासना में किस पर जोर दिया गया?
A. प्रभु कीर्तन पर
B. राम धुन पर
C. बाल कृष्ण की उपासना पर
D. ब्रह्म की उपासना पर

106. लगभग सारा कृष्ण काव्य–
A. खड़ी बोली में है B. ब्रजभाषा में है
C. अवधी में है D. खिचड़ी भाषा में है

107. चर्यापद किसकी रचना है?
A. विद्यापति की B. खुसरो की
C. जगनिक की D. सरहपा कण्हपा की

108. निर्गुण भक्ति धारा के कवियों ने निम्नलिखित में से किस पर जोर नहीं दिया?
A. निराकार ब्रह्म की उपासना B. आत्मशुद्धि
C. वैयक्तिक साधना D. अवतारवाद

109. निर्गुण भक्ति की प्रेमाश्रयी शाखा के विकास में किसका योगदान प्रमुख रहा?
A. सूफी कवियों का B. मीरा का
C. कबीर का D. नानक का

110. निर्गुण भक्ति की प्रेमाश्रयी शाखा के कवियों की रचनाओं की मुख्य विशेषता है–
A. विरह-वेदना की तीव्रता B. रोचक कथानक
C. प्रेम की पीर D. उपरोक्त सभी

111. निम्नलिखित में से कौन निर्गुण भक्ति धारा का नहीं है?
A. रैदास B. नानक
C. कबीर D. विद्यापति

112. सूफी कवियों ने कैसी प्रेम गाथाओं को अपने काव्य के लिए चुना?
A. अरबी B. फारसी
C. भारतीय D. तीनों

113. रामचरितमानस–
A. मुक्तक रचनाओं का संग्रह है
B. राम के जीवन के कुछ अंशों का वर्णन करता है
C. दोहा-चौपाई में लिखा गया है
D. भक्ति गीतों का संग्रह है

114. कबीरदास–
A. अनपढ़ थे
B. व्यवसाय के जुलाहे थे
C. पर नाथपंथ के हठयोग का प्रभाव था
D. उपरोक्त तीनों

115. रामानंदजी किसके गुरु थे?
A. मीर के B. नंददास के
C. कबीर के D. सूरदास के

116. मगहर नामक स्थान पर किस कवि की मृत्यु हुई थी?
A. केशव की B. चैतन्य की
C. विद्यापति की D. कबीर की

117. संत कबीर–
A. गृहस्थ थे
B. सूफी मत से प्रभावित थे
C. अवतारवाद में विश्वास नहीं करते थे
D. उपरोक्त सभी

118. कुल मिलाकर कबीरदास की भाषा कैसी थी?
A. अपभ्रंश B. खड़ी बोली
C. सधुक्कडी D. अवधी

119. 'भक्तमाल' ग्रंथ का रचयिता कौन है?
A. नंददास B. रामानंद
C. नाभादास D. विट्ठलनाथ

120. किस कवि का जन्म उत्तर प्रदेश के रायबरेली जिले के जायस गांव में हुआ था?
A. नंददास B. जायसी
C. केशवदास D. उपरोक्त में से कोई नहीं

121. किस कवि की निधन तिथि के सम्बन्ध में यह दोहा प्रसिद्ध है
"संवत सोरह सौ असी, असी गंग के तीर"
A. सूरदास B. मीरा
C. कबीर D. तुलसीदास

122. किसका बचपन का नाम 'रामबोला' था?
A. बिद्यापति का B. केशवदास का
C. तुलसीदास का D. सूरदास का

123. तुलसी के काव्य में–
A. साधुमत है
B. लोकमत है
C. उपरोक्त दोनों हैं
D. उपरोक्त दोनों में से कोई भी नहीं है

124. कबीर की कविताओं में निम्नलिखित में से एक नहीं है?
A. नीति B. रहस्यवाद
C. सर्वात्मवाद D. छायावाद

125. काल-क्रम की दृष्टि से कौन सबसे पहले हुआ था?
A. कबीर B. मीरा
C. तुलसीदास D. सूरदास

रीति काल

126. रीतिकाल का अभ्युदय–
A. भक्ति काल से पहले हुआ
B. भक्ति काल के बाद हुआ
C. वीरगाथा काल के साथ-साथ हुआ
D. निर्गुण भक्ति और सगुण भक्ति काल के बीच हुआ

127. रीतिकालीन कविता का आरम्भ केशवदास की–
A. 'रामचन्द्रिका' से माना जाता है
B. 'रसिकप्रिया' से माना जाता है
C. 'विज्ञान गीता' से माना जाता है
D. उपरोक्त तीनों से माना जाता है

128. निम्नलिखित में से कौन कवि और आचार्य दोनों रूप में प्रतिष्ठित है?
A. सुमित्रानंदन पन्त B. नाभादास
C. नंददास D. केशवदास

129. कला पक्ष की प्रधानता किस काल की रचनाओं की प्रमुख विशेषता है?
A. वीरगाथा काल B. भक्ति काल
C. रीति काल D. उपरोक्त तीनों

130. रीतिकालीन कवियों ने मुख्यतः किस छंद का प्रयोग किया?
A. चौपाई B. दोहा
C. कवित्त D. कवित्त-सवैया

131. केशवदास किस राजा के आश्रय में थे?
A. बूंदी के राजा भावसिंह B. छत्रसाल
C. शिवाजी D. ओरछा के राजा इन्द्रजीत सिंह

132. नरोत्तम दास की विख्यात कृति कौन-सी है?
A. सुदामाचरित B. कवित्त रत्नाकर
C. नखसिख D. प्रिय-प्रवास

133. रहीम के दोहों में–
A. नीति की बातें हैं B. भक्ति की अभिव्यंजना है
C. उपदेशों की भरमार है D. उपरोक्त तीनों हैं

134. किस कवि की दानशीलता की तुलना 'कर्ण' की दानशीलता के साथ की जाती है?
A. देव B. बिहारी
C. भूषण D. रहीम

135. निम्नलिखित में से कौन-सा ग्रंथ 'रहीमदास' का है?
A. शृंगार सोरठ B. ध्यान मंजरी
C. महारामायण D. हनुमन्नाटक

136. 'कवित्त रत्नाकर' का लेखक कौन है?
A. बलभद्र मिश्र B. नरोत्तमदास
C. सेनापति D. केशवदास

137. तुलसी कृत 'रामचरितमानस' कितने काण्डों (अध्यायों) में है?
A. ग्यारह B. नौ
C. सात D. तेरह

138. तुलसी कृत 'रामचरितमानस'–
A. अवधी में है
B. ब्रज और अवधी दोनों में है
C. मागधी में है
D. उपरोक्त में से किसी में भी नहीं

139. चिन्तामणि किस काल के कवि थे?
A. आधुनिक काल B. भक्ति काल
C. रीति काल D. वीरगाथा काल

140. रीति काल की रचनाओं के विशेष लक्षण हैं–
A. रस, अलंकार B. नायिका-भेद, नख-शिख वर्णन
C. षट्ऋतु वर्णन D. उपरोक्त सभी

141. हिन्दी साहित्य का रीतिकालीन युग मोटे तौर से कबसे कब तक रहा?
A. बाबर से अकबर तक
B. अकबर से औरंगजेब तक
C. जहांगीर से बहादुरशाह तक
D. शाहजहां से बहादुरशाह तक

142. रीतिकालीन काव्य में निम्नलिखित में से किसे महत्व नहीं दिया गया?
A. चमत्कारपूर्ण उक्तियों को B. भावों की नजाकत को
C. कल्पना की मौलिकता को D. हृदय पक्ष या भाव पक्ष को

143. रीतिकालीन काल लगभग कितनी शताब्दियों तक चला?
A. चार शताब्दियों तक B. एक शताब्दी तक
C. तीन शताब्दियों तक D. दो शताब्दियों तक

144. निम्नलिखित में से कौन वीर रस का कवि नहीं था?
A. भूषण B. लाल
C. सूदन D. पद्माकर

145. रीतिकालीन कवियों ने मुख्यतः शृंगार रस की कवितायें लिखीं। उन्होंने शृंगार रस की रचनाओं के लिए किस छंद को प्रधानतः अपनाया?
A. कवित्त B. सवैया
C. हरिगीतिका D. छप्पय

146. रीतिकालीन कवियों ने नारी के केवल एक ही रूप का अंकन किया। वह था–
A. माता रूप B. शक्ति रूप
C. नायिका रूप D. जगदम्बा रूप

147. लगभग सभी रीतिकालीन कवियों ने लक्षण ग्रंथों (रीतिग्रंथों) की रचना की। निम्नलिखित रीतिकालीन कवियों में से किसने लक्षण ग्रंथ की रचना नहीं की?
A. बिहारी लाल B. मतिराम
C. भूषण D. पद्माकर

148. रीतिकालीन साहित्य में–
A. प्रबन्ध काव्यों की अपेक्षा मुक्तक काव्यों की अधिक रचना हुई
B. नवीन विचारों का अभाव रहा
C. नारी के विभिन्न रूपों (चरित्र) का अंकन प्रायः नहीं हुआ
D. उपरोक्त सभी

149. रीतिकाल में स्वच्छन्द कविता लिखने वाले एक कवि थे–
A. घनानंद B. नंददास
C. भिखारीदास D. देव

150. रीतिकाल के कवियों में नीति सम्बन्धी रचनायें किसने लिखीं?
A. वृन्द B. आलम
C. भिखारीदास D. जोधराज

151. कवि गिरधर की–
A. सूक्तियां प्रसिद्ध हैं B. सतसई प्रसिद्ध हैं
C. अन्योक्तियां प्रसिद्ध हैं D. कुण्डलियां प्रसिद्ध हैं

152. बेनी कवि किस प्रकार की रचनाओं के लिए विख्यात हैं?
A. नीति B. वैराग्य
C. भक्ति D. व्यंग्य

153. ध्रुवदास–
A. रीति काल के आचार्य थे
B. रीति काल के वीर रस के कवि थे
C. रीति काल के कृष्ण भक्त कवि थे
D. रीति काल के राम भक्त कवि थे

154. मधुसूदनदास द्वारा रचित ग्रंथ है–
A. रामाश्वमेध B. राम रसायन
C. सीतायन D. गोविन्द रामायण

155. रीतिकालीन आचार्य-कवि चिन्तामणि की सर्वाधिक विख्यात रचना है–
A. कवि कल्पतरु B. पिंगल
C. काव्यदर्पण D. ललित ललाम

156. निम्नलिखित ग्रंथों में से किस एक के रचनाकार मतिराम नहीं है?
A. रस राज B. वृत्तकौमुदी
C. साहित्यसार D. कविकल्पतरु

157. रीतिकालीन कवियों में केवल एक ग्रंथ लिखकर सर्वाधिक सम्मान पाने वाला कवि कौन-सा है?
A. मतिराम B. बिहारी
C. देव D. पद्माकर

158. निम्नलिखित में से किस कवि की रचनाओं के बारे में 'गागर में सागर भरने' की बात कही जाती है?
A. देव B. मतिराम
C. कबीर D. बिहारी

159. शृंगार का सर्वश्रेष्ठ कवि किसे माना जाता है?
A. देव B. मतिराम
C. बिहारी D. पद्माकर

160. 'भावविलास' किस कवि की रचना है?
A. रत्नाकर B. पद्माकर
C. देव D. मतिराम

161. 'काव्य निर्णय' का रचयिता कौन है?
A. बिहारी B. भिखारीदास
C. घनानंद D. मतिराम

162. हिन्दी में उपालम्भ का सर्वश्रेष्ठ कवि किसे कहा जाता है?
A. पद्माकर B. बिहारी
C. घनानंद D. लाल कवि

163. रीतिकालीन कौन-सा कवि 'सुजान' नामक वेश्या पर अनुरक्त था और इसी प्रसंग में उसने 'सुजानसागर' नामक ग्रंथ की रचना की?
A. आलम B. रसलीन
C. ग्वाल D. घनानंद

164. 'गंगा लहरी' के रचयिता कौन थे?
A. देव B. मतिराम
C. आलम D. पद्माकर

165. 'पद्माभरण' का रचयिता कौन था?
A. पद्माकर B. जायसी
C. मतिराम D. देव

166. आचार्य केशव का ग्रंथ 'रामचन्द्रिका'–
A. खण्ड काव्य है B. प्रबन्ध काव्य है
C. मुक्तक रचना है D. उपरोक्त में से कोई नहीं

167. कवि भूषण ने शिवाजी की वीरता व यश गान किया है : लाल कवि ने किसका यश गान किया है?
A. राणा प्रताप का B. छत्रसाल का
C. हिम्मत बहादुर D. गोरा-बादल का

168. निम्नलिखित रचनाओं में से एक रचना भूषण की नहीं है?
A. छत्रसाल दशक B. शिवाबावनी
C. शिवराजभूषण D. अष्टयाम

169. 'बिहारी सतसई' में कितने दोहे हैं?
A. 700 B. 701
C. 725 D. 719

170. 'रसकेलिवल्ली' किसकी रचना है?
A. गंग B. घनानंद
C. रसखान D. देव

171. ब्रजभाषा का कौन-सा कवि ऋतु वर्णन के लिए विख्यात है?
A. सेनापति B. पद्माकर
C. देव D. मतिराम

172. कहा जाता है कि सम्राट् अकबर ने एक कवि की रचना से प्रभावित होकर गोवध बंद करवा दिया था। वह कवि था–
A. नरहरि बन्दीजन B. गंग
C. सेनापति D. आलम

173. रीतिकालीन कवियों की रचनाओं का मुख्य प्रयोजन था–
A. साहित्य की समृद्धि B. स्वान्तः सुखाय
C. आश्रयदाताओं का यशगान D. ऋतु वर्णन

174. हिन्दी साहित्य में रीतिकालीन काव्य परम्परा किसने प्रारम्भ की?
A. देव B. मतिराम
C. सेनापति D. केशव

175. केशवदास ने एक आध्यात्मिक ग्रंथ लिखा, जिसका नाम था–
A. रामचन्द्रिका B. कविप्रिया
C. रसिकप्रिया D. विज्ञान गीता

176. कहा जाता है कि निम्नलिखित पंक्तियों ने एक राजा के जीवन में परिवर्तन ला दिया था–

नहि पराग नहि मधुर मधु, नहि विकास इहि काल।
अली कली ही सों विध्यों, आगे कौन हवाल।।

इन पंक्तियों के रचयिता थे–
A. सेनापति B. पद्माकर
C. रहीम D. बिहारी

177. बिहारी ने अपने काव्य में किस छंद को अपनाया?
A. कवित्त B. छप्पय
C. सवैया D. दोहा

178. 'रसराज' ग्रंथ का रचयिता कौन था?
A. मतिराम B. पद्माकर
C. देव D. चिन्तामणि

179. यह किसकी उक्ति है?

'तबही लौं जीवो भलो, दीवो होय न धीम'
A. कबीर B. रहीम
C. तुलसी D. बिहारी

180. रहीम के सम्बन्ध में कौन-सा कथन गलत है?
A. वह विद्या व्यसनी थे
B. वह योद्धा और राजनीतिज्ञ भी थे
C. वह कलामर्मज्ञ थे
D. वह अनपढ़ थे

181. ज्योतिष ग्रंथ "खेट कौतुकम" का रचयिता कौन था?
A. नंददास B. पद्माकर
C. रहीम D. सेनापति

182. महाकवि भूषण–
A. का नाम ही भूषण था B. की जाति भूषण थी
C. की उपाधि भूषण थी D. उपरोक्त में से कोई नहीं

183. भूषण–
A. की भाषा प्रधानतः ब्रज थी
B. ने फारसी और बुन्देलखंडी के शब्दों का भी काफी प्रयोग किया
C. ने शब्दों को तोड़ा-मरोड़ा भी
D. उपरोक्त सभी

184. 'जगद्विनोद' एक श्रेष्ठ रीति ग्रंथ है। इसका रचयिता कौन था?
A. देव B. मतिराम
C. सेनापति D. पद्माकर

185. पद्माकर का सर्वश्रेष्ठ ग्रंथ किसे माना जाता है?
A. प्रबोध पचासा B. गंगालहरी
C. पद्माभरण D. राम रसायन

186. 'कूलन में केलि में कछारन में कुंजन में,
क्यारिन में कलित कलीन किलकंत है।

उपरोक्त अनुप्रासपूर्ण सुन्दर रचना किस कवि की है?
A. पद्माकर B. सेनापति
C. मतिराम D. देव

187. जायसी के पद्मावत में रतनसेन और राजकुमारी पद्मावती के प्रेम का वर्णन है। पद्मावती कहां की राजकुमारी थी?
A. चित्तौड़ B. सिंहलद्वीप
C. नागदेश D. अवन्तिका

188. 'सीतायन' का रचयिता कौन था?
A. मधुसूदनदास B. रसिक बिहारी
C. चिन्तामणि D. रामप्रिया शरण

189. नागरी दास
A. कृष्ण भक्त कवि थे B. राम भक्त कवि थे
C. रीति ग्रंथ कवि थे D. निर्गुण भक्त कवि थे

190. 'पाहन पूजे हरि मिलै, तो मैं पूजूं पहार' यह उक्ति किसकी है?
A. रसखान B. रहीम
C. कबीर D. मलूकदास

191. हिन्दी के किस कवि को वात्सल्य रस का सम्राट् माना जाता है?
A. मीरा B. सूरदास
C. नंददास D. नरोत्तमदास

192. किस कवि का सारा काव्य सरस और गेय है?
A. तुलसीदास B. सूरदास
C. रसखान D. कबीरदास

193. "तन चितउर मन राजा कीन्हा,
हिय सिंहल बुधि पदमिनि चीन्हा।"
उपरोक्त पंक्तियां किस ग्रंथ की हैं?
A. बीजक B. पद्मावत
C. इश्कनामा D. उपरोक्त में से कोई नहीं

194. "अमिय हलाहल मद भरे
श्वेत श्याम रतनार
उठत, गिरत, उठ गिरि परत
जेहिं चितवत इक बार"
ये पंक्तियां किस कवि की हैं?
A. इलह कवि B. लाल कवि
C. रसखान D. रसलीन

195. निम्नलिखित में से किस कवि ने उलटवासियां लिखीं हैं?
A. वृन्द B. गिरधर राय
C. रहीम D. कबीर

196. केशवदास की काव्य भाषा थी–
A. भोजपुरी B. अवधी
C. ब्रज D. बुन्देलखण्डी

197. बिहारी सतसई के दोहों में किस रस की प्रधानता है?
A. शान्त रस B. भक्ति रस
C. वीर रस D. शृंगार रस

198. निम्न पंक्तियां किस कवि का परिचय देती हैं?
"जन्म ग्वालियर जानिए, खंड बुन्देले बाल
तरुणाई आई लसत, बसि मथुरा ससुराल"
A. केशव B. पद्माकर
C. सेनापति D. बिहारी

199. किस कवि की यह पंक्ति है?
'मेरी भव बाधा हरौ, राधा नागरि सोय'
A. सूर B. मीरा
C. घनानंद D. बिहारी

200. भूषण के काव्य की भाषा थी–
A. अवधी B. राजस्थानी
C. भोजपुरी D. ब्रज

आधुनिक काल

201. हिन्दी साहित्य का आधुनिक काल सामान्यतया कब से आरम्भ माना जाता है?
A. 1700 ई. से B. 1750 ई. से
C. 1850 ई. से D. 1900 ई. से

202. हिन्दी के आधुनिक काल के काव्य की एक विशेषता यह है कि–
A. यह जन-जीवन के साथ चला
B. इसमें करुण रस को प्रधानता मिली
C. इसमें जीवन की विभिन्न समस्याओं और उनके समाधान को स्थान मिला
D. उपरोक्त सभी

203. आधुनिक काल की काव्य रचनाओं में–
A. राष्ट्रगौरव जगा
B. राष्ट्रीयता उजागर हुई
C. समाज सुधार की भावनायें मुखरित हुईं
D. उपरोक्त सभी

204. आधुनिक काल के काव्य में–
A. कवितायें खड़ी बोली में लिखी जाने लगीं
B. कवितायें ब्रजभाषा में ही लिखी जाने लगीं
C. कवितायें अवधी में ही लिखी जाती रहीं
D. कवितायें केवल ब्रज व अवधी में लिखी गईं

205. आधुनिक काल के काव्य में–
A. छायावाद आया B. रहस्यवाद अवतरित हुआ
C. प्रगतिवाद का प्रचलन हुआ D. उपरोक्त सभी

206. भारतेन्दु हरिश्चन्द्र ने काव्य धारा को किस ओर मोड़ा?
A. शृंगार प्रियता की ओर B. रीति ग्रंथों की ओर
C. निर्गुण भक्ति की ओर D. स्वदेश प्रेम की ओर

207. हिन्दी कविता के वर्तमान युग का प्रवर्तक किसे माना जाता है?
A. बालकृष्ण भट्ट B. जयशंकर प्रसाद
C. महादेवी वर्मा D. भारतेन्दु हरिश्चन्द्र

208. हिन्दी कविता में राष्ट्रीयता की तान सबसे पहले किसने छेड़ी?
A. मैथिलीशरण गुप्त B. माखनलाल चतुर्वेदी
C. रामधारी सिंह 'दिनकर' D. भारतेन्दु हरिश्चन्द्र

209. भारतेन्दु बाबू के सम्बन्ध में निम्नलिखित में से कौन-सा कथन सही नहीं है?
A. वह रसिक कवि थे
B. वह कविता के लिए किसी वाद से बंधे नहीं थे
C. उन्होंने भक्ति, प्रकृति-चित्रण, हास्य-विनोद पर भी कविताएं लिखीं
D. वह राम भक्त थे

210. निम्नलिखित में से कौन-सी रचना भारतेन्दु की नहीं है?
A. प्रेम पचीसी B. प्रेम माधुरी
C. प्रेम फुलवारी D. प्रेम प्रलाप

211. भारतेन्दु की रचनाओं का संग्रह किस नाम से है?
A. भारतेन्दु दर्पण B. भारतेन्दु प्रसून
C. भारतेन्दु ग्रंथावली D. भारतेन्दु वाणी

212. भारतेन्दु युग को किस नाम से जाना जाता है?
A. समाज-सुधार युग B. छायावादी युग
C. राष्ट्रीय चेतना युग D. महाकाव्य युग

213. "अंगरेज राज सुख साज सजे सब भारी।
पै धन विदेश चलि जात यहै अतिख्वारी"।।
उपरोक्त पंक्तियां किस कवि की हैं?
A. मैथिलीशरण गुप्त B. बालकृष्ण शर्मा 'नवीन'
C. श्रीधर पाठक D. भारतेन्दु हरिश्चन्द्र

214. 'अनुराग रत्न' का रचयिता कौन है?
A. श्रीधर पाठक B. नाथूराम शर्मा शंकर
C. प्रतापनारायण मिश्र D. बदरीनारायण चौधरी 'प्रेमधन'

215. भारतेन्दुजी ने गंगा वर्णन में–
A. हास्य-विनोद लिखा है B. प्रकृति-चित्रण किया है
C. व्यंग्य लिखा है D. रसिकता का परिचय दिया है

216. भारतेन्दुजी ने जो मुकरियां लिखीं, उनमें–
A. धार्मिक पाखण्ड पर व्यंग्य है
B. दिखावटी मित्रता पर व्यंग्य है
C. शासन, शिक्षा की समस्याओं पर मार्मिक चोट है
D. सामाजिक व्यवस्था पर करारी चोट है

217. 'सरस्वती' नामक पत्रिका, जिसके सम्पादक आचार्य महावीर प्रसाद द्विवेदी थे, कहां से प्रकाशित होती थीं?
A. काशी से B. मथुरा से
C. कानपुर से D. प्रयाग से

218. आचार्य महावीर प्रसाद द्विवेदी ने–
A. खड़ी बोली का परिष्कार किया
B. छायावादी कविताएं लिखीं
C. 'प्रिय प्रवास' की रचना की
D. बालकोपयोगी साहित्य लिखा

219. श्रीधर पाठक की 'देहरादून' कविता किस दृष्टि से उल्लेखनीय है?
A. समाज सुधार B. प्रकृति-चित्रण
C. ग्राम्य जीवन D. नारी-उत्थान

220. अयोध्या सिंह उपाध्याय 'हरिऔध' की सर्वोत्तम रचना कौन-सी है?
A. वैदेही वनवास B. रसकलश
C. प्रिय प्रवास D. उपरोक्त में कोई नहीं

221. प्रिय प्रवास का वर्ण्य-विषय क्या है?
A. कृष्ण का मथुरा-प्रवास B. सीता का करुणापूर्ण चित्र
C. राम-वनवास D. बुद्ध का गृहत्याग

222. 'चोखे-चौपदे' किसकी रचना है?
A. रामनरेश त्रिपाठी की B. जगन्नाथ दास रत्नाकर की
C. लाला भगवानदीन की D. उपरोक्त में से किसी की नहीं

223. प्रिय प्रवास–
A. महाकाव्य है
B. खड़ी बोली में है
C. प्रकृति वर्णन की दृष्टि से प्रशंसनीय है
D. उपरोक्त सभी

224. किस ग्रंथ में जगन्नाथदास रत्नाकर को यश मिला?
A. हरिश्चन्द्र B. उद्धवशतक
C. उपरोक्त दोनों D. उपरोक्त में से कोई नहीं

225. 'गंगावतरण' किसकी कृति है?
A. सत्यनारायण 'कविरत्न' B. रामचरित उपाध्याय
C. जगन्नाथ दास 'रत्नाकर' D. लाला भगवान 'दीन'

226. निम्नलिखित में से कौन-सा कवि 'त्रिशूल' नाम से कविता लिखता था?
A. कामता प्रसाद गुरु B. राय देवी प्रसाद 'पूर्ण'
C. गया प्रसाद शुक्ल 'सनेही' D. सत्यनारायण 'कविरत्न'

227. 'जयद्रथ वध' का रचयिता कौन था?
A. रूपनारायण पाण्डेय B. माखनलाल चतुर्वेदी
C. महावीर प्रसाद द्विवेदी D. मैथिलीशरण गुप्त

228. चिरगांव, झांसी किस कवि का जन्म स्थान है?
A. रामनरेश त्रिपाठी B. बालकृष्ण शर्मा 'नवीन'
C. मैथिलीशरण गुप्त D. रामकुमार वर्मा

229. मैथिलीशरण गुप्त की दो अमर रचनाएं हैं–
A. साकेत और यशोधरा B. साकेत और नहुष
C. यशोधरा और अनघ D. यशोधरा और सिद्धराज

230. मैथिलीशरण गुप्त का 'जयद्रथ वध'
A. खण्ड काव्य है
B. ब्रजभाषा में है
C. राष्ट्रीय भावना से ओतप्रोत है
D. महाकाव्य है

231. 'भारत-भारती' का रचयिता कौन था?
A. अयोध्यासिंह उपाध्याय 'हरिऔध'
B. महावीरप्रसाद द्विवेदी
C. रामधारी सिंह 'दिनकर'
D. मैथिलीशरण गुप्त

232. मैथिलीशरण गुप्त के किस ग्रंथ में लक्ष्मण की पत्नी उर्मिला का सुन्दर चरित्र-चित्रण है?
A. भारत भारती B. पंचवटी
C. साकेत D. द्वापर

233. मैथिलीशरण गुप्त का कृष्णकाव्य कौन-सा है?
A. नहुष B. द्वापर
C. सिद्धराज D. चन्द्रहास

234. गौतम बुद्ध की पत्नी के उज्ज्वल चरित्र के अंकन के लिए मैथिलीशरण गुप्त ने किस ग्रंथ की रचना की?
A. द्वापर B. यशोधरा
C. भारत भारती D. अनघ

235. "मैं घमण्डों में भरा ऐंठा हुआ
एक दिन जब था मुंडेरे पर खड़ा
आ अचानक दूर से उड़ता हुआ
एक तिनका आँख में मेरी पड़ा"
उपरोक्त पंक्तियां किस कवि की हैं?
A. मैथिलीशरण गुप्त B. अयोध्यासिंह उपाध्याय
C. रामनरेश त्रिपाठी D. भारतेन्दु हरिश्चन्द्र

236. 'पथिक', 'मिलन' और 'स्वप्न' किसकी रचनायें हैं?
A. रामनरेश त्रिपाठी B. माखनलाल चतुर्वेदी
C. सियारामशरण गुप्त D. लोचनप्रसाद पाण्डेय

237. "हम कौन थे, क्या हो गए हैं और क्या होंगे अभी।
आओ विचारें आज मिलकर ये समस्यायें सभी।।"
ये पंक्तियां किस कवि की हैं?
A. रामधारी सिंह 'दिनकर' B. माखनलाल चतुर्वेदी
C. श्यामनारायण पाण्डेय D. मैथिलीशरण गुप्त

238. "मुझे तोड़ लेना वनमाली,
उस पथ पर देना तुम फेंक।
मातृभूमि पर शीश चढ़ाने,
जिस पथ जायें वीर अनेक।।"
ये पंक्तियां राष्ट्रप्रेम से ओतप्रोत हैं। इनका रचयिता कौन है?
A. सियारामशरण गुप्त B. जयशंकर प्रसाद
C. माखनलाल चतुर्वेदी D. गयाप्रसाद शुक्ल 'सनेही'

239. 'हिमकिरीटिनी' और 'हिमतरंगिणी' किसकी रचनायें हैं?
A. माखनलाल चतुर्वेदी B. रामधारी सिंह 'दिनकर'
C. सुमित्रानंदन पंत D. महादेवी वर्मा

240. कौन-सा कवि 'एक भारतीय आत्मा' के नाम से कविता लिखता था?
A. मैथिलीशरण गुप्त B. बालकृष्ण शर्मा 'नवीन'
C. माखनलाल चतुर्वेदी D. सोहनलाल द्विवेदी

241. "कवि कुछ ऐसी तान सुनाओ
जिससे उथल-पुथल हो जाये।"
ये पंक्तियां किस कवि की हैं?
A. माखनलाल चतुर्वेदी B. बालकृष्ण शर्मा 'नवीन'
C. सियारामशरण गुप्त D. रामेश्वर शुक्ल 'अंचल'

242. द्विवेदी युग में किस कवि ने अन्य कवियों को खड़ी बोली में कविता लिखने हेतु प्रोत्साहित किया?
A. अयोध्यासिंह उपाध्याय B. जगन्नाथ दास 'रत्नाकर'
C. भारतेन्दु हरिश्चन्द्र D. महावीर प्रसाद द्विवेदी

243. जगन्नाथ दास 'रत्नाकर'
A. की काव्य-भाषा ब्रज भाषा है
B. को गंगावतरण से बड़ी ख्याति मिली
C. का भक्ति काव्य 'उद्धव शतक' है
D. उपरोक्त सभी

244. मैथिलीशरण गुप्त की पहली रचना कौन-सी थी?
A. साकेत B. सिद्धराज
C. यशोधरा D. जयद्रथ वध

245. खड़ी बोली का पहला महाकाव्य कौन-सा है?
A. साकेत B. गंगावतरण
C. प्रिय प्रवास D. कामायनी

246. 'प्रिय प्रवास' में किस रस की प्रधानता है?
A. शृंगार रस B. वात्सल्य रस
C. करुण रस D. शान्त रस

247. मैथिलीशरण गुप्त के साहित्यिक गुरु कौन थे?
A. पं. रामचन्द्र शुक्ल B. पं. प्रतापनारायण मिश्र
C. पं. महावीर प्रसाद द्विवेदी D. भारतेन्दु हरिश्चन्द्र

248. गुप्तजी के ग्रन्थ 'साकेत' की नायिका कौन है?
A. कैकेई B. सीता
C. कौशल्या D. उर्मिला

249. 'नवीन' उपनाम से कविता लिखने वाला कवि था–
A. बालकृष्ण शर्मा B. रूपनारायण पाण्डेय
C. सत्यनारायण D. गया प्रसाद शुक्ल

250. 'आर्द्रा' के रचनाकार थे–
A. रामकुमार वर्मा B. सियारामशरण गुप्त
C. सोहनलाल द्विवेदी D. तारा पाण्डे

251. काशी से प्रकाशित होने वाली साहित्यिक पत्रिका कौन-सी थी?
A. इंदु B. सरस्वती
C. कर्मवीर D. मतवाला

252. अयोध्या सिंह उपाध्याय की काव्य-रचना की एक विशेषता है–
A. सधुक्कड़ी हिन्दी का प्रयोग
B. शुद्ध ब्रजभाषा का प्रयोग
C. संस्कृत की समासयुक्त पदावली का प्रयोग
D. उर्दू बहुक्त पदावली का प्रयोग

253. 'पुष्प की अभिलाषा' राष्ट्रीय विचारधारा की कविता है, जिसके शब्द हैं–
"चाह नहीं मैं सुरबाला के गहनों में गूँथा जाऊं"
इस कविता का रचयिता कौन है?
A. मैथिलीशरण गुप्त
B. रामधारी सिंह 'दिनकर'
C. सियारामशरण गुप्त
D. माखनलाल चतुर्वेदी

254. सियारामशरण गुप्त की 'मौर्य विजय'–
A. करुण रस प्रधान रचना है
B. वीर रस प्रधान रचना है
C. पौराणिक घटना पर आधारित है
D. समसामयिक विषय से सम्बन्धित है

255. ''स्वर्ग की तुलना उचित ही है यहां।
किन्तु सुरसरिता कहां, सरयू यहां।
वह मरों को मात्र पार उतारती
यह यहीं से जीवितों को तारती।''
उपरोक्त पंक्तियां किस कवि की हैं?
A. मैथिलीशरण गुप्त B. सुमित्रानंदन पंत
C. रामकुमार वर्मा D. भारतेन्दु हरिश्चन्द्र

256. किस कवि को साधारणतया गांधीवादी कवि कहा जाता है?
A. रामधारी सिंह 'दिनकर'
B. सोहनलाल द्विवेदी
C. मैथिलीशरण गुप्त
D. अयोध्यासिंह उपाध्याय 'हरिऔध'

257. निम्नलिखित में से एक सोहनलाल द्विवेदी का काव्य संग्रह है, वह है–
A. भैरवी B. आर्द्रा
C. चेतना D. गुंजन

258. बालकृष्ण शर्मा 'नवीन' के सम्बन्ध में कौन-सा कथन सही नहीं है?
A. उनकी अधिकांश रचनायें जेल में लिखी गईं
B. वह फकीर बादशाह थे
C. 'हम विषपायी जनम के' उनकी प्रसिद्ध रचना है
D. वह छायावाद के प्रतिनिधि कवि थे

259. खड़ी बोली के प्रथम महाकाव्य रचयिता कौन थे?
A. अयोध्यासिंह उपाध्याय 'हरिऔध'
B. जयशंकर प्रसाद
C. रामधारी सिंह 'दिनकर'
D. मलिक मुहम्मद जायसी

260. हरिऔधजी का ग्रंथ 'प्रियप्रवास' किस भाषा में है?
A. अवधी B. खड़ी बोली
C. संस्कृतनिष्ठ खड़ी बोली D. ब्रज

261. श्यामनारायण पाण्डेय का सुविख्यात महाकाव्य कौन-सा है?
A. राणा प्रताप B. मेघनाद वध
C. हल्दीघाटी D. कुरुक्षेत्र

262. 'चित्राधार' किस कवि की ब्रजभाषा की प्रथम कृति है?
A. रामधारी सिंह 'दिनकर' B. जयशंकर प्रसाद
C. जगन्नाथ दास 'रत्नाकर' D. उपरोक्त में से कोई नहीं

263. 'आंसू' किसकी कृति है?
A. सोहनलाल द्विवेदी B. सुमित्रानंदन पंत
C. हरिवंश राय बच्चन D. जयशंकर प्रसाद

264. प्रसादजी की खड़ी बोली की प्रथम काव्य रचना थी–
A. प्रेम पथिक B. चित्राधार
C. कामायनी D. इनमें से कोई नहीं

265. 'निराला' जी का पूरा नाम क्या था?
A. रमाकान्त त्रिपाठी B. उपाकान्त त्रिपाठी
C. सूर्यकान्त त्रिपाठी D. चन्द्रकान्त त्रिपाठी

266. प्रसादजी का महाकाव्य 'कामायनी'
A. वीर रस का श्रेष्ठ काव्य है
B. भक्ति भाव का अनूठा ग्रंथ है
C. आनन्दवाद की श्रेष्ठ रचना है
D. उपरोक्त सभी

267. प्रसादजी का सारा काव्य किससे प्रभावित दिखता है?
A. राष्ट्र प्रेम से B. भारतीय संस्कृति से
C. बौद्ध धर्म से D. उपरोक्त तीनों से

268. प्रसादजी की भाषा–
A. संस्कृतगर्भित है B. चित्रमय है
C. माधुर्य गुण सम्पन्न है D. उपरोक्त सभी

269. प्रसादजी का गीति काव्य है–
A. कानन-कुसुम B. लहर
C. झरना D. उपरोक्त सभी

270. ''किरण! तुम क्यों बिखरी हो आज,
रंगी हो तुम किसके अनुराग।''
प्रकृति-चित्र की उपरोक्त पंक्तियां किस कवि की हैं?
A. सुमित्रानंदन पंत B. रामकुमार वर्मा
C. महादेवी वर्मा D. जयशंकर प्रसाद

271. आधुनिक हिन्दी साहित्य में रहस्यवाद का जन्मदाता किसे माना जाता है?
A. भगवतीचरण वर्मा B. महादेवी वर्मा
C. सूर्यकान्त त्रिपाठी 'निराला' D. जयशंकर प्रसाद

272. 'बीती विभावरी, जाग री
अम्बर पनघट में डुबा रही
तारा-घट ऊषा नागरी'
उपरोक्त रूपक की एकरूपता वाली पंक्तियां लिखने वाला/वाली कवि/कवयित्री है–
A. महादेवी वर्मा B. सुमित्रानंदन पंत
C. जयशंकर प्रसाद D. मैथिलीशरण गुप्त

273. निम्न पंक्तियां किस कवि की हैं–
''ले चल मुझे भुलावा देकर, मेरे नाविक धीरे-धीरे''
A. सुमित्रानंदन पंत B. सूर्यकान्त त्रिपाठी 'निराला'
C. महादेवी वर्मा D. जयशंकर प्रसाद

274. प्रसादजी की कामायनी में पात्र-प्रतीकों के निम्नलिखित जोड़ों में से कौन-सा गलत है?
A. मनु – मन का प्रतीक
B. इड़ा – बुद्धि का प्रतीक

C. श्रद्धा – हृदय का प्रतीक
D. वृषभ – आनंद का प्रतीक

275. 'आँसू' में किस रस की प्रधानता है?
A. शृंगार रस की B. शान्त रस की
C. करुण रस की D. अद्‌भुत रस की

276. प्रसादजी की रचनाओं में–
A. सांस्कृतिक प्रौढ़त्व है B. विवेक है
C. अनुभूति की गहराई है D. उपरोक्त सभी हैं

277. प्रसादजी का 'आँसू' काव्य–
A. अनुभूति और कल्पना प्रधान है
B. में चमत्कार और उक्ति वैचित्र्य है
C. में उपदेशात्मकता है
D. में विश्वबन्धुत्व की भावना है

278. किस क्षेत्र की रचनाओं के लिए प्रसादजी को अग्रणी कवि माना जाता है?
A. प्रयोगवादी B. प्रगतिवादी
C. छायावादी D. उपरोक्त में से कोई नहीं

279. किस ग्रंथ को प्रसादजी का सर्वोत्कृष्ट काव्य-ग्रंथ माना जाता है?
A. झरना B. लहर
C. आँसू D. कामायनी

280. खड़ी बोली के किस कवि को द्विवेदी युग के बाद विभिन्न साहित्यिक प्रवृत्तियों का जन्मदाता; संक्रान्ति काल का उच्चतम साहित्यकार और रोमांटिक साहित्य का प्रवर्तक माना जाता है?
A. महादेवी वर्मा B. सूर्यकान्त त्रिपाठी 'निराला'
C. जयशंकर प्रसाद D. सुमित्रानंदन पंत

281. निम्नलिखित में से किस प्रतिभाशाली कवि की मृत्यु जवानी में ही (50 वर्ष से कम आयु में) हो गई थी?
A. महादेवी वर्मा B. सुमित्रानंदन पंत
C. जयशंकर प्रसाद D. सूर्यकान्त त्रिपाठी 'निराला'

282. खड़ी बोली के किस कवि को हिन्दी साहित्य का 'शिव' कहा जाता है?
A. जयशंकर प्रसाद B. महादेवी वर्मा
C. सूर्यकान्त त्रिपाठी 'निराला' D. उपरोक्त में से कोई नहीं

283. "दिवस का अवसान समीप था,
गगन था कुछ लोहित हो चला।"
यह प्रकृति-चित्रण किस महाकाव्य से है?
A. प्रिय प्रवास B. कामायनी
C. उर्वशी D. साकेत

284. हिन्दी कविता में स्वच्छंद छंद रचना का सूत्रपात करने वाला कवि था–
A. मैथिलीशरण गुप्त
B. अयोध्यासिंह उपाध्याय 'हरिऔध'
C. जयशंकर प्रसाद
D. सूर्यकान्त त्रिपाठी 'निराला'

285. 'निराला' जी का प्रथम काव्य संग्रह था–
A. आराधना B. अणिमा
C. अर्चना D. अनामिका

286. 'जूही की कली' नामक सुविख्यात कविता किसकी है?
A. सुमित्रानंदन पंत B. भगवती चरण वर्मा
C. महादेवी वर्मा D. सूर्यकान्त त्रिपाठी 'निराला'

287. निराला के काव्य में–
A. भाषा ओजपूर्ण है
B. भाषा संस्कृतनिष्ठ खड़ी बोली है
C. स्वर-लय की प्रधानता है
D. उपरोक्त सभी

288. 'वर दे, वीणावादिनी, वर दे'
यह सरस्वती वंदना किस कवि ने लिखी है?
A. जयशंकर प्रसाद B. सूर्यकान्त त्रिपाठी 'निराला'
C. सुमित्रानंदन पंत D. उपरोक्त में कोई नहीं

289. "नारी तुम केवल श्रद्धा हो,
विश्वास रजत नग पग-तल में।
पीयूष स्रोत-सी बहा करो,
जीवन के सुन्दर समतल में।"
नारी के सम्बन्ध में उपर्युक्त उद्‌गार किस कवि के हैं?
A. सुमित्रानंदन पंत B. मैथिलीशरण गुप्त
C. सोहनलाल द्विवेदी D. जयशंकर प्रसाद

290. नारी के सम्बन्ध में निम्नलिखित उद्‌गार किस कवि का है–
"वह इष्टदेव के मन्दिर की पूजा-सी
वह दीप-शिखा-सी शान्त, भाव में लीन"
A. नरेन्द्र शर्मा B. सुमित्रानंदन पंत
C. शान्तिप्रिय द्विवेदी D. सूर्यकान्त त्रिपाठी 'निराला'

291. 'कुकुरमुत्ता' किस कवि की रचना है?
A. बालकृष्ण शर्मा 'नवीन' B. जयशंकर प्रसाद
C. अज्ञेय D. सूर्यकान्त त्रिपाठी 'निराला'

292. निराला जी की निम्नलिखित पंक्तियां उनकी किस कविता से है?
"वह आता–
दो टूक कलेजे के करता
पछताता पथ पर आता।
पेट-पीठ दोनों मिलकर हैं एक
चल रहा लकुटिया टेक"
A. कृषक B. मजदूर
C. भिक्षुक D. एक भारतीय

293. 'निराला' जी की कविताओं में–
A. छायावाद है B. रहस्यवाद है
C. प्रगतिवाद है D. तीनों का समन्वय है

294. हिन्दी गीति-काव्य की परम्परा डालने वाला/वाली कवि/कवयित्री है–
A. महादेवी वर्मा B. सूर्यकान्त त्रिपाठी 'निराला'
C. रामधारी सिंह 'दिनकर' D. अज्ञेय

295. 'निराला' की प्रयोगवादी रचना है–
A. वनवेला B. कुकुरमुत्ता
C. नये पत्ते D. बादल राग

296. 'निराला जी' की 'तुम और मैं' कविता उच्चकोटि की–
A. छायावादी रचना है B. रहस्यवादी रचना है
C. प्रयोगवादी रचना है D. प्रगतिवादी रचना है

297. 'राम की शक्ति पूजा' किसकी कविता है?
A. तुलसीदास B. मैथिलीशरण गुप्त
C. सूर्यकान्त त्रिपाठी 'निराला' D. जयशंकर प्रसाद

298. ''दिवसावसान का समय, मेधमय आसमान से उतर रही है : वह सन्ध्या सुन्दरी परी सी धीरे-धीरे।''
प्रकृति सौन्दर्य की ये अनुपम पंक्तियां निराला जी की किस कविता से है?
A. भारती वन्दना B. यामिनी जागो
C. पंचवटी D. सन्ध्या सुंदरी

299. हिन्दी का 'सुकुमार कवि' किसे कहा जाता है?
A. अज्ञेय B. सुमित्रानंदन पंत
C. नरेन्द्र शर्मा D. उपरोक्त में से कोई नहीं

300. पंतजी का महाकाव्य है–
A. शिल्पी B. लोकायतन
C. चिदम्बरा D. गुंजन

उत्तरमाला

आदि काल

1	2	3	4	5	6	7	8	9	10
D	D	C	A	A	D	C	B	D	B
11	**12**	**13**	**14**	**15**	**16**	**17**	**18**	**19**	**20**
D	C	B	B	A	B	A	A	A	D
21	**22**	**23**	**24**	**25**	**26**	**27**	**28**	**29**	**30**
B	B	D	C	C	D	B	B	A	D
31	**32**	**33**	**34**	**35**	**36**	**37**	**38**	**39**	**40**
C	C	B	B	B	D	D	C	C	D

भक्ति काल

41	42	43	44	45	46	47	48	49	50
C	D	D	A	B	A	C	C	D	D
51	**52**	**53**	**54**	**55**	**56**	**57**	**58**	**59**	**60**
D	C	D	C	A	D	B	A	A	A
61	**62**	**63**	**64**	**65**	**66**	**67**	**68**	**69**	**70**
D	C	B	A	B	B	C	C	D	C
71	**72**	**73**	**74**	**75**	**76**	**77**	**78**	**79**	**80**
B	B	D	A	B	C	C	B	D	A
81	**82**	**83**	**84**	**85**	**86**	**87**	**88**	**89**	**90**
B	C	C	D	A	C	A	B	C	C
91	**92**	**93**	**94**	**95**	**96**	**97**	**98**	**99**	**100**
B	D	D	A	C	B	B	C	B	C
101	**102**	**103**	**104**	**105**	**106**	**107**	**108**	**109**	**110**
B	B	C	A	C	B	D	D	A	D
111	**112**	**113**	**114**	**115**	**116**	**117**	**118**	**119**	**120**
D	C	C	D	C	D	D	C	C	B
121	**122**	**123**	**124**	**125**					
D	C	C	D	A					

रीति काल

126	127	128	129	130	131	132	133	134	135
B	B	D	C	D	D	A	D	D	A
136	137	138	139	140	141	142	143	144	145
C	C	A	C	D	D	D	D	D	B
146	147	148	149	150	151	152	153	154	155
C	A	D	A	A	D	D	C	A	A
156	157	158	159	160	161	162	163	164	165
D	B	D	C	C	B	C	D	D	A
166	167	168	169	170	171	172	173	174	175
B	B	D	D	B	A	A	C	D	D
176	177	178	179	180	181	182	183	184	185
D	D	A	B	D	C	C	D	D	A
186	187	188	189	190	191	192	193	194	195
A	B	D	A	C	B	B	B	D	D
196	197	198	199	200					
C	D	D	D	D					

आधुनिक काल

201	202	203	204	205	206	207	208	209	210
C	D	D	A	D	D	D	D	D	A
211	212	213	214	215	216	217	218	219	220
C	C	D	B	B	C	D	A	B	C
221	222	223	224	225	226	227	228	229	230
A	D	D	B	C	C	D	C	A	A
231	232	233	234	235	236	237	238	239	240
D	C	B	B	B	A	D	C	A	C
241	242	243	244	245	246	247	248	249	250
B	D	D	D	C	C	C	D	A	B
251	252	253	254	255	256	257	258	259	260
A	C	D	B	A	B	A	D	A	C
261	262	263	264	265	266	267	268	269	270
C	B	D	A	C	C	D	D	D	D
271	272	273	274	275	276	277	278	279	280
D	C	D	D	C	D	A	C	D	C
281	282	283	284	285	286	287	288	289	290
C	C	A	D	D	D	D	B	D	D
291	292	293	294	295	296	297	298	299	300
D	C	D	B	D	B	C	D	B	B

❑ ❑ ❑

हिन्दी गद्य साहित्य का विकास

हिन्दी का गद्य-साहित्य बहुत पुराना नहीं है। इसके विपरीत हिन्दी-कविता की जड़ें कम-से-कम एक हजार वर्ष पुरानी हैं। ठीक अर्थों में हिन्दी के वास्तविक गद्य का विकास ईसा की ग्यारहवीं सदी से ही हुआ। वैसे इसके पहले की भी कुछ रचनाएं उपलब्ध होती हैं, लेकिन उनकी भाषा क्षेत्रीय भाषा-मिश्रित खड़ी बोली थी। सन् 1530 में गंग कवि की लिखी 'चन्द्र बरनन की महिमा' और सन् 1624 में जटमल-रचित 'गोरा बादल की कथा' हिन्दी-गद्य की उल्लेखनीय कृतियां मानी जाती हैं। लेकिन इन दोनों पुस्तकों की भाषा में ब्रज बोली और खड़ी बोली का मिश्रण है। सन् 1732 के लगभग पं. रामप्रसाद निरंजनी ने संस्कृत के ग्रंथ 'योग वशिष्ठ' का हिन्दी गद्यानुवाद किया। इसकी भाषा अपेक्षाकृत अधिक परिष्कृत है। तब भी हिन्दी के गद्य का वास्तविक सूत्रपात 19वीं सदी के उत्तरार्ध में ही हुआ। इसे 'खड़ी बोली' कहा गया। यह नामकरण फोर्ट विलियम कालेज की स्थापना के बाद लल्लूलाल ने किया। उन्होंने अपने ग्रंथ 'प्रेम-सागर' में सबसे पहली बार 'खड़ी बोली' शब्द का प्रयोग भाषा-विशेष के लिए किया।

आधुनिक हिन्दी गद्य के उन्नायकों में मुंशी सदासुखलाल (रचनाकाल संवत् 1803-1821), मुंशी इंशाअल्ला खां (संवत् 1855-56), पं. लल्लूलाल (संवत् 1820-22) और सदल मिश्र (संवत् 1884-1905) को माना जाना चाहिए। इन चारों में मुंशी सदासुखलाल की भाषा में सबसे अधिक व्यावहारिक और निखरी हुई खड़ी बोली का रूप मिलता है। मुंशी इंशाअल्ला खां ने 'रानी केतकी की कहानी' में हिन्दी और उर्दू दोनों को देवनागरी लिपि के माध्यम से पास लाने का प्रयत्न किया। उन्होंने 'हिन्दी छुट किसी और का पुट नहीं' लिखकर अपना संकेत 'खड़ी' बोली के लिए ही किया था।

हिन्दी के उक्त चारों लेखकों का रचना-काल लगभग एक ही है। फिर भी इसमें से किसी की भी भाषा पूरी तरह साफ-सुथरी और चुस्त-दुरुस्त नहीं है। किसी में अधिक पंडिताऊपन है, तो किसी में फारसीपन। इन लेखकों के बाद ईसाई मिशनरियों द्वारा हिन्दी गद्य का प्रचार हुआ। मिशनरियों ने अपने धर्म-प्रचार के लिए गद्य में छोटी-छोटी पुस्तकें प्रकाशित कीं। इसी समय सर चार्ल्स वुड ने शिक्षा के प्रचार के लिये गांवों और कस्बों में देशी-स्कूल खुलवाये। उसी समय यह प्रश्न उठा कि शिक्षा का माध्यम हिन्दी हो या उर्दू। काशी के राजा शिवप्रसाद ने, जिनकी शिक्षा-विभाग में इन्सपेक्टर के पद पर नियुक्ति हुई थी, हिन्दी का पक्ष ग्रहण किया। राजा शिवप्रसाद के प्रयत्नों से सरकारी स्कूलों में हिन्दी की शिक्षा को भी स्थान मिला। उन्होंने कतिपय लेखकों से हिन्दी में पाठ्य-पुस्तकें तैयार करवाईं तथा स्वयं भी लगभग 22 पुस्तकें लिखीं। राजा शिवप्रसाद का विरोध उर्दू भाषा से नहीं बल्कि फारसी लिपि से था। वे चाहते थे कि स्कूलों में फारसी लिपि के साथ-साथ नागरी लिपि का भी व्यवहार हो। इसके अतिरिक्त आगरा के राजा लक्ष्मणसिंह ने भी हिन्दी का पक्ष ग्रहण किया। राजा लक्ष्मण सिंह ने राजा शिवप्रसाद की 'उर्दू परस्ती' के विरुद्ध आवाज उठाई। उन्होंने हिन्दी में फारसी-अरबी के प्रचलित शब्दों के प्रयोग तक को अनुचित ठहराया। फारसी के प्रभाव से हिन्दी को मुक्त करने के लिए उन्होंने सन् 1832 में 'प्रजा-हितैषी' नामक पत्रिका निकाली। 'अभिज्ञान शाकुन्तल', 'मेघदूत' तथा 'रघुवंश' के भी हिन्दी में अनुवाद किये। वैसे उनकी भाषा में भी यत्र-तत्र बेढंगे तथा पुराने प्रयोग मिलते हैं, फिर भी उन्होंने हिन्दी गद्य को प्रथम बार पुष्ट एवं व्यवस्थित साहित्यिक रूप दिया। आर्य समाज तथा उसकी स्थापना करने वाले स्वामी दयानन्द सरस्वती ने भी गद्य के विकास में हाथ बंटाया। स्वामी दयानन्द ने अपने मत के प्रचार के लिए एकमात्र पुस्तक 'सत्यार्थ प्रकाश' की रचना हिन्दी में की। वे अपने उपदेश भी खड़ी बोली गद्य में ही दिया करते थे। सन् 1816 में ब्रह्म समाज के संस्थापक राजा राममोहन राय ने वेदान्त-सूत्रों का स्वतन्त्र भाष्य हिन्दी में छपवाया।

सन् 1857 के राजद्रोह के बाद **भारतेन्दु हरिश्चन्द्र** का हिन्दी रंगमंच पर उदय हुआ। भारतेन्दु की भाषा-शैली का प्रभाव उनके समकालीन लेखकों पर भी पड़ा उनकी भाषा-शैली में तत्सम् शब्दों का अभाव था। उन्होंने प्रतिदिन व्यवहार में आने वाले उर्दू शब्दों का भी प्रयोग किया। भारतेन्दु के समकालीन लेखकों में बालकृष्ण भट्ट, प्रतापनारायण मिश्र, बालमुकुन्द गुप्त, बदरी नारायण चौधरी 'प्रेमघन' आदि प्रमुख हैं। इन लेखकों ने हिन्दी में मौलिक नाटक, कविता, उपन्यास, निबन्ध, आलोचना आदि साहित्य के विविध रूपों को जन्म देकर हिन्दी के आरम्भिक विकास में सहायता दी। भारतेन्दु हरिश्चन्द्र को हिन्दी-गद्य का प्रवर्तक मानना चाहिये। उन्होंने गद्य का रूप निर्धारित किया और उसे दो छोरों के झगड़ों से बचाया। एक छोर था राजा शिवप्रसाद सितारेहिंद का, जो उर्दू-प्रधान शैली के उन्नायक थे और दूसरे छोर थे राजा लक्ष्मणसिंह, जो संस्कृत की तत्सम प्रधान शैली का समर्थन कर रहे थे। इन दोनों राजाओं के हाथ से मोर्चे को छीनकर भारतेन्दुजी ने गद्य के विकास और प्रभाव के लिये कई रास्ते निकाले। उन्होंने नाटक, उपन्यास, कहानी, निबन्ध, समालोचना, समाचार-पत्र आदि विविध विधाओं से गद्य को नवजीवन दिया। भारतेन्दु के ही प्रयत्नों से हिन्दी में पत्र-पत्रिकाओं का प्रकाशन आरम्भ हुआ और इससे ही हिन्दी गद्य के परिष्कार में वास्तविक सहायता मिली।

इन्हीं के बाद हुए **महावीरप्रसाद द्विवेदी**। भाषा को परिमार्जित और शुद्ध करने की ओर सबसे पहले द्विवेदीजी ने ही ध्यान दिया। उन्होंने 'सरस्वती' का सम्पादन किया और इस पत्रिका के माध्यम से उन्होंने अशुद्ध गद्य लिखने वालों की आलोचना की। स्वयं शुद्ध भाषा लिखकर उन्होंने सही खड़ी बोली का नमूना उपस्थित किया। उन्होंने अन्य लेखकों को शुद्ध हिन्दी लिखने की प्रेरणा दी। इस तरह समकालीन लेखकों पर द्विवेदीजी का काफी प्रभाव पड़ा। इन लेखकों में माधवप्रसाद मिश्र, चन्द्रधर शर्मा 'गुलेरी', गोपालराम गहमरी, श्यामसुन्दर दास, पूर्णसिंह, पद्मसिंह शर्मा, बदरीनाथ भट्ट आदि मुख्य थे। मिश्र बन्धुओं, आचार्य रामचन्द्र शुक्ल और श्यामसुन्दर दास ने भी उन्हीं के समय लिखना आरम्भ किया। आगे चलकर आचार्य रामचन्द्र शुक्ल ने समास-प्रधान शैली को जन्म देकर आधुनिक हिन्दी गद्य को नया रूप दिया। उन्होंने पहली बार हिन्दी साहित्य का प्रामाणिक इतिहास लिखा। इसी युग में कहानी और उपन्यास के क्षेत्र में प्रेमचन्द का आविर्भाव हुआ। नाटक के क्षेत्र में जयशंकर प्रसाद ने नवीन शैली को जन्म दिया और हिन्दी के नाटकों को एक सुव्यवस्थित रूपरेखा मिली। प्रसाद ने ऐतिहासिक और पौराणिक कथाओं के आधार पर कई नाटक लिखे; उनमें 'अजातशत्रु', 'स्कन्दगुप्त', 'चन्द्रगुप्त',

'जनमेजय का नागयज्ञ', 'ध्रुवस्वामिनी' जैसे साहित्यिक कोटि के नाटक आते हैं।

इस तरह आचार्य रामचन्द्र शुक्ल के बाद से ही हिन्दी का आधुनिक काल आरम्भ होता है। यही हिन्दी के गद्य-विकास का चरम सोपान है और वह नाटक, उपन्यास, कहानी आदि अनेक रूपों में निखर कर सामने आया है।

निबंध

निबन्ध का आविर्भाव और विकास साहित्य में अपेक्षाकृत विलम्ब से होता है : अच्छे निबन्धों की रचना के लिए पहले अन्य साहित्य-विधाओं में श्रेष्ठ साहित्य के निर्माण की शर्त इसलिए होती है कि निबन्ध में प्राण-संचार करने के लिए परिष्कृत रुचि और बुद्धि के पाठक अन्य साहित्य-विधाओं से ही तैयार होते हैं। निबन्ध में केवल साहित्य-सृजन ही नहीं होता, वरन् साथ ही साथ जीवन तथा साहित्य की व्याख्या और आलोचना भी होती है। व्यक्तित्व की छाप साहित्य के अन्य रूपों की अपेक्षा निबन्ध में अधिक दिखाई पड़ती है। शैली के यथार्थ रूप का निखार गद्य में ही होता है। हिन्दी के निबन्ध का यथार्थ विकास भारतेन्दु बाबू से ही प्रारम्भ होता है। भारतेन्दु-युग भारत में राष्ट्रीय नवचेतना का युग था। मध्ययुगीन सामंतीय प्रथा का अन्त होकर समाज का निर्माण एक नये बौद्धिक आधार पर होना आरम्भ हो गया था। तत्कालीन साहित्य में हमें नवचेतना और नव-जागरण के दर्शन होते हैं।

भारतेन्दु-युग के निबन्धों और लेखों में इसी प्रकार हमें सजीवता का पूरा-पूरा आभास मिलता है। प्राचीन रूढ़ियों के प्रति उदासीनता के साथ नये आलोक की माँग उसमें है। उस युग के लेखकों की भाषा प्रवाहपूर्ण, मुहावरेदार, सजीव और चटपटी है। जीवन का ज्वलंत उल्लास और आमोद उसमें छलकता हुआ प्रतीत होता है। उस समय के निबन्ध-लेखक अपनी जिंदादिली का पूरा प्रमाण अपने लेखों और निबंधों में ही देते थे। वे जीवन के सभी क्षेत्रों से विषयों का चयन करते और बिना किसी अड़चन के उन पर स्वच्छंद रीति से प्रवाहमयी भाषा में सशक्त अभिव्यक्ति करते थे। यही कारण है कि भारतेन्दु-युग के निबन्ध-लेखकों की तुलना फ्रांसीसी लेखक मोंटेन और अंग्रेज लेखक बेकन से की जाती है। भारतेन्दु, प्रतापनारायण मिश्र, बालकृष्ण भट्ट और 'प्रेमघन', उस युग के प्रसिद्ध लेखक हैं। भारतेन्दु-युग के लेखकों ने जिस शैली से निबन्ध लिखना प्रारम्भ किया था, यदि वह परम्परा चलती रहती तो निस्संदेह आज हिन्दी निबन्ध अनेक दृष्टियों से बहुत आगे बढ़ गया होता। इस युग के निबन्ध-लेखक अपनी आभ्यन्तर प्रेरणा से ही लिखने में प्रवृत्त होते थे, उन्हें किसी बाह्य प्रेरणा की आवश्यकता नहीं थी। इसी कारण उनके निबंधों में वैयक्तिकता की मात्रा बहुत अधिक है।

भारतेन्दु युग के बाद निबन्ध साहित्य का विकास बहुत संतोषजनक रूप में नहीं हुआ। द्विवेदी युग गद्य तथा पद्य की भाषा के परिष्कार का युग था। स्वयं द्विवेदीजी का ध्यान भाषा को व्याकरण-सम्मत बनाने तथा कविता के अनुरूप करने में रहा। फलतः मौलिक निबन्ध तथा लेख लिखने वालों को भाषा की अशुद्धियों का भय अधिक बना रहा और व्याकरण के कठोर शासन ने त्रस्त होकर स्वच्छंद रूप में लिखने की प्रवृत्ति कम हो गयी। भारतेन्दु-युगीन लेखक बड़े निरंकुश भाव से लिखते थे—वैसी निरंकुशता द्विवेदी युग में नहीं रही। हिन्दी गद्य को व्यवस्थित बनाने के प्रयत्नों से मौलिक निबन्ध लेखकों का अभाव हुआ और जिंदादिली भी कम होती गई। द्विवेदी युग के केवल दो लेखक ही हमें ऐसे दृष्टिगत होते हैं, जो बड़ी स्वतंत्र शैली में लेख निबन्ध लिखने में लीन रहे। बाबू बालमुकुन्द और सरदार पूर्णसिंह ने इस युग में जो निबन्ध लिखे, वे बहुत ही उत्तम कोटि के हैं और उनमें प्रवाह के साथ पूरी मौलिकता विद्यमान है। महावीर प्रसाद द्विवेदी के निबंधों में वैसी मौलिकता तथा वैयक्तिकता नहीं है जैसी इन दोनों लेखकों में पाई जाती है। 'बंगवासी' नामक पत्र में सम्पादक के रूप में गुप्तजी ने जो टिप्पणियाँ और लेख लिखे, वे बहुत मार्मिक और व्यंग्यपूर्ण हैं।

द्विवेदी युग के अन्तिम चरण में एक मौलिक एवं समर्थ निबन्ध-लेखक साहित्य क्षेत्र में अवतरित हुए, जिन्होंने अपने समीक्षात्मक तथा विचारात्मक निबन्धों द्वारा हिन्दी निबन्धों को परिपूर्ण बनाने में सबसे अधिक योग दिया; उनका नाम है आचार्य रामचन्द्र शुक्ल। शुक्लजी हिन्दी के सर्वश्रेष्ठ विवेचक निबन्धकार हैं। उनके निबन्धों का क्षेत्र भाव और मनोविकार के साथ काव्यालोचन था। पहले उन्होंने समीक्षात्मक निबन्ध लिखे, जो जायसी, तुलसी और सूर ग्रन्थावली में भूमिका रूप में प्रकाश में आये। ये निबन्ध विशाल होने के कारण प्रबन्ध कोटि के हैं। इसके बाद ही उन्होंने काव्यशास्त्र के समालोचना-पक्ष से सम्बद्ध विषयों पर फुटकर निबन्ध लिखे। भाव और मनोविकारों पर लिखे हुए उनके निबन्ध हिन्दी साहित्य की अमूल्य निधि हैं। 'चिन्तामणि' उनके निबन्धों का संग्रह है। शुक्लजी के पथ-प्रदर्शन के कारण विचारात्मक तथा भावात्मक निबन्धों का ताँता लग गया। एक ओर आलोचना में स्पष्टता तथा स्वच्छन्दता का समावेश हुआ, तो दूसरी ओर निबन्ध की सीमा-मर्यादा में भी विस्तार हुआ।

आलोचना के शास्त्रीय तथा प्रयोग पक्ष पर निबन्ध लिखने वालों में आचार्य हजारी प्रसाद द्विवेदी, गुलाबराय, शान्तिप्रिय द्विवेदी, डा. नगेन्द्र, डा. विजयेन्द्र स्नातक, नन्ददुलारे वाजपेयी, नलिनविलोचन शर्मा, रामविलास शर्मा और डा. देवराज आदि प्रमुख हैं।

निबन्ध-साहित्य के अन्तर्गत समीक्षात्मक लेख, भावात्मक लेख, विचारात्मक लेख आदि सभी वर्गों के फुटकर गद्य-लेखों का भी समावेश होता है।

नाटक

हिन्दी में लोक-रंगमंच और नाटकों का विकास 15वीं-16वीं सदी में हो गया था। परन्तु इन नाटकों में पद्य की प्रमुखता होती थी। उस समय रामलीला, रासलीला, कीर्तन मंडलियां ही इस कार्य को किया करती थीं। हिन्दी गद्य नाटकों का वास्तविक परिवर्तन भारतेन्दु हरिश्चन्द्र ने किया। उनका प्रहसन 'वैदिकी हिंसा हिंसा न भवति' इस क्षेत्र में प्रथम मौलिक रचना है। भारतेन्दु को संस्कृत, अंग्रेजी और बंगला भाषाओं का ज्ञान था। वे रंगमंच की आवश्यकताओं को भी पूरा ध्यान रखते थे। उन्होंने राजनैतिक, सामाजिक, पौराणिक और प्रेम-प्रधान सभी तरह के नाटक लिखे। उनकी कला में प्राचीन के प्रति श्रद्धा की भावना थी, तो वर्तमान चेतना का भी सुन्दर समन्वय था।

भारतेन्दु ने स्वयं नाटक तो लिखे ही, अपने समकालीन लेखकों को भी नाटक लिखने के लिए प्रेरित किया। उस काल में लाला श्रीनिवासदास का स्थान महत्त्वपूर्ण है। उन्होंने नाट्यशास्त्र के नियमों के अनुसरण के साथ-साथ नवीनता को भी अपनाया। इसके बाद बदरीनारायण चौधरी 'प्रेमघन', राधाकृष्ण दास, किशोरीलाल गोस्वामी, देवकीनन्दन खत्री तथा प्रतापनारायण मिश्र के नाम आते हैं।

आधुनिक नाटकों के विकास का श्रेय जयशंकर प्रसाद को है। प्रसाद ने भारतीय नाट्य-शास्त्र के सिद्धान्तों को पाश्चात्य नाट्य-शास्त्र के सिद्धान्तों के साथ सफलतापूर्वक समन्वय किया। उन्होंने नाटकों में चरित्र-चित्रण की ओर विशेष ध्यान दिया। हिन्दी में ऐतिहासिक नाटक लिखकर प्रसाद ने हिन्दी-नाट्य-साहित्य को एक नई दिशा दी। उन्होंने तेरह नाटक लिखे। उनके नाटकों में प्राचीन भारत की संस्कृति का एक वृहद चित्र देखने को मिलता है।

प्रसाद के पश्चात् उनकी परम्परा का अनुसरण कर लिखने वाले अन्य नाटककार हैं–लक्ष्मीनारायण मिश्र, उदयशंकर भट्ट, हरिकृष्ण प्रेमी, सेठ गोविन्द दास, विष्णु प्रभाकर आदि। पूरे नाटकों के साथ-साथ एकांकी नाटकों का आविर्भाव भी भारतेन्दु के ही समय में हुआ था। परन्तु प्रसाद के बाद उनको विशेष गति मिली। डा. रामकुमार वर्मा, जगदीशचन्द्र माथुर और उपेन्द्रनाथ 'अश्क' ने कई एकांकी नाटक लिखे।

उपन्यास

देवकीनन्दन खत्री को हिन्दी के प्रारम्भिक मौलिक उपन्यासकारों में सबसे ख्याति मिली। उनका लिखा 'चन्द्रकान्ता संतति' रोचक वर्णन और तिलिस्म तथा जासूसी से भरी घटनाओं के कारण जनसाधारण में इतना लोकप्रिय हुआ कि उसको पढ़ने के लिए कई लोगों ने हिन्दी सीखी। किशोरीलाल गोस्वामी ने 60 से ऊपर उपन्यास लिखे। गोपालराम गहमरी के उपन्यास भी उस समय रुचि के साथ पढ़े जाते थे।

हिन्दी की कहानी के बारे में कहा जाता है कि किशोरीलाल गोस्वामी की 'इन्दुमती' ही पहली वास्तविक कहानी थी, लेकिन कहानी और उपन्यास इन दोनों विधाओं को गम्भीर रूप से यदि किसी ने प्रतिष्ठित किया, तो यह थे मुंशी प्रेमचंद। प्रेमचंद ने उपन्यास और कहानी दोनों ही के माध्यम से अपने युग की स्थितियों को समझा। और उन्हें सही ढंग से चित्रित किया। भाषा से लेकर शैली और कथानक तक में प्रेमचन्द ने एकदम नये प्रयोग किए। उस समय के यथार्थ को आदर्श के धरातल पर प्रस्तुत कर उन्होंने साहित्य को जन सामान्य के बीच पहुंचाने का काम किया। प्रेमचंद का सबसे प्रसिद्ध उपन्यास है 'गोदान'। उनके अन्य प्रमुख उपन्यास हैं : रंगभूमि, प्रेमाश्रम, कायाकल्प, कर्मभूमि, गबन आदि।

प्रेमचंद के समय ही जयशंकर प्रसाद ने 'कंकाल' और 'तितली' दो उपन्यास लिखे। वृन्दावनलाल वर्मा ने ऐतिहासिक उपन्यासों की परम्परा को जन्म दिया। चतुरसेन शास्त्री, राहुल सांकृत्यायन और प्रतापनारायण श्रीवास्तव ने भी ऐतिहासिक उपन्यास लिखे।

असल में प्रेमचन्द के उदय के साथ ही हिन्दी में उपन्यास और कहानी साहित्य की प्रगति इस गति से हुई कि दोनों को अलग-अलग करके देखा ही नहीं जा सकता। कौशिक से लेकर जैनेन्द्र, यशपाल, अज्ञेय, अश्क और भगवतीचरण वर्मा ने यदि कहानियां लिखीं, तो उपन्यास भी लिखे। अपने लेखन में इन सबने नये-नये प्रयोग किये। उन्होंने कहानी में सामान्य मानववादी परम्परा को ऊँचे धरातल तक उठा दिया।

यह समय राजनैतिक चेतना का था और विज्ञान की प्रगति काफी हो चुकी थी। संचार के साधनों के बढ़ते हुए आयामों से दुनिया की दूरी कम होती गयी, इसलिए हिन्दी का लेखन विदेशों की श्रेष्ठ रचनाओं से भी प्रभावित हुआ। वहां की श्रेष्ठ कृतियों के हिन्दी में अनुवाद हुए। उनसे हिन्दी-लेखकों को नयी प्रेरणायें मिलीं। इसलिए लेखन के कई स्तरों में बड़े-बड़े प्रयोग हुए।

सन् 1947 में देश आजाद हुआ। आजाद होते ही हिन्दी-साहित्य ने मुक्त रूप से विकास पाया। आज की हिन्दी कहानी और उपन्यासों में इतने अधिक विस्तार हुए हैं कि उनका एक बंधा-बंधाया रूप-रंग ही नहीं रह गया। मुक्त प्रयोगों और नए विचार-दर्शन से कथा-साहित्य प्रभावित हुआ। देहातों को नयी संस्कृति का केन्द्र मानकर नये ढंग से लिखने की प्रेरणा मिली। इस दृष्टि से 'रेणु' कृत 'मैला आंचल' की काफी चर्चा हुई। आज हिन्दी उपन्यास और कहानी में कई ऐसे नाम हैं, जो एकदम सामने आये हैं। उनमें कुछ नाम हैं–धर्मवीर भारती, मोहन राकेश, फणीश्वर नाथ रेणु, कमलेश्वर, लक्ष्मीनारायण लाल, शैलेश मटियानी, भीष्म साहनी, राजेन्द्र यादव, निर्मल वर्मा आदि।

कहानी

कहानी जीवन की मार्मिक अनुभूति की सोद्देश्य अभिव्यक्ति है। इसलिए लेखक का दृष्टिकोण सुधारवादी, आदर्शवादी या प्रगतिवादी हो सकता है। कहानी की घटनाएं यथार्थ और आदर्श में से किसी भी चिन्ताधारा की ओर उन्मुख हो सकती हैं। किन्तु आवश्यक यह है कि कहानी में प्रस्तुत चिन्ताधारा स्वस्थ हो। लक्ष्य की पूर्ति ही कहानी की सफलता है। श्रेष्ठ कहानी में उद्देश्य की अभिव्यक्ति उपदेश के रूप में नहीं, अपितु संकेत द्वारा की जाती है।

कहानी के भेद

साधारण रूप से हिन्दी की कहानियों को चार भागों में बांट सकते हैं–(1) घटना प्रधान, (2) चरित्र प्रधान, (3) वातावरण प्रधान और (4) भाव प्रधान।

(1) **घटना प्रधान कहानी**–जिस कहानी में विविध परिस्थितियों के निर्माण के आधार पर कथानक आगे बढ़ता है, उसे घटना प्रधान कहानी कहते हैं। दूसरे शब्दों में घटना प्रधान कहानी में पात्रों और परिस्थितियों के सम्बन्धों को प्रमुखता दी जाती है। सामान्यतया घटना प्रधान कहानी हम उस कहानी को कह सकते हैं, जिसमें लेखक एक पात्र को विभिन्न परिस्थितियों में डालता है और कहानी आगे बढ़ती रहती है। घटना प्रधान कहानी में घटनाओं की बहुलता होती है। जासूसी और तिलस्मी कहानियां प्रायः इसी श्रेणी में आती हैं। कला की दृष्टि से घटना प्रधान कहानी सबसे साधारण कोटि की मानी जाती है।

(2) **चरित्र प्रधान कहानी**–इस कोटि की कहानियों में लेखक का उद्देश्य कहानी के विभिन्न पात्रों के चरित्र का सुन्दर चित्रण होता है। ऐसी कहानी में लेखक किसी पात्र के चरित्र के किसी एक पक्ष को निखारना या उभारना चाहता है। इसी लक्ष्य को ध्यान में रखकर वह विविध परिस्थितियों तथा प्रसंगों की सृष्टि करता है, ताकि उस पात्र के चरित्र का सुन्दर और प्रभावशाली चित्रण हो सके। संक्षेप में कह सकते हैं कि ऐसी कहानी में कहानीकार का ध्येय चरित्र-निरूपण रहता है। गुलेरीजी की कहानी 'उसने कहा था' एक उत्कृष्ट चरित्र प्रधान कहानी है।

(3) **वातावरण प्रधान कहानी**–वातावरण प्रधान कहानी में उसकी परिस्थितियों के किसी एक अंग या किसी एक भावना को कथानक के विकास का माध्यम बनाकर कहानी को प्रभावोत्पादक बनाया जाता है। संक्षेप में इस प्रकार की कहानी में किसी घटना काल के वातावरण को सजीव तथा अनुप्राणित बनाया जाता है। कला की दृष्टि से वातावरण प्रधान कहानियां उच्च कोटि की मानी जाती हैं। ऐसी कहानियों में कहानीकार को अपनी

प्रतिभा, चातुर्य और कलात्मकता प्रदर्शित करने का पर्याप्त अवसर मिलता है। किसी वातावरण के चित्रण में कहानीकार अनोखे रंग भर सकता है और लाक्षणिक सौन्दर्य की राशि बिखेर सकता है और उनकी अभिव्यक्ति में अपनी कला को निखार सकता है।

(4) **भाव प्रधान कहानी**–भाव प्रधान कहानी में चरित्र, वातावरण या घटना की अपेक्षा भाव की प्रधानता होती है। इसी भाव के आधार पर कहानी के कथानक का विकास किया जाता है। ऐसी कहानी में कहानीकार पाठकों पर एक विशेष भाव की छाप छोड़ना चाहता है। इसी को दृष्टि में रखकर वह वातावरण तथा चरित्र की सृष्टि करता है। ऐसी कहानियां भी कला की दृष्टि से अच्छी मानी जाती हैं।

कहानी का विकास

आधुनिक हिन्दी कहानी का आरंभ 'सरस्वती' और 'सुदर्शन' के प्रकाशन से 1900 ई. से माना जा सकता है। इसी आधार पर कहानी साहित्य के विकास को तीन भागों में बांटा जा सकता है–(1) आरम्भ काल (1900-1910), (2) विकास काल (1911-1946), और (3) उत्कर्ष काल (1946 से अब तक)।

आरम्भ काल (1900-1910 ई.)–हिन्दी की सर्वप्रथम आधुनिक कहानी किशोरीलाल गोस्वामी की 'इन्दुमती' थी, जो 1900 ई. में 'सरस्वती' में प्रकाशित हुई। इस कहानी को पूर्णतः मौलिक कहानी नहीं माना जा सकता, क्योंकि इस पर शेक्सपीयर के नाटक 'दी टेम्पेस्ट' (The Tempest) की छाप स्पष्ट दिखती है। इसी समय रामचन्द्र शुक्ल की मौलिक कहानी 'ग्यारह वर्ष का समय' (1903 ई.) प्रकाश में आई। इसके बाद अनेक अनूदित, रूपान्तरित और मौलिक कहानियां लिखी गई। इसके अतिरिक्त पार्वती नन्दन, उदयनारायण बाजपेयी, स्वामी सत्यदेव और गिरजाकुमार घोष ने भी कहानियां लिखीं।

आरम्भ काल की सबसे सुन्दर तथा महत्वपूर्ण कहानी बंग महिला की 'दुलाई वाली' (सरस्वती, मई 1907 ई.) है। इस कहानी में सामान्य जीवन की एक साधारण-सी घटना का यथार्थवादी चित्रण बहुत प्रभावशाली ढंग से किया गया है। इस कहानी में कहानी कला के समुचित निर्वाह का प्रयास दृष्टिगोचर होता है। अतः यह कहा जा सकता है कि आधुनिक कहानी का आरंभ तो हो गया परन्तु उसमें प्रौढ़ता नहीं आ सकी थी।

विकास काल (1911-1946 ई.)–विकास काल में हिन्दी कहानी में चरित्र-चित्रण और भाव पक्ष सभी को महत्व प्रदान किया गया। विषय की दृष्टि से जहां एक ओर ग्राम जीवन की झांकी, पारिवारिक जीवन की समस्याओं और ऐतिहासिक-सांस्कृतिक गाथाओं का चित्रण किया गया, वहां दूसरी ओर यथार्थवादी, मनोवैज्ञानिक, कलात्मक और हास्य रस की कहानियां भी लिखी गई।

इस युग के कहानी-लेखकों में चन्द्रधर शर्मा गुलेरी, प्रेमचन्द, जयशंकर प्रसाद, विश्वम्भर नाथ कौशिक, सुदर्शन, चतुरसेन शास्त्री, सियारामशरण गुप्त, वृन्दावनलाल वर्मा, उग्र, यशपाल, भगवती प्रसाद वाजपेयी, भगवतीचरण वर्मा, जैनेन्द्र, सुभद्राकुमारी चौहान, पदुमलाल पुन्नालाल बख्शी, होमवती देवी, शिवपूजन सहाय, उषा देवी मित्रा, रायकृष्ण दास, इलाचन्द्र जोशी, अज्ञेय, विष्णु प्रभाकर और मन्मथनाथ गुप्त के नाम स्मरणीय हैं। इनमें से कुछ का संक्षिप्त वर्णन नीचे दिया गया है–

हिन्दी कथा साहित्य में श्री चन्द्रधर शर्मा गुलेरी का नाम सदैव आदर से लिया जायेगा। उनकी कहानी 'उसने कहा था' हिन्दी की सर्वश्रेष्ठ कहानी मानी गई। पवित्र प्रेम के निःस्वार्थ बलिदान की इस अमर कहानी ने गुलेरीजी को अमर बना दिया। यह कहानी कला-विधान की दृष्टि से अनूठी तथा हिन्दी की पहली यथार्थवादी कहानी है।

प्रेमचन्दजी ने हिन्दी कहानी को एक नई दिशा दी। चरित्र-चित्रण तथा मनोवैज्ञानिक विश्लेषण की दृष्टि से प्रेमचंद की कहानियां अद्वितीय हैं। उनकी प्रसिद्ध कहानियां–बूढ़ी काकी, मंत्र, बड़े घर की बेटी, नशा, पंच परमेश्वर, इस्तीफा, पूस की रात और आत्माराम हैं। प्रेमचंदजी ने राजनैतिक, सामाजिक और धार्मिक सभी समस्याओं पर कहानियां लिखीं तथा खोमचे वाले, तांगे वाले, विद्यार्थी, डॉक्टर, वकील, दुकानदार, बालक, वृद्ध और युवा सबका यथार्थ चित्रण किया।

श्री विश्वम्भरनाथ शर्मा कौशिक की 'ताई' तथा राधिकारमण प्रसादजी की 'कानों में कंगना' कहानी विशेष प्रसिद्ध हुई।

1911 ई. में 'इन्दु' में जयशंकर प्रसाद की सर्वप्रथम कहानी 'ग्राम' प्रकाशित हुई। इसी वर्ष जी.पी. श्रीवास्तव की प्रथम कहानी 'पिकनिक' प्रकाशित हुई। इन कहानियों से हिन्दी कहानी को एक नई दिशा मिली। इनके बाद प्रसादजी ने अन्य कई भाव प्रधान कहानियां लिखीं; जैसे–ममता, इन्द्रजाल, पुरस्कार, आकार दीप, स्वर्ग के खण्डहर आदि। अपनी कहानियों में प्रसादजी ने मानव हृदय के द्वन्द्व को बड़ी सफलता से चित्रित किया। इन कहानियों में ऐतिहासिक, यथार्थवादी, मनोवैज्ञानिक, प्रतीकात्मक, प्रेममूलक और भावनात्मक सब प्रकार की कहानियां हैं।

सुदर्शन की 'हार की जीत' कहानी में मानव-चरित्र के सूक्ष्म अन्तःरहस्यों का अनूठा उद्घाटन है। उनकी अन्य कहानियां न्याय मंत्री, अंधेरी दुनियां, कमल की बेटी आदि हैं।

'भिक्षुराज' चतुरसेन शास्त्री की सुन्दर ऐतिहासिक कहानी है। सियारामशरण गुप्त का एक कहानी संग्रह 'मानुषी' है। वृन्दावनलाल वर्मा के तीन कहानी संग्रह हैं–हरसिंगार, दबे पांव और कलाकार का दण्ड। उग्र ने प्राकृतवादी कहानियाँ लिखी हैं।

यशपाल की कहानियाँ मानव-प्रकृति का सूक्ष्म विश्लेषण करती हैं। उनकी शैली यथार्थवादी है, और आर्थिक समस्याओं को उन्होंने अपनी कहानियों की विषयवस्तु बनाया है। उनकी व्यंग्यात्मक शैली बड़ी समर्थ है। यशपालजी के कहानी संग्रह 'पिंजड़े की उड़ान', 'अभिशप्त', 'ज्ञानदान' और 'सच बोलने की भूल' आदि हैं।

भगवती प्रसाद वाजपेयी सामाजिक समस्याओं तथा पारिवारिक जीवन के सुयोग्य शिल्पी हैं। उनकी 'मिठाई वाला' कहानी में सुन्दर मनोवैज्ञानिक चित्रण है। भगवतीचरण वर्मा की कहानियों में यथार्थ का सुन्दर वर्णन मिलता है। उनके दो कहानी संग्रह 'दो बांके' और 'इन्सटालमेंट' हैं। 'प्रायश्चित' उनकी एक सुन्दर कहानी है।

जैनेन्द्रजी, प्रेमचंदजी की परिपाटी में आते हैं। उनके सात कहानी संग्रह प्रकाशित हो चुके हैं। जैनेन्द्रजी ने अपनी कहानियों के लिए प्रायः सामाजिक और पारिवारिक विषय चुने हैं; परन्तु उनकी कुछ कहानियों में यथार्थ और व्यंग्य का सुघर सम्मिश्रण मिलता है। 'एक रात', 'अपना-अपना भाग्य', 'वातायन', 'नीलम देश की राजकुमारी', 'पाजेब', आदि उनकी उत्कृष्ट कल्पना और भावुकतापूर्ण कहानियां हैं। पदुमलाल पुन्नालाल बख्शी की 'नन्दिनी' एक सुन्दर कहानी है। रायकृष्णदास की 'रमणी का रहस्य' एक सुन्दर कहानी है।

अज्ञेयजी वैयक्तिक व सामाजिक समस्याओं के सूक्ष्म निरीक्षक हैं। उनकी कहानियों में समाज पर करारा व्यंग्य मिलता है। इलाचन्द जोशी ने ायः मनोवैज्ञानिक सूझ-बूझ की बारीकी के आधार पर जीवन के चित्र उपस्थित किए हैं।

उत्कर्ष काल (1947 से अब तक)–इस काल में देश की बदली हुई ारिस्थितियों का प्रभाव कहानी लेखकों पर भी पड़े बिना न रहा। अब ाजनैतिक व सामाजिक विषयों के अलावा राष्ट्र निर्माण की योजनाओं को कहानी का विषय बनाया गया। अनेक मनोवैज्ञानिक और मार्क्सवादी कहानियों का प्रणयन भी किया गया। ऐसी कहानियों में या तो प्रतीकों के ाध्यम से कुंठाओं की अभिव्यक्ति की गई है, या फिर लेखकों ने शोषक और ोषित वर्ग को कहानी की विषयवस्तु बनाया है। राहुल, रांगेय राघव और गिरीश अष्ठाना मार्क्सवादी विचारधारा के पोषक हैं। चन्द्रगुप्त विद्यालंकार, लाचन्द्र जोशी और अज्ञेयजी मनोवैज्ञानिक विश्लेषण करने वाले कहानीकारहैं।

इस काल के अन्य कहानी लेखकों में धर्मवीर भारती, विष्णु प्रभाकर, ार्कण्डेय, रावी, मोहन राकेश, कमलेश्वर, राजेन्द्र यादव, राजेन्द्र अवस्थी, नागार्जुन, भीष्म साहनी और श्रीराम शर्मा के नाम विशेष रूप से उल्लेखनीय हैं।

उत्कर्ष काल में कहानी की दो नई विधाओं का जन्म हुआ। इसमें से एक को आंचलिक कहानी कहते हैं और दूसरी को नई कहानी। आंचलिक कहानी वास्तव में किसी विशेष क्षेत्र (अंचल) के सामाजिक, आर्थिक और सांस्कृतिक जीवन को उभारने का एक सफल प्रयत्न होती है। नई कहानी किसी घटना या विषय की प्रामाणिकता को चित्रित करती है। इस प्रकार के कहानीकारों में मोहन राकेश, राजेन्द्र यादव तथा कमलेश्वर के नाम उल्लेखनीयहैं।

कहानी के विकास में लेखिकाओं ने भी महत्वपूर्ण योग दिया है। इनमें सुभद्राकुमारी चौहान, तेजरानी पाठक, कमलादेवी चौधरी, उषा देवी मित्रा, होमवती, सत्यवती मलिक, चन्द्रवती, महादेवी वर्मा, मन्नू भंडारी, चन्द्रकिरण सोनरिक्सा आदि के नाम उल्लेखनीय हैं। सुभद्राकुमारी चौहान की 'कदम्ब के फूल', उषा देवी मित्रा की 'सान्ध्य तारा', सत्यवती मलिक की 'भाई बहन', कमला देवी चौधरी की 'अधूरा चित्र' होमवती देवी की 'मां' और महादेवी वर्मा की 'लछमा' कहानियाँ विशेष प्रसिद्ध हैं।

हिन्दी गद्य की लघु विधाएं

हेन्दी गद्य-साहित्य के प्रारम्भ में जिन विधाओं का विकास हुआ उनमें–कहानी, उपन्यास, निबन्ध, आलोचना आदि का नामोल्लेख आवश्यक है। किन्तु आगे चलकर अन्य विधाएँ प्रचलित हुईं उन्हें भी जानना उतना ही आवश्यक है। नवीन विधाएँ हैं–जीवनी, आत्मकथा, यात्रावृत्त, संस्मरण, रेखाचित्र, रिपोर्ताज, इन्टरव्यू, पत्र-लेखन, अभिनन्दन-ग्रंथ, स्मृति-ग्रंथ, डायरी आदि।

जीवनी

छायावादोत्तर काल में जीवनी-साहित्य का बहुमुखी विकास हुआ है। लोकप्रिय नेताओं, सन्तों, महात्माओं, साहित्यकारों, विदेशी महापुरुषों, वैज्ञानिकों, खिलाड़ियों आदि से सम्बन्धित जीवनियाँ प्रचुर परिमाण में लिखी गई हैं। महात्मा गाँधी स युग के सर्वाधिक लोकप्रिय नेता थे, फलस्वरूप उनसे सम्बन्धित जीवनियाँ र्वाधिक संख्या में प्राप्त होती हैं। घनश्याम दास बिड़ला, काका कालेलकर, मंगल प्रकाश, सुशीला नायर, डॉ. राजेन्द्र प्रसाद तथा जैनेन्द्र कुमार द्वारा लिखित महात्मा गाँधी की जीवनियाँ उल्लेखनीय हैं। हरिकृष्ण त्रिवेदी, छविनाथ पाण्डेय, गिरीशचन्द्र जोशी आदि ने नेताजी सुभाष चन्द्र बोस की जीवनियाँ लिखी हैं। जवाहर लाल नेहरू की जीवनी लिखने वालों में माता सेवक पाठक, लक्ष्मण सुमन, जगदीश झा विकल, रामवृक्ष बेनीपुरी, वाल्मीकि चौधरी, इन्द्र विद्या वाचस्पति आदि प्रमुख हैं। कई अन्य लेखकों ने भी राष्ट्र नेताओं से सम्बद्ध प्रेरणास्पद जीवनी-ग्रंथों का प्रणयन किया है। सन्तों-महात्माओं के जीवन-चरित लेखन की दिशा में मदन्त आनन्द कौशल्यायन, सुन्दरलाल, दीनदयाल उपाध्याय और बलदेव उपाध्याय उल्लेखनीय हैं। भारतीय इतिहास से सम्बद्ध महापुरुषों की जीवनी लिखने वालों में सीताराम कोहली, लाजपत राय, द्वारका प्रसाद शर्मा, भीमसेन विद्यालंकार, श्री निवास बालाजी हार्डीकर आदि नाम उल्लेख्य हैं। विदेशी महापुरुषों की जीवनी-भाषा को आधार बनाकर लिखने वालों में बनारसी दास चतुर्वेदी, राम इकबाल सिंह, त्रिलोकीनाथ, अनन्त प्रसाद विद्यार्थी, श्रवण लाल अग्रवाल, राहुल सांकृत्यायन आदि के नाम लिये जा सकते हैं। साहित्यकारों के जीवन-चरित्र को प्रस्तुत करने वालों में गंगा प्रसाद पाण्डेय, शिवरानी देवी, उमेशचन्द्र मिश्र, मदन गोपाल, अमृतराय, डॉ. राम विलास शर्मा, शांति जोशी तथा विष्णु प्रभाकर के नाम उल्लेखनीय हैं। जीवनी साहित्य के संदर्भ में यही कहा जा सकता है कि वर्तमानकालीन जीवनी-साहित्य विषय और परिमाण की दृष्टि से तो पर्याप्त सम्पन्न है लेकिन शैली की दृष्टि से आंशिक समृद्ध हैं। विशेष रूप से ध्यातव्य है कि किसी की जीवनी कोई भी लिख सकता है।

आत्मकथा

जीवनी साहित्य की भाँति आत्मकथा-लेखन की प्रवृत्ति छायावादोत्तर काल में बलवती रही है। सामाजिक, राजनीतिक, साहित्यिक आदि विभिन्न क्षेत्रों के महत्त्वपूर्ण व्यक्तियों ने अपनी आत्मकथाएँ लिखकर इस विधा को पल्लवित-पुष्पित किया है। सामाजिक क्षेत्र में कार्य करने वाले जिन व्यक्तियों ने आत्मकथाएँ लिखी हैं, उनमें भवानी दयाल संन्यासी तथा सत्यदेव परिव्राजक उल्लेखनीय हैं। डॉ. राजेन्द्र प्रसाद, जवाहर लाल नेहरू, डॉ. राधा कृष्णन तथा मौलाना अबुल कलाम आजाद इस युग के ऐसे राजनीतिक महापुरुष रहे हैं जिन्होंने सक्रिय राजनीति में भाग लेने के साथ-साथ अत्यन्त महत्त्वपूर्ण आत्मकथाएँ भी लिखी हैं। हिन्दी के जिन साहित्यकारों की आत्मकथाएँ प्रकाशित हुई हैं उनमें डॉ. श्याम सुन्दर दास, राहुल सांकृत्यायन, वियोगी हरि, यशपाल, शांतिप्रिय द्विवेदी, पदुमलाल पुन्नालाल बख्शी, सेठ गोविन्द दास, पाण्डेय बेचन शर्मा उग्र, आचार्य चतुरसेन शास्त्री, डॉ. हरिवंशराय बच्चन आदि उल्लेखनीय हैं। ध्यातव्य है कि अपने जीवन के विषय में खुद लिखा जाता है तो उसे आत्मकथा कहते हैं।

संस्मरण

स्मृति के आधार पर किसी विषय या व्यक्ति के सम्बन्ध में लिखित लेख या ग्रंथ को संस्मरण कह सकते हैं। व्यापक रूप से संस्मरण आत्मचरित के अन्तर्गत आ जाता है। परन्तु इन दोनों के दृष्टिकोणों में मौलिक अन्तर है। आत्मचरित के लेखक का मुख्य उद्देश्य अपनी जीवन-कथा का वर्णन करना रहता है। इसमें कथा का प्रमुख पात्र स्वयं लेखक होता है और अन्य इतिहास की घटनाओं तथा परिस्थितियों का केवल वही रूप उसमें आता है, जो उसके जीवनक्रम को प्रभावित, संचालित या नियंत्रित करता है अथवा जो उससे प्रभावित होता है।

इसके विपरीत संस्मरण का दृष्टिकोण अलग है। इसमें लेखक अपने समय के इतिहास को लिखना चाहता है। वह जो स्वयं देखता है, जिसका वह स्वयं अनुभव करता है, उसी का वर्णन करता है। उसके वर्णन में उसकी अनुभूतियाँ, संवेदनाएँ भी रहती हैं। इस दृष्टि से शैली में वह निबंधकार के समीप है पर वास्तव में वह अपने चतुर्दिक जीवन का सर्जन सम्पूर्ण भावना और जीवन के साथ करता है। रेखाचित्र और संस्मरण में बहुत दूर तक समानता है। जब हम अपने बारे में संस्मरण न लिखकर दूसरों के बारे में लिखते हैं और वह भी संक्षिप्त रूप में तो वह बहुधा रेखाचित्र के समीप होता है। वस्तुतः संस्मरण, रेखाचित्र और आत्मचरित का एक-दूसरे से इतना घनिष्ठ सम्बन्ध है कि एक की सीमा दूसरे से कहाँ मिलती है और कहाँ अलग हो जाती है, इसका निर्णय करना कठिन है।

हिन्दी के प्रारम्भिक संस्मरण-लेखकों में पद्मसिंह शर्मा प्रमुख हैं। इनके अतिरिक्त बनारसी दास चतुर्वेदी, रामवृक्ष बेनीपुरी, शांतिप्रिय द्विवेदी, कन्हैयालाल मिश्र प्रभाकर, राहुल सांकृत्यायन, जगदीश चन्द्र माथुर, सेठ गोविन्द दास, माखनलाल चतुर्वेदी, रामधारी सिंह दिनकर आदि को प्रमुख संस्मरण लेखकों में गिना जाता है। इस कड़ी में हरिवंशराय बच्चन का नामोल्लेख अनिवार्य हो जाता है।

वर्तमान युग में कतिपय अन्य लेखकों ने भी अपनी अमूल्य रचनाओं द्वारा हिन्दी संस्मरण-साहित्य को समृद्ध किया है। इनमें कतिपय उल्लेखनीय हस्ताक्षर हैं–सत्यजीवन शर्मा भारतीय, हरिभाऊ उपाध्याय, रायकृष्णदास, महेन्द्र भटनागर, कुंतल गोयन, डॉ. हर गुलाल, पदमिनी मेनन और लक्ष्मी नारायण सुधांशु आदि।

रेखाचित्र

रेखाचित्र अंग्रेजी के 'स्केच' शब्द का पर्याय है जिसे हिन्दी में शब्दचित्र भी कहते हैं। जो चित्र रेखा द्वारा खींचे जाते हैं उन्हें हम रेखाचित्र कहते हैं। साहित्य में रेखा का काम शब्दों से लिया जाता है। शिवदान सिंह चौहान ने रेखाचित्र के विषय में कहा है–रेखाचित्र पढ़कर किसी वस्तु का चित्र ही हमारे सामने नहीं खिंच जाता, बल्कि अभिव्यक्ति और चित्रण के पीछे अनासक्तिभाव का उपक्रम किये लेखक की छिपी सहानुभूति से भी अप्रत्यक्ष रूप से पाठक प्रभावित होता है, वास्तविकता के उस टुकड़े को उस विराट् संदर्भ से हटाकर जैसे खुर्दबीन से देखकर वह उसे पूरी तौर पर जान लेता है और उसके सम्पूर्ण स्वरूप से उसके आंतरिक सम्बन्धों को पहचान लेता है।

छायावादोत्तर साहित्य में रेखाचित्र-साहित्य के विकास की दिशा में 'हँस' पत्रिका का रेखाचित्र विशेषांक सर्वप्रथम उल्लेखनीय है। इसमें हिन्दी के अतिरिक्त अन्य भारतीय भाषाओं के लेखकों के भी रेखाचित्र प्रकाशित किए गए थे। इन विधाओं के हिन्दी लेखकों में बनारसी दास चतुर्वेदी का स्थान सर्वोच्च है। रेखाचित्र लेखकों में प्रकाश चन्द्र गुप्त, विनय मोहन शर्मा, कन्हैया लाल मिश्र प्रभाकर, शिवपूजन सहाय, सत्यवती मल्लिक, शांतिप्रिय द्विवेदी, सेठ गोविन्ददास, जगदीश चन्द्र माथुर आदि नाम उल्लेख्य हैं।

रेखा चित्र संस्मरणात्मक भी होते हैं। हिन्दी में संस्मरणात्मक रेखाचित्र को उन्नत करने वालों में सत्यजीवन वर्मा, ओंकार शरद, प्रेमनारायण टण्डन, विनोद शंकर व्यास, हरिभाऊ उपाध्याय, राम कृष्ण दास, महेन्द्र भटनागर, कुन्ताव गोयल, डॉ. हरगुलाल, पदमिनी मेनन, लक्ष्मी नारायण सुधांशु , इन्द्र विद्यावाचस्पति आदि प्रमुख हैं।

यात्रा-साहित्य

यात्राओं के वर्णन को साहित्य के रंग से रंजित कर रोचक बनाने वाली रचना को 'यात्रावृत्त' नाम दिया गया। यह इतना रोचक हो गया कि साहित्य की एक विधा के रूप में इसे स्वीकृत कर लिया गया। पाठक को यात्रावृत्त से कहानी और उपन्यास का आनन्द मिलने लगा।

छायावादोत्तर काल में स्वामी सत्यदेव परिव्राजक की कृति 'मेरी पाँचवी जर्मनी यात्रा' से यात्रावृत्त का क्रम प्रारम्भ होता है। कन्हैया लाल मिश्र की भी एक रचना 'मेरी इराक यात्रा' इसी समय प्रकाशित हुई, जिसमें यात्रा मार्ग में पड़ने वाले स्थानों का भी सविस्तार वर्णन किया गया।

यात्रावृत्त को समृद्ध बनाने में राहुल सांकृत्यायन का योगदान अविस्मरणीय है। 'मेरी लद्दाख यात्रा,' 'किन्नर देश में' 'राहुल यात्रावली' 'यात्रा के पन्ने' 'रूस में पच्चीस मास', 'एशिया के दुर्गम भूखण्डों में' आदि उनकी कतिपय उल्लेखनीय रचनाएँ हैं। रामवृक्ष बेनीपुरी ने 'पैरों में पंख बाँधकर' तथा 'उड़ते चलो उड़ते चलो' के माध्यम से यूरोपीय रंगमंच, देहात आदि का हृदयग्राही विवरण अंकित किया है।

यात्रावृत्त का महत्त्व दो कारणों से हैं। एक तो यात्रा के बीच में जहाँ-जहाँ हम रुकते हैं, नए-नए दृश्य देखते हैं और नया-नया अनुभव प्राप्त करते हैं। दूसरे, साहित्यिक भाषा और शैली में वर्णन अत्यन्त रोचक हो जाता है। यात्रावृत्त किसी कहानी या उपन्यास से कम रोचक नहीं होता है। यही कारण है कि साहित्य में इसे विधा के रूप में स्वीकार कर लिया गया है। इतना ही नहीं आजकल यह साहित्य की एक लोकप्रिय विधा है।

गद्य काव्य

'गद्यकाव्य' से अभिप्राय उस रचना से है, जिसमें वैयक्तिक आशा-निराशा, सुख-दुख आदि घनीभूत भावनाओं को साधारण गद्य से भिन्न भावपूर्ण गद्य में व्यक्त किया जाता है–उसमें संवेदनशीलता एवं रसात्मकता तो छंदोबद्ध काव्य के समान होती है, किंतु माध्यम गद्य ओता है। हिंदी में इस प्रकार की रचनाएं रवींद्रनाथ ठाकुर की प्रसिद्ध कृति 'गीतांजलि' के प्रभाव स्वरूप लिखीं गयीं। राय कृष्णदास (1892-1980), वियोगी हरि (1896-1988), चतुरसेन शास्त्री (1891-1960), दिनेशनंदिनी चौरड्या (1915-2006), माखनलाल चतुर्वेदी (1889-1968) और डॉ. रघुवीर सिंह (1908-1991) इस विधा के मुख्य कृतिकार हैं।

वस्तुनिष्ठ प्रश्न

1. हिन्दी साहित्य में गद्य का विकास–

A. पद्य के साथ-साथ हुआ
B. पद्य से पहले हुआ
C. पद्य के बाद हुआ
D. उपरोक्त में से कोई नहीं

2. आधुनिक काल में कुल मिलाकर–

A. पद्य और गद्य बराबर लिखा गया
B. पद्य अधिक लिखा गया
C. गद्य अधिक लिखा गया
D. उपरोक्त में से कोई नहीं

3. हिन्दी में गद्य का प्राचीनतम रूप किस ग्रंथ में मिलता है?

A. चौरासी वैष्णवन की वार्ता　B. चन्द छंद बरनन की महिमा
C. पद्मपुराण　D. सुख सागर

4. 'चौरासी वैष्णवन की वार्ता' का रचयिता कौन था?

A. विट्ठलनाथ जी　B. गोकुलनाथ जी
C. नाभादास जी　D. गंग कवि

5. 'अष्टयाम' किसकी रचना है?

A. गोकुलनाथ जी　B. विट्ठलनाथ जी
C. नाभादास जी　D. रामप्रसाद निरंजनी

6. प्रारम्भिक गद्य की भाषा क्या थी?

A. अपभ्रंश　B. खड़ी बोली
C. अवधी　D. ब्रजभाषा

7. जैन 'पद्म पुराण' का अनुवाद किसने किया था?

A. लक्ष्मण सिंह　B. दौलत राम
C. श्रद्धाराम फिल्लौरी　D. रामप्रसाद निरंजनी

8. 19वीं शताब्दी के आरम्भ में हिन्दी गद्य के चार मुख्य लेखक हुए। उनमें से एक ने 'सुखसागर' लिखा। उसका नाम क्या था?

A. सदल मिश्र　B. लल्लू लाल
C. सदासुख लाल　D. इंशाअल्ला खां

9. 'रानी केतकी की कहानी' किसने लिखी थी?

A. इंशाअल्ला खां　B. लक्ष्मण सिंह
C. बालकृष्ण भट्ट　D. प्रताप नारायण मिश्र

10. नीचे पुस्तकों और लेखकों के जोड़े दिये गए हैं। इनमें एक जोड़ा गलत है। बताइये कौन-सा जोड़ा गलत है?

A. भाषा योगवशिष्ट – नाभादास
B. नासिकेतोपाख्यान – सदल मिश्र
C. शृंगार रस मंडन – विट्ठल नाथ
D. प्रेमसागर – लल्लू लाल

11. ईसाई पादरियों ने किस प्रकार हिन्दी गद्य के प्रसार में योगदान किया?

A. उन्होंने गद्य लेखन पर पुरस्कार दिये
B. स्वयं हिन्दी गद्य में लिखा
C. बाइबिल का हिन्दी में अनुवाद कराया और उसे बांटा
D. उपरोक्त सभी

12. 'सितारे हिन्द' किसकी उपाधि थी?

A. राजा शिवप्रसाद　B. राजा लक्ष्मण सिंह
C. देवकीनंदन खत्री　D. श्रीनिवास दास

13. 'इतिहास तिमिर नाशक' ग्रंथ का रचयिता कौन है?

A. भारतेन्दु हरिश्चन्द्र
B. बालकृष्ण भट्ट
C. राजा शिवप्रसाद 'सितारे हिन्द'
D. राजा लक्ष्मण सिंह

14. भारतेन्दु हरिश्चन्द्र के समय में हिन्दी गद्य की बड़ी उन्नति हुई। इसमें इनके दो सहयोगियों की प्रमुख भूमिका थी, जिनमें एक का नाम था प्रतापनारायण मिश्र और दूसरे का नाम था–

A. देवकीनंदन खत्री　B. श्यामसुंदर दास
C. श्रीनिवास दास　D. बालकृष्ण भट्ट

15. भारतेन्दु हरिश्चन्द्र के काल में हिन्दी गद्य में–

A. नाटक लिखे गये　B. निबंध लिखे गये
C. आलोचना लिखी गई　D. उपरोक्त तीनों लिखे गये

16. द्विवेदी युग में हिन्दी गद्य–

A. का रूप पूर्णतः स्थिर हो गया
B. उर्दू मिश्रित हो गया
C. की उपेक्षा हुई
D. में केवल कुछ कहानियां लिखी गईं

17. द्विवेदी-युग में रामचन्द्र शुक्ल ने साहित्य के किस क्षेत्र में मूल्यवान योगदान किया?

A. उपन्यास के क्षेत्र में　B. कहानी के क्षेत्र में
C. नाटक के क्षेत्र में　D. आलोचना के क्षेत्र में

18. मिश्र बंधु का योगदान गद्य के किस क्षेत्र में रहा?

A. नाटक के क्षेत्र में　B. कहानी के क्षेत्र में
C. आलोचना के क्षेत्र में　D. उपन्यास के क्षेत्र में

19. द्विवेदी युग में ही हिन्दी के महान् उपन्यासकार की रचनायें प्रकाश में आईं। वह उपन्यासकार थे–

A. जैनेन्द्र कुमार　B. यशपाल
C. प्रेमचन्द　D. इलाचन्द जोशी

20. छायावादी कवियों में जयशंकर प्रसाद ने गद्य की किस विधा को समृद्ध बनाया?

A. नाटक　B. उपन्यास
C. निबन्ध　D. कहानी

21. छायावादी कवि निराला का प्रसिद्ध उपन्यास है–
A. अलका B. चन्द्रकला
C. सावित्री D. इन्द्रा

22. महादेवी वर्मा की रचना 'अतीत के चलचित्र'–
A. कहानी संग्रह है B. उपन्यास है
C. निबन्ध-संग्रह है D. संस्मरणों का संग्रह है

23. 'भारत दुर्दशा' नाटक का लेखक कौन है?
A. भारतेन्दु हरिश्चन्द्र B. देवकीनंदन खत्री
C. बालकृष्ण भट्ट D. प्रतापनारायण मिश्र

24. 'चन्द्रकान्ता संतति' उपन्यास के कितने खण्ड निकले थे?
A. 14 खण्ड B. 8 खण्ड
C. 3 खण्ड D. 24 खण्ड

25. तिलिस्म और ऐयारी से भरे 'चंद्रकान्ता संतति' उपन्यास का सबसे बड़ा योगदान यह रहा कि–
A. उपन्यास के नए क्षेत्र खुल गए
B. हिन्दी गद्य का रूप निखर गया
C. इसी किस्म के बहुत-से उपन्यास लिखे गये
D. असंख्य लोगों ने इस उपन्यास को पढ़ने के लिए हिन्दी भाषा सीखी

26. मुंशी प्रेमचंद के 'गोदान' उपन्यास में मुख्य पात्र (हीरो) का नाम क्या है?
A. मधुवा B. होरी
C. विशाल देव D. दिव्या

27. निराला के उपन्यास 'निरूपमा' में किस समस्या का वर्णन है?
A. ग्राम्य-जीवन की वास्तविकतायें
B. दहेज प्रथा
C. मध्यवर्गीय समाज की आर्थिक विपन्नता
D. प्रादेशिक भेदभाव और सामाजिक कुरीतियां

28. कुछ विद्वान 'परीक्षा गुरु' को हिन्दी का प्रथम उपन्यास मानते हैं। इसके लेखक हैं–
A. रामचन्द्र शुक्ल B. श्रीनिवास दास
C. बालकृष्ण भट्ट D. बाबू राधाकृष्ण दास

29. बालकृष्ण भट्ट का उपन्यास 'सौ अजान एक सुजान' कैसा उपन्यास है?
A. सांस्कृतिक B. ऐतिहासिक
C. तिलिस्मी D. उपदेशात्मक

30. निम्नलिखित उपन्यासों में से कौन-सा उपन्यास अम्बिकादत्त व्यास का है?
A. नूतन ब्रह्मचारी B. मरता क्या न करता
C. मृण्मयी D. आश्चर्य वृतान्त

31. उपन्यासों के विकास के प्रारम्भिक चरण के सम्बन्ध में कौन-सा कथन सही है?
A. कुछ उपन्यास मौलिक हैं
B. कुछ उपन्यास अनूदित हैं
C. इनका लाभ यह हुआ कि मौलिक उपन्यास लेखन की प्रवृति बढ़ी
D. उपरोक्त सभी

32. निम्नलिखित उपन्यासों में से कौन-सा उपन्यास अयोध्या सिंह उपाध्याय 'हरिऔध' का नहीं है?
A. वेनिस का बाँका B. ठेठ हिन्दी का ठाठ
C. अधलिखा फूल D. रसिक लाल

33. हिन्दी के प्रथम मौलिक उपन्यासकारों में देवकीनंदन खत्री विख्यात हैं। इनका सर्वाधिक लोकप्रिय उपन्यास 'चन्द्रकान्ता संतति' है। इसके अलावा भी इनका एक अन्य उपन्यास है, जिसका नाम है–
A. अंगूठी का नगीना B. भूतनाथ
C. दिल्ली के दलाल D. युगान्तर

34. 'संन्यासी' एक प्रसिद्ध उपन्यास है। इसके लेखक का नाम है–
A. वृन्दावनलाल वर्मा B. यशपाल
C. उपेन्द्रनाथ अश्क D. इलाचन्द्र जोशी

35. निम्नलिखित उपन्यासों में से कौन-सा उपन्यास यशपालजी का नहीं है?
A. दादा कामरेड B. दिव्या
C. देशद्रोही D. भिखारिणी

36. किसको 'उपन्यास सम्राट' माना जाता है?
A. जैनेन्द्र कुमार B. यशपाल
C. उपेन्द्रनाथ अश्क D. प्रेमचंद

37. 'चित्रलेखा' एक अति लोकप्रिय उपन्यास है। इसके लेखक का नाम है–
A. चतुरसेन शास्त्री B. पाण्डेय बेचन शर्मा 'उग्र'
C. वृन्दावनलाल वर्मा D. भगवतीचरण वर्मा

38. जयशंकर प्रसाद के दो उपन्यासों में एक का नाम 'कंकाल' है, और दूसरे का–
A. तीन वर्ष B. मां
C. तितली D. वैशाली की नगरवधू

39. मुंशी प्रेमचंद के उपन्यास–
A. ऐतिहासिक हैं B. सामाजिक हैं
C. रोमांटिक हैं D. मनोवैज्ञानिक हैं

40. निम्नलिखित उपन्यासों में से कौन-सा उपन्यास प्रेमचंदजी का नहीं है?
A. गबन B. निर्मला
C. गोदान D. विसर्जन

41. 'वैशाली की नगरवधू' किसका उपन्यास है?
A. जैनेन्द्र कुमार B. चतुरसेन शास्त्री
C. वृन्दावनलाल वर्मा D. इलाचन्द्र जोशी

42. ऐतिहासिक उपन्यासों के लिए कौन-सा नाम विख्यात है?
A. यशपाल B. अज्ञेय
C. उपेन्द्रनाथ अश्क D. वृन्दावनलाल वर्मा

43. 'शेखर-एक जीवनी' किसका बहुचर्चित उपन्यास है?
A. राहुल सांकृत्यायन B. धर्मवीर भारती
C. अमृतलाल नागर D. अज्ञेय

44. नीचे कुछ उपन्यासों और उनके लेखकों के नामों के जोड़े दिये गए हैं। इनमें से कौन-सा जोड़ा सही नहीं है?
A. जयशंकर प्रसाद – तितली
B. देवकीनंदन खत्री – भूतनाथ
C. जैनेन्द्र कुमार – सुनीता
D. अज्ञेय – दिव्या

45. 'मैला आँचल' उपन्यास का लेखक कौन है?
A. फणीश्वरनाथ रेणु B. धर्मवीर भारती
C. अज्ञेय D. नरेश मेहता

46. 'शेखर-एक जीवनी' अज्ञेय का लिखा हुआ उपन्यास है। यह–
A. अपनी ऐतिहासिक पृष्ठभूमि के लिए विख्यात है
B. अपने सांस्कृतिक मूल्यों के लिए विख्यात है
C. नवीन शैली व पैनी मनोवैज्ञानिक दृष्टि के लिए विख्यात है
D. सामाजिक कुरीतियों का पर्दाफाश करने के लिए विख्यात है

47. प्रेमचन्द जी के 'गोदान' में–
A. जीवन के जीते-जागते चित्र हैं
B. जीवन की कठोर वास्तविकता का सूक्ष्म विवेचन है
C. ग्राम-जीवन की रीतियों का सूक्ष्म विवेचन है
D. उपरोक्त सभी

48. प्रसादजी के 'कंकाल' उपन्यास में–
A. सामाजिक बंधनों की विषमता और व्यक्ति की सहज प्रवृत्तियों का संघर्ष अंकित है
B. समाज-व्यवस्था पर तीखा व्यंग्य है
C. आदर्श और यथार्थ के बीच खड़ी खाई का रूप है
D. उपरोक्त सभी

49. निम्नलिखित में कौन-सा एक उपन्यास वृन्दावनलाल वर्मा का नहीं है?
A. गढ़ कुण्डार B. झांसी की रानी
C. विराटा की पद्मिनी D. देशद्रोही

50. 'बूंद और समुद्र' किसका विख्यात उपन्यास है?
A. उदय शंकर भट्ट B. फणीश्वरनाथ रेणु
C. शैलेश मटियानी D. अमृतलाल नागर

51. निम्नलिखित आंचलिक उपन्यासों में से एक फणीश्वरनाथ रेणु का नहीं है। वह है–
A. मैला आँचल B. परती परिकथा
C. ड्रामा D. पल्टू बाबू रोड

52. 'चिट्ठीरसैनी' किसका प्रसिद्ध उपन्यास है?
A. उपेन्द्रनाथ अश्क B. हरिकृष्ण प्रेमी
C. शैलेश मटियानी D. यशपाल

53. 'चित्रलेखा' और 'तीन वर्ष' के अतिरिक्त भगवतीचरण वर्मा के अन्य उपन्यास हैं–
A. टेढ़े-मेढ़े रास्ते B. भूले-बिसरे चित्र
C. सीधी-सच्ची बातें D. उपरोक्त सभी

54. 'गिरती दीवारें' किसका उत्तम उपन्यास है?
A. उपेन्द्रनाथ अश्क B. धर्मवीर भारती
C. अमृतलाल नागर D. नागार्जुन

55. 'मृगनयनी' किसका उपन्यास है?
A. जैनेन्द्र कुमार का B. वृन्दावनलाल वर्मा का
C. अमृतलाल नागर का D. उपरोक्त में से कोई नहीं

56. निम्नलिखित सूची-I का सूची-II से मिलान कीजिए तथा नीचे दिए गए कूट की सहायता से सही उत्तर का चयन कीजिए :

सूची-I	सूची-II
(*a*) अपने-अपने अजनबी	1. धर्मवीर भारती
(*b*) सूरज का सातवां घोड़ा	2. अज्ञेय
(*c*) खाली कुर्सी की आत्मा	3. इलाचंद जोशी
(*d*) प्रेत और छाया	4. लक्ष्मीकान्त वर्मा

कूट :

	(*a*)	(*b*)	(*c*)	(*d*)
A.	2	1	4	3
B.	1	2	4	3
C.	1	2	3	4
D.	3	4	2	1

57. हरिवंश राय बच्चन की रचना "क्या भूलूं क्या याद करूं" किस कोटि के अन्तर्गत आती है?
A. आत्मकथा B. यात्रा वृत्तान्त
C. इंटरव्यू D. रेखाचित्र

58. महादेवी वर्मा की रचना 'पथ के साथी' किस कोटि के अन्तर्गत आती है?
A. संस्मरण B. रेखाचित्र
C. यात्रा वृत्तान्त D. जीवनी

59. नीचे कुछ रचनायें दी हुई हैं और उनके सामने उनके लेखकों के नाम हैं। कौन-सा जोड़ा गलत है?
A. अरे यायावर याद रहेगा – अज्ञेय
B. मैं इनसे मिला – पद्मसिंह शर्मा कमलेश
C. जंजीरें और दीवार – रामवृक्ष बेनीपुरी
D. माटी हो गई सोना – महादेवी वर्मा

60. धर्मवीर भारती की रचना 'ठेले पर हिमालय' किस कोटि की है?
A. जीवनी B. यात्रा वृत्तान्त
C. संस्मरण D. इंटरव्यू

61. 'एक बूंद सहसा उछली' किसका विख्यात यात्रा संस्मरण है?
A. निर्मल वर्मा का B. रामवृक्ष बेनीपुरी का
C. अज्ञेय का D. डा. रघुवंश का

62. हिन्दी की सर्वप्रथम मौलिक कहानी किसे माना जाता है?
A. इन्दुमती B. आकाशदीप
C. ग्यारह वर्ष का समय D. उसने कहा था

63. हिन्दी की सर्वप्रथम मौलिक कहानी 'इन्दुमती' का लेखक कौन था?
A. गिरिजादत्त वाजपेयी B. किशोरी लाल गोस्वामी
C. रामचन्द्र शुक्ल D. प्रताप नारायण मिश्र

64. चन्द्रधर शर्मा 'गुलेरी' की सुविख्यात कहानी कौन-सी है?
A. छाया B. उसने कहा था
C. बड़े घर की बेटी D. शतरंज के खिलाड़ी

65. प्रेमचंद का सर्वोत्कृष्ट उपन्यास कौन-सा है?
A. निर्मला B. सेवासदन
C. रंगभूमि D. गोदान

66. मुंशी प्रेमचंद ने अपने उपन्यासों में किस समस्या को प्रस्तुत किया है?
A. विधवा विवाह B. अनमेल विवाह
C. दहेज प्रथा D. उपरोक्त तीनों

67. 'मधुआ' कहानी किसकी है?
A. प्रेमचन्द की B. प्रसादजी की
C. यशपाल की D. अज्ञेय की

68. 'जार्ज पंचम की नाक' कहानी का लेखक कौन है?
A. कमलेश्वर B. हरिकृष्ण प्रेमी
C. भीष्म साहनी D. अज्ञेय

69. प्रेमचंद की 'पूस की रात' कहानी–
A. भारतीय किसान की टूटन की कहानी है
B. भारतीय मध्यवर्ग के मिथ्याभिमान की कहानी है
C. वर्ग संघर्ष की कहानी है
D. अशिक्षा के अभिशाप की कहानी है

70. प्रसादजी की मधुआ कहानी एक–
A. शराबी के हृदय-परिवर्तन की कहानी है
B. रईस की हृदयहीनता की कहानी है
C. बालक के शोषण की कहानी है
D. उपरोक्त में से कोई नहीं

71. यशपाल ने अपनी कहानी 'खच्चर और आदमी' में क्या बताया है?
A. खच्चर आदमी से श्रेष्ठ है
B. आदमी खच्चर से श्रेष्ठ है
C. जो अपने को परिस्थितियों में ढाल ले वही बच पाता है
D. मनुष्य परिस्थितियों का दास है

72. अज्ञेय की 'शरणदाता' कहानी–
A. मानव संघर्ष की कहानी है
B. साम्प्रदायिकता-विरोधी कहानी है
C. नारी ममता की कहानी है
D. उपरोक्त तीनों

73. 'कानों में कंगना' नामक कहानी का लेखक कौन है?
A. विश्वम्भर नाथ शर्मा 'कौशिक'
B. राधिकारमण प्रसाद
C. पदुमलाल पुन्नालाल बख्शी
D. रायकृष्ण दास

74. 'ताई' कहानी का लेखक कौन है?
A. वृन्दावनलाल वर्मा B. राजेन्द्र यादव
C. मन्नू भंडारी D. विश्वम्भर नाथ शर्मा 'कौशिक'

75. निम्नलिखित कहानियों में से कौन-सी कहानी उषा देवी मित्रा की लिखी हुई है?
A. भाई-बहन B. लछमा
C. अधूरा चित्र D. सान्ध्य तारा

76. 'आत्माराम' और 'पंच परमेश्वर' किसकी कहानियां हैं?
A. सुदर्शन B. शिवपूजन सहाय
C. चंडी प्रसाद 'हृदयेश' D. प्रेमचंद

77. गिरिजादत्त वाजपेयी की एक उत्तम कहानी है–
A. रानी सारंधा B. प्रतिध्वनि
C. हार की जीत D. पंडित और पंडितानी

78. 'पुरस्कार' और 'आकाशदीप' कहानियां किसकी हैं?
A. रायकृष्ण दास B. सुदर्शन
C. चन्द्रकिरण सौनरिक्सा D. जयशंकर प्रसाद

79. 'हार की जीत' नामक अत्यन्त लोकप्रिय और महान् चरित्र वाली कहानी का लेखक कौन है?
A. सुदर्शन B. चतुरसेन शास्त्री
C. विष्णु प्रभाकर D. यशपाल

80. गुलेरीजी की 'उसने कहा था' कहानी का सार क्या है?
A. अमृतसर का जन-जीवन B. युद्ध की निस्सारता
C. निःस्वार्थ बलिदान D. अपराध का मनोविज्ञान

81. 'बैताल पचीसी' और 'सिंहासनबत्तीसी' कहानियों को हिन्दी में किसने अनूदित किया?
A. लल्लू लाल B. शिवप्रसाद 'सितारे हिन्द'
C. भारतेन्दु हरिश्चन्द्र D. उपरोक्त में से कोई नहीं

82. 'रानी केतकी की कहानी' कहानी के बारे में कौन-सा कथन सही नहीं है?
A. यह कहानी ठेठ हिन्दी में है
B. इसमें रानी केतकी और उदयभान की प्रेम-कथा का वर्णन है
C. इसके लेखक सदल मिश्र हैं
D. इसके लेखक इंशाअल्ला खां हैं

83. 'राजा भोज का सपना' किसकी कहानी है?
A. शिवप्रसाद 'सितारे हिन्द' B. चतुरसेन शास्त्री
C. उषा देवी मित्रा D. सुदर्शन

84. मनोवैज्ञानिक कहानीकारों में किसकी गणना नहीं की जाती?
A. राजेन्द्र यादव B. अज्ञेय
C. इलाचन्द्र जोशी D. पाण्डेय बेचन शर्मा 'उग्र'

85. जैनेन्द्रजी कहानी के सम्बन्ध में प्रेमचंद की परिपाटी में आते हैं; क्योंकि उन्होंने अपनी कहानियों के लिए
A. मनोवैज्ञानिक विषय चुने
B. सामाजिक और पारिवारिक विषय चुने
C. राष्ट्र निर्माण के विषयों को अपनाया
D. उपरोक्त तीनों

86. 'मिठाई वाला' कहानी का लेखक कौन है?
A. भगवतीचरण वर्मा B. भगवती प्रसाद वाजपेयी
C. यशपाल D. सुदर्शन

87. निम्नलिखित कहानियों में से कौन-सी कहानी रायकृष्ण दास की है?
A. रमणी का रहस्य B. अपना-अपना भाग्य
C. नन्दिनी D. कमल की बेटी

88. प्रसाद जी की प्रथम कहानी कौन-सी थी?
A. ग्राम B. मधुआ
C. आकाशदीप D. पुरस्कार

89. निम्नलिखित में से कौन-सा कहानी संग्रह प्रसाद जी का नहीं है?
A. छाया B. आकाशदीप
C. कोठरी की बात D. प्रतिध्वनि

90. 'रक्षा बन्धन' किसकी कहानी है?
A. शिवपूजन सहाय की B. जैनेन्द्र की
C. सुदर्शन की D. कौशिक की

91. निम्नलिखित में से कौन-सा कहानी संग्रह वृन्दावनलाल वर्मा का नहीं है?
A. हर सिंगार B. दबे पांव
C. कलाकार का दण्ड D. मानुषी

92. 'नई कहानी' वर्ग के कहानीकारों में निम्न में से किसका नाम नहीं आता?
A. मोहन राकेश का B. राजेन्द्र यादव का
C. कमलेश्वर का D. विष्णु प्रभाकर का

93. 'दुलाई वाली' कहानी किसकी थी?
A. रामचन्द्र शुक्ल की
B. विश्वम्भर नाथ शर्मा 'कौशिक' की
C. प्रेमचंद की
D. वंग महिला की

94. कहानी के विकास-क्रम में महत्वपूर्ण भूमिका निभाने वाली पत्रिका का नाम है–
A. सरस्वती B. इन्दु
C. उपरोक्त दोनों D. इन्दुमती

95. जैनेन्द्रजी का चिन्तन एवं दृष्टिकोण–
A. गांधीवादी B. प्रगतिशील
C. यथार्थवादी D. साम्यवादी

96. आंचलिक कहानी संग्रह 'ठुमरी' किसका है?
A. उपेन्द्र नाथ 'अश्क' B. शैलेश मटियानी
C. रघुवीर सहाय D. फणीश्वर नाथ 'रेणु'

97. विष्णु प्रभाकर की 'अधूरी कहानी' का उद्देश्य–
A. साम्प्रदायिक सद्भाव है B. नारी-उत्थान है
C. कुंठा-उन्मूलन है D. अहंकार का पतन है

98. 'काकी' कहानी किसकी है?
A. सुदर्शन B. कौशिक
C. सियारामशरण गुप्त D. प्रेमचन्द

99. 'परदा' कहानी में यशपालजी का उद्देश्य–
A. मध्यम वर्ग की निर्धनता का वर्णन करना है
B. उन्माद की निंदा करना है
C. झूठी प्रतिष्ठाप्रियता की पोल खोलना है
D. परदा-प्रथा की बुराइयां बताना है

100. 'दो बांके' किसका कहानी संग्रह है?
A. भगवती प्रसाद वाजपेयी B. भगवतीचरण वर्मा
C. मन्नू भंडारी D. होमवती देवी

101. कालिदास के 'शकुन्तला' नाटक का हिन्दी अनुवाद किसने किया?
A. भारतेन्दु हरिश्चन्द्र B. राजा लक्ष्मण सिंह
C. बाबू गोपाल चन्द्र D. प्रताप नारायण मिश्र

102. निम्नलिखित नाटकों में से कौन-सा नाटक भारतेन्दुजी द्वारा लिखित नहीं है?
A. भारत दुर्दशा B. भारत-सौभाग्य
C. नील देवी D. अन्धेर नगरी

103. भारतेन्दुजी के 'चन्द्रावली' नाटक में–
A. भारत की दयनीय दशा का चित्रण है
B. शासन-व्यवस्था पर व्यंग्य है
C. आदर्श प्रेम का चित्रण है
D. ऐतिहासिक खोज है

104. 'दुखिनी बाला' किसका नाटक है?
A. भारतेन्दु बाबू B. राधाकृष्ण दास
C. प्रतापनारायण मिश्र D. अम्बिकादत्त व्यास

105. द्विवेदी युग में–
A. मौलिक नाटक खूब लिखे गए
B. नाटकों के अनुवाद खूब हुए
C. नाटकों का मनुष्य के जीवन में निकट का सम्बन्ध रहा
D. उपरोक्त सभी

106. द्विजेन्द्र लाल राय के बंगला नाटकों का हिन्दी अनुवाद किसने किया?
A. श्रीनिवास दास B. बाबू सीताराम
C. सत्य नारायण D. रूप नारायण

107. प्रसाद युग से पूर्व मैथिलीशरण गुप्त का कौन-सा नाटक आया था?
A. चन्द्रगुप्त B. चन्द्रहास
C. चन्द्रकला D. चन्द्रोदय

108. प्रसादजी के नाटकों में–
A. साहित्यिक भाषा है
B. ऐतिहासिक पुट है
C. भारतीय सभ्यता और संस्कृति के गौरव का चित्रण है
D. उपरोक्त सभी

109. निम्नलिखित नाटकों में से कौन-सा नाटक प्रसादजी द्वारा लिखित नहीं है?
A. राज्यश्री B. स्कन्दगुप्त
C. अजातशत्रु D. विश्वामित्र

110. उदयशंकर भट्टजी के नाटक–
A. राष्ट्रीयता प्रधान हैं B. पौराणिक हैं
C. ऐतिहासिक हैं D. अन्तर्द्वन्द्व प्रधान हैं

111. 'अम्बा' और 'मतस्यगंधा' किसके नाटक हैं?
A. हरिकृष्ण प्रेमी
B. विश्वम्भर नाथ शर्मा 'कौशिक'
C. सुदर्शन
D. उदय शंकर भट्ट

112. 'सिन्दूर की होली' किसका विख्यात नाटक है?
A. लक्ष्मीनारायण मिश्र B. उपेन्द्रनाथ अश्क
C. सेठ गोविन्द दास D. माखनलाल चतुर्वेदी

113. मोहन राकेश की ख्याति किस नाटक से फैली?
A. शशिगुप्त B. कर्तव्य
C. आषाढ़ का एक दिन D. रेशमी टाई

114. निम्नलिखित में से कौन-सा नाटक लक्ष्मी नारायण लाल का नहीं है?
A. अंधा कुआं B. मादा कैक्टस
C. सूखा सरोवर D. लहरों का राजहंस

115. हिन्दी का प्रथम एकांकी नाटककार कौन था?
A. प्रसादजी B. रामकुमार वर्मा
C. भगवतीचरण वर्मा D. उपेन्द्र नाथ अश्क

116. हिन्दी का सर्वप्रथम एकांकी नाटक किसे माना जाता है?
A. बड़ा आदमी B. एक बूंद
C. कारवां D. दस मिनट

117. 'देवताओं की छाया में' किसका एकांकी-संग्रह है?
A. उपेन्द्रनाथ अश्क B. रामकुमार वर्मा
C. भुवनेश्वर मिश्र D. सेठ गोविन्द दास

118. 'सबसे बड़ा आदमी' किसका एकांकी है?
A. भगवतीचरण वर्मा B. विष्णु प्रभाकर
C. जगदीश चन्द्र माथुर D. उदय शंकर भट्ट

119. 'गरुड़ध्वज' और 'दशाश्वमेध' किसके विख्यात ऐतिहासिक नाटक हैं?
A. रामकुमार वर्मा B. हरिकृष्ण प्रेमी
C. उपेन्द्रनाथ अश्क D. लक्ष्मीनारायण मिश्र

120. 'युगे-युगे क्रान्ति' नाटक किसका है?
A. जगदीशचन्द्र माथुर B. सेठ गोविन्द दास
C. विष्णु प्रभाकर D. देवराज दिनेश

121. जगदीश चन्द्र माथुर का एकांकी संकलन है–
A. कुलीनता B. रंगमंच
C. भोर का तारा D. मां का बेटा

122. 'आधे-अधूरे' किसका नाटक है?
A. नरेश मेहता B. देवराज दिनेश
C. विपिन अग्रवाल D. मोहन राकेश

123. निम्नलिखित नाटकों में से कौन-सा लक्ष्मीकांत वर्मा का है?
A. आदमी का जहर B. तीन अपाहिज
C. नया-पुराना D. उपरोक्त में से कोई नहीं

124. 'पृथ्वीराज की आँखें' और 'कैलेण्डर का आखिरी पन्ना' किसके विख्यात एकांकी हैं?
A. सेठ गोविन्द दास B. विष्णु प्रभाकर
C. रामकुमार वर्मा D. उदय शंकर भट्ट

125. सेठ गोविन्द दास के एकांकियों में–
A. गांधीवादी विचारधारा है
B. राजनैतिक एवं सामाजिक समस्याओं का चित्रण है
C. ऐतिहासिक पृष्ठभूमि है
D. उपरोक्त (A) और (B) दोनों

126. सेठ गोविन्ददास के प्रसिद्ध कहानी संग्रह हैं–
A. नवरस B. एकादशी
C. स्पर्द्धा D. उपरोक्त तीनों

127. उदय शंकर भट्ट के एकांकियों में–
A. मनोविश्लेषणात्मक शैली है
B. अन्तर्द्वन्द्व का चित्रण है
C. भाषा पात्रों के अनुकूल है
D. उपरोक्त तीनों

128. 'एकला चलो रे' किसका विख्यात एकांकी है?
A. उदय शंकर भट्ट B. हरिकृष्ण प्रेमी
C. उपेन्द्र नाथ अश्क D. विष्णु प्रभाकर

129. 'अधिकार का रक्षक' और 'लक्ष्मी का स्वागत' किसके विख्यात एकांकी हैं?
A. हरिकृष्ण प्रेमी B. रेवती शरण शर्मा
C. धर्मवीर भारती D. उपेन्द्र नाथ अश्क

130. लोकप्रिय एकांकी 'रीढ़ की हड्डी' किसकी रचना है?
A. गिरजा कुमार माथुर B. लक्ष्मीकान्त वर्मा
C. भारत भूषण अग्रवाल D. जगदीश चन्द्र माथुर

131. 'मुझे जीने दो' किसका लोकप्रिय एकांकी है?
A. लक्ष्मीकान्त मिश्र B. जयनाथ नलिन
C. रेवती शरण शर्मा D. उपरोक्त में से कोई नहीं

132. 'लस्सी का गिलास' एकांकी का लेखक कौन है?
A. सद्गुरु शरण अवस्थी B. विष्णु प्रभाकर
C. जयनाथ नलिन D. विनोद रस्तोगी

133. निम्नलिखित में से कौन-सा एकांकी विमला लूथरा का नहीं है?
A. लाइन क्लीअर B. मुन्ने का नामकरण
C. प्रीतिभोज D. डाक्टर बीबी

134. 'रसोईघर में प्रजातंत्र' विष्णु प्रभाकर का एकांकी है, जिसमें–
A. व्यंग्य है B. क्षोभ है
C. उद्बोधन है D. निराशा है

135. निम्नलिखित में से किसे हिन्दी का सशक्त नाटककार माना जाता है?
A. मुंशी प्रेमचंद B. सेठ गोविन्द दास
C. जयशंकर प्रसाद D. भारतेन्दु हरिश्चन्द्र

136. 'विशाख' और 'एक घूंट' नाटकों का लेखक कौन है?
A. हरिकृष्ण प्रेमी B. लक्ष्मी नारायण लाल
C. जयशंकर प्रसाद D. उदय शंकर भट्ट

137. 'लहरों का राजहंस' किसका प्रसिद्ध नाटक है?
A. मोहन राकेश B. जगदीश चन्द्र माथुर
C. जयशंकर प्रसाद D. उदय शंकर भट्ट

138. 'आनरेरी मजिस्ट्रेट' का लेखक कौन है?
A. भगवती प्रसाद वाजपेयी B. रामकुमार वर्मा
C. देवकीनंदन खत्री D. हरिकृष्ण प्रेमी

139. 'अम्बपाली' किसकी रचना है?
A. श्रीनिवास दास B. उदय शंकर भट्ट
C. रामवृक्ष बेनीपुरी D. उपेन्द्र नाथ अश्क

140. ऐतिहासिक तथ्यों और काल्पनिक प्रसंगों के मिश्रण से जगदीश चन्द्र माथुर ने किस नाटक की रचना की?
A. क्षत्राणी B. शिवानी
C. कोणार्क D. सूर्यरथ

141. 'धूर्त रसिक लाल' का लेखक कौन है?
A. गोपालराम गहमरी B. भगवतीचरण वर्मा
C. शिवपूजन सहाय D. पं. लज्जा राम मेहता

142. प्रेमचंद रचित 'मान सरोवर' के कितने भाग हैं?
A. तीन भाग B. पांच भाग
C. सात भाग D. आठ भाग

143. 'वयं रक्षामः' किसका उपन्यास है?
A. गुरुदत्त का B. चतुरसेन शास्त्री का
C. भगवतीचरण वर्मा का D. इलाचन्द्र जोशी का

144. 'मुण्डमाल' किसकी रचना है?
A. कौशिक B. रामकुमार वर्मा
C. शिवपूजन सहाय D. उपरोक्त में से कोई नहीं

145. 'कोठरी की बात' कहानी-संग्रह किसका है?
A. यशपाल का B. जैनेन्द्र का
C. अज्ञेय का D. धर्मवीर भारती का

146. 'चारुमित्रा' और 'तैमूर की हार' किस लेखक के एकांकी हैं?
A. उपेन्द्र नाथ अश्क B. भुवनेश्वर प्रसाद
C. विष्णु प्रभाकर D. रामकुमार वर्मा

147. उपेन्द्रनाथ अश्क के अधिकांश एकांकी–
A. आदर्शवादी हैं B. राजनैतिक हैं
C. सामाजिक व पारिवारिक हैं D. मनोवैज्ञानिक हैं

148. 'यशस्वी भोज' किसका एकांकी है?
A. लक्ष्मी नारायण लाल B. देवराज दिनेश
C. उदय शंकर भट्ट D. सेठ गोविन्द दास

149. 'चिरंजीव' का विख्यात एकांकी है–
A. दो कलाकार B. माटी की मूरत
C. पंचकन्या D. दादी मां जागी

150. 'ध्रुवस्वामिनी' प्रसादजी का–
A. सामाजिक नाटक है B. ऐतिहासिक नाटक है
C. पारिवारिक नाटक है D. पौराणिक नाटक है

151. प्रसादजी का ध्रुवस्वामिनी नाटक–
A. व्यंग्यात्मक है
B. नायिका-प्रधान है
C. एक संस्कृत नाटक का हिन्दी अनुवाद है
D. उपरोक्त सभी

152. मोहन राकेश के निम्नलिखित नाटकों में से किस नाटक में कालिदास और मल्लिका के प्रेम का वर्णन है?
A. लहरों का राजहंस B. आधे-अधूरे
C. आषाढ़ का एक दिन D. उपरोक्त में से कोई नहीं

153. 'आहुति' हरिकृष्ण प्रेमी का प्रसिद्ध–
A. ऐतिहासिक उपन्यास है B. राष्ट्रीयतावादी उपन्यास है
C. पारिवारिक उपन्यास है D. व्यंग्यात्मक उपन्यास है

154. हिन्दी निबन्धकारों में सर्वश्रेष्ठ स्थान किसका माना जाता है?
A. जयशंकर प्रसाद का B. बालमुकुन्द गुप्त का
C. रामचन्द्र शुक्ल का D. प्रतापनारायण मिश्र का

155. 'चिन्तामणि' में किसके निबन्ध संग्रहीत हैं?
A. बाबू गुलाबराय B. मिश्रबन्धु
C. महावीर प्रसाद द्विवेदी D. रामचन्द्र शुक्ल

156. 'क्रोध', 'उत्साह' और 'मित्रता' जैसे मनोवैज्ञानिक निबन्ध किसने लिखे?
A. डा. नगेन्द्र B. डा. इन्द्रनाथ मदान
C. नंददुलारे वाजपेयी D. रामचन्द्र शुक्ल

157. 'विचारवीथी' में किसके निबन्ध संग्रहीत हैं?
A. महादेवी वर्मा B. सरदार पूर्ण सिंह
C. माधव प्रसाद मिश्र D. रामचन्द्र शुक्ल

158. निम्नलिखित में से कौन व्यंग्यात्मक और हास्य-प्रधान लेखों के लिए प्रसिद्ध है?
A. बालकृष्ण भट्ट B. बालमुकुंद गुप्त
C. प्रतापनारायण मिश्र D. रामचन्द्र शुक्ल

159. 'बात' और 'भौ' जैसे विषयों पर सुन्दर निबन्ध किसने लिखे?
A. श्यामसुन्दर दास ने B. गुलाबराय ने
C. बालमुकुंद गुप्त ने D. प्रतापनारायण मिश्र ने

160. ''शिवशम्भू का चिट्ठा'' किसका विख्यात व्यंग्यात्मक निबन्ध है?
A. अम्बिका दत्त व्यास B. बदरी नारायण 'प्रेमघन'
C. बालमुकुंद गुप्त D. महावीर प्रसाद द्विवेदी

161. 'फिर निराश क्यों' और 'मेरी कलम का राज्य' किस विद्वान के प्रसिद्ध निबन्ध हैं?
A. माधव प्रसाद मिश्र B. बाबू गुलाबराय
C. सरदार पूर्ण सिंह D. रामचन्द्र शुक्ल

162. निम्नलिखित में से कौन-सा निबंध संग्रह महादेवी वर्मा का है?
A. अशोक के फूल B. मेरी असफलताएं
C. स्मृति की रेखायें D. कला का विवेचन

163. 'कालीदास की निरंकुशता' किसकी विख्यात आलोचना-कृति है?
A. भारतेन्दु की B. श्रीनिवास दास की
C. महावीर प्रसाद द्विवेदी की D. कृष्ण बिहारी मिश्र की

164. 'नैषध चरित चर्चा' किसकी आलोचनात्मक कृति है?
A. महावीर प्रसाद द्विवेदी की B. रामचन्द्र शुक्ल की
C. डा. नगेन्द्र की D. श्याम सुन्दर दास की

165. 'हिन्दी साहित्य का इतिहास' किस विद्वान की अमर कृति है?
A. बाबू श्यामसुंदर दास की B. हजारी प्रसाद द्विवेदी की
C. नंद दुलारे वाजपेयी की D. रामचन्द्र शुक्ल की

166. 'साहित्य लोचन' का लेखक कौन है?
A. बाबू श्यामसुंदर दास B. हजारी प्रसाद द्विवेदी
C. गुलाबराय D. महादेवी वर्मा

167. निम्नलिखित में से कौन-सी रचना रामचन्द्र शुक्ल की नहीं है?
A. कल्पना का आनंद B. चिन्तामणि
C. काव्य में रहस्यवाद D. हिन्दी साहित्य और हिन्दी भाषा

168. हिन्दी व्याकरण के क्षेत्र में किसका महत्वपूर्ण योगदान है?
A. अयोध्या सिंह उपाध्याय B. कामता प्रसाद गुरु
C. रामचन्द्र शुक्ल D. बाबू गुलाबराय

169. निम्नलिखित में से किस विद्वान ने बेकन के अंग्रेजी निबन्धों का हिन्दी में 'बेकन विचार रत्नावली' नाम से अनुवाद किया?
A. रामचन्द्र शुक्ल B. महावीर प्रसाद द्विवेदी
C. श्याम सुंदर दास D. प्रतापनारायण मिश्र

170. महावीर प्रसाद द्विवेदी का नाम किस रूप में स्मरणीय है?
A. व्याकरण की शुद्धता B. व्यास शैली
C. शैली के प्रवर्तक D. उपरोक्त सभी

171. 'हिन्दी साहित्य की भूमिका' और 'सूर साहित्य' किसकी प्रौढ़ रचनायें हैं?
A. बाबू गुलाबराय
B. श्याम सुंदर दास
C. महावीर प्रसाद द्विवेदी
D. हजारी प्रसाद द्विवेदी

172. 'सिद्धान्त और अध्ययन' किसका आलोचना सम्बन्धी ग्रंथ है?
A. श्याम सुंदर दास B. हजारी प्रसाद द्विवेदी
C. नंद दुलारे वाजपेयी D. बाबू गुलाबराय

173. 'बीसवीं शती' किसके आलोचनात्मक निबन्धों का संग्रह है?
A. डा. नगेन्द्र B. डा. दीनदयाल गुप्त
C. डा. भगीरथ मिश्र D. नंददुलारे वाजपेयी

174. 'रीति काव्य की भूमिका' किसकी रचना है?
A. डा. नगेन्द्र B. हजारी प्रसाद द्विवेदी
C. नंददुलारे वाजपेयी D. बाबू गुलाबराय

175. निम्नलिखित में से कौन-सी रचना डा. नगेन्द्र की नहीं है?
A. विचार और अनुभूति B. काव्य-बिम्ब
C. साकेत–एक अध्ययन D. कबीर

176. निम्नलिखित में से रामचन्द्र शुक्ल का निबन्ध संग्रह कौन-सा है?
A. रस मंजरी B. निबन्धावली
C. चिन्तामणि D. आत्म निरीक्षण

177. मिश्र बन्धुओं की समालोचना पुस्तक का नाम है–
A. साहित्यालोक B. हिन्दी नवरत्न
C. नवरस D. काव्य के रूप

178. 'संयोगिता स्वयंवर' किसकी रचना है?
A. राम विलास शर्मा B. वियोगी हरि
C. रामवृक्ष बेनीपुरी D. लाला श्रीनिवास दास

179. 'सच्ची वीरता' निबन्ध का लेखक कौन है?
A. अध्यापक पूर्ण सिंह B. माधव प्रसाद मिश्र
C. डा. श्यामसुंदर दास D. जगन्नाथ प्रसाद चतुर्वेदी

180. नीचे कुछ लेखकों और उनकी रचनाओं के जोड़े दिये हुए हैं। इनमें एक जोड़ा गलत है। बताइये कौन-सा जोड़ा गलत है?
A. नामवर सिंह – बकलम खुद
B. महावीर प्रसाद द्विवेदी – रसज्ञ रंजन
C. श्यामसुंदर दास – साहित्यालोचन
D. हजारी प्रसाद द्विवेदी – खरगोश के सींग

181. निम्नलिखित लेखकों और उनकी रचनाओं का कौन-सा जोड़ा गलत है?

A. त्रिशंकु – अज्ञेय
B. प्रतिक्रियायें – धर्मवीर भारती
C. आत्मनेपद – अज्ञेय
D. भाषा और संवेदना – रामस्वरूप चतुर्वेदी

182. आधुनिक हिन्दी आलोचना का सूत्रपात किस समय हुआ?

A. द्विवेदी युग में
B. प्रसाद युग में
C. भारतेन्दु युग में
D. शुक्ल युग में

183. निम्नलिखित में से कौन-सी रचना नंद दुलारे वाजपेयी की नहीं है?

A. हिन्दी साहित्य–बीसवीं सदी
B. विचार और अनुभूति
C. प्रसाद की काव्यकला
D. आधुनिक साहित्य

184. आचार्य हजारी प्रसाद द्विवेदी उच्च कोटि के समीक्षक थे। साथ ही उन्होंने एक उत्तम उपन्यास भी लिखा, जिसका नाम था–

A. बाणभट्ट की आत्मकथा
B. कल्पना का आनंद
C. शिवशम्भू का चिट्ठा
D. उपरोक्त में से कोई नहीं

185. हिन्दी साहित्य में संस्मरण लेखन आरम्भ करने का श्रेय–

A. बनारसीदास चतुर्वेदी को है
B. महादेवी वर्मा को है
C. पद्मसिंह शर्मा को है
D. श्रीराम शर्मा को है

186. निम्नलिखित में से कौन-सा एक संस्मरण महादेवी वर्मा का लिखा हुआ नहीं है?

A. पथ के साथी
B. स्मारिका
C. वे जीते कैसे हैं
D. मेरा परिवार

187. रामवृक्ष बेनीपुरी ने 'मील के पत्थर' नामक संस्मरण लिखा। इसमें–

A. महापुरुषों के संस्मरण हैं
B. राजनीतिज्ञों के संस्मरण हैं
C. साहित्यिक व्यक्तियों के संस्मरण हैं
D. उनके सम्पर्क में आने वाले व्यक्तियों के संस्मरण हैं

188. 'मंटो मेरा दुश्मन' संस्मरण किसने लिखा है?

A. रामवृक्ष बेनीपुरी
B. श्रीराम शर्मा
C. उपेन्द्र नाथ अश्क
D. रामधारी सिंह दिनकर

189. निम्नलिखित में से कौन-सा संस्मरण-लेखक जोड़ा गलत है?

A. भूले हुए चेहरे – कन्हैया लाल मिश्र
B. सन् पर के संस्मरण – श्रीराम शर्मा
C. वे क्रान्ति के दिन – महावीर त्यागी
D. दिन और रात – राम विलास शर्मा

190. साहित्यिक विधा के रूप में जीवनी लेखन का प्रारम्भ कब हुआ?

A. प्रसाद युग में
B. रामचन्द्र शुक्ल युग में
C. भारतेन्दु युग में
D. महावीर प्रसाद द्विवेदी युग में

191. बनारसीदास चतुर्वेदी ने–

A. क्रान्तिकारियों की जीवनियां लिखीं
B. साहित्यकारों की जीवनियां लिखीं
C. स्वतंत्रता-संग्राम के सेनानियों की कहानियां लिखीं
D. उपरोक्त (A) और (C) दोनों

192. नीचे कुछ जीवनियों और उनके लेखकों के जोड़े दिये हुये हैं। बताइये इनमें कौन-सा जोड़ा गलत है?

A. कलम का सिपाही – अमृत राय
B. कलम का मजदूर – राम विलास शर्मा
C. आवारा मसीहा – विष्णु प्रभाकर
D. महात्मा बुद्ध – राहुल सांकृत्यायन

193. 'मालवीय जी के साथ तीन दिन' जीवनी का लेखक कौन है?

A. सीताराम चतुर्वेदी
B. रामनरेश त्रिपाठी
C. छविनाथ पाण्डेय
D. राधाकृष्ण दास

194. निम्नलिखित में से कौन-सा यात्रावृत्त मोहन राकेश का लिखा हुआ है?

A. सूखे सुनसान नालों में
B. आखिरी चट्टान तक
C. धूप में सोई नदी
D. अरे यायावर याद रहेगा?

195. निम्नलिखित में से कौन-सा यात्रावृत्त भदन्त आनन्द कौसल्यायन का लिखा हुआ है?

A. रेल का टिकट
B. ठेके पर हिमालय
C. सुबह के रंग
D. उपरोक्त सभी

196. नीचे कुछ रेखा-चित्र और उनके लेखकों के नाम के जोड़े दिये हुए हैं। बताइये इनमें कौन-सा जोड़ा गलत है?

A. खंडहर बोलते हैं – रास बिहारी लाल
B. हलाकू – वृन्दावनलाल वर्मा
C. माटी हो गई सोना – प्रकाश चन्द्र गुप्त
D. स्मृति की रेखायें – महादेवी वर्मा

197. 'चीड़ों पर चांदनी' किसका यात्रावृत्त है–

A. रघुवंश
B. मोहन राकेश
C. अज्ञेय
D. निर्मल वर्मा

198. कुछ पत्रिकाओं और उनके संपादक साहित्यकारों के जोड़े दिये गए हैं। बताइये कौन-सा जोड़ा गलत है?

A. सरस्वती – महावीर प्रसाद द्विवेदी
B. हंस – प्रेमचंद
C. माधुरी – रूपनारायण पाण्डेय
D. सुधा – सुमित्रानंदन पंत

199. 'क्या भूलूं क्या याद करूं'' किसकी लिखी हुई सुन्दर आत्मकथा है?

A. यशपाल
B. अमृतलाल नागर
C. हरिवंश राय बच्चन
D. राहुल सांकृत्यायन

200. निराला जी ने कुछ समय तक सम्पादन किया था–

A. प्रभा का
B. समालोचना का
C. सरस्वती का
D. मतवाला का

उत्तरमाला

1	2	3	4	5	6	7	8	9	10
C	C	A	B	C	D	B	C	A	A
11	12	13	14	15	16	17	18	19	20
C	A	C	D	D	A	D	C	C	A
21	22	23	24	25	26	27	28	29	30
A	D	A	D	D	B	D	B	D	D
31	32	33	34	35	36	37	38	39	40
D	D	B	D	D	D	D	C	B	D
41	42	43	44	45	46	47	48	49	50
B	D	D	D	A	C	D	A	D	D
51	52	53	54	55	56	57	58	59	60
C	C	D	A	B	A	A	A	D	B
61	62	63	64	65	66	67	68	69	70
C	A	B	B	D	D	B	A	A	A
71	72	73	74	75	76	77	78	79	80
C	A	B	D	D	D	D	D	A	C
81	82	83	84	85	86	87	88	89	90
A	C	A	A	B	B	A	A	C	D
91	92	93	94	95	96	97	98	99	100
D	D	D	C	A	D	A	C	C	B
101	102	103	104	105	106	107	108	109	110
B	B	C	B	B	D	B	D	D	B
111	112	113	114	115	116	117	118	119	120
D	A	C	D	A	B	A	A	D	C
121	122	123	124	125	126	127	128	129	130
C	D	A	C	D	D	D	A	D	D
131	132	133	134	135	136	137	138	139	140
C	C	D	A	C	C	A	A	C	C
141	142	143	144	145	146	147	148	149	150
D	D	B	C	C	D	C	B	D	B
151	152	153	154	155	156	157	158	159	160
B	C	A	C	D	D	D	C	D	C
161	162	163	164	165	166	167	168	169	170
B	C	C	A	D	A	D	B	B	D
171	172	173	174	175	176	177	178	179	180
D	D	D	A	D	C	B	D	A	D
181	182	183	184	185	186	187	188	189	190
B	D	B	A	C	C	A	C	D	C
191	192	193	194	195	196	197	198	199	200
D	B	B	B	A	C	D	D	C	D

❑❑❑

हिन्दी के रचनाकार एवं उनकी रचनाएँ

भारतेन्दु युग

1. **भारतेन्दु हरिश्चन्द्र (1850-1885) :- नाटक**

(अ) **मौलिक :-** वैदिकी हिंसा हिंसा न भवति, चंद्रावली, विषस्य विषमौषधम्, भारत दुर्दशा (1876), नीलदेवी, प्रेमजोगनी और सती प्रताप (अधूरा), अंधेर नगरी (1881), सत्यवादीहरिश्चन्द्र तथा भारत जननी।

(ब) **अनूदित :-** विद्यासुंदर, पाखंड-विडम्बन, धनंजय-विजय, कर्पूरमंजरी, मुद्रा राक्षस, रत्नावली, दुर्लभ बंधु।

निबंध :- कार्तिक-कर्म-विधि, माघ-स्नान-विधि, अथ अंग्रेज स्तोत्र लिख्यते, पाँचवां पैगम्बर; वैष्णवता और भारतवर्ष आदि। चरितावली (जीवनियां), उदयपुरोदय (जीवनी), बूँदी का राजवंश (जीवनी), बादशाह दर्पण (इतिहास), कश्मीर कुसुम (इतिहास), जयदेव का जीवनवृन्त

उपन्यास :- पूर्णप्रकाश और चन्द्रप्रभा (बंगाली से अनुवाद)।

आलोचना :- नाटक (निबंध)–यह सैद्धान्तिक आलोचना की पहली हिन्दी रचना है।

कहानी :- 'एक कहानी कुछ आपबीती कुछ जगबीती'।

पत्र-पत्रिकायें :- कवि वचनसुधा (1868), हरिश्चन्द्र मैगजीन (मासिक, 1873), 1874 में 'हरिश्चन्द्र मैगजीन' का नाम बदल कर 'हरिश्चन्द्र चन्द्रिका' हो गया। 'बालाबोधिनी' (1874, स्त्री शिक्षा संबंधी)।

2. **बाल कृष्ण भट्ट :-**

आचार्य रामचन्द्र शुक्ल ने बालकृष्ण भट्ट और प्रताप नारायण मिश्र को हिन्दी का 'स्टील' और 'एडीसन' कहा है।

नाटक :- कविराज की सभा, रेल का विकट खेल, दमयन्ती स्वयंवर, बाल विवाह, चन्द्रसेन शर्मिन्दा, वृहभला, वेणुसंहार और जैसा काम वैसा परिणाम आदि।

निबंध :- भय, दृढता, प्रेम, भक्ति, चन्द्रोदय, रूचि, ईश्वर भी क्या ठठोल है, चली सो चली, देवताओं से हमारी बातचीत, नये तरह का जुनून, खटका, बाल विवाह आदि।

उपन्यास :- नूतन ब्रह्मचारी, सौ अजान एक सुजान

आलोचना :- सच्ची समालोचना (1886 : लाला श्रीनिवासदास के नाटक 'संयोगिता स्वयंवर' की 'हिन्दी प्रदीप' में समीक्षा, जहाँ से व्यावहारिक समीक्षा की हिन्दी में शुरूआत होती है।), रणधीर प्रेममोहिनी, नीलदेवी, परीक्षा गुरु तथा एकान्तवासी योगी की 'हिन्दी-प्रदीप' में आलोचनायें छपी।

(3) **प्रताप नारायण मिश्र :-**

नाटक :- भारतदुर्दशा, कलिकौतुक रूपक, संगीत शाकुन्तल, हठी हमीर, गोसंकट, जुआरी-खुआरी, कलि प्रभाव।

निबंध :- प्रायः 200 निबंध लिखे । कुछ हैं - धोखा, खुशामद, आप, बात, दांत, भौं, मुच्छ, नारी, परीक्षा, ह, द, मनोयोग, समझदार की मौत आदि।

उपन्यास :- बंकिम चंद्र चटर्जी के चार उपन्यासों 'राजसिंह', 'इन्दिरा', 'राधारानी' तथा 'युगलांगुरीय' का अनुवाद।

पत्र-पत्रिकायें :- ब्राह्मण (मासिक 1883, कानपुर) ; इस पत्र को चलाते रहने के लिए प्रताप नारायण मिश्र को एक बार इन शब्दों में चन्दा माँगना पड़ा था।

"आठ मास बीते जजमान। अब तो करौ दच्छिना दान।।"

कविता :-

प्रेम पुष्पावली, मन की लहर, लोकोक्ति शतक, तृप्यन्ताम्, शृंगार विलास आदि। मिश्र जी कसीदा, शेर, मरसिया भी लिखते थे तथा लोकशैलियों लावनी, कजली, आल्हा का प्रयोग भी करते थे। उनकी एक समस्यापूर्ति 'पपीहा जब पूछिहै पीव कहाँ' बहुत प्रसिद्ध है। वह कानपुर के समस्या पूर्ति मंच 'रसिक समाज' के प्रधान कार्यकर्ता थे।

4. **बदरीनारायण चौधरी 'प्रेमघन' :-**

उर्दू में 'अब्र' उपनाम से कविता करते थे।

नाटक : भारत सौभाग्य, प्रयाग रामागमन, वीरांगना रहस्य, बुद्ध विलाप।

आलोचना : 'संयोगिता स्वयंवर' (लाला श्रीनिवासदास) तथा बाबू गदाधर सिंह के अनुवाद बंगविजेता की 'आनंद कादम्बिनी' में समीक्षा।

पत्र-पत्रिकायें : 'नागरी नीरद' तथा 'आनंद कादम्बिनी' (मासिक, 1881 मिर्जापुर)

कविता : जीर्ण जनपद (प्रबंधकाव्य), अलौकिक लीला (प्रबंधकाव्य), मयंक महिमा (प्रबंध अपूर्व) जैसे–आनन्द अरूणोदय, हार्दिक हर्षादर्श, वर्षाबिन्दु आदि इनकी एक समस्यापूर्ति प्रसिद्ध है–

'चरचा चलिबे की चलाइए ना'।

5. **लाला श्रीनिवासदास :**

नाटक :- प्रह्लाद चरित्र, तप्तासंवरण, रणधीर प्रेममोहिनी, संयोगिता स्वयंवर (1885)।

उपन्यास : परीक्षागुरू (1882, हिन्दी का पहला मौलिक उपन्यास है।)

पत्र-पत्रिकायें : सदादर्श (1874, दिल्ली)।

प्रमुख रचनायें : नाटक : हिन्दी का प्रथम नाटक 'आनन्दरघुनन्दन नाटक' (महाराजा विश्वनाथ सिंह रीतिकाल), खड़ी बोली हिन्दी का प्रथम नाटक 'शकुन्तला नाटक' (राजा लक्ष्मण सिंह अनुवाद, पूर्वाभास काल), 'नहुष' (बाबू गोपालचन्द्र गिरधर दास, पूर्वाभास काल)।

उपन्यास :

'देवरानी जेठानी की कहानी' (गौरीदत्त शुक्ल), भाग्यवती (1871, श्रद्धाराम फिल्लौरी), परीक्षागुरू (1882 लाला श्रीनिवास दास), परीक्षागुरू हिन्दी का पहला मौलिक अंग्रेजी छन्द का उपन्यास है। भाग्यवती हिन्दी का पहला उपन्यास है।

उपदेश प्रधान सामाजिक उपन्यास : पूर्ण प्रकाश और चन्द्रप्रभा (भारतेन्दु), भाग्यवती (श्रद्धाराम फिल्लौरी), परीक्षागुरू (लाला श्रीनिवास दास), नूतन ब्रह्मचारी, सौ अजान एक सुजान (बालकृष्णभट्ट), निस्सहाय हिन्दू (राधाकृष्णदास), विधवा विवाह (राधाकृष्ण गोस्वामी तथा देवी प्रसाद शर्मा), जया (कार्तिक प्रसाद खत्री), लवंग लतिका, कुसुम कुमारी, लीलावती वा आदर्श सती, पुनर्जन्मवा सौतिया डाह, अंगूठी का नगीना, त्रिवेणी वा सौभाग्य श्रेणी, हृदाहारिणी वा आदर्श रमणी (किशोरी लाल गोस्वामी), सास पतोहू, बड़ा

भाई, नये बाबू (गोपालराम गहमरी), धूर्त रसिकलाल, स्वतंत्र रमा और परतंत्र लक्ष्मी चक्र हिन्दी गृहस्थ, आदर्श दम्पति, बिगडों का सुधार, सुशीला विधवा, आदर्श हिन्दू (मेहता लज्जाराम शर्मा), अधखिला फूल, ठेठ हिन्दी का ठाठ (हरिऔध), सौन्दर्योपासक, राधाकान्त (ब्रजनन्दन सहाय), रामलाल (मन्नन दुबे), वनजीवन वा प्रेमलहरी (राधिकारमण प्रसाद सिंह), वीरमणि (1917, मिश्रबंधु) - कोष्ठक के अन्दर की रचनायें द्विवेदी युग की हैं।

ऐतिहासिक उपन्यास : हृदयहारिणी वा आदर्शरमणी (1890), लवंगलता वा आदर्श बाला, तारा (1902), राजकुमारी (1902), कनक कुसुम वा मस्तानी (1903), लखनऊ की कब्र वा शाही महलसरा (1906), रजिया बेगम, प्रणयिनी परिणय, त्रिवेणी, चपला, मल्लिका देवी वा बंग सरोजनी, अंगूठी का नगीना (किशोरी लाल गोस्वामी)।

रोमानी उपन्यास : ठाकुर जगमोहन सिंह का 'श्यामा स्वप्न' आश्चर्य वृतान्त (अम्बिका दत्त व्यास)।

तिलस्मी-ऐयारी उपन्यास : चन्द्रकान्ता (1891), चन्द्रकान्ता सन्तति, नरेन्द्र मोहिनी, वीरेन्द्र वीर अथवा कटोरा भर खून, कुसुम कुमारी, काजर की कोठरी, अनूठी बेगम, गुप्त गोदना, भूतनाथ : छह भाग (देवकीनन्दन खत्री), कुसुमलता, मयंकमोहिनी या मायामहल, कमल कुमारी, निराला नकाबपोश, भयानक खून (हरिकृष्ण जौहर), तिलस्मी शीशमहल (किशोरीलाल गोस्वामी), पुतलीमहल (रामलाल वर्मा), भूतनाथ के शेष भाग (दुर्गाप्रसाद खत्री)।

जासूसी उपन्यास : अद्भुत लाश, बेकसूर की फाँसी, गुप्तचर, सरकती लाश, खूनी कौन, बेगुनाह का खून, जासूस की भूल, अद्भुत खून, खूनी का भेद, गुप्त भेद (गोपालराम गहमरी)।

अनूदित उपन्यास : बंगविजेता (गदाधर सिंह, बंगला), दुर्गेशनन्दिनी (गदाधर सिंह, बंगला), मृण्मयी (राधाचरण गोस्वामी, बंगला), आँख की किरकिरी (रवीन्द्र नाथ टैगोर), वृतान्तमाला (रामकृष्ण वर्मा, उर्दू), पूना में हलचल (गंगाप्रसाद गुप्त, उर्दू), छत्रसाल (रामचन्द्र मराठी), स्वर्णलता, मरता क्या न करता (राधाकृष्णदास, बंगला), दीपनिर्वाण (मुंशी उदित नारायण लाल), इला प्रमिला, जया, मधुमालती (कार्तिक प्रसाद खत्री), चतुरचंचला, भानमती, नये बाबू (गोपालराम गहमरी), वीरेन्द्र (पुरोहित गोपीनाथ), गुप्तचर (गोपालराम गहमरी), संसार दर्पण अमला वृतान्तमाला, ठग वृतान्तमाला, पुलिस वृतान्तमाला (रामकृष्ण वर्मा), बिरजा जावित्री (राधाचरण गोस्वामी, बंगला)।

यात्रावृत्त : सरयू पार की यात्रा, लखनऊ की यात्रा (भारतेन्दु), गया यात्रा (बालकृष्ण भट्ट), विलायत यात्रा (प्रतापनारायण मिश्र), लन्दन यात्रा (श्रीमती हरदेवी), लन्दन का यात्री (भगवान दास वर्मा), मेरी पूर्व दिग्यात्रा, मेरी दक्षिण दिग्यात्रा (दामोदर शास्त्री), ब्रजविनोद (तोताराम वर्मा), बदरी-केदार यात्रा (कल्याण चन्द्र), ब्रजयात्रा (देवीप्रसाद)।

द्विवेदी युग

(1) आचार्य महावीर प्रसाद द्विवेदी (1864-1938)

मौलिक काव्य ग्रन्थ : काव्य मंजूषा, सुमन, कान्यकुब्ज, अबला-विलाप

अनूदित कविता : कुमारसंभवसार, कविता कलाप, गंगालहरी, ऋतुतरंगिणी।

विविध गद्य : सम्पत्तिशास्त्र (1908), हिन्दी महाभारत, बेकन विचार रत्नावली (अनुवाद)।

निबंध : रसज्ञ रंजन, लेखांजलि, कवि कर्त्तव्य, क्या हिन्दी नाम की कोई भाषा ही नहीं आदि।

समालोचना : हिन्दी भाषा की उत्पत्ति, कालिदास की निरंकुशता, कालिदास और उनकी कविता, सुकवि संकीर्तन, साहित्य संदर्भ, आलोचनांजलि, साहित्य सीकर, समालोचना समुच्चय (1930), विक्रमांक देव चरित चर्चा, नैषध चर्चा।

(2) श्रीधर पाठक

कवितायें : जगत सच्चाई सार, कश्मीर सुषमा, जार्ज वंदना, श्रीगोखले प्रशस्ति, सांध्य अटन, गुनवंत हेमंत, भारतगीत, स्वर्गीय वीणा।

अनूदित : 'गोल्डस्मिथ' के 'हरमिट', 'डेजर्टेड विलेज' तथा 'ट्रैवलर' के अनुवाद क्रमशः एकान्तवासी योगी (1886, खड़ी बोली), ऊजड़ ग्राम (ब्रजभाषा), श्रांतपथिक (खड़ी बोली)।

(3) रामनरेश त्रिपाठी

काव्य : मिलन, पथिक (1920), स्वप्न (1939), मानसी

अन्य : बाल साहित्य, कविता कौमुदी (संकलन : इसके एक भाग में ग्रामगीत संकलित है जो हिन्दी में पहला प्रयास है।)

आलोचना : तुलसीदास और उनकी कविता

संस्मरण : तीस दिन : मालावीय जी के साथ (1942)

(4) अयोध्या सिंह उपाध्याय 'हरिऔध' : दो बार 'हिंदी साहित्य सम्मेलन' के सभापति रहे।

काव्य संग्रह : प्रियप्रवास (यह खडी बोली हिन्दी का पहला महाकाव्य है। इस पर मंगलाप्रसाद पारितोषिक मिला। वैदेही वनवास (खडी बोली, प्रबंधकाव्य), रसकलश (ब्रजभाषा), चोखे-चौपदे, चुभते चौपदे, पद्यप्रसून, बोलचाल।

नाटक : प्रद्युमन विजय व्यायोग, रूक्मिणी परिणय नाटक

उपन्यास : ठेठ हिन्दी का ठाठ (1899), अधखिला फूल (1907), वेनिस का बाँका (पहली गद्य पुस्तक)।

(5) मैथिलीशरण गुप्त (1886-1964)

गुप्तजी की पहली कविता 'हेमन्त' 1905 की सरस्वती में छपी। आरम्भिक रचनायें 'वैश्योपकारक' (कलकत्ता) से छपती थी।

काव्य ग्रन्थ : रंग में भंग (खण्डकाव्य, 1909), जयद्रथ-वध, भारत-भारती (1912), पंचवटी, साकेत (1932) महाकाव्य है। लक्ष्मण की पत्नी उर्मिला को नायिका बनाकर रामकथा कही गयी है। यशोधरा (1932) महाकाव्य है। नायिका गौतम बुद्ध की पत्नी यशोधरा है। नहुष, जयभारत (1952), विष्णुप्रिया (1957 महाकाव्य), विकट भट, गुरूकुल, किसान, सिद्धराज, जयिनी (यह मार्क्स की पत्नी जैनी पर रचित रचना है।), शकुन्तला, त्रिपथगा, झंकार, काबा और कर्बला, मंगलघट, स्वदेश संगीत, कुणाल गीत, अजित, द्वापर, वैतालिक।

अनुवाद : प्लासी का युद्ध, मेघनाद वध, वृत्त संहार।

नाटक : तिंलोत्तमा, चन्द्रहास, अनघ (गीतिनाट्य)।

(6) बालमुकुंद गुप्त

निबंध : शिवशंभु के चिट्ठे (1905), चिट्ठे और खत

कविता : ब्रज और खड़ी बोली में स्फुट रचनायें

अनुवाद : मडेल भगिनी (1892, बंगला उपन्यास का अनुवाद), रत्नावली (हर्ष की नाटिका का अनुवाद)।

समाचार पत्र संपादन : उर्दू : अखबारे चुनार, कोहेनूर

हिन्दी : हिन्दोस्थान (1889-91), हिन्दी बंगवासी, भारत मित्र (1899-1907)।

(7) श्यामसुन्दर दास (1875-1945)

आलोचना : साहित्यालोचन (1922), रूपक रहस्य, भाषा विज्ञान, हिन्दी भाषा और साहित्य।

जीवनी : हिन्दी कोविद रत्नमाला : पहला भाग 1909, दूसरा भाग 1914

आत्मकथा : मेरी आत्मकहानी (1941)

पत्रकारिता : सरस्वती (1900-1902)

संपादन : हिन्दी शब्द सागर (1929), हस्तलिखित ग्रन्थों के खोज विवरण, रामचरितमानस, पृथ्वीराज रासो, कबीर ग्रन्थावली, द्विवेदी अभिनन्दन ग्रन्थ (1933)।

प्रमुख रचनायें : काव्य ग्रन्थ

नाथूराम शर्मा 'शंकर' : अनुराग रत्न, शंकर-सरोज, गर्भरण्डा रहस्य, शंकर सर्वस्व।

राय देवीप्रसाद पूर्ण : बसन्त वियोग, स्वदेशी कुण्डल, मृत्युंजय।

रामचरित उपाध्याय : रामचरित चिन्तामणि (महाकाव्य), राष्ट्रभारती, देवसभा, देवदूत, विचित्र विवाह।

गया प्रसाद शुक्ल 'सनेही' : ('सुकवि' पत्रिका के सम्पादक भी थे।) कृषक-क्रन्दन, प्रेम पचीसी, कुसुमांजलि, करूणा कादम्बिनी, राष्ट्रीय मंत्र, राष्ट्रीय वीणा, त्रिशूल तरंग (यह 'त्रिशूल' उपनाम से कविता करते थे।)

रूपनारायण पाण्डेय : पराग, वनवैभव

मुकुटधर पाण्डेय : पूजा-फूल, कानन कुसुम (द्विवेदी युग के सर्वश्रेष्ठ प्रगीतकार थे।)

रामचन्द्र शुक्ल : 'हृदय का मधुरभार', बुद्धचरित (लाइट ऑफ एशिया का ब्रजभाषा में अनुवाद), कल्पना का आनन्द (एडिसन के 'ऐसे आन इमेजिनेशन का अनुवाद)।

लाला भगवानदीन : वीर क्षत्राणी, वीर बालक, वीर पंचरत्न, नवीन बीन

सैयद अमीर अली मीर : अलाहनापंचक, अन्योक्तिशतक

लोचनप्रसाद पाण्डेय : प्रवासी, मेवाडगाथा, महानदी, पद्यपुष्पांजलि, मृगी दुःखमोचन

ठाकुर गोपालशरण सिंह : माधवी, मानवी, संचिता, ज्योतिष्मती

कामताप्रसाद गुरु : भौमासुर वध (ब्रजभाषा), विनयपचासा (ब्रजभाषा), पद्य पुष्पावली (खड़ी बोली) : इनका एक प्रसिद्ध व्याकरण ग्रन्थ भी है।

निबंध

सरदार पूर्णसिंह : 'सच्ची वीरता', 'कन्यादान', 'नयनों की गंगा', 'पवित्रता', 'आचरण की सभ्यता', 'मजदूरी और प्रेम', 'अमरीका का मस्त जोगी वाल्ट ह्विटमैन' नामक छह निबंध।

चन्द्रधर शर्मा 'गुलेरी' : 'पुरानी हिन्दी', 'काशी', 'जय जमुना मैया जी', 'कछुवा धरम', 'मारेसि मोंहि कुठाँव'। चर्चित कहानी 'उसने कहा था'।

महावीर प्रसाद द्विवेदी : म्युनिसपैलिटी के कारनामे, आत्मनिवेदन, प्रभात, सुतापराधे जनकस्य दण्ड, रसज्ञ रंजन, लेखांजलि, कवि कर्त्तव्य, 'क्या हिन्दी नाम की कोई भाषा ही नहीं' आदि।

माधव प्रसाद मिश्र : पुष्पांजलि (1916, संकलन)।

जगन्नाथ प्रसाद चतुर्वेदी : ब की बहार, पिक्चरपूजा, अनुप्रास का अन्वेषण।

गंगा प्रसाद अग्निहोत्री : निबंधमालादर्श (चिपलूणकर के मराठी निबंधों का अनुवाद।)

नाटक

मौलिक : वेणुसंहार (बालकृष्ण भट्ट), करूणालय, राज्यश्री (जयशंकर प्रसाद), कृष्णार्जुन युद्ध (माखनलाल चतुर्वेदी), सेनापति उदल (वृन्दावल लाल वर्मा), भारत दुर्दशा (प्रताप नारायण मिश्र), चुंगी की उम्मीदवारी (बदरीनाथ भट्ट), अलट फेर, नोंक झोंक (जी. पी. श्रीवास्तव), चौपट चपट, मयंक मंजरी (किशोरी लाल गोस्वामी), रूक्मिणी परिणय, प्रद्युमन विजय व्यायोग (हरिऔध), सुदामा (शिवनंदन सहाय), चंद्रकला भानुकुमार (राय देवीप्रसाद 'पूर्ण'), कुरूवनदन (बदरीनाथ भट्ट)।

उपन्यास

काजर की कोठरी (1902), अनूठी बेगम, गुप्त गोदना, भूतनाथ : छह भाग (देवकीनन्दन खत्री), मयंक मोहिनी या मायामहल (1901), कमलकुमारी, निराला नकाबपोश, भयानक खून (हरे कृष्ण जौहर), तिलस्मी शीशमहल (किशोरी लाल गोस्वामी), पुतली महल (1908) (रामलाल वर्मा), सरकटी लाश, चक्करदार चोरी (1901), जासूस की भूल, जासूस पर जासूसी (1904), जासूस चक्कर में, इन्द्रजालिक जासूस, गुप्त भेद, जासूस की ऐयारी (1914) (गोपालराम गहमरी), प्रेम का फल या मिस जौहरा (निहालचन्द वर्मा), अद्भुत भूत (1916) (दुर्गाप्रसाद खत्री), नवजीवन वा प्रेमलहरी (राधिकारमण प्रसाद सिंह) : प्रेमा (1907), रूठी रानी (1907), सेवासदन (1918) (प्रेमचन्द)।

कहानी

किशोरीलाल गोस्वामी की कहानी 'इन्दुमति' (1900 ई0) को आचार्य शुक्ल ने हिन्दी की पहली कहानी माना है।

अन्य महत्वपूर्ण कहानियाँ : गुलबहार (किशोरीलाल गोस्वामी), पंडित और पंडितानी (गिरिजा दत्त), ग्राम (1911, जयशंकर प्रसाद की पहली कहानी), रसिया बालम (बालम), सौत (1915, प्रेमचंद), बड़े घर की बेटी (1916, प्रेमचन्द), टोकरी भर मिट्टी (1901, माधवराव सप्रे), 'इन्दुमती' या 'प्रणयिनी-परिणय' (1900 किशोरीलाल गोस्वामी), सज्जनता का दंड (1916), ईश्वरीय न्याय (1917), दुर्गा का मंदिर (1917) (प्रेमचन्द), रानी सारंधा (प्रेमचन्द)।

आलोचना : 'अलंकार मंजूषा'–लाला भगवानदीन

छायावादी युग

1. **जयशंकर प्रसाद (1890-1937)**

   काव्य :- चित्राधर (1918, ब्रजनाथ), यह प्रसाद का पहला काव्य संग्रह है। इसमें एक साथ 10 ग्रन्थ संकलित थे। कानन कुसुम, प्रेमपथिक, महाराणा का महत्व, करूणालय, सम्राट चंद्रगुप्त मौर्य, छाया, उर्वशी (चंपू), राज्यश्री, प्रायश्चित और कल्याणी परिणय। पहले चार इसमें से कविता संग्रह हैं। कानन कुसुम (1912, खड़ी बोली तथा ब्रजभाषा), प्रेमपथिक (1909 ब्रजभाषा, 1914 खडी बोली), करूणालय (1913), महाराणा का महत्व (1914), झरना (1918), आँसू (1925), लहर (1935), तथा कामायनी (1937, पांडुलिपि संस्करण 1971)।

   नाटक : सज्जन कल्याणी-परिणय, प्रायश्चित, करूणालय, राज्यश्री, विशाख, अजातशत्रु (1922), कामना (अन्यापदेशिक नाटक या महानाटक), जनमेजय का नागयज्ञ, स्कन्दगुप्त (1928), चन्द्रगुप्त मौर्य (1931), ध्रुवस्वामिनी (1933), एक घूँट (एकांकी), अग्निमित्र (1980)।

   उपन्यास : कंकाल (1929), तितली (1934), इरावती (अपूर्ण, 1940)

   निबंध : काव्य और कला तथा अन्य निबंध (1939)

   कहानियाँ : ग्राम (1911), पुरस्कार, आकाशदीप, मधुवा, गुंडा, सालवती आदि।

   'ग्राम' प्रसाद की पहली कहानी थी। उनके कहानी संग्रह हैं--छाया, प्रतिध्वनि, आकाशदीप, आँधी, इन्द्रजाल।

2. **सूर्यकान्त त्रिपाठी 'निराला' (1899-1961 ई॰)**

काव्यग्रन्थ : अनामिका (1923, प्राचीन), परिमल (1929), गीतिका (1936), तुलसीदास (1938), अनामिका (1938, नवीन), कुकुरमुत्ता (1942), अणिमा (1943), बेला (1946), नये पत्ते (1946), अर्चना (1950), आराधना (1953), गीतकुंज (1954), सांध्यकाकली (1969)।

उपन्यास : अप्सरा (1931), अलका (1933), प्रभावती (1936), निरूपमा (1937), चोटी की पकड़ (1946), काले कारनामे (1950)।

कहानी : लिली (1930), सुकुल की बीबी (1941) आदि।

संस्मरण : कुल्ली भाट (1939), बिल्लेसुर बकरिहा (1942)

समीक्षा : रवीन्द्र कविता कानन, पन्त और पल्लव (1928)

अन्य जानकारियाँ : निराला की अत्यधिक प्रसिद्ध कवितायें निम्नलिखित हैं - जूही की कली (परिमल, 1916, यह उनकी पहली रचना है।), रेखा, शेफालिका, जागो फिर एक बार, कवि, पंचवटी प्रसंग, जागरण, बादल राग, महाराज शिवाजी का पत्र (परिमल); वर दे वीणावादिनी वर दे (गीतिका), नव-बेला, सरोज-स्मृति, राम की शक्तिपूजा (अनामिका), सम्राट अष्टम एडवर्ड के प्रति, तोड़ती पत्थर (अनामिका), कुकुरमुत्ता (नये पत्ते) तथा तुलसीदास।

3. **सुमित्रानन्दन पन्त (1900-1977 ई॰)**

काव्य ग्रन्थ : पहली कविता 'गिरजे का घण्टा' (1916), ग्रन्थि, पल्लव (1926), वीणा (1927), गुंजन (1932), युगांत (1936), युगवाणी (1939), ग्राम्या (1940), स्वर्णकिरण (1947), स्वर्णधूलि (1947), युगपथ (1949), उत्तरा (1949), अतिमा (1955), वाणी (1958), पतझर, कला और बूढ़ा चाँद (1959), लोकायतन (1964, महाकाव्य), सत्यकाम (1975)।

काव्यनाटक : ज्योत्स्ना (1934), रजत शिखर (1952), शिल्पी (1952)

उपन्यास : हार (1960)

आलोचना : गद्यपथ (1953), शिल्प और दर्शन (1961), छायावाद : पुनर्मूल्यांकन (1965)

आत्मकथा : साठ वर्ष एक रेखांकन (1960)

अन्य जानकारियाँ :- पन्त जी की अत्यधिक प्रसिद्ध कवितायें ये हैं– उच्छ्वास, आँसू की बालिका, पर्वत प्रदेश में पावस, बादल, छाया, परिवर्तन, एक तारा, नौकाविहार, मधुस्मिति, भावी पत्नी के प्रति, अनंग, चाँदनी, अप्सरा आदि।

4. **महादेवी वर्मा (1907-1987 ई॰)**

काव्य ग्रन्थ : नीहार (1930), रश्मि (1932), नीरजा (1934), सांध्यगीत (1936), यामा (इसमें ऊपर की चारों काव्य रचनाओं को एक साथ संकलित कर दिया गया), दीपशिखा (1942)।

रेखाचित्र संस्मरण : अतीत के चलचित्र (1941), स्मृति की रेखायें (1943), पथ के साथी (1956)।

निबंध : शृंखला की कड़ियाँ (1942), क्षणदा (1956)।

आलोचना : साहित्यकार की आस्था तथा अन्य निबंध (1962, सम्पादक–गंगाप्रसाद पाण्डेय)।

5. **प्रेमचन्द (1880-1936 ई॰) :** पहले नवाबराय नाम से लिखते थे। प्रेमचन्द का लेखन उर्दू में 1905 से तथा हिन्दी में 1918 से 'सेवासदन' के साथ शुरू होता है।

उपन्यास : सेवासदन (1918, प्रमुख पात्र–सुमन, दरोगा कृष्णचन्द्र, वेश्या जीवन की समस्या पर रचित), वरदान (1921, पहले उर्दू में लिखा जा चुका था, बाद में हिन्दी में आया), प्रेमाश्रम (1921, प्रमुख पात्र–प्रेमशंकर, किसान जीवन पर रचित), रंगभूमि (1924, प्रमुख पात्र–सूरदास, विनय और सोफिया, सुभागी; राष्ट्र की बहुआयामी परिस्थितियों तथा चेतना पर लिखा गया एक राष्ट्रीय उपन्यास), कायाकल्प (1926, प्रमुख पात्र–चक्रधर-मनोरमा, शंखधर-देवप्रिया हिन्दू-मुस्लिम दंगा तथा पुनर्जन्म के साथ अनेक चीजें जैसे समाज-सेवा, राजसी विलास आदि समेटने की कोशिश की गयी है।), निर्मला (1927, निर्मला-तोताराम, रूक्मिणी, मंशाराम, जियाराम और सियाराम दहेज और अनमेल विवाह की समस्या पर रचित), प्रतिज्ञा (1929, उर्दू में पहले ही रचा जा चुका था), गबन (1930, रमानाथ-जालपा, मनोवैज्ञानिक छवि से भरपूर मध्यवर्गीय जीवनयथार्थ पर केन्द्रित रचना है), कर्मभूमि (1932, अमरकान्त-सकीना, सुखदा, डॉ॰ शान्तिकुमार, एक बहुआयामी उपन्यास जिसमें राजनीतिक, सामाजिक तथा आर्थिक चेतना के स्वर गुथे हुए हैं), गोदान (1936, पात्र- होरी, धनिया, गोबर, सिलिया, रायसाहब, मालती तथा मेहता आदि, किसान जीवन पर की समानान्तर कथा), मंगलसूत्र (अपूर्ण, मरणोपरान्त प्रकाशन 1948)।

कहानी : सप्तसरोज (संकलन : 1917), मानसरोवर : आठ भाग।

6. **रामचन्द्र शुक्ल (1884-1941 ई॰)**

निबंध : आचार्य शुक्ल का निबंध 'कविता क्या है' (1909) पहली बार सरस्वती में छपा। उनके मनोविकार संबंधी निबंध हैं–भाव या मनोविकार, उत्साह, श्रद्धा-भक्ति, करूणा, लज्जा और ग्लानि, लोभ और प्रीति, ईर्ष्या, भय और क्रोध। अन्य महत्वपूर्ण निबंध हैं–मानस की धर्मभूमि, काव्य में लोकमंगल की साधनावस्था, साधारणीकरण और व्यक्ति वैचित्र्यवाद तथा रसात्मक बोध के विविधरूप।

संकलन : चिंतामणि, भाग-1 (1939), भाग-2(1945)।

कहानी : ग्यारह वर्ष का समय (1930 'सरस्वती' में छपी)।

कविता : मधुस्रोत (1971, संकलन)

आलोचना : गोस्वामी तुलसीदास (1923), जायसी ग्रन्थावली की भूमिका (1924), भ्रमरगीत सार (1925), रस मीमांसा (1949)।

इतिहास : हिन्दी साहित्य का इतिहास (मूल रूप 'हिन्दी शब्द सागर' की प्रस्तावना के रूप में) 1939, संशोधित-संवर्धित रूप 1940।

अनुवाद : प्रमुख हैं–विश्व प्रपंच (रिड्ल ऑफ दि यूनीवर्स का अनुवाद 1920), शशांक (राखालदास बंद्योपाध्याय के उपन्यास का अनुवाद 1922), बुद्धचरित ('लाइट आफ एशिया' का अनुवाद 'काव्यभाषा' शीर्षक मौलिक भूमिका सहित 1922)।

सम्पादन : हिन्दी शब्द सागर 1929 ।

उपन्यास

1. **विशम्भर नाथ 'कौशिक' :** भिखारिणी (1929), माँ (1929)
2. **जयशंकर प्रसाद :** कंकाल (1929, पात्र : निरंजन, वाथम आदि, धार्मिक विसंगतियों एवं वासनात्मक सांसारिक मनोवृत्तियों पर केन्द्रित), तितली (पात्र : मधुआ, इन्द्रदेव-शैला, नंदरानी, तितली आदि प्रसाद की भारतीय दृष्टि और कृषि सभ्यता की गहरी पहचान का उपन्यास), इरावती।

3. **पाण्डेय बेचन शर्मा 'उग्र'** : उग्र की सामाजिक यथार्थ दृष्टि कुछ अंश में प्रकृतिवाद की ओर उन्मुख है। उनके प्रधान उपन्यास हैं–
चन्द हसीनों के खतूत (1927, पत्रात्मक शैली का पहला उपन्यास, हिन्दू युवक और मुसलमान युवती के प्रेम की कहानी), 'बुधुवा की बेटी' या 'मनुष्यानन्द' (1928, पात्र–भंगी बुधुवा, रधिया, अघोरी मनुष्यानन्द, अछूत समस्या के आर्थिक सामाजिक पहलुओं पर रचित), शराबी, घंटा, दिल्ली का दलाल, सरकार तुम्हारी आँखों में, जीजी जी, कढ़ी में कोयला और फागुन के दिन चार।
4. **मन्नन द्विवेदी** : कल्याणी, रामलाल
5. **दुर्गाप्रसाद** : लालपंजा
6. **मदारीलाल गुप्त** : सखाराम
7. **चतुरसेन शास्त्री** : हृदय की प्यास, 'अमर अभिलाषा' या 'बहते आँसू' हृदय की परख, आत्मदाह
8. **ऋषभचरण जैन** : भाई, मंदिरदीप, सत्याग्रह, दिल्ली का कलंक, दिल्ली का व्यभिचार, वेश्यापुत्र, रहस्यमयी
9. **वृन्दावन लाल वर्मा** : लगन, संगम, प्रत्यागत, कुंडली चक्र, प्रेम की भेंट
10. **राधिकारमण प्रसादसिंह** : राम-रहीम
11. **प्रताप नारायण श्रीवास्तव** : विदा, विजय, विकास
12. **चंडीप्रसाद 'हृदयेश'** : मनोरमा, मंगलप्रभात
13. **सियाराम शरण 'गुप्त'** : गोद, अंतिम आकांक्षा
14. **शिवपूजन सहाय** : देहाती दुनिया (1926)
15. **अनूपलाल मंडल** : समाज की वेदी, रूपरेखा (दोनों उपन्यासों में पत्रात्मक प्रविधि का प्रयोग)।

नाटक

ऐतिहासिक-सांस्कृतिक नाटक :

1. **मिश्रबन्धु** : पूर्व भारत (1922), उत्तर भारत (1923)
2. **बदरीनाथ भट्ट** : कुरूवन दहन (1912), वेन चरित, तुलसीदास, चन्द्रगुप्त, दुर्गावती
3. **कौशिक** : भीष्म
4. **माखनलाल चतुर्वेदी** : कृष्णार्जुन युद्ध (1918)
5. **वियोगी हरि** : छद्मयोगिनी (1923)
6. **सियाराम शरणगुप्त** : पुण्य पर्व (1933)
7. **ब्रजनन्दन सहाय** : सत्यभामा (1930)
8. **जगन्नाथ प्रसाद मिलिन्द** : प्रताप प्रतिमा (1928)

एकांकी :

जयशंकर प्रसाद (एक घूँट - प्रथम एकांकी है), उग्र (चार बेचारेः संग्रह), भुवनेश्वर प्रसाद (कारवाँ : संग्रह), रामकुमार वर्मा (बादल की मृत्यु : आधुनिक ढंग की पहली एकांकी), जगदीश चन्द्र माथुर (भोर का तारा), भगवतीचरण वर्मा (सबसे बडा आदमी), भुवनेश्वर प्रसाद (स्ट्राइक), अश्क (लक्ष्मी का स्वागत)।

हास्य प्रहसन :

1. **बदरीनाथ भट्ट** : चुंगी की उम्मीदवारी (1919), चबडघोंघों (1926), विवाह का विज्ञापन (1927), मिस अमेरिका (1929)
2. **जी. पी. श्रीवास्तव** : गडबड़झाला (1912), दुमदार आदमी (1917), उलटफेर (1918), मर्दानी औरत, न घर का न घाट का, भूलचूक (1926), साहित्य का सपूत
3. **सुदर्शन** : माई हेड (1926)

सामाजिक समस्या प्रधान नाटक :

1. **प्रेमचन्द** : संग्राम (1922), कर्बला (1924), प्रेम की बेदी (1933)
2. **सुदर्शन** : ऑनरेरी मजिस्ट्रेट (1927)
3. **रूपनारायण पाण्डेय** : प्रायश्चित (1928)
4. **रामनरेश त्रिपाठी** : वफाती चाचा (1927)
5. **लक्ष्मण सिंह 'चौहान'** : कुली प्रथा (1913), गुलामी का नशा (1924), उत्सर्ग, एक ही समाधि।

कहानी :

1. **गुलेरी** : उसने कहा था (1915), सुखमय जीवन (1911), बुद्धू का काँटा।
2. **प्रेमचन्द** : पंचपरमेश्वर, नमक का दरोगा, बड़े घर की बेटी, रानी सारंधा, सारंगा सदावृक्ष, सवा सेर गेहूँ, दो बैलों की कथा, दतरी, जुलूस, दीक्षा, लाटरी, माता का हृदय, मैकू, शंखनाथ, अलग्योझा, बूढ़ी काकी, आत्माराम, गरीब की हाय, दुर्गा का मंदिर, ब्रजपात, सेवामार्ग, आभूषण, ठाकुर का कुआँ, शतरंज के खिलाड़ी, दिल की रानी, मैकू, दो बैलों की कथा, रामलीला, ईदगाह, बड़े भाई साहब, नशा, मिस पद्मा, पूस की रात, मोटेराम शास्त्री, इस्तीफा, तावान, कजाकी, कफन, दामुल का कैदी (इस कहानी में पुनर्जन्म का कथा में प्रयोग है।)
3. **'कौशिक'** : रक्षाबंधन, ताई, पगली, उद्धार
कहानी संग्रह - चित्रशाला, मणिमाला, कल्पमंदिर, कल्लोल
4. **विश्वम्भरनाथ 'जिज्जा'** : संग्रह है - 'घूँघट वाली'
5. **सुदर्शन** : हार की जीत, कवि की स्त्री, एथेंस का सत्यार्थी, कमल की बेटी।
संग्रह है - सुदर्शन सुधा, तीर्थयात्रा, पुष्पलता, गल्पमंजरी, सुप्रभात, परिवर्तन, पनघट
6. **उग्र** : देशभक्त
संकलन–चिनगारियां, शैतान मंडली, इन्द्रधनुष, बलात्कार, चाकलेट, दोजख की आग, निर्लज्जा
7. **रायकृष्णदास** : अंतःपुर का आरम्भ, रमणों का रहस्य
8. **चतुरसेन शास्त्री** : दुखवा मै कासो कहूँ मोरी सजनी (हरिसाधन मुखोपाध्याय की कहानी 'सेलिसमा बेगम' का रूपांतर), अंबपालिका, प्रबुद्ध, भिक्षुराज, बावर्चिन, हल्दीघाटी में, बाणवधू।
9. **जयशंकर प्रसाद** : आकाशदीप, देवदासी, रसिया बालम, आँधी, मधुआ, पुरस्कार, ममता, इन्द्रजाल, सालवती, गुंडा।

निबंध :

1. **बाबू गुलाबराय** : ठलुआ क्लब, फिर निराशा क्यों, मेरी असफलताएं, कुछ उथले कुछ गहरे
2. **रघुवीर सिंह** : निबंध संग्रह हैं 'शेष स्मृतियाँ'
3. **शिवपूजन सहाय** : निबंध संग्रह है 'कुछ'
4. **निराला** : संग्रह है : प्रबंध प्रतिमा, चयन, चाबुक

5. **पदुमलाल पुन्नालाल बख्शी :** संग्रह हैं - 'पंचपात्र'। एक प्रसिद्ध निबंध है- 'क्या लिखूँ'
6. **गुलेरी :** विक्रमोवर्शी की मूल कथा, अमंगल के स्थान में मंगलशब्द।

छायावादोत्तर युग

कविता : प्रगति प्रयोग काल के समानान्तर अन्य कई तरह की काव्य रचनायें भी होती रहीं। इनका मुख्य स्वर या तो गाँधीवादी है या फिर विप्लव अथवा मस्ती का। हम पहले इन्हीं का परिचय यहाँ पर दे रहे हैं।

1. **हरिवंशराय बच्चन :** मधुशाला (1935), मधुबाला (1936), मधुकलश (1937), निशा-निमन्त्रण (1938), एकांत संगीत (1939), आकुल अंतर (1943), सतरंगिणी, मिलनयामिनी तथा प्रणय पत्रिका।
   अंतिम चरण में बच्चन ने सामाजिक-राजनीतिक कवितायें लिखीं। ये हैं–बंगाल का अकाल, खादी के फूल, सूत की माला, धार के इधर-उधर, आरती और अंगारे, बुद्ध और नाचघर, त्रिभंगिमा, चार खेमे चौसठ खूँटे, दो चट्टानें, जाल समेटा।
   बच्चन ने उमर खैय्याम की रूबाइयों का अनुवाद 1935 में 'खैय्याम की मधुशाला' नाम से किया।
2. **रामकुमार वर्मा :** रूपराशि, निशीथ, चित्ररेखा, आकाशगंगा, अंजलि, चन्द्रकिरण, एकलव्य (वर्मा जी छायावादी ढंग की ही कविता करते थे।)
3. **माखनलाल चतुर्वेदी :** हिमकिरीटिनी, हिमतंरगिणी, वेणु लो गूँजे धरा, माता, युगचरण, मरणज्वार, बिजुली काजल आँज रही, समर्पण। इनकी कविता 'पुष्प की अभिलाषा' अत्यंत प्रसिद्ध है।
4. **सियारामशरण गुप्त :** इनकी कविता 'एक फूल की चाह' बहुत प्रसिद्ध है। प्रमुख काव्य ग्रन्थ हैं - मौर्य विजय, अनाथ, दूर्वादल, विषाद, आर्द्रा, आत्मोत्सर्ग, पाथेय, मृण्मयी, बापू, उन्मुख, दैनिकी, नकुल, नोआखाली, गोपिका।
   प्रबंधकाव्य : उन्मुक्त (युद्ध की विभीषिका और मानवीय करुणा पर रचित ; अत्याचारी लौह द्वीप के लोग शान्तिप्रिय कुसुमद्वीप को युद्ध पर मजबूर कर देते हैं।)
5. **बालकृष्ण शर्मा 'नवीन' :** इनकी 'साकी' कविता अत्यन्त प्रसिद्ध है। 'आज खड्ग की धार कुंठिता' और 'कवि कुछ ऐसी तान सुनाओ' भी प्रसिद्ध कवितायें हैं। इनके काव्यग्रंथ है–उर्मिला (प्रबन्धकाव्य), कुंकुम (पहला काव्य संग्रह है), रश्मिरेखा और अपलक, विनोबास्तवन, क्वासि, हम विषपायी जन्म के।
6. **भगवती चरण वर्मा :** 'हम दीवानों की क्या हस्ती, हैं आज यहां कल वहां चले।' तथा 'चली आ रही भैंसागाड़ी' भी इनकी एक चर्चित कविता है। इनके काव्यग्रन्थ हैं–मधुकण, प्रेमसंगीत तथा मानव।
7. **सुभद्राकुमारी चौहान :** झाँसी की रानी, जलियाँवाला बाग में वसंत आदि कवितायें।
8. **रामधारीसिंह 'दिनकर' :** रेणुका (1935), हुंकार, सामधेनी, रसवन्ती, द्वन्द्वगीत, यशोधरा, कुरुक्षेत्र (युद्ध की समस्या पर रचित प्रबंधकाव्य है, जो मुख्यतः भीष्म-युधिष्ठिर संवाद पर आधारित है।), उर्वशी (ज्ञानपीठ पुरस्कार से सम्मानित प्रबंधकाव्य, जिसका उपजीव्य 'उर्वशी-पुरूरवा प्रेमाख्यान' है।), रश्मिरथी (महाभारत के 'कर्ण' को नायक बनाकर रचित प्रबंधकाव्य है।), आत्मा की आँखें, परशुराम की प्रतीक्षा (प्रबंधकाव्य) है। इतिहास के आँसू, धूप और धुआँ, दिल्ली, नीम के पत्ते तथा हारे को हरिनाम। 'संचयिता' हाल में किया गया संकलन है।
9. **नरेन्द्र शर्मा :** शूल-फूल, कर्णफूल, प्रभातफेरी, प्रवासी के गीत, पलाशवन, ग्राम्या, मिट्टी के फूल, हंसमाला, रक्तचंदन, अग्निशस्त्र, कदलीवन, उत्तरजय (प्रबंधकाव्य, युधिष्ठिर तथा अश्वत्थामा के खण्डित और पीड़ाभोगी व्यक्तियों की गाथा), द्रौपदी (महाभारत में 'द्रौपदी' के चरित्र पर आधारित खंडकाव्य।)
10. **रामेश्वर शुक्ल 'अंचल' :** मधुलिका, अपराजिता, लाल चूनर, किरणबेला, करील और वर्षान्त के बादल, अपराधिता (प्रबंधकाव्य)।
11. **सोहन लाल द्विवेदी :** कुणाल, चित्रा, युगाधार।
12. **श्यामनारायण पाण्डेय :** हल्दीघाटी, जौहर।
13. **उदयशंकर भट्ट :** विसर्जन, मानसी, अमृत और विष, युगदीप, यथार्थ और कल्पना, एकला चलो रे, विजयपथ।
14. **जानकी बल्लभ शास्त्री :** रूप-अरूप, शिप्रा, मेघगीत, अवन्तिका।
15. **गुरूभक्तसिंह 'भक्त' :** विक्रमादित्य (प्रबंधकाव्य, कथानक विशाखदत्त के 'देवी चन्द्रगुप्त' नाटक पर आधारित), नूरजहाँ (प्रबन्धकाव्य)।
16. **मोहनलाल महतो 'वियोगी' :** आर्यावर्त (पृथ्वीराज चौहान-गौरी युद्ध पर रचित प्रबन्धकाव्य)
17. **केदारनाथ मिश्र 'प्रभात' :** कैकयी (प्रबंधकाव्य), कर्ण (खण्डकाव्य), शुभ्रा (गीतिकाव्य), बैठो मेरे पास तथा ऋतम्बरा प्रबंधकाव्य है। प्रलयवर्णन से प्रारम्भ होकर मानव-सृष्टि के भविष्य पर रचित।
18. **ठाकुर प्रसादसिंह :** महामानव (प्रबंधकाव्य : गाँधी जी के जीवन पर।)

प्रगतिवादी काव्य

1. **नागार्जुन :** (वास्तविक नाम वैद्यनाथ मिश्र) इन्होंने 'यात्री' नाम से मैथिली में भी कवितायें रची हैं। प्रमुख कविता-संग्रह हैं - सतरंगे पंखों वाली, प्यासी पथरायी आँखें, युगधारा, ऐसे भी हम क्या, ऐसे भी तुम क्या, आखिर ऐसा क्या कह दिया मैंने, पुरानी जूतियों का कोरस, रत्नगर्भ, तालाब की मछलियां, तुमने कहा था, खिचड़ी विप्लव देखा हमने, हजार-हजार बाँहों वाली, पका है यह कटहल, भूमिजा (खण्डकाव्य)।
   नागार्जुन की बहुत प्रसिद्ध कविताओं में से कुछ हैं–
   बादल को घिरते देखा है, पाषाणी, चन्दना, रवीन्द्र के प्रति, सिंदूर तिलकित भाल, तुम्हारी दंतुरित मुस्कान, ओ जन-मन के सजग चितेरे (यह केदारनाथ अग्रवाल पर लिखी गई है।), गुलाबी चूड़ियाँ, तन गयी रीढ़, यह तुम थी, जोत की फाँक, भादों की तलैया, प्रेत का बयान, मास्टर तथा अकाल।
2. **केदारनाथ अग्रवाल :** संग्रह है–युग की गंगा, फूल नहीं रंग बोलते हैं, पंख और पतवार, गुलमेंहदी, कहे केदार खरी-खरी, अपूर्वा, आत्मगंध, नींद के बादल, लोक तथा आलोक। केदार की प्रसिद्ध कवितायें हैं -
   बसंती हवा, चन्द्रगहना से लौटती बेर, आज नदी बिल्कुल उदास थी, केन किनारे पाल्थी मारे, केन हमारी तड़प रही है आदि।
3. **रांगेय राघव :** अजेय खंडहर, मेधावी, पांचाली (खंडकाव्य), पिघलते पत्थर, राह के दीपक (संकलन)।
4. **त्रिलोचन :** संग्रह है–धरती, मिट्टी की बारात, ताप के तापे हुए दिन, फूल नाम है एक, शब्द, उस जनपद का कवि हूँ, गुलाब और बुलबुल, दिगंत, अरघान, तुम्हें सौंपता हूँ, सबका अपना आकाश तथा अनकहनी भी कुछ कहनी है। त्रिलोचन का प्रिय छंद 'सॉनेट' है।

5. **'सुमन' :** संग्रह हैं–जीवन के गान, प्रलय-सृजन, हिल्लोल।
6. **रामविलास शर्मा :** ने भी कतिपय काव्य रचना की है, जो प्रगतिवादी काव्य के अंतर्गत ही आती है। इनके संग्रह का नाम है - 'रूपतरंग'।

प्रयोगवादी काव्य

अज्ञेय (1911-1987 ई॰) : के कविता संग्रह है - भग्नदूत (1933), चिंता (1942), इत्यलम् (1946), हरी घास पर क्षण भर (1949), बावरा अहेरी (1954), इंद्रधनुष रौंदे हुए (1957), अरी ओ करूणा प्रभामय (1959), आँगन के पार द्वार (1961), कितनी नावों में कितनी बार (1967), क्योंकि मैं उसे जानता हूँ (1970), सागर मुद्रा (1970), पहले में सन्नाटा बुनता हूँ (1974), महावृक्ष के नीचे (1977), नदी की बाँक पर छाया (1981), प्रिजन डेज एण्ड अदर पोएम्स (अंग्रेजी, 1946)। चारों सप्तकों का संपादन।

अज्ञेय की अत्यधिक प्रसिद्ध कवितायें हैं - नदी के द्वीप (संग्रह- हरी घास पर क्षण भर), असाध्य वीणा (आँगन के पार द्वार : संग्रह)। यह दीप अकेला, पूर्वा, सुनहरे शैवाल आदि।

मुक्तिबोध (1917-1964) : के दो काव्य संग्रह है - चाँद का मुँह टेढ़ा है (1964), भूरि-भूरि खाक धूल (1980)। अत्यधिक प्रसिद्ध कवितायें हैं - एक आत्मवक्तव्य, चाँद का मुँह टेढ़ा है, चकमक की चिंगारियाँ, भूल-गलती, दिमागी गुहान्धकार, ब्रह्मराक्षस तथा अँधेरे में।

शमशेरबहादुर सिंह (1911-1993) : के काव्यसंग्रह हैं–सुकून की तलाश में, कुछ कविताएं, कुछ और कविताएं, चुका भी हूँ नहीं मैं, इतने अपने पास, बात बोलेगी, काल तुझसे होड़ है मेरी, टूटी हुई बिखरी हुई, विविध-शमशेर, कहीं बहुत दूर से सुन रहा हूँ। शमशेर की कुछ अत्यधिक प्रसिद्ध कविताएं हैं–

'वाम, वाम, वाम दिशा', अमनराग, उदिता, चुका भी हूँ नहीं मैं, टूटी हुई बिखरी हुई, एक पीली शाम, सलोना जिस्म आओ न तथा 'अभिव्यक्ति का संघर्ष'।

भवानीप्रसाद मिश्र : कमल के फूल, वाणी की दीनता, टूटने का सुख, सतपुड़ा के जंगल, सन्नाटा, गीतफरोश, असाधारण, स्नेहशपथ, आदि कवितायें दूसरा सप्तक में संग्रहीत हैं। 'सतपुड़ा के जंगल' में प्रबंधत्व की विशेषता है।

काव्य संग्रह हैं–अनाम तुम आते हो, त्रिकाल संध्या, परिवर्तन जिए, मानसरोवर दिन, बुनी हुई रस्सी, खुशबू के शिलालेख। कालजयी (प्रबन्धकाव्य है)।

नरेश मेहता : के काव्य ग्रन्थ हैं–बनपाखी सुनो (1957), बोलने दो चीड़ को (1962), संशय की एक रात (1962), उत्सवा, मेरा समर्पित एकांत (1953), महाप्रस्थान (1975), शबरी (1977), प्रवाद पर्व (1977), 'समय देवता' इनकी एक प्रसिद्ध लंबी कविता है, जो 'मेरा समर्पित एकांत' में संकलित हैं। संशय की एक रात, महा प्रस्थान, शबरी तथा प्रवाद पर्व इनकी महत्वपूर्ण काव्य रचनायें हैं। 'संशय की एक रात' एक पौराणिक काव्य रूपक (नाट्य शैली में रचित लम्बी कविता) है, जिसमें राम-रावण युद्ध से पूर्व राम के मन का संशय चित्रित हुआ है। 'महाप्रस्थान' भी पौराणिक काव्य-रूपक है जिसमें पांडवों के हिमालय में गलने की प्रसिद्ध कथा वर्णित है। 'प्रवाद-पर्व' सीता-बनवास के करूण प्रसंग पर आधारित खण्डकाव्य है। 'शबरी' प्रबंधकाव्य में शबरी (राम कथा से सम्बद्ध) की कथा है। 'चैत्या' हाल मे किया गया संग्रह है।

धर्मवीर भारती : की रचनायें हैं–ठंडा लोहा (काव्य संग्रह, 1952), अंधा युग (1955, प्रतीकवादी काव्य नाटक है, जिसमें महाभारत के अंतिम दिन के युद्ध से लेकर कृष्ण के गोलोकवास तक की घटनाओं को समेटा गया है।), सात गीत वर्ष (1959, 'प्रथुम्य गाथा' इस संग्रह की प्रसिद्ध लम्बी कविता है।), कनुप्रिया (1959, युद्ध और इतिहास की व्यर्थता को संकेतित करता, राधाकृष्ण-प्रेम पर रचित काव्य ग्रन्थ), संकलन : मेरी वाणी गैरिक वासना।

नेमिचन्द जैन : का कविता संग्रह है 'एकांत', 'अचानक हम फिर'।

कुँवरनारायण : की रचनायें हैं–चक्रव्यूह (काव्यसंग्रह), परिवेशः हम तुम (काव्य संग्रह), आत्मजयी (कठोपनिषद के 'नचिकेता-प्रसंग' पर आधारित चिंतनपरक प्रबंधकाव्य है), अपने सामने (काव्य संग्रह), कोई दूसरा नहीं (काव्य संग्रह)।

सर्वेश्वरदयाल सक्सेना : के कविता संग्रह है - काठ की घंटियाँ, बाँस का पुल, एक सूनी नाव में, कुआनों नदी, जंगल का दर्द, खूँटियों पर टंगे लोग। बाद में 'कवितायें-1' तथा 'कवितायें-2' नाम से दो भागों में कुछ रचनायें प्रकाशित हुई हैं।

रघुवीर सहाय (1929-1990) ई॰ : के कविता-संग्रह है - सीढ़ियों पर धूप में (1960), आत्महत्या के विरुद्ध (1967), हँसो हँसो जल्दी हँसो (1975), लोग भूल गये हैं (1982), कुछ पते कुछ चिट्ठियाँ (1989)। रामदास की हत्या इनकी प्रमुख राजनीतिक कविता है।

केदारनाथ सिंह : के कविता संग्रह हैं–अभी बिल्कुल अभी (1960), जमीन पक रही है (1980), यहाँ से देखो, अकाल में सारस, उत्तर कबीर, 'बाघ' प्रसिद्ध लम्बी कविता है।

विजयदेवनारायण साही : कविता संग्रह हैं–'मछलीघर', 'साखी', तथा 'छठवाँ दशक'। हाल में किया गया संग्रह है 'संवाद तुमसे'।

गिरिजाकुमार माथुर : के काव्य संग्रह हैं–मंजीर (1941), नाश और निर्माण (1946), धूप के धान (1955), शिलापंख चमकीले (1961), छाया मत छूना मन, भीतरी नदी की यात्रा, साक्षी रहे वर्तमान, कल्पांतर, अभी कुछ और, मै वक्त के हूँ सामने, 'पृथ्वीकल्प', मुझे और अभी कहना है।

भारत-भूषण अग्रवाल : के काव्य संग्रह हैं–अनुपस्थित लोग, कागज के फूल, छवि के बन्धन, मुक्तिमार्ग, जागते रहो, ओ अप्रस्तुत मन, उतना वह सूरज है।

प्रबन्ध काव्य–'अग्निलीक' (सीता की अग्निपरीक्षा पर रचित)।

प्रभाकर माचवे : के काव्य संग्रह हैं–स्वप्नभंग, मेपल, क्षणभंगुर।

देवराज : दो प्रबंधकाव्य रचे–'आहत आत्माएं', 'इला और अमिताभ'। काव्य संग्रह हैं–धरती और स्वर्ग, उर्वशी ने कहा।

जगदीश गुप्त : काव्य-संग्रह हैं–'नाव के पांव', 'हिमदंश' तथा 'आदिम एकान्त'। प्रबन्धकाव्य 'शंबूक'।

लक्ष्मीकान्त वर्मा : काव्य संग्रह हैं–अतुकांत, तीसरा पक्ष तथा 'आधुनिक कवि - 15'।

इनकी कुछ कवितायें हैं–अपना-अपना जूता, सिर पर जूता पैर में टोपी। चित्रकूट चरित (खंडकाव्य)।

उपन्यास :

प्रेमचन्द के बाद उपन्यास कई धाराओं में बँट गया। विभिन्न धाराओं को अलग-अलग देने के पहले हम यहां पर प्रेमचन्द के समकालीन अन्य उपन्यासकारों की रचनाओं की सूची संक्षेप में दे रहे हैं -

जयशंकर प्रसाद : कंकाल (धार्मिक पाखण्डों पर केन्द्रित), तितली (प्रमुख पात्रा - मधुवन और तितली, इन्द्रदेव और शैल), इरावती (अपूर्ण, पुष्यमित्र के पुत्र अग्निमित्र शुंग और इरावती की प्रेमकथा)।

'कौशिक' : माँ, भिखारिनी

चण्डीप्रसाद शर्मा 'हृदयेश' : मनोरमा, मंगलप्रभात

शिवपूजन सहाय : देहाती दुनियां

सियारामशरण गुप्त : गोद, अंतिम आकांक्षा, नारी

पाण्डेय बेचन शर्मा 'उग्र' : चन्द हसीनों के ख़तूत (हिन्दी में पत्रात्मक प्रविधि का पहला उपन्यास, 1927), 'बुधुआ की बेटी' या 'मनुष्यानन्द', शराबी, घंटा, दिल्ली का दलाल, सरकार तुम्हारी आँखों में, जीजी जी, कढ़ी में कोयला, फागुन के दिन चार।

वृन्दावनलाल वर्मा : लगन, संगम, प्रत्यागत, कुण्डलीचक्र, प्रेम की भेंट (1931), लोककथा पर आधारित - सोना (1950) तथा अमरबेल (1952)।

चतुरसेन शास्त्री : हृदय की परख (1931), अमर अभिलाषा, आत्मदाह (1934), बहते आँसू ; परवर्ती उप॰ - 'पत्थर युग के दो बुत' (1960, बंबई के नानावरी काण्ड पर)।

राजा-राधिकारमण प्रसाद सिंह : राम-रहीम (1936), पुरुष और नारी (1939), सूरदास, संस्कार, पूरब और पश्चिम।

भगवतीप्रसाद बाजपेयी : मीठी चुटकी, पतिता की साधना, पिपासा, निमंत्रण

प्रतापनारायण 'श्रीवास्तव' : विदा, विनाश के बादल, बेकसी का मज़ार

उषादेवी 'मित्रा' : वचन का मोल, जीवन की मुस्कान, पिया, पथचारी

भगवतीचरण वर्मा : चित्रलेखा (1934, पाप और पुण्य की समस्या पर रचित, प्रमुख पात्र–कुमारगिरि, चाणक्य, बीजगुप्त, चित्रलेखा और चन्द्रगुप्त।

रामेश्वर शुक्ल 'अंचल' : चढ़ती धूप, नयी इमारत, उल्का, मरूप्रदीप

जैनेन्द्र कुमार : (मनोवैज्ञानिक उपन्यासकार) : परख (पात्रा : कट्टो), सुनीता (पात्रा : श्रीकान्त, सुनीता और हरिप्रसन्न), त्याग पत्र (पात्र : मृणाल), जयवर्द्धन, कल्याणी, मुक्तिबोध, दशार्क, सुखदा, विवर्त, व्यतीत, अनंतर, अनामस्वामी।

इलाचन्द्र जोशी (मनो॰ उपन्यासकार) : सन्यासी (1941, पात्रा('रामदास की हत्या' कविता से) नन्दकिशोर) पर्दे की रानी (पात्र : निरंजना, मनमोहन तथा इन्द्रमोहन), प्रेतछाया (पात्र : पारसनाथ), निर्वासित (पात्रः महीप), जिप्सी (पात्र : रंजन, मनिया, शोभना), जहाज का पंछी, लज्जा, मुक्तिपथ, सुबह के भूले, भूत का भविष्य, ऋतुचक्र, घृणामयी (पात्रा : लज्जा)

'अज्ञेय' (मनो॰ उपन्यासकार) : शेखर : एक जीवनी (दो भाग 1941-44, पात्र : शशि, शेखर), नदी के द्वीप (1951 : पात्र : भुवन, रेखा, गौरा और चन्द्रमोहन), अपने-अपने अजनबी (1961; पात्र : योटके, सेल्मा, अनेक आलोचक इसे अस्तित्ववादी उपन्यास भी मानते हैं।)

देवराज (मनो॰ उपन्यासकार) : अजय की डायरी, पथ की खोज, बाहर-भीतर, रोड़े और पत्थर, मै वे और आप, न भेजे गए पत्र।

मन्मथनाथ गुप्त : बहता पानी, शहीद और शोहदे

यशपाल (प्रगतिवादी उपन्यासकार) : अमिता, दिव्या (ऐतिहासिक उपन्यास ; पात्रा : दिव्या, पृथुसेन, मारिश, रूद्रधीर तथा देवी मल्लिका), दादा कॉमरेड (पात्रा : शैला, हरीश), पार्टी कॉमरेड, देशद्रोही, मनुष्य के रूप, झूठा-सच (देश विभाजन), मेरी तेरी उसकी बात, बारह घंटे, अप्सरा का श्राप, क्यों फँसे।

अमृतलाल नागर (सामाजिक यथार्थ-वादी उपन्यासकार) : महाकाल ('बंगाल के अकाल' पर ; 1946), सेठ बांकेमल, बूँद और समुद्र, शतरंज के मोहरे, सुहाग के नुपूर, अमृत और विष, सात घूँघट वाला मुखड़ा, एकदा नैमिषारण्ये, नाच्यो बहुत गोपाल, खंजन नयन, बिखरे तिनके, अग्निगर्भा, करवट, पीढ़ियाँ, मानस का हंस, नवाबी मसनद।

उपेन्द्रनाथ 'अश्क' (सामाजिक यथार्थवादी उपन्यासकार) : सितारों के खेल, गिरती दीवारें (1947 : पात्र चेतन), गर्म राख, बड़ी-बड़ी आँखें, पत्थर-अल-पत्थर, निमिषा, शहर में घूमता आईना, एक नन्हीं कन्दील, बाँधों न नाव इस ठाँव (दो भाग- 1974), पलटती धारा।

भगवती चरण वर्मा (सामाजिक यथार्थवादी उपन्यासकार) : पतन, धुप्पल (आत्मकथात्मक उपन्यास), चित्रलेखा (ऐतिहासिक उपन्यास), तीन वर्ष, टेढ़े-मेढ़े रास्ते, भूले बिसरे चित्र, सामर्थ्य और सीमा, रेखा, सीधी सच्ची बातें, सबहिं नचावत राम गोसाईं, प्रश्न और मरीचिका, आखिरी दाँव, युवराज चूण्डा, चाणक्य, अपने खिलौने।

धर्मवीर भारती (मनो॰ उपन्यासकार) : गुनाहों का देवता (पात्र : चन्दर, सुधा, पम्मी, गेसू, विनती), सूरज का सातवाँ घोड़ा (धर्म कथा शैली में रचित, पात्रा : किस्सागो 'मणिक मुल्ला', यह एक प्रयोगधर्मी रचना है।)

वृन्दावन लाल वर्मा (ऐतिहासिक उपन्यासकार) : गढ़कुण्डार (बुन्देलों और अंगारों पर; पात्र : नागदेव, अग्निदत्त, हेमवती, मानवती), विराटा की पद्मिनी (पात्र : कुमुद, कुंजर), झाँसी की रानी, मृगनयनी (पात्र : राजा मानसिंह, मृगनयनी, अटल, लाखी), माधवजी, सिंधिया, टूटे कांटे (पात्र : मस्तानी), कीचड़ और कमल (पात्र : पद्मावती), कचनार, भुवनविक्रम (पात्र : रोमक, विक्रम, नील, फणिश, हिमानी), मुसाहिबजू, अचल मेरा कोई, अमरबेल, लगन, प्रत्यागत, प्रेम की भेंट, कुण्डली चक्र, संगम, सोना, अहिल्याबाई, आहत, उदयकिरण।

राहुल सांकृत्यायन (प्रगतिवादी उपन्यासकार) : जीने के लिए (सामाजिक उपन्यास), सिंह सेनापति (ऐतिहासिक उपन्यास; लिच्छवि सेनापति, रोहिणी, आचार्य बाहुलाश्व, भामा आदि मुख्य पात्र हैं।) मधुर स्वप्न, जय यौधेय, विस्मृत यात्री, दिवोदास।

चतुरसेन शास्त्री (ऐतिहासिक उपन्यासकार) : वैशाली की नगरवधू (दो भाग, पात्रा : अम्बपाली, बिम्बसार, सोम, बुद्ध आदि), वयं रक्षामः, सोमनाथ, आलमगीर, गोली, सोना और खून, धर्मपुत्र, मोती।

हजारीप्रसाद द्विवेदी (ऐतिहासिक उपन्यासकार) : बाणभट्ट की आत्मकथा (1944, बाण, भट्टिनी, निपुणिका), चारूचन्द्रलेखा (सीदीमौला, राजा सातवाहन, चन्द्रलेखा), पुनर्नवा (समुद्रगुप्त, आर्थक, देवरात, सुमेर काका, चन्द्रा, लोरिक-चन्दा की कथा इसी में नियोजित की गई है।) अनामदास का पोथा।

रांगेय राघव (प्रगतिवादी उपन्यासकार) : घरौंदे, विषादमठ, हुजूर, सीधा-साधा रास्ता, राई और पर्वत, छोटी सी बात, प्रतिदान, उबाल शहरी जीवन से सम्बन्धित उपन्यास है।

पथ का पाप, आखिरी आवाज ग्राम जीवन से सम्बन्धित आवाज है।

कब तक पुकारूं (1957), धरती मेरा घर आंचलिक उपन्यास है।

ऐतिहासिक उपन्यास हैं–

मुर्दों का टीला (1948, मोहन जोदडो की पृष्ठभूमि में आर्य-आक्रमण को लेकर) चीवर, अंधेरे के जुगनू, पक्षी और आकाश, राह न रुकी जीवनचरितात्मक उपन्यास है - देवकी का बेटा, यशोधरा जीत गयी, लोई का ताना, रत्ना की बात, भारती का सपूत, लखिमा की आँखें, धूनी का धुँआ।

शिवप्रसाद मिश्र 'रूद्र' : बहती गंगा (ऐतिहासिक उपन्यास)

नागार्जुन (प्रगतिवादी उपन्यासकार) : इनके उपन्यासों में आंचलिकता के तत्व मिलते हैं, परन्तु वे पूरी तरह आंचलिक नहीं हैं। इनके उपन्यास रतिनाथ की चाची (1948), बलचनमा (1952), नई पौध, बाबा बटेसरनाथ (1954), दुखमोचन (1956), वरूण के बेटे (1957), कुंभीपाक, हीरक जयन्ती, उग्रतारा, इमरतिया, जमनिया के बाबा, चेहरे नए पुराने।

फणीश्वरनाथ रेणु (आंचलिक उपन्यासकार) : मैला आंचल (1954 ; मिथिला के पूर्णिया जिले के मीरगंज गाँव पर केन्द्रित प्रमुख पात्र : बालदेव, कालीचरण, लक्ष्मी, बावनदास, कमली तथा डॉक्टर) ; परती परिकथा, जुलूस, दीर्घतपा, पल्टू बाबू रोड, कितने चौराहे, कलंकमुक्ति।

उदयशंकर भट्ट (आंचलिक उपन्यासकार) : वह जो मैंने देखा, नये मोड़, लोक-परलोक, सागर लहरें और मनुष्य, (1956, बम्बई की मछुवा बस्ती बरसोवा पर केन्द्रित, पात्र : रत्ना, माणिक, डॉक्टर पांडुरंग), एक नीड़ दो पंछी, शेष-अशेष।

लक्ष्मीनारायण लाल (प्रयोगशील उपन्यासकार) : धरती की आँखें, बया का घोंसला और साँप, रूपाजीवा, प्रेम एक पवित्र नदी, काले-काले फूलों का पौधा, बसन्त की प्रतीक्षा, देवीना, मन वृन्दावन, बड़ी चम्पा-छोटी चम्पा।

विष्णुप्रभाकर : ढलती रात, निशिकांत, तट के बंधन, स्वप्नमयी, दर्पण का व्यक्ति, कोई तो, अर्द्धनारीश्वर, संकल्प (तीन उपन्यासों का संकलन)।

भैरवप्रसाद गुप्त (प्रगतिवादी उपन्यासकार) : शोले, मशाल, गंगा मैया, जंजीरें और नया आदमी, सत्ती मैया का चौरा, धरती, आशा, कालिन्दी, रंभा, बांदी, नौ जबान, भाग्यदेवता, अंतिम अध्याय (व्यंग्य उपन्यास), नौजवान, आदमी और जंजीरें।

अमृतराय (प्रगतिवादी उपन्यासकार) : बीज, हाथी के दांत, नागफनी का देश, धुआँ, सुख-दुख, भटियाली, जंगल।

भीष्मसाहनी (प्रगतिवादी उपन्यासकार) : झरोखे, कड़ियाँ, तमस (1973), बसन्ती, मयुयादास की माड़ी, कुंतो।

स्वातन्त्र्योत्तर हिन्दी साहित्य

उपन्यासकार

राही मासूम रजा : आधा गाँव, (गाजीपुर के एक गाँव गंगोली पर केन्द्रित), टोपी शुक्ला, हिम्मत जौनपुरी, ओस की बूँद, दिल एक सादा कागज, सीन - 75, कटरा बी-आर्जू।

रामदरश मिश्र : पानी के प्राचीर, जल टूटता हुआ, सूखता हुआ तालाब।

विवेकी राय : बबूल, पुरुष पुराण, लोकऋण, श्वेत पत्रा, सोनामाटी, समर शेष है, मंगल भवन।

शैलेश मटियानी : हौलदार, चिट्ठी रसैन, चौथी मुट्ठी, मुख सरोवर के हंस, बोरीवली से बोरीबंदर तक, आकाश कितना अनन्त है, बावन नदियों का संगम, जलतरंग, छोटे-छोटे पक्षी, मुठभेड़, किस्सा नर्मदाबेन गंगूबाई।

राजेन्द्र अवस्थी : सूरज किरण की छाँव, जंगल के फूल।

सच्चिदानन्द धूमकेतु : माटी की महक।

उदयराज सिंह : अँधेरे के विरुद्ध।

हिमांशु जोशी : कगार की आग, बुराँश फूलते तो हैं, समय साक्षी है, छाया मत छूना मन।

हिमांशु श्रीवास्तव : रथ के पहिए, कथा सूर्य की नई यात्रा।

ठाकुरप्रसाद सिंह : सात घरों का गाँव, कुब्जा सुन्दरी।

प्रभाकर माचवे (प्रयोगधर्मी रचनाकार) : साँचा, परन्तु, जो, द्वाभा, किसलिए, द्यूत, दर्द के पैबंद, तीस-चालीस-पचास।

गिरिधर गोपाल (प्रयोगधर्मी रचनाकार) : चाँदनी रात के खण्डहर, कंदील और कुहासे।

लक्ष्मीकान्त वर्मा (प्रयोगधर्मी रचनाकार) : खाली कुर्सी की आत्मा, टेरीकोटा, एक कटी हुई जिन्दगी, एक कटा हुआ कागज।

भारतभूषण अग्रवाल (प्रयोगधर्मी रचनाकार) : लौटती लहरों की बाँसुरी।

सर्वेश्वर दयाल सक्सेना (प्रयोगधर्मी रचनाकार) : सोया हुआ जल, पागल कुत्तों का मसीहा, कच्ची सड़क, उड़ते हुए रंग, अंधेरे पर अन्धेरा।

रामदरश मिश्र : बीच का समय, अपने लोग, रात का सफर, आकाश की छत, बिना दरवाजे का मकान, दूसरा घर।

राजेन्द्र अवस्थी : बीमार शहर, जाने कितनी आँखें, मछली बाजार।

कृष्णचन्द्र शर्मा 'भिक्खु' : लाल ढांग, मौत की सराय (ऐतिहासिक उपन्यास)।

विश्वंभरनाथ उपाध्याय : रीछ, जोगी मंत जा

नरेश मेहता : डूबते मस्तूल, यह पथ बंधु था, धूमकेतु : एक श्रुति, उत्तरकथा, दो एकान्त, नदी यशस्वी है।

चन्द्रकिरण सोनरिक्सा : चंदन चांदनी।

आनन्द प्रकाश जैन (ऐति. उपन्यासकार) : कुड़ाल की आँखें, ताँबे के पैंसे

नरेन्द्र कोहली : अवसर, युद्ध की ओर, युद्ध, अभिज्ञान, दीक्षा (इसमें रामकथा को वर्तमान परिप्रेक्ष्य में देखा गया है। तथा अनेक राष्ट्रीय, अन्तर्राष्ट्रीय तथा मानवीय पक्षों से जोड़ा गया है।), जंगल की कहानी, साथ सहा गया दुख, टप्पर गाड़ी, शंखनाद, क्षमा करना जीजी।

वीरेन्द्रकुमार जैन : अनुत्तर योगी (तीन खंड, ऐतिहासिक उप., भगवान महावीर के जीवन पर), मुक्तिदूत।

कन्हैया लाल ओझा : मकड़ी का जाल, अर्थान्तर, सिन्धु-सीमान्त, सर्वनाम, सम्भवामि (ऐति. उपन्यास है, हड़प्पा सभ्यता पर केन्द्रित)

राजीव सक्सेना : पणिपुत्री सोमा (ऐतिहासिक उपन्यास)

मुक्तिबोध : विपात्र

कृष्णबलदेव वैद : उसका बचपन, गुज़रा हुआ ज़माना, नसरीन, विमल उर्फ जाएँ तो कहाँ, दर्द-ला-दवा, काला-कोलॉज, नर-नारी

मोहनराकेश : अँधेरे बन्द कमरे, न आने वाला कल, अन्तराल

राजेन्द्र यादव : उखड़े हुए लोग, सारा आकाश, मंत्रविद्ध, एक इंच मुस्कान, प्रेत बोलते हैं, अनदेखे अनजाने पुल, शह और मात

शानी : काला जल, कस्तूरी, साँप और सीढ़ी, पत्थरों में बंद आवाज, नदी और सीपियाँ।

निर्मल वर्मा : वे दिन (पात्र : मैं, रायना), लाल टीन की छत, एक चिथड़ा सुख, रात का रिपोर्टर।

गिरिराज किशोर : लोग, जुगलबंदी, यथा प्रस्तावित यात्रायें, विड़ियाघर, पहला गिरमिटिया (गाँधी जी के अफ्रीका प्रवास काल पर), दो परिशिष्ट, अंतर्ध्वंस ढाई घर, इंद्रसुनें, दावेदार, तीसरी सत्ता।

गिरीश अस्थाना : धूप छाहीं रंग, धूलभरे चेहरे।

जगदम्बा प्रसाद दीक्षित (महानगरीय बोध के उपन्यासकार) : मुरदाघर, कटा हुआ आसमान, अकाल।

गोपाल उपाध्याय : एक टुकड़ा इतिहास।

महीपसिंह (महानगरीय बोध के उपन्यासकार) : यह भी नहीं।

श्रीकान्त वर्मा : दूसरी बार।

शिवसागर मिश्र : अक्षत, दूब जनम आयी, जनमेजय बचो, मगध की जय, अजन्मा वह, राज तिलक।

गंगाप्रसाद विमल : मृगांतक, मरीचिका, कहीं कुछ और, अपने से अलग

ख्वाज़ा बदी उज्जमा : एक चूहे की मौत (महानगरीय जीवन पर), छठा तन्त्र, सभापर्व, छाको की वापसी।

कमलेश्वर : एक सड़क सत्तावन गलियाँ, काली आँधी, समुद्र में खोया हुआ आदमी, डाक बँगला, आगामी अतीत, लौटे हुए मुसाफिर, तीसरा आदमी, कितने पाकिस्तान (साहित्य अकादमी द्वारा पुरस्कृत)।

देवेश ठाकुर : भ्रमभंग, प्रिय शबनम

योगेश गुप्त : उनका फैसला

मनोहर श्याम जोशी : कुरू कुरू स्वाहा (व्यंग्य उप.), कसप, ट-टा-प्रोफेसर, हरिया हरकुलिस की कहानी, हमजाद, नेता जी कहिन।

गोविन्द मिश्र : लाल-पीली जमीन, हुजूर दरबार, वह अपना चेहरा, उतरती हुई धूप, तुम्हारी रोशनी में, धीर-समीर, पाँच आंगनों वाला घर, फूल इमारतें और बंदर।

हरिशंकर परिसाई : रानी नागफनी की कहानी (व्यंग्य उप.)

श्रीलाल शुक्ल (व्यंग्य उपन्यासकार) : अज्ञातवास, रागदरबारी (1968, रिपोर्ताज शैली का प्रयोग), पहला पड़ाव, मकान, सीमाएं टूटती हैं, आदमी का जहर, बिस्रामपुर का संत।

अमरकान्त : सूखा पत्ता, ग्राम सेविका, कंटीली राह के फूल, काल उजले दिन, दीवार और आँगन।

राजकमल चौधरी : नदी बहती थी, मछली मरी हुई, एक अनारः एक बीमार, देहगाथा, बीस रानियों का बाईस्कोप, अग्निस्नान, शहर था शहर नहीं था, ताश के पत्तों का शहर।

केवल सूद : मुर्गीखाना

महेन्द्र भल्ला : एक पति के नोट्स, दूसरी तरफ, उड़ने से पेश्तर, दो देश और तीसरी उदासी।

रमेश बक्षी : अठारह सूरज के पौधे, बैसाखियों वाली इमारत, खुले आम, चलता हुआ लावा, एक घिसा हुआ चेहरा, हम तिनके।

शिवप्रसाद सिंह : अलग-अलग वैतरणी, गली आगे मुड़ती है, शैलूष, औरत, मंजुशिमा, वैश्वानर, नीला चाँद, कुहरे में युद्ध, दिल्ली दूर है।

मार्कण्डेय : अग्निबीज, सानेल का फूल

हृदयेश : हत्या, एक कहानी अंतहीन, सफेद घोडा काला सवार, सांड, पुनर्जन्म, दंडनायक, पगली घंटी, गांठ।

जगदीश चन्द्र : यादों का पहाड़, आधा पुल, मुट्ठी भर काँकर, कभी न छोड़ें खेत, टुण्डा लाट, धरती धन न अपना, नरक कुण्ड में वास, घासगोदाम।

काशीनाथ सिंह : अपना मोर्चा (छात्र-आन्दोलन पर)

सतीश जमाली : प्रतिबद्ध

दुष्यन्त कुमार : आँगन में एक वृक्ष

रमाकान्त : जुलूस वाला आदमी, तीसरा देश, प्यारा फर्जी अदब, छोटे-छोटे महायुद्ध।

स्वयंप्रकाश : बीच में विनय

रमेश उपाध्याय : दण्डद्वीप, स्वप्नजीवी, हरे फूल की खुशबू

कामतानाथ : समुद्र तट पर खुलने वाली खिड़की, एक और हिन्दुस्तान, तुम्हारे नाम, कालकथा

पंकज बिष्ट : लेकिन दरवाजा (महानगरीय जीवन पर), उस चिड़िया का नाम

मंजूर एहतेशाम : सूखा बरगद, दास्तान-ए-लापता

अब्दुल बिस्मिल्लाह : झीनी-झीनी बीनी चदरिया, मुखडा क्या देखे

रमेशचन्द्र शाह : गोबर गणेश, किस्सा गुलाम, आखिरी दिन, पुनर्वास

संजीव : किसनगढ़ के अहेरी, सर्कस, सावधान ! नीचे आग है, धार, जंगल जहाँ से शुरू होता है

वीरेन्द्र जैन : डूब, पार, पंचनामा

सुरेन्द्र वर्मा : अंधेरे से परे, मुझे चाँद चाहिए (1993, पात्र : यशोदा, वर्षा वशिष्ठ (नायिक), दिव्या कात्याल, हर्ष (नायक)), दो मुर्दों के लिए गुलदस्ता

सुरेश कांत : धम्मं शरणम्

कमलाकान्त त्रिपाठी : पाहीघर (1857 के स्वाधीनता संग्राम की पृष्ठभूमि में अवध की जनता में मानसिक उद्वेलन की कथा), बेदखल

अजगर बजाहत : सात आसमान

विनोद कुमार शुक्ल : नौकर की कमीज (1979), खिलेंगे तो देखेंगे (1996), दीवार में एक खिड़की रहती थी (1997)

मणि मधुकर : सफेद मेमने, पिंजरे में पन्ना

रामकुमार भ्रमर : कांचघर

शमशेरसिंह नरूला : एक पंखड़ी की तेज धार

प्रयाग शुक्ल : गठरी, लौट कर आने वाला दिन

श्याम व्यास : एक प्यासा तालाब

ओमप्रकाश दीपक : कुछ जिन्दगानियाँ बेमतलब

हरिप्रकाश त्यागी : दूसरा आदमी लाओ

सुरेन्द्र तिवारी : फिर भी कुछ

रवीन्द्र कालिया : खुदा सही सलामत है

यादवेन्द्र शर्मा चन्द्र : हजार घोड़ों का सवार, ढोलन कुंजकली

सुदर्शन चोपडा : सम्मोहन

द्रोणवीर : टूटे हुए सूर्य

अनिरूद्ध पाण्डेय : पन्ना पुखराज

मुद्राराक्षस : हम सब मंसाराम, दण्डविधान

पानू खोलिया : बिम्ब

भगवानसिंह : अपने-अपने राम, महाभीषण

रवीन्द्र वर्मा : निन्यानबे

दूधनाथ सिंह : नमो अन्धकार

प्रकाश मनु : पापा के जाने के बाद

मायानंद मिश्र : पुरोहित

प्रियंवद : परछांई नाच

रामविलास शर्मा : चार दिन

भगवानदास मोरवाल : काला पहाड़

रघुवंश : अर्थहीन

जगदीश चतुर्वेदी : कनॉट प्लेस

महिला उपन्यासकार

कृष्णासोबती : मित्रो मरजानी (लंबी कहानी के रूप में चर्चित), डार से बिछुड़ी (1958), सूरजमुखी अँधेरे के (1972 पात्र : रती), जिंदगीनामा (1979, की पंजाब की विभाजन पूर्व स्थिति पर), दिल-ओ दानिश (1993), यारों के यार, आदमीनामा, ए-लड़की!

उषा प्रियंवदा : पचपन खंभे लाल दीवारें (सुषमा (नायिका)), रुकोगी नहीं .... राधिका ?, जय यात्रा

मन्नू भण्डारी : आपका बंटी (पात्र : शकुन और जय), महाभोज (राजनीतिक विसंगतियों पर रचित, पात्र : दा साहब, बिसेसर, बिंदा)

शशिप्रभा शास्त्री : अमलतास, नावें, सीढ़ियां, उम्र एक गलियारे की, मीनारें

ममता कालिया : बेघर, नरक दर नरक, प्रेम कहानी, एक पत्नी के नोट्स, साँची

मृदुला गर्ग : उसके हिस्से की धूप, चित्तकोबरा, अनित्य, मैं और मैं, कठगुलाब, वंशज

राजी सेठ : तत्सम्, निष्कवच

निरूपमा सेवती : पतझड़ की आवाजें, बंटता हुआ आदमी, मेरा नरक अपना है

मृणाल पाण्डेय : विरुद्ध, पटरंगपुर पुराण, देवी, रास्तों पर भटकते हुए

मंजुल भगत : अनारो, लेडी क्लब

कमल कुमार : अपार्थ

कुसुम कुमार : हीरामन हाईस्कूल

चित्रा मुद्गल : एक जमीन अपनी

इला डालमियां : छत पर अपर्णा

नासिरा शर्मा : सात नदियाँ : एक समुन्दर, शाल्मली, जिंदा मुहावरे, ठीकर की मंगनी

प्रभा खेतान : आओ, पेपे घर चलें, छिन्नमस्ता (पात्र : प्रिया), अपने अपने चेहरे, पीली आँधी।

मैत्रेयी पुष्पा : बेतवा बहती रही, इदन्नमम् (नायिका : मंदा), चाक, झूला नट, स्मृतिदंश, विजन, अग्नपांखी, अल्मा कबूतरी

मेहरून्निसा परवेज : उसका घर, आँखों की दहलीज

सुनीता जैन : बिन्दु

सूर्यबाला : मेरे सन्धिपत्रा

कुसुम अंसल : अपनी-अपनी यात्रा

अलका सरावगी : कलिकथा : वाया बाईपास, शेष कादम्बरी

शिवानी : चौदह फेरे, कृष्णकली

कृष्णा अग्निहोत्री : टपरेवाले

मालती लफकर : इन्नी

रजनी पणिक्कर : महानगर की गीता, दूरियाँ

मालती जोशी : पाषाण युग

मीनाक्षी पुरी : जाने पहचाने अजनबी

कांता भारती : रेत की मछली

मैत्रेयी देवी : झिपय्या, न हन्यते

पद्मा सचदेवा : भटको नही धनंजय

ऋता शुक्ल : अग्निपर्व

प्रतिभा डावर : वह मेरा चाँद

नाटककार

लक्ष्मीनारायण मिश्र (समस्यामूलक नाटककार) : अशोक, संन्यासी, राक्षस का मंदिर, मुक्ति का रहस्य, राजयोग, सिन्दूर की होली, आधीरात, गरूड़ध्वज, नारद की वीणा, वत्सराज, दशाश्वमेघ, कवि भारतेन्दु, वितस्ता की लहरें, चक्रव्यूह, वैशाली में वसन्त, जगतगुरू, अपराजिता, धरती का हृदय, चित्रकूट, मृत्यंजय।

हरिकृष्ण प्रेमी : रक्षाबन्धन, शिवसाधना, प्रतिशोध, आहुति, स्वप्नभंग, मित्र, विषपान, प्रथम जौहर, शतरंज के खिलाड़ी, प्रकाशस्तम्भ, भग्नप्राचीर, विदा, साँपों की सृष्टि, रक्तदान, सोहिनी-महिवाल, अमरगान, सीमा संरक्षण, अमर बलिदान, शक्तिसाधना, अमृतपुत्री, स्वर्णविहान, पातालविजय, आन का मान, जौहर, छाया उद्धार, बन्धन।

पाण्डेय बेचन शर्मा 'उग्र' : गंगा का बेटा, माधव महाराज, महात्मा ईसा

गोविन्द वल्लभ 'पंत' : वरमाला, अंतःपुर का छिद्र, ययाति, अप्सरा, तुलसीदास, काशी का जुलाहा, कंजूसी की खोपड़ी, अंगूर की बेटी, राजमुकुट, सिंदूर की बिंदी, सुहागबिंदी।

वृन्दावनलाल वर्मा : सेनापति ऊदल, फूलों की बोरी, हंस मयूर, पूर्व की ओर, ललित विक्रम, झाँसी की रानी, बीरबल

आचार्य चतुरसेन शास्त्री : उत्सर्ग, अमर राठौर, मेघनाद, श्रीराम, अजीत सिंह, पग ध्वनि, छत्रसाल, गाधारी शशि गुप्त, सन्तोष कहाँ

सेठ गोविन्ददास : कुलीनता, शेरशाह, कर्ण, कर्तव्य, सिंहल द्वीप, रहीम, कवि भारतेन्दु महाप्रभु, वल्लभाचार्य, अशोक, भिक्षु से गृहस्थ, गृहस्थ से भिक्षु, स्नेह या स्वर्ग (गीतिनाट्य)।

रामवृक्ष बेनीपुरी : अम्बपाली, तथागत, विजेता चाणक्य, सीता की माँ

चन्द्रगुप्त विद्यालंकार : अशोक, रेखा, देव और दानव, न्याय की रात

परिपूर्णानन्द वर्मा : नाना फड़नवीस, सन् सत्तावन की क्रान्ति, वाजिद अलीशाह

उदयशंकर भट्ट : सागर विजय, विक्रमादित्य, विद्रोहिणी, अम्बा, कमला, मुक्तिदूत, शक विजय, अंतहीन अंत, क्रान्तिकारी, नया समाज, पार्वती, यह स्वतंत्रता का युग है, दाहर अथवा सिन्ध पतन; इनके सात काव्य नाटक हैं—विश्वामित्र, मत्स्यगंधा, राधा, अशोक वननंदिनी, कालिदास, नहुषनिपात, एकला चलो रे

सिद्धनाथ कुमार : सृष्टि की साँझ और अन्य काव्य नाटक

बलराज साहनी : मशाल, जादू की कुर्सी

रामकुमार वर्मा : कौमुदी महोत्सव, विजय पर्व, अशोक का शोक, नौहर की ज्योति, नाना फड़नवीस, महाराणा प्रताप, जय आदित्य, जय बांग्ला, अग्निशिखा, पृथ्वी का स्वर्ग, संत तुलसीदास, समुद्रगुप्त पराक्रमांक, भगवान बुद्ध, अहिल्याबाई, स्वयंवरा, अनुशासन पर्व, सम्राट कनिष्क, कुन्ती का परिताप, सरजा शिवाजी, कर्मवीर कर्ण।

राधिकारमण प्रसाद सिंह : धर्म की धुरी, अपना पराया

रांगेयराघव : स्वर्गभूमि का यात्री, रामानुज, विरूढ़क

भगवती चरण वर्मा : कर्ण, सबसे बडा आदमी, रुपया तुम्हें खा गया, वसीयत, तारा (काव्यनाटक)।

उपेन्द्रनाथ अश्क : जय पराजय, अंधीगली, उड़ान, छटा बेटा, पैंतरे, कैद, अलग अलग रास्ते, बड़े खिलाडी, अंजो दीदी, तूफान से पहले, स्वर्ग की झलक, पड़ोसिन का कोट, भँवर, आपस का समझौता, पर्दा उठाओ पर्दा गिराओ, लौटता हुआ दिन।

जगदीश चन्द्र माथुर : कोणार्क, शारदीया, पहला राजा, दशरथ नन्दन, रघुकुल रीति, कुँवरसिंह की टेक

भुवनेश्वर : ऊसर (1938, एकांकी), ताँबे के कीड़े, (1946), एकाकी, कारवां (संकलन)

विष्णुप्रभाकर : डॉक्टर, नव-प्रभात, समाधि, युगे-युगे क्रान्ति, टूटते परिवेश, कुहासा और किरण, सत्ता के आर-पार, अब और नहीं, गांधार की भिक्षुणी, श्वेतकमल, बंदिनी (प्रभात कुमार मुखोपाध्याय के 'देवी' का नाट्यानुवाद)

हंसकुमार तिवारी : कच-देवयानी

केदारनाथ मिश्र 'प्रभात' : अंगुलिमाल

देवराज दिनेश : मानव प्रताप, यशस्वी भोज

धर्मवीर भारती : अंधा युग

गिरिजाकुमार माथुर : इन्दुमती, पृथ्वीकल्प, रोटी और कमल

भारतभूषण अग्रवाल : पलायन, सेतुबंधन, अग्निलीक

दुष्यन्त कुमार : एक कंठ विषपायी, मसीहा मर गया

अज्ञेय : उत्तर प्रियदर्शी

अमृतलाल नागर : युगावतार, उतार-चढाव, बात की बात, चंदन वन, चक्करदार सीढ़ियाँ और अन्धेरा, चुक्कड पर

नरेश मेहता : खण्डित यात्राएं, संशय की एक रात, अपराधी कौन, सरोवर के फूल, महाप्रस्थान, सुबहे के घण्टे

भीष्मसाहनी : हानुश, कबिरा खडा बाजार में, माधवी, मुआवजे

कमलेश्वर : अधूरी आवाज, चारूलता

शिवप्रसाद सिंह : घाटियाँ गूँजती हैं, चिरंजीत, तस्वीर उसकी

रमेश बक्शी : देवयानी का कहना है, तीसरा हाथी, बामाचार, कसे हुए तीर

ख्वाजा अहमद अब्बास : मैं कौन हूँ

शील : बेकारी, संघर्ष

गिरिराज किशोर : प्रजा ही रहने दो, घास और घोडा, चेहरे-चेहरे किसके चेहरे, नरमेध, केवल मेरा नाम लो, जुर्म आयद

मृणाल पाण्डेय : मौजूदा हालात को देखते हुए, जो राम रचि राखा, काजर की कोठरी, आदमी जो मछुवारा नहीं था, चोर निकल के भागा

नरेन्द्र कोहली : शम्बूक की हत्या

सुदर्शन चोपड़ा : अपनी पहचान

मन्नू भण्डारी : बिना दीवारों के घर, महाभोज (उपन्यास का नाट्य रूपान्तर)

भैरव प्रसाद गुप्त : चन्दवरदायी

सुरेन्द्र तिवारी : दीवारें

अमृत नाहटा : किस्सा कुरसी का

प्रियदर्शी प्रकाश : सभ्य साँप

गंगाप्रसाद विमल : आज नहीं कल

कृष्णबलदेव वैद : हाय हाय क्या

ममता कालिया : आप न बदलेंगे

रमेशचन्द्र शाह : मारा जाई खुसरो

विभुकुमार : तालों में बंद प्रजातंत्र, कहें ईसा सुनें मूसा

आशीष सिन्हा : एक उदास शाम

जगदीश चतुर्वेदी : पीली दोपहर

सुदर्शन नारंग : शवयात्रा

विश्वेश्वर : बहिष्कार

राजेश जोशी : जादू जंगल

मधुकर सिंह : सुबह के लिए

मोहन राकेश : आषाढ़ का एक दिन, लहरों के राजहंस, आधे-अधूरे, पैर तले की जमीन, छतरियाँ, रात बीतने तक (ध्वनि नाटक), पाँच परदे

लक्ष्मीनारायण लाल : अंधा कुआँ, सुन्दर रस, मादा कैक्टस, रातरानी, दर्पन, सूर्यमुख, कलंकी, मि॰ अभिमन्यु, कर्फ्यू, अब्दुला दीवाना, रक्तकमल, गंगाद्वार, व्यक्तिगत, खेल नहीं नाटक, यक्ष प्रश्न, चतुर्भुज राक्षस, एक सत्य हरिश्चन्द्र, संस्कार ध्वज, सगुन पंछी, गंगा माटी, पंच पुरूष, सूखा सरोवर, उत्तर युद्ध, नरसिंह कथा, राम की लड़ाई

दयाप्रकाश सिन्हा : साँझ सबेरा, भँवर, दुश्मन, इतिहास चक्र, ओह अमरीका, कथा एक कंस की, सादर आपका, मेरे भाई मेरे दोस्त, सीढ़ियाँ

ललित सहगल : हत्या एक आकार की, वरदान, गुफावासी

नागबोडस : खूबसूरत बहू

अमृतराय : चिन्दियों की झालर, शताब्दी, हम लोग।

ललितमोहन थपलियाल : मछलियों का तालाब, सुबह होती है शाम होती है, काला राजा, चिमटे वाले बाबा, अलग-अलग राहें

ज्ञानदेव अग्निहोत्री : नेफा की एक शाम, वतन की आबरू, चिराग जल उठा, शुतुरमुर्ग, अनुष्ठान, माटी जागी रे

विपिन कुमार अग्रवाल : तीन अपाहिज, ऊँची-नीची टाँग का जंघिया, उत्तर प्रश्न, उल्टा-सीधा स्वेटर, रेल कब आयेगी, यह पूरा नाटक एक शब्द है, कूड़े का पीपा, लोटन, खोये हुए आदमी की खोज।

शंकर शेष : मूर्तिकार, नयी सभ्यता के नये नमूने, रत्नगर्भा, विवाह मण्डप बेटों वाला बाप, तिल का ताड़, बिन बाती के दीप, बंधन अपने अपने, फन्दी, खजुराहों का शिल्पी, एक और द्रोणाचार्य, घरौंदा, अरे मायावी सरोवर, रत्नगभ आधी रात के बाद, बाढ़ का पानी।

मृदुला गर्ग : एक और अजनबी, तुम लौट जाओ, जादू का कालीन।

असगर वजाहत : इन्ना की आवाज, वीरगति, फिरंगी लौट आये, सबसे सस्ता गोश्त (संकलन), पाँच नाटक (संकलन), जिस लाहौर नही देखया वो जन्मेई नई।

बृजमोहन शाह : त्रिशंकु, शह ये मात, युद्धमन, अलगोजा

मुद्राराक्षस : तिलचट्टा, योर्स फेथफुली, मरजीना, तेंदुआ, गुफाँए, सन्तोला, आला अफसर

हमीदुल्ला : समय संदर्भ, एक और युद्ध, उलझी आकृतियाँ, दरिन्दे, घरवन्द, दूसरा पक्ष, अपना अपना दर्द, उत्तर उर्वशी, हर बार

सुशील कुमार सिंह : बापू की हत्या हजारहवीं बार, सूरज जल धरती पर, अँधेरे के राही, सिंहासन खाली है, चार यारों की यार, नागपाश, गुडबाई स्वामी, नारी की सलीब।

सर्वेश्वर दयाल सक्सेना : बकरी, लड़ाई, कल भात आयेगा, अब गरीबी हटाओ।

सुरेन्द्र वर्मा : सेतुबंध, 'नायक, खलनायक और विदूषक', द्रौपदी, सूर्य की अन्तिम किरण से सूर्य की पहली किरण तक, आठवाँ सर्ग, नींद क्यों रात भर नहीं आती, वे नाक से बोलते हैं, मरणोपरान्त, हरी घास पर घण्टे भर, शनिवार को दो बजे, छोटे सैयद बड़े सैयद, शकुन्तला की अंगूठी, एक दूनी एक, कैद-ए-हयात

मणि मधुकर : रस गंधर्व, बुलबुल सराय, दुलारी बाई, खेला पोलमपुर, इकतारे की आँख, सारे सर्वनाम, इलायची बेंगम, सुने बोधिवृक्ष, छत्रभंग (संगीत), फूले मंदे (काव्यनाटिका), सलवटों में संवाद (एकांकी संग्रह)

कुसुम कुमार : ओम क्रान्ति-क्रान्ति, सुनो शेफाली, दिल्ली ऊँचीं सुनती है, सुनती है, संस्कार को नमस्कार, रावणलीला, मरसिया, पवन चतुर्वेदी की डायरी, मादा मिट्टी।

चिरंजीत (हास्यनाटककार) : बेकारी, संघर्ष

बलराज पण्डित : पाँचवाँ सवार, लोग उदासी, एक और तथागत, जनाने दाँत का अस्पताल।

प्रभाकर श्रोत्रिय : इला, फिर से जहाँपनाह।

शरद जोशी : अंधों का हाथी, एक था गधा उर्फ अलादाद खाँ

शंकर पुण्ताम्बेकर : बचाओ मुझे डॉक्टरों से बचाओ, शीशे के टुकड़े।

विलास गुप्ते : आदमी का गोश्त, आपके कर कमलों से

सतीश जमाली : आदमी आजाद है

आलोक शर्मा : चेहरों का जंगल

लक्ष्मीकान्त वर्मा : आदमी का जहर, अपना अपना जूता

सत्यव्रत सिन्हा : अमृतपुत्र

विनोद रस्तोगी : आजादी के बाद, नया हाथ, बर्फ की मीनार

डॉ॰ विनय : एक प्रश्न मृत्यु, पहला विद्रोही

सन्तोषकुमार नौटियाल : चाय पार्टियाँ

कणद ऋषि 'भटनागर' : जहर, जनता का सेवक

रमेश उपाध्याय : पेपर वेट

हबीब तनवीर : आगरा बाजार, राज चम्बा और चार भाई, गाँव के नॉव ससुरार मोर नॉव दामाद, ख्याल ठाकुर पृथ्वीपालसिंह, चरनदास चोर

सत्यप्रकाश संगर : दीप से दीप जले

रेवतीशरण शर्मा : अपनी धरती

रामकुमार वर्मा : जग बंग्ला

रघुवीर सहाय : बरनम वन

रामविलास शर्मा : पाप के पुजारी

काशीनाथ सिंह : घोआस

दूधनाथ सिंह : यमगाथा

शीला भाटिया : दर्द आएगा दबे पाँव (फैज के जीवन पर)

बलवन्त गार्गी : चाकू

राजेश जैन : कोयल चली हंस की चाल

शंभूनाथ सिंह : दीवार की वापसी

सुरेन्द्र गुलारी (हास्य नाटककार) : दाल में काला, शाबाश अनारकली

कहानीकार

उषादेवी मित्रा	: पिंड कहाँ
राहुल सांकृत्यायन	: सतमी के बच्चे, वोल्गा से गंगा
भगवती चरण वर्मा	: दो बाँके, मुगलों ने सल्तनत बख्श दी, इन्स्टालमेन्ट, प्रायश्चित, राख और चिंगारी, प्रजेन्ट्स
राधिकारमण प्रसाद सिंह	: दरिद्रनारायण, पैसे की घुघनी
भगवती प्रसाद बाजपेयी	: मिठाई वाला, निंदिया लागी
सुभद्राकुमारी चौहान	: बिखरे मोती, उन्मादिनी, पापी पेट
'उग्र'	: देशभक्त, खुदाराम, चिन्गारियां, इन्द्रधनुष, चाकलेट, दोजख की आग, बलात्कार
अमृतलाल नागर	: गरीब की हाय, नवाबी चक्कर, गोरखधन्धा, कालदण्ड की चोरी
उपेन्द्रनाथ 'अश्क'	: गोखरू, अंकुर, चट्टान, डाची, पिंजरा, मेमने, काले साहब, कैप्टेन रशीद, टेबुल लैण्ड, जादुई शासन की गति, (संग्रह), कांगड़ा का तेली
जैनेन्द्र कुमार	: तत्सत्, जाह्नवी, हत्या, खेल, वातायन, अपना-अपना भाग्य, बाहुबली, ध्रुवतारा, नीलम देश की राजकन्या, कः पन्थः, फाँसी, एक रात, पाजेब, स्पर्धा, दो चिड़ियाँ, एक दिन, पत्नी
'अज्ञेय'	: अमरवल्लरी, शरणार्थी, विपथगा, परम्परा, कोठरी की बात, जयदोल, पठार का धीरज, गैंग्रीन, ये तेरे प्रतिरूप, रोज, मेजर चौधरी की वापसी, शत्रु, हिली बोन की बतखें, पुलिस की सीट, कडियाँ, मैना, सिगनिलर, रेल की सीटी, हरसिंगार
'मुक्तिबोध'	: काठ का सपना, क्लाड ईथरली, विपात्र, सतह से उठता आदमी
यशपाल	: परदा, मक्रील, कुछ न समझ सका, सूखी गण्डेरी, ज्ञानदान, अभिशप्त, तर्क का तूफान, भस्मावृत चिनगारी, वो दुनियाँ, फूलों का कुर्ता, धर्मयुद्ध,

उत्तराधिकारी, उत्तमी की माँ, तुमने क्यों कहा कि मैं सुन्दर हूँ, पिंजरे की उडान, चित्र का शीर्षक, दो मुँह की बात, पाप का कीचड़, सच बोलने की भूल।

विद्यालंकार : एक और हिन्दुस्तानी का जन्म हुआ, हूक

विष्णुप्रभाकर : धरती अब भी घूम रही है

कमल जोशी : शीराजी, पत्थर की आँखें

निर्मल वर्मा : परिन्दे, दहलीज, लंदन की एक रात, कुत्ते की मौत, जलती झाडी, बीच बहस में, हिल स्टेशन, लवर्स, एक दिन का मेहमान, पिछली गर्मियों में, कव्वे और कालापानी

राजेन्द्र यादव : शहर के बीच एक वृक्ष, किनारे से किनारे तक, मेहमान, टूटना, अभिमन्यु की आत्महत्या, देवताओं की मूर्तियां, जहाँ लक्ष्मी कैद है, छोटे-छोटे ताजमहल, प्रतीक्षा, ढोल और अपने पार, एक दुनियाः समानान्तर (संग्रह), वहां तक पहुँचने की दौड़

मोहन राकेश : कई एक अकेले, पाँचवे माले का लैट, मिस पाल, मलबे मालिक, सेफ्टीपिन, एक और जिन्दगी, जख्म, ठहरा हुआ चाकू, जानवर और जानवर, मवाली,

भीष्मसाहनी : चीफ की दावत, इन्द्रजाल, वांगचू, पहला पाठ, भटकी राख, शोभायात्रा, निशाचरी।

कमलेश्वर : राजा निरबंसिया, खोया हुआ आदमी, तलाश, पीला गुलाब, खोई हुए दिशाएं, एक अश्लील कहानी, नीली झील, मांस का दरिया, इतने अच्छे दिन, देवा की माँ, कस्बे का राजा, हमपेशा

अमरकान्त : जिन्दगी और जोंक, बहादुर, दोपहर का भोजन, डिप्टी कल्कटरी, खलनायक, हत्यारे, बस्ती, मूस, सप्ताहांत, मकान

फणीश्वरनाथ रेणु : तीसरी कसम, लाल पान की बेगम, ठुमरी

कमलाकान्त वर्मा : खंडहर, तकली, पगडण्डी

शैलेश मटियानी : प्यास, घोडे, हारा हुआ

मन्नू भण्डारी : क्षण, यही सच है, आकाश के आईने में, कृषक, मैं हार गयी, तीन निगाहों की एक तस्वीर, एक लैट सैलाब, आँखों देखा झूठ, रेत की दीवार, त्रिशंकु, अलगाव, तीसरा आदमी, एखाने आकाश नेई।

शिवानी : सती, करिये छिमा

नरेश मेहता : चाँदनी, अनबीता व्यतीत, तथापि, निशाजी, एक समर्पित महिला

श्रीकान्त वर्मा : टेरसो, टुकडों में बंटी जिन्दगी ठंड

सुरेश सिन्हा : पानी की मीनारें, नीली धुंध के आरपार, कई कुहरे, एक अपरिचित दायरा

मार्कण्डेय : हंसा जाई अकेला, आदर्शो का नायक, बीच लोग, भूदान, माही, गुलरा के बाबा, महुए का पेड़, पानफूल

ज्ञानरंजन : फेस के इधर और उधर, घण्ट, बहिर्गमन, एक और अनुभव, पिता, संबंध, रचनाप्रक्रिया, यात्रा, शेष होते हुए, सपना नहीं

शेखर जोशी : दाज्यू, कोसी का घटवार, शुभो दीदी, प्रश्नवाचक आकृतियाँ, मेंटल, बोझ, बच्चे का सपना, गाइड, प्रथम साक्षात्कार, नौरंगी, बीमार है, विडुवा, संवादहीन, किस्सागो, बिरादरी, नेकलेस, निर्णय, आशीर्वचन, डांगरीवाले, बदबू, हलवाहा।

भैरव प्रसाद गुप्त : चाय का प्याला, मंगली की टिकुली, चुपचाप, ज्योतिष, झण्डा बाबा, लोहे की दीवार, सोने का पिंजड़ा, एक खामोश मौत, अपरिचय का घेरा, यही जिन्दगी है, कदम के नीचे, घुरघुआ, फूल एक मकान एक मौत, आप क्या कर रहे हैं, आँख की पट्टी, चरम बिन्दु

रांगेय राघव : पंच परमेश्वर, गदल

सतीश जमाली : प्रथम पुरुष, सहपाठी, निर्णय, चुनौती

काशीनाथ सिंह : सुधीर घोषाल, कहानी सराय मोहन की, अपना रास्ता लो बाबा, चाय घर में मृत्यु चोट, हस्तक्षेप, सूचना, कविता की नई तारीख, लालकिले का बाज

रमेश उपाध्याय : किसी बहाने

गिरिराज किशोर : नया, चार मोती, बेआब, नीम के फूल, पेपरवेट, रिश्ता

भुवनेश्वर : सूर्यपूजा, भेड़िये

इलाचन्द्र जोशी : खंडहर की आत्माएं, डायरी के नीरस पृष्ठ, आहुति, दीवाली और होली

भगवानदास मोरबाल : पहली हत्या, ललिहार, जीने के लिए, सूर्यास्त से पहले

उदयप्रकाश : डिबिया, तिरिछ, हीरालाल का भूत, दद्दू तिवारी, रामसजीवन की प्रेमकथा, टेपचू, वारेन हेस्टिंग्स का साँड़, पॉलगोमरा का स्कूटर, दरियाई घोड़ा और अंत में प्रार्थना, पीली छतरी वाली लड़की, दिल्ली की दीवार

दूधनाथ सिंह : गुप्त दान, रीछ, इंतजार, दुःस्वप्न, आइसबर्ग, सपाट चेहरे वाला आदमी, माई का शोकगीत, सुखांत, ममी तुम उदास क्यों हो, प्रतिशोध, रक्तपात

रवीन्द्र कालिया : कहानी अधूरी ही है, छाया मद्ध

जितेन्द्र भादिया : शहादतनामा

मधुकर सिंह : तीसरी सांस, शिकस्त

नीरज सिंह : मोहभंग, उसकी वापसी, जमीन, एक होते हुए, तिलचट्टा

विवेकानन्द : गुंजन शर्मा बीमार है, देर से आई बारात, लाल लकीर, शरीफ लोग, शिवालिंगम्, चोंचले, मटुआ छाया

रघुवीर सहाय : रास्ता इधर से है, जो आदमी हम बना रहे हैं, सीढ़ियों पर धूम में (कहानी, कविता, संस्मरण आदि का संग्रह)

धर्मवीर सहाय : गुलकी बन्नो, सावित्री नम्बर-2, बंद गली का आखिरी मकान, चाँद और टूटते हुए लोग, स्पर्श और पृथ्वी

रामदरश मिश्र : खाली घर, एक वह, दिनचर्या, सर्पदंश, सड़क

मृदुला गर्ग : कितनी कैदें, टुकड़ा-टुकड़ा आदमी उर्फ सैम, डैफोडिल जल रहे हैं, ग्लेशियर से, शहर के राम, दुनिया का कायदा, उसका विद्रोह
मैत्रीयी पुष्पा : चिन्टार, ललमलियाँ
कृष्णा सोबती : मित्रो मरजानी, डार से बिछुड़ी, यारों की यार, तीन पहाड़, नामपट्टिका का, से लड़की (लंबी कहानियाँ हैं।), बादलों के घेरे (संग्रह)
शिवप्रसाद सिंह : खैरा पीपल कभी न डोले, नन्हो, आरपार की माला, मुर्दासराय, इन्हें इतजार है, दादी माँ, ब्रिन्दा महाराज
उषा प्रियंवदा : वापसी, जिंदगी और गुलाब के फूल, एक कोई दूसरा, फिर बसंत आया
गंगाप्रसाद विमल : प्रश्नचिन्ह, एक और विदाई
हरिशंकर परसाई : भोलाराम का जीव
अमृतराय : ओर से पहले
मुद्राराक्षस : मुठभेड़
अखिलेश : जलडमरूमध्य, शापग्रस्त
महेन्द्र भल्ला : तीन चार दिन
प्रकाश : अंधेरे के सिलसिले (संग्रह)
गोविन्द्र मिश्र : गिद्ध, आसमान कितना नीला, हताबाज
इसराइल : अर्थहीन
योगेश गुप्त : एन्क्लोजर
वेद राही : हर रोज
अजगर वजाहत : केक
अमितेश्वर : हुक्कापाली, तीलियाँ
दिनेश पालीवाल : तोताचश्य, स्वीकारोक्ति, गिरता जटायु
मंजुल भगत : सफेद कौआ, मृत्यु की ओर, बूँद, गुलमोहर के गुच्छे
रमेश बत्तरा : थप्पड़, लड़ाई
सुरेन्द्रतिवारी : वार्ड नम्बर टू
यादवेन्द्र शर्मा 'चन्द्र' : स्वयं के निगलते हुए, महापुरुष
मंजूर एहतेशाम : तसबीह
विनोदकुमार शुक्ल : महाविद्यालय
अलका सरावगी : कहानी की तलाश में, दूसरी कहानी
मृणाल पाण्डेय : चार दिन की जवानी तेरी, यानि कि एक बात थी, बचुली चौकीदारिन
नाग बोडस : पाजामें में आदमी
कुँवरनारायण : अकारों के आसपास
संजीव : आप यहां हैं
विकल गौतम : शापित गंधर्व
नासिरा शर्मा : ख़ुदा की वापसी
राजी सेठ : यह कहानी नहीं, पुल
विजयमोहन सिंह : शेरपुर 15 मील, एक बंगला बने न्यारा, गमे हस्ती का हो किसके
त्रिलोचन : देशकाल
शानी : इमारत ढहाने वाले
अब्दुल बिस्मिल्लाह : सुलह

निबन्धकार

गुलाबराय : ठलुवा क्लब, फिर निराशा क्यों, मेरी असफलताएं, कुछ उथल कुछ गहरे, मन की बातें, मेरे निबन्ध
निराला : प्रबंध प्रतिमा, चाबुक, चयन, संग्रह
रघुवीर सिंह : शेष कहानियाँ
पदुमलाल पुन्नालाल बख्शी : पंचपात्र
जयशंकर प्रसाद : काव्य कला और अन्य निबंध
महादेवी वर्मा : शृंखला की कड़ियाँ, क्षणदा, साहित्यकार की आस्था और अन्य निबंध
प्रेमचन्द : साहित्य का उद्देश्य
गुलेरी : विक्रमादित्य की मूल कथा, अमंगल के स्थान में मंगल शब्द
'अज्ञेय' : आत्मनेपद, भवन्ती, त्रिशंकु, आलावाल, लिखि कागद कोरे, हिन्दी साहित्य, एक आधुनिक परिदृश्य, केन्द्र और परिधि अद्यतन, स्रोत और सेतु, युगसंधियों पर घाट के किनारे, सर्जना और संदर्भ, जाग लिखी, अन्तरा, सब रंग कुछ राग (कुट्टिचातन नाम से)
नन्ददुलारे वाजपेयी : जयशंकर प्रसाद, आधुनिक साहित्य, नया साहित्य : प्रश्न
हजारी प्रसाद द्विवेदी (ललित निबंधकार) : नाखून क्यों बढ़ते हैं, ठाकुर की बटोर, कालिदास की लालित्य योजना, अशोक के फूल, विचार और वितर्क, कल्पता, विचार-प्रवाह, कुटज, मध्यकालीन धर्मसाधना, आलोकपर्व, शिरीष का फूल, बसंत आ गया, देवदारू, आम फिर बौरा गये आदि।
जैनेन्द्र कुमार : पूर्वोदय, मंथन, समय और हम, जड़ की बात, साहित्य का श्रेय और प्रेय, सोच-विचार, ये और वे इतस्ततः
शान्तिप्रिय द्विवेदी : संचारिणी, युग और साहित्य, सामयिकी, धरातल, प्रतिष्ठान, आधान, वृन्त और विकास, साकल्य।
दिनकर : अर्द्धनारीश्वर, मिट्टी की ओर, रेती के फूल, हमारी सांस्कृतिक एकता, पंत, प्रसाद और मैथिलीशरण, संस्कृति के चार अध्याय, शुद्ध कविता की खोज, राष्ट्रभाषा और राष्ट्रीय साहित्य
नगेन्द्र : यौवन के द्वार पर, चेतना के बिम्ब, आस्था के चरण, आलोचक की आस्था
रामवृक्ष बेनीपुरी : गेहूँ और गुलाब, बन्दे वाणी विनायकौ
देवेन्द्र सत्यार्थी : धरती गाती है, एक युग एक प्रतीक, रेखायें बोल उठी
भदन्त आनन्द कोसल्यायन : जो भूल न सका
वासुदेवशरण अग्रवाल : पृथ्वीराज, कला और संस्कृति
यशपाल : चक्कर क्लब, देखा सोचा समझ गया, बात बात में बात, गाँधी की शव परीक्षा, न्याय का संघर्ष

बनारसीदास चतुर्वेदी : साहित्य और जीवन, हमारे आराध्य
माखनलाल चतुर्वेदी : अमीर इरादे : गरीब इरादे
कन्हैयालाल मिश्र 'प्रभाकर' : जिन्दगी मुस्कराई, बाजे पायलिया के घुंघरू, कारवां आगे बढ गये, जिन्दगी लहलहायी, माटी हो गयी सोना, महके आँगन चहके द्वार
भगवतशरण 'उपाध्याय' : ठूँठा आम
'अश्क' : मंटो : मेरा दुश्मन
प्रभाकर माचवे : खरगोश के सींग
विद्यानिवास मिश्र (ललित निबंधकार) : तुम चन्दन हम पानी, मेरे राम का मुकुट भीग रहा है, जीवन अलभ्य है, जीवन सौभाग्य है, शिरीष की याद आयी, चितवन की छाँह, आँगन का पंछी और बनजारा मन, मैने सिल पहुँचाई
धर्मवीर भारती : ठेले पर हिमालय, कहनी-अनकहनी, पश्यन्ती
शिवप्रसाद सिंह : शिखरों के सेतु
कुबेरनाथ राय (ललित निबंधकार) : प्रिया नीलकण्ठी, रस आखेटक, गन्धमादन, निषाद बाँसुरी, विषाद योग, दृष्टि अभिसार, कामधेनु
विद्यानिवास मिश्र : हिन्दू धर्म : जीवन में सनातन की खोज, परम्परा बन्धन नही, बसन्त आ गया पर उत्कण्ठा नही, कँटीले तारों के आर पार, संचारिणी, कौन तू फुलवा बीननहारी, अस्मिता के लिये, भ्रमरानन्द के पत्र, अंगद की नियति, कदम की फूली डाल साहित्य की चेतना, महाभारत का काव्यार्थ, लागौ रंग हरी, अग्निरथ, देश-धर्म और साहित्य, तमाल के झरोखे से, व्यक्ति व्यंजना
मुक्तिबोध : नयी कविता का आत्मसंघर्ष, नये साहित्य का सौन्दर्यशास्त्र, समीक्षा की समस्या, एक साहित्यिक की डायरी
विजयदेव नारायण 'साही' : लघुमानव के बहाने हिन्दी कविता पर एक बहस, शमशेर की काव्यानुभूति की बनावट, अपनी-अपनी ढपली अपना-अपना राग, हस्ताक्षर, ठलुवा बुद्धिजीवी, हँसना मना है अतिथि की मूर्खता पर
निर्मल वर्मा : शब्द और स्मृति, कला का जोखिम, हर बारिश में, शताब्दी के ढलते वर्षो में, दूसरे शब्दों में
नेमिचन्द्र जैन : अधूरे साक्षात्कार, रंगदर्शन, बदलते परिप्रेक्ष्य, जनान्तिक
रमेश कुन्तल मेघ : क्योंकि समय एक शब्द है, अथातो सौन्दर्य जिज्ञासा, साक्षी है सौन्दर्य प्राश्रिक
राहुल सांकृत्यायन : घुमक्कड़शास्त्र, अथातो घुमक्कड़ जिज्ञासा
रामविलास शर्मा : आस्था और सौन्दर्य, भाषा साहित्य और संस्कृति, विराम चिन्ह्, मार्क्सवाद और प्रगतिशील साहित्य, परम्परा का मूल्यांकन, मानव सभ्यता का विकास, भाषा युगबोध और कविता, कथा-विवेचना और गद्यशिल्प, भारत में अंग्रेजीराज और मार्क्सवाद, मार्क्स और पिछडे हुए समाज
विवेकीराय : बबूल, फिर बैतलवा डाल पर, जलूस रूका है, गंवई पाँव की गंध में
रवीन्द्रनाथ त्यागी : शोकसभा, देवदार के पेड, अतिथिकक्ष
हरिशंकर परसाई (व्यंग्यकार) : भूत के पाँव पीछे, विन्दारस, सदाचार का ताबीज, निठल्ले की डायरी, जैसे उनके दिन फिरे
शरद जोशी (व्यंग्यकार) : तिलस्म, जीप पर सवार इल्लिया, यथासंभव, श्रीगणेशाय नमः, भैसन्ह मांह रहता नित, बकुला, हम भ्रष्टन के भ्रष्ट हमारे, सरकार का जादू, बिल्लियों का अर्थशास्त्र, दूतावासों के चक्कर, हर फूल दिल्लीमुख, बंसी वाले का पुजारी, साहित्य का महाबली, बुद्धिजीवी, अर्थब्रहम, नदी में खड़ा कवि, प्रभु हमें डॉक्ट्रेट से बचा, अब मै रीतिकाल की ओर लौट रहा हूँ, मधुबाला से टीवी बाला तक, नये मेघदूत यत्र-तत्र सर्वत्र
भवानी प्रसाद मिश्र : जिन्होंने मुझे रचा, कुछ नीति कुछ राजनीति
रघुवीर सहाय : लिखने का कारण, दिल्ली मेरा परदेश, अर्थात्, और होगें जो मारे जायेंगे, ऊबे हुए सुखी, 'सीढियों पर घूप में' के कुछ निबंध हैं (ये हैं–लेखक के चारों ओर, दिल्ली-बसंत, आदि दिल्ली के एक सम्पादक से भेंट आदि)
श्रीकान्त वर्मा : जिरह
जगदीश चतुर्वेदी : दस्तावेज
अशोक वाजपेयी : फिलहाल, कवि कह गया है
रमेशचन्द्र शाह : समानान्तर, बागार्थ, शैतान के बहाने, साहित्य में आज का गतिरोध, समकालीन रचना में स्वतंत्रता का अर्थ
विष्णु प्रभाकर : हम जिनके ऋणी
जानकी वल्लभ शास्त्री : मन की बात, जो न बिक सकी
कृष्णदत्त पालीवाल : नया सृजन नया बोध
दूधनाथ सिंह : लौट आ ओ धार
गोविन्द मिश्र : परतों के बीच
श्रीनारायण चतुर्वेदी : राजभवन की सिगरेटदानी
लक्ष्मीचन्द्र : कागज की किश्तियां
लक्ष्मीकान्त : मैंने कहा
केदारनाथ अग्रवाल : समय-समय पर
नामवर सिंह : बकलमखुद
कृष्णबिहारी मिश्र : बेहया का जंगल, चुनाव जीत गया गाँव हार गया
विष्णुकान्त शास्त्री : कुछ चन्दन की कुछ कपूर की
मृदुला गर्ग : रंग ढंग
नन्दकिशोर नवल : कविता की मुक्ति, प्रेमचंद का सौन्दर्यशास्त्र, शब्द जहाँ सक्रिया हैं, दृश्यालेख

समालोचक

नंददुलारे वाजपेयी : आधुनिक साहित्य, नया साहित्य-नये प्रश्न, कवि निराला, जयशंकर प्रसाद, राष्ट्रीय साहित्य, प्रकीर्णिका, हिन्दी साहित्य-बीसवीं शताब्दी, महाकवि सूरदास, आधुनिक काव्यः रचना और विचार, सम्पादन - सूरसागर, रामचरितमानस

शान्तिप्रिय द्विवेदी (प्रभाववादी समीक्षा के जनक) : साहित्यकी, कवि और काव्य, सामयिकी, संचारिणी, युग और साहित्य, ज्योति विहग (सुमित्रानन्दन पन्त पर), हमारे साहित्य निर्माता

आचार्य हजारी प्रसाद द्विवेदी (1907-1979 ई०) : हिन्दी साहित्य की भूमिका (1940), सूर-साहित्य, कबीर (1942), हिन्दी साहित्य का आदिकाल (1952), मध्यकालीन बोध का स्वरूप (1970), मेघदूत एक कहानी, कालिदास की लालित्य योजना, भाषा साहित्य और देश, हिन्दी साहित्य का उद्भव और विकास, संदेश रासक (आलोचना)

डॉ० नगेन्द्र (1915-2000 ई०) : सुमित्रानन्दन पन्त (1938), साकेत : एक अध्ययन (1939), शोध और सिद्धान्त, काव्यबिम्ब, हिन्दी साहित्य की प्रवृतियां, विचार और अनुभूति, रीतिकाव्य की भूमिका, देव और उनकी कविता, रस सिद्धान्त (1964), मिथक और साहित्य, आधुनिक हिन्दी नाटक, कामायनी के अध्ययन की समस्यायें, नयी समीक्षा : नये संदर्भ, साहित्य का समाजशास्त्र, भारतीय सौन्दर्य की भूमिका, आधुनिक हिन्दी कविता की मुख्य प्रवृत्तियां, शैली विज्ञान, भारतीय समीक्षा और आचार्य शुक्ल की काव्य दृष्टि

अनुवाद : अभिनव भारती, वक्रोक्ति जीवत, ध्वन्यालोक तथा नाट्यदर्पण (नगेन्द्र की देख-रेख में आचार्य विश्वम्भर ने किया) अरस्तू का काव्यशास्त्र, काव्य में उदान्त तत्व (द सब्लाइम–लोंजाइनिस), काव्य कला (आर्स पोएतिका - होरेस), पाश्चात्य काव्यशास्त्र की परम्परा (लोसाई क्रिटिकाई - सेन्ट्सबरी)

निराला : रवीन्द्र कविता कानन, पन्त और पल्लव

सुमित्रानन्दन पन्त : गद्यपथ, शिल्प और दर्शन, छायावाद पुनर्मूल्यांकन

प्रेमचंद : साहित्य का उद्देश्य

दिनकर : पंत, प्रसाद और मैथिलीशरण, शुद्ध कविता की खोज

गुलाबराय : सिद्धान्त और अध्ययन, काव्य के रूप, अध्ययन और आस्वाद, नवरस

विश्वनाथ प्रसाद मिश्र : वाङ्मय विमर्श, बिहारी की वाग्विभूति, हिन्दी साहित्य का अतीत, हिन्दी का सम सामयिक साहित्य, हिन्दी नाट्य साहित्य का विकास

संपादन : घनआनंद ग्रंथावली, पद्माकर ग्रन्थावली, केशव ग्रन्थावली, भिखारीदास ग्रन्थावली, रामचरित मानस

पं० कृष्णशंकर शुक्ल : केशव की काव्यकला, कविवर रत्नाकर

लक्ष्मीनारायण सुधांशु : काव्य में अभिव्यंजनावाद, जीवन के तत्व और काव्य के सिद्धान्त

रामकुमार वर्मा : साहित्य समालोचना, कबीर का रहस्यवाद, हिन्दी साहित्य का आलोचनात्मक इतिहास

जनार्दन प्रसाद झा 'द्विज' : प्रेभचंद की उपन्यास कला

गिरिजादत्त शुक्ल गिरीश : महाकवि हरिऔध, गुप्त की काव्य धारा

रामनाथ सुमन : प्रसाद की काव्य कला

सत्येन्द्र : गुप्तजी की कला

शिवदानसिंह चौहान (पहले मार्क्सवादी आलोचक) : 1937 ई. के 'विशाल भारत' में चौहान जी का एक महत्वपूर्ण लेख 'भारत में प्रगतिशील साहित्य की आवश्यकता' छपा था। इनकी प्रमुख पुस्तकें हैं : प्रगतिवाद, साहित्य की परख, आलोचना के मान, साहित्य की समस्याएं, साहित्यनुशीलन

प्रकाशचंद्र गुप्त (मार्क्सवादी आलोचक) : नया हिन्दी साहित्य, आधुनिक हिंदी साहित्य, हिन्दी सहित्य की जनवादी परम्परा

रामविलास शर्मा (प्रगतिशील आलोचक) : प्राचीन भारत के भाषा-परिवार, मार्क्स और पिछडे हुए समाज, प्रगति और परम्परा, प्रगतिशील साहित्य की समस्याएं, आस्था और सौंन्दर्य, भाषा साहित्य और संस्कृति, मार्क्सवाद और प्राचीन साहित्य का मूल्यांकन, आचार्य रामचन्द्र शुक्ल और हिन्दी आलोचना, महावीर प्रसाद द्विवेदी और हिन्दी नवजागरण, निराला की साहित्य साधना, लोकजागरण और हिन्दी साहित्य, नयी कविता और अस्तित्ववाद, भारतेन्दु हरिश्चन्द्र, भारतेन्दु युग और हिन्दी भाषा की विकास परम्परा, भाषा और समाज, परम्परा का मूल्यांकन, भारतीय इतिहास की समस्याएं, मार्क्सवाद और प्रगतिशील साहित्य, स्वाधीनता और राष्ट्रीय साहित्य, कथा विवेचन और गद्य शिल्प, मार्क्स, त्रातस्की और एशियाई समाज, प्रगतिशील विचारधारा और केदारनाथ अग्रवाल, भारतीय इतिहास और ऐतिहासिक भौतिकवाद, निराला, भारत में अंग्रेजी राज्य और मार्क्सवाद, प्रेमचन्द और उनका युग

अमृतराय (मार्क्सवादी आलोचक) : नयी समीक्षा

नामवरसिंह (प्रगतिशील) : इतिहास और आलोचना, आधुनिक साहित्य की प्रवृत्तियां, छायावाद, कहानी : नई कहानी, कविता के नये प्रतिमान, दूसरी परम्परा की खोज, कला के विकास में अपभ्रंश का योग, वाद विवाद संवाद, काल मार्क्स : कला और साहित्यचिंतन, पृथ्वीराज रासो : भाषा और साहित्य

चन्द्रबली सिंह (प्रगतिशील आलोचक) : लोकदृष्टि और साहित्य

'अज्ञेय' : त्रिशंकु, आत्मनेपद, अद्यतन, संवतसर, कवि-दृष्टि, हिन्दी साहित्य : एक आधुनिक परिदृश्य, लिखि कागद कोरे, सर्जन और संदर्भ, जोग लिखी

पं० देवराज : छायावाद का पतन, साहित्य चिन्ता, आधुनिक समीक्षा प्रतिक्रियाएं

इलाचन्द्र जोशी : साहित्य सर्जना, विवेचना, साहित्य सन्तरण, विशेषण, साहित्य चिन्तन

देवराज उपाध्याय : आधुनिक हिन्दी कथा साहित्य और मनोविज्ञान

मुक्तिबोध : कामायनी : एक पुनर्विचार, एक साहित्यिक की डायरी, नयी कविता का आत्म संघर्ष, नये साहित्य का सौन्दर्यशास्त्र, भारत : इतिहास और संस्कृति (प्रतिबंधित)

विजयदेवनारायण साही : इतिहास और परम्परा, गोदान, राजनीति और साहित्य, जनवादी साहित्य, साहित्य क्यों, धर्मसापेक्ष और धर्मनिरपेक्ष तत्वों की तलाश हिन्दी साहित्य और उसके आसपास, 'पद्मावत' (जायसी की रचना 'पद्मावत' की समीक्षा है)

रमेशचन्द्र शाह : छायावाद की प्रासंगिकता, जयशंकर प्रसाद, वागर्थ, समानान्तर भारतीय साहित्य के निर्माता, अज्ञेय : भागर्थ का वैभव

रमेशकुन्तल मेघ : आधुनिकताबोध और आधुनिकीकरण, मध्ययुगीन रसदर्शन, अथातो सौन्दर्य जिज्ञासा, क्योंकि समय एक शब्द है, साक्षी है सौन्दर्य प्राश्निक

नेमिचन्द्र जैन : अधूरे साक्षात्कार, रंगदर्शन, बदलते, परिप्रेक्ष्य, जनान्तिक

मैनेजर पाण्डेय : साहित्य का समाजशास्त्र, साहित्य और इतिहास दृष्टि, भक्ति आंदोलन और सूरदास का काव्य, शब्द और कर्म अनभै साँचा।

रामस्वरूप चतुर्वेदी : मध्ययुगीन हिन्दी काव्यभाषा, नवलेखन, भाषा और संवेदना, अज्ञेयः आधुनिक रचना की समस्या, कामायनीः पुनर्मूल्यांकन, हिन्दी साहित्य और संवेदना का विकास, समकालीन हिन्दी साहित्य : विविध परिदृश्य

लक्ष्मीकान्त वर्मा : नयी कविता के प्रतिमान, नये प्रतिमान पुराने निकष

रवीन्द्रनाथ श्रीवास्तव : शैलीविज्ञान की भूमिका, संरचनात्मक शैली विज्ञान, शैली विज्ञान और हिन्दी का समाजशास्त्र, हिन्दी भाषा के संरचना के विविध आयाम, आलोचना की नयी भूमिका, भाषा विज्ञान : सैद्धान्तिक चिन्तन

धर्मवीर भारती : साहित्य और मानव मूल्य, पश्यन्ती

रघुवंश : साहित्य का नया परिप्रेक्ष्य, आधुनिक साहित्य का परिप्रेक्ष्य

देवीशंकर अवस्थी : विवेक के रंग, नयी कहानी : संदर्भ और प्रकृति, साहित्य विधाओं की प्रकृति

इन्द्रनाथ मदान : प्रेमचन्द : एक विवेचन, आलोचना और काव्य, आधुनिक कविता का मूल्यांकन, आज का हिन्दी उपन्यास, आधुनिकता और हिन्दी आलोचना, महादेवी, कामायनी : मूल्यांकन और मूल्यांकन

बलदेव उपाध्याय : भारतीय साहित्यशास्त्र

रामदहिन मिश्र : काव्य दर्पण, काव्य विमर्श

बच्चनसिंह : समकालीन साहित्य : आलोचना को चुनौती, आलोचक और आलोचना, आधुनिक हिन्दी आलोचना के बीजशब्द, साहित्य का समाजशास्त्र और रूपवाद, आधुनिक हिन्दी साहित्य का इतिहास, हिन्दी साहित्य का दूसरा इतिहास, हिन्दी नाटक

निर्मला जैन : पाश्चात्य साहित्य चिन्तन, इतिहास और आलोचना के वस्तुवादी सरोकार, अंतस्थल का पूरा विप्लव : अंधेरे में, हिन्दी आलोचना की बीसवीं सदी, कविता का प्रतिसंसार, नयी समीक्षा के प्रतिमान, रस सिद्धान्त और सौन्दर्यशास्त्र, आधुनिक साहित्य : मूल्य और मूल्यांकन

विद्यानिवास मिश्र : रीतिविज्ञान, नयी कविता की मुक्तधारा, साहित्य का प्रयोजन

परमानन्द श्रीवास्तव : समकालीन कविता का व्याकरण, शेखर एक जीवनी का महत्व, काव्य शास्त्र

भगीरथ मिश्र : हिन्दी काव्यशास्त्र का इतिहास, हिन्दी रीतिसाहित्य, भारतीय काव्यशास्त्र

आनन्दप्रकाश दीक्षित : रस सिद्धान्त : स्वरूप और विश्लेषण, रस चिन्तन के विविध आयाम

रामानन्द तिवारी : सत्यं शिवम् सुन्दरम्

सुरेशचन्द गुप्त : आधुनिक हिन्दी कवियों के काव्यसिद्धान्त

गिरिजाकुमार माथुर : नयी कविता : सीमायें और संभावनायें

भोलानाथ तिवारी : अभिव्यक्ति विज्ञान

गंगाप्रसाद विमल : समकालीन कहानी का रचना विधान

रामचन्द्र तिवारी : आचार्य रामचन्द्र शुक्ल, हिन्दी गद्य साहित्य

कृष्णदत्त पालीवाल : आचार्य रामचन्द्र शुक्ल का चिन्तन जगत्

जगदीश गुप्त : नयी कविता : शक्ति और सीमा, नयी कविताः स्वरूप और समस्यायें

जगदीशकुमार : शमशेर का काव्यलोक

प्रभाकर श्रोत्रिय : संवाद, रचना एक यातना है, कालयात्री है कविता, मेघदूत : एक अन्तर्यात्रा, जयशंकर प्रसाद की प्रासंगिकता

नरेन्द्र मोहन : लंबी कविता का रचना विधान

केदारनाथ सिंह : आधुनिक हिन्दी कविता में बिम्बविधान, मेरे समय के शब्द

मलयज : कविता से साक्षात्कार

दूधनाथ सिंह : निराला : आत्महंता आस्था

अशोक बाजपेयी : फिलहाल, कविता का गल्प, कविता का जनपद, कवि कह गया है, कुछ पूर्वाग्रह

विश्वनाथ त्रिपाठी : लोकवादी तुलसीदास, हिंदी आलोचना

नन्दकिशोर नवल : निराला और मुक्तिबोध : चार लंबी कवितायें, हिन्दी आलोचना का विकास, महावीर प्रसाद द्विवेदी, मुक्बिोध : ज्ञान और संवेदना, समकालीन हिन्दी कवि

राममूर्ति त्रिपाठी : भारतीय काव्यशास्त्र : नव मूल्यांकन

मार्कण्डेय : कहानी की बात

मधुरेश : आज की हिन्दी कहानी : विचार और प्रतिक्रिया, **सिलसिला :** समकालीन कहानी की पहचान, हिन्दी कहानी : अस्मिता की तलाश, हिन्दी कहानी का विकास, हिन्दी उपन्यास का विकास, यशपाल : एक समर्पित व्यक्तित्व, राहुल का कथाकर्म

रामदरश मिश्र : हिन्दी उपन्यास : एक अन्तर्यात्रा

सुनीति कुमार चटर्जी : भारतीय आर्यभाषा और हिन्दी

हरदेव बाहरी : भाषा विज्ञान

कुमार विमल : सौन्दर्यशास्त्र के तत्व, कला विवेचन

चंद्रभूषण तिवारी : आलोचना की धार

विजयमोहन सिंह : कथा समय

देवेन्द्रनाथ शर्मा : भाषा विज्ञान की भूमिका, पाश्चात्य काव्यशास्त्र, काव्य के तत्व

प्रेमशंकर : प्रसाद का काव्य, भक्ति काव्य का समाजशास्त्र, भक्तिकाव्य की भूमिका, हिन्दी स्वच्छंदतावादी काव्य

विजयेन्द्र स्नातक : कबीर

मन्नू भण्डारी : संकल्प का सौन्दर्यशास्त्र

शेफालिका : रेणु का कथा संसार

रेखा खरे : निराला की कवितायें और काव्य भाषा

गोपालराम : हिन्दी उपन्यास कोश

अशोक चक्रधर : मुक्तिबोध की कविताई, मुक्तिबोध की समीक्षाई

नलिन विलोचन शर्मा : साहित्य का इतिहास-दर्शन

निर्मल वर्मा : शब्द और स्मृति

विपिन कुमार अग्रवाल : आधुनिकता के पहलू

वस्तुनिष्ठ प्रश्न

1. 'बादल की मृत्यु' एकांकी के रचनाकार हैं–
A. रामकुमार वर्मा
B. आचार्य शुक्ल
C. जयशंकर प्रसाद
D. विष्णु प्रभाकर

2. धर्मवीर भारती के एकांकी का नाम है–
A. निशानेबाज
B. नदी प्यासी थी
C. उपर्युक्त दोनों
D. इनमें से कोई नहीं

3. अमृतराय ने किसका हिंदी अनुवाद 'सागरमाथा' नाम से किया?
A. राह चलते
B. स्पार्टकस
C. हैमलेट
D. इण्डिया डिवाइडेड

4. 'एक साहित्यिक की डायरी' के लेखक हैं–
A. अज्ञेय
B. मुक्तिबोध
C. धर्मवीर-भारती
D. अमृतराय

5. उपन्यास और रचनाकारों को सुमेलित करें–

रचनाकार	**उपन्यास**
(*i*) राजेन्द्र यादव	(*a*) अंधेरे बंद कमरे
(*ii*) मोहन राकेश	(*b*) एक सड़क सत्तावन गलियाँ
(*iii*) कमलेश्वर	(*c*) अचल मेरा कोई
(*iv*) वृन्दावन लाल वर्मा	(*d*) कुलटा

	(*i*)	(*ii*)	(*iii*)	(*iv*)
A.	(*a*)	(*d*)	(*c*)	(*b*)
B.	(*b*)	(*d*)	(*c*)	(*a*)
C.	(*d*)	(*a*)	(*b*)	(*c*)
D.	(*b*)	(*a*)	(*d*)	(*c*)

6. 'टेढ़े-मेढ़े रास्ते' उपन्यास के लेखक हैं–
A. रांगेय राघव
B. अमृतराय
C. मन्नू भंडारी
D. भगवती चरण वर्मा

7. 'निशिकान्त' उपन्यास के लेखक हैं–
A. विष्णु प्रभाकर
B. प्रभाकर माचवे
C. नरेश मेहता
D. राम नरेश त्रिपाठी

8. 'अपने-अपने अजनबी' उपन्यास लिखा है–
A. मुक्तिबोध
B. अज्ञेय
C. चतुरसेन शास्त्री
D. शमशेर

9. 'नागार्जुन' के उपन्यास का नाम है–
A. हीरक जयंती
B. मशाल
C. जंजीरे
D. उपर्युक्त सभी

10. 'दीर्घतपा' उपन्यास लिखा है–
A. नरेश मेहता
B. रांगेय राघव
C. फणीश्वर नाथ रेणु
D. मन्नू भण्डारी

11. उषा प्रियंवदा के उपन्यास का नाम है–
A. हम तिनके
B. पचपन खम्भे, लाल दीवारें
C. जंगल के फूल
D. धूमकेतु

12. भीष्म साहनी का उपन्यास है–
A. सोनल का फूल
B. वृषित
C. गंगामैया
D. बसन्ती

13. अमृतराय के उपन्यास का नाम है :
A. धुँआ
B. छोटे-छोटे पक्षी
C. कुरू-करू स्वाहा
D. नई ईमारत

14. 'नवनिधी' किसका कहानी संग्रह है?
A. पंकज बिष्ट
B. नागार्जुन
C. प्रेमचंद
D. अज्ञेय

15. 'कोठरी की बात' कहानी संग्रह के रचयिता हैं–
A. मुक्तिबोध
B. अज्ञेय
C. लाला श्रीनिवासदास
D. प्रभाकर माचवे

16. यशपाल के कहानी संग्रह का नाम है–
A. फूलों का कुर्ता
B. पिंजड़े की उड़ान
C. उपर्युक्त दोनों
D. इनमें से कोई नहीं

17. 'स्वप्न भंग' किसका काव्य संग्रह है?
A. प्रभाकर माचवे
B. राहुल सांकृत्यायन
C. यशपाल
D. अज्ञेय

18. कहानी संग्रह और लेखकों के नाम को सुमेलित करें–

लेखक	**कहानी संग्रह**
(*i*) मोहन राकेश	(*a*) फिर बसन्त आया
(*ii*) कमलेश्वर	(*b*) पहला पाठ
(*iii*) भीष्म साहनी	(*c*) नए बादल
(*iv*) उषा प्रियंवदा	(*d*) मांस का दरिया

	(*i*)	(*ii*)	(*iii*)	(*iv*)
A.	(*d*)	(*a*)	(*c*)	(*b*)
B.	(*d*)	(*c*)	(*d*)	(*a*)
C.	(*c*)	(*d*)	(*b*)	(*a*)
D.	(*a*)	(*c*)	(*b*)	(*d*)

19. 'मेरी जीवन रेखा' आत्मकथा के रचयिता हैं–
A. हजारी प्रसाद द्विवेदी
B. महावीर प्रसाद द्विवेदी
C. राहुल सांकृत्यायन
D. प्रभाकर माचवे

20. 'प्रेमचन्द घर में' जीवनपरक पुस्तक की रचनाकार है?
A. महादेवी वर्मा
B. सरला चौधरानी
C. अमृता प्रीतम
D. शिवरानी देवी

21. 'मेरी जीवन यात्रा' किसकी रचना है?
A. नागार्जुन
B. राहुल सांकृत्यायन
C. महावीर प्रसाद द्विवेदी
D. मुक्तिबोध

22. 'आत्मकथा' किसकी रचना है?
A. महात्मा गाँधी
B. जवाहर लाल नेहरू
C. डॉ॰ राजेन्द्र प्रसाद
D. लाल बहादुर शास्त्री

23. 'मेरी आत्म कहानी' आत्मकथा किसने लिखी है?
A. चतुरसेन शास्त्री
B. महावीर प्रसाद द्विवेदी
C. राहुल सांकृत्यायन
D. महात्मा गाँधी

24. ''हिन्दी के कवियों में यदि कहीं रमणीय और सुन्दर अद्वैती रहस्यवाद है तो वह जायसी में है'' किसका कथन है?
A. डॉ॰ नगेन्द्र
B. हजारी प्रसाद द्विवेदी
C. आचार्य शुक्ल
D. नंद दुलारे वाजपेयी

25. रामविलास शर्मा द्वारा लिखित है–
A. प्रगति और परम्परा
B. भाषा, युगबोध और कविता
C. परम्परा का मूल्यांकन
D. उपर्युक्त सभी

26. 'भारतीय साहित्य के इतिहास की समस्याएँ' लिखा है–
A. राम कुमार वर्मा
B. राम विलास शर्मा
C. नंद दुलारे वाजपेयी
D. हजारी प्रसाद द्विवेदी

27. 'पाप के पुजारी' नाटक के रचयिता हैं–
A. प्रभाकर माचवे
B. दिनकर
C. रामविलास शर्मा
D. नरेश मेहता

28. 'आचार्य रामचन्द्र शुक्ल और हिन्दी आलोचना' लिखा है–
A. डॉ॰ नगेन्द्र
B. रामविलास शर्मा
C. हजारी प्रसाद द्विवेदी
D. नामवर सिंह

29. 'मार्क्स, ट्रॉटस्की और एशियाई समाज' लिखा है–
A. रामकुमार वर्मा
B. डॉ॰ नगेन्द्र
C. हजारी प्रसाद द्विवेदी
D. रामविलास शर्मा

30. 'ऐन्दुई हिन्दुस्तानी' का प्रकाशन हुआ–
A. 1849 ई॰
B. 1839 ई॰
C. 1832 ई॰
D. 1843 ई॰

31. रीतिकाव्य की भूमिका किसने लिखी?
A. रामविलास शर्मा
B. डॉ॰ राम कुमार वर्मा
C. आचार्य शुक्ल
D. डॉ॰ नगेन्द्र

32. शुक्ल जी ने रासो शब्द की उत्पत्ति किसके द्वारा मानी है?
A. रास शब्द से
B. रासक शब्द से
C. रसायण शब्द से
D. रस शब्द से

33. रोमांस शब्द आया है–
A. अंग्रेजी भाषा में
B. यूनानी भाषा में
C. जर्मन भाषा में
D. फ्रांसीसी भाषा में

34. भारत में रोमांटिक कथाओं का उद्‌भव काल माना जाता है–
A. हड़प्पा काल से
B. वैदिक काल से
C. महाभारत काल से
D. आदि काल से

35. 'विकलांग श्रद्धा का दौर' के लेखक हैं–
A. प्रभाकर माचवे
B. नरेश मेहता
C. बालकृष्ण भट्ट
D. हरिशंकर परसाई

36. परसाई जी की कृति है–
A. निठल्ले की डायरी
B. तुलसी भूषण
C. राम रत्नाकर
D. रुक्मिणी परिणय

37. भारतेन्दु की भक्तिपरक रचना का नाम है–
A. भक्त सर्वस्व
B. रुक्मिणी परिणय
C. उपर्युक्त दोनों
D. इनमें से कोई नहीं

38. भारतेन्दु की प्रेम संबंधी रचना का नाम है–
A. प्रेम सरोवर
B. प्रेम मालिका
C. उपर्युक्त दोनों
D. इनमें से कोई नहीं

39. अम्बिका दत्त व्यास की प्रसिद्ध कृति का नाम है–
A. षटऋतु
B. प्रेमतरंग
C. प्रेम माधुरी
D. बिहारी बिहार

40. 'प्रेम पथिक' के रचनाकार हैं–
A. अम्बिका दत्त व्यास
B. नरेश मेहता
C. ठाकुर जगमोहन सिंह
D. वियोगी हरि

41. 'बैशाख माहात्म्य' रचना है–
A. बालकृष्ण भट्ट
B. भारतेन्दु
C. वियोगी हरि
D. ठाकुर जगमोहन सिंह

42. 'नये जमाने की मुकरी' के रचनाकार का नाम है–
A. अम्बिका दत्त व्यास
B. प्रताप नारायण मिश्र
C. बद्रीनारायण चौधरी
D. भारतेन्दु

43. 'हिन्दी, हिन्दू, हिन्दुस्तान' के रचयिता हैं–
A. भारतेन्दु
B. प्रताप नारायण मिश्र
C. वियोगी हरि
D. अम्बिका दत्त व्यास

44. नीचे कुछ रचनाकारों और रचनाओं के नाम दिए जा रहे हैं, उन्हें सुमेलित करें।

रचनाकार	रचना
(i) प्रताप नारायण मिश्र	*(a)* युगल स्त्रोत
(ii) राधाचरण गोस्वामी	*(b)* शिवशम्भू के चिट्ठे
(iii) बालमुकुन्द गुप्त	*(c)* नव भक्त माल
(iv) बद्री नारायण चौधरी	*(d)* मन की लहर

	(i)	*(ii)*	*(iii)*	*(iv)*
A.	*(d)*	*(b)*	*(a)*	*(c)*
B.	*(d)*	*(c)*	*(b)*	*(a)*
C.	*(b)*	*(c)*	*(a)*	*(d)*
D.	*(a)*	*(b)*	*(c)*	*(d)*

45. खड़ी बोली के लिए सशक्त आंदोलन चलाया–
A. आचार्य शुक्ल
B. हजारी प्रसाद द्विवेदी
C. महावीर प्रसाद द्विवेदी
D. नंद दुलारे वाजपेयी

46. 'विरहिणी ब्रजांगना' का बांग्ला से हिन्दी अनुवाद किसने किया था?
A. माखनलाल चतुर्वेदी
B. मैथिलीशरण गुप्त
C. दिनकर
D. श्रीधर पाठक

47. 'मिलन' किसकी रचना है?
A. राम नरेश त्रिपाठी
B. रामचरित उपाध्याय
C. श्रीधर पाठक
D. मैथिलीशरण गुप्त

48. 'शकुंतला' के रचयिता हैं–
A. दिनकर
B. केदारनाथ अग्रवाल
C. माखनलाल चतुर्वेदी
D. मैथिलीशरण गुप्त

49. 'काव्य मंजूषा' और 'सुमन' किसकी पद्य रचनाएँ हैं?
A. महावीर प्रसाद द्विवेदी
B. जयशंकर प्रसाद
C. मैथिलीशरण गुप्त
D. अज्ञेय

50. मैथिलीशरण गुप्त की पद्य रचना है–
A. किसान
B. स्वर्गीय पीपा
C. प्रेम प्रबंध
D. रस कलश

51. 'पारिजात' महाकाव्य किसके द्वारा रचित है?
A. मैथिलीशरण गुप्त
B. सियाराम शरण गुप्त
C. हरिऔध
D. श्रीधर पाठक

52. प्रिय प्रवास आधारित है–
A. स्कंध पुराण पर
B. उपनिषद पर
C. महाभारत पर
D. भागवत पुराण पर

53. 'दिवस का अवसान समीप था' कहाँ से उद्धृत है?
A. प्रिय प्रवास से
B. करुणालय से
C. झरना से
D. युगांत से

54. सियाराम शरण गुप्त की रचना है–
A. मौर्य विजय
B. रसिक रहस्य
C. विष्णुप्रिया
D. स्वदेश संगीत

55. 'वीर क्षत्राणी' के रचनाकार हैं–
A. देवी प्रसाद पूर्ण
B. सियाराम शरण गुप्त
C. लाला भगवानदीन
D. रामचरित उपाध्याय

56. 'महामानव' प्रबंध काव्य किसने लिखा?
A. मोहन लाल महतो वियोगी
B. गुरुभक्त सिंह
C. मैथिलीशरण गुप्त
D. ठाकुर प्रसाद सिंह

57. 'छायावाद को स्थूल के प्रति सूक्ष्म का विद्रोह' किसने माना है–
A. आचार्य शुक्ल
B. हजारी प्रसाद द्विवेदी
C. नंद दुलारे वाजपेयी
D. डॉ॰ नगेन्द्र

58. छायावाद पर किसका प्रभाव है?
A. द्वैतवाद का
B. अद्वैतवाद का
C. विशिष्ट द्वैतवाद का
D. मार्क्सवाद का

59. किसे 'भारतीय आत्मा' कहा जाता है?
A. रामधारी सिंह दिनकर
B. मैथिलीशरण गुप्त
C. जयशंकर प्रसाद
D. माखनलाल चतुर्वेदी

60. 'उच्छ्वास' किसका काव्य संग्रह है?
A. जयशंकर प्रसाद
B. सूर्यकान्त त्रिपाठी निराला
C. अयोध्या सिंह उपाध्याय हरिऔध
D. सुमित्रानन्दन पंत

61. छायावाद की प्रथम कृति का नाम है–
A. आँसू
B. गुंजन
C. झरना
D. पल्लव

62. रजत शिखर और शिल्पी किसके द्वारा लिखे गए?
A. निराला द्वारा
B. प्रसाद द्वारा
C. पंत द्वारा
D. महादेवी वर्मा द्वारा

63. 'ग्रंथि' काव्य संग्रह के रचयिता हैं–
A. निराला
B. पंत
C. मैथिलीशरण गुप्त
D. प्रसाद

64. 'चित्रलेखा' के रचयिता हैं–
A. चन्द्रधर शर्मा 'गुलेरी'
B. भगवती चरण वर्मा
C. जैनेन्द्र
D. प्रसाद

65. बच्चन जी की प्रमुख काव्य कृति है–
A. निशा निमंत्रण
B. अभिशाप
C. चित्राधार
D. महाराणा का महत्व

66. 'सर्जना के क्षण' किसका प्रमुख काव्य है?
A. अज्ञेय
B. मुक्तिबोध
C. भगवतीचरण वर्मा
D. दिनकर

67. 'महाराणा का महत्व' किसकी रचना है?
A. निराला
B. प्रसाद
C. पंत
D. केदारनाथ अग्रवाल

68. 'हिमकिरीटिनी' किसका प्रसिद्ध काव्य संग्रह है?
A. धूमिल
B. आरसी प्रसाद सिंह
C. माखनलाल चतुर्वेदी
D. दिनकर

69. 'उर्मिला' किसका काव्य संग्रह है?
A. प्रेमचंद
B. भारतेंदु
C. जयशंकर प्रसाद
D. बालकृष्ण शर्मा 'नवीन'

70. द्वन्द्व गीत किसका काव्य संग्रह है?
A. जगन्नाथ प्रसाद मिलिन्द
B. दिनकर
C. माखनलाल चतुर्वेदी
D. देवराज दिनेश

71. 'इतिहास के आँसू' काव्य संग्रह के रचयिता हैं–
A. दिनकर
B. माखनलाल चतुर्वेदी
C. मैथिलीशरण गुप्त
D. हरिवंश राय बच्चन

72. 'कैकेयी' और 'कण' किसका प्रबन्ध-काव्य है?
A. हरिऔध
B. श्रीधर पाठक
C. मुक्तिबोध
D. केदारनाथ मिश्र

73. 'ऋतम्भरा' किसका गीत-संग्रह है?
A. माखन लाल चतुर्वेदी
B. जयशंकर प्रसाद
C. केदारनाथ मिश्र
D. सियाराम शरण गुप्त

74. 'मेघगीत' व 'अवन्तिका' किसका काव्य संग्रह है?
A. देवकी नंदन विभव
B. जानकी वल्लभ शास्त्री
C. महेश चंद प्रसाद
D. सुभद्रा कुमारी चौहान

75. 'रूप रश्मि' किसका काव्य संग्रह है?
A. हरिकृष्ण
B. शम्भूनाथ सिंह
C. देवकी नंदन विभव
D. बालकृष्ण शर्मा 'नवीन'

76. कवि और उनके काव्य संग्रह को सुमेलित करें–

कवि	काव्य संग्रह
(*i*) नरेन्द्र शर्मा	(*a*) प्रवास के गीत
(*ii*) उपेन्द्रनाथ 'अश्क'	(*b*) उर्मियां
(*iii*) विद्यावती कोकिल	(*c*) कुसुमांजलि
(*iv*) गया प्रसाद शुक्ल 'सनेही'	(*d*) सुहागिन

	(*i*)	(*ii*)	(*iii*)	(*iv*)
A.	(*a*)	(*b*)	(*c*)	(*d*)
B.	(*d*)	(*a*)	(*c*)	(*b*)
C.	(*a*)	(*b*)	(*d*)	(*c*)
D.	(*b*)	(*d*)	(*c*)	(*a*)

77. 'आधुनिक कवि' किसका काव्य संग्रह है?
A. दिनकर
B. भारतेन्दु
C. विश्वम्भर मानव रामकिशोर शर्मा
D. उपेन्द्रनाथ 'अश्क'

78. लंदन में प्रगतिशील लेखक संघ की स्थापना कब हुई?
A. 1931 ई॰
B. 1932 ई॰
C. 1934 ई॰
D. 1935 ई॰

79. निराला की भिक्षुक, विधवा और बादल कविताएँ संग्रहीत हैं–
A. अनामिका में
B. परिमल में
C. गीतिका में
D. तुलसीदास में

80. 'मधुकण' किसका काव्य संग्रह है?

A. दिनकर B. भगवती चरण वर्मा

C. पंत D. प्रसाद

81. कालक्रम से हिन्दी के प्रथम प्रगतिवादी कवि हैं–

A. केदारनाथ अग्रवाल B. रांगेय राघव

C. रामेश्वर करूण D. रामविलास शर्मा

82. कवि और उनके द्वारा रचित काव्य संग्रह को सुमेलित करें।

कवि	काव्य संग्रह
(*i*) केदारनाथ अग्रवाल	(*a*) युगधारा
(*ii*) नागार्जुन	(*b*) रूप तरंग
(*iii*) रामविलास शर्मा	(*c*) नींद के बादल
(*iv*) विश्वम्भर नाथ शर्मा 'कौशिक'	(*d*) कल्लोल

	(*i*)	(*ii*)	(*iii*)	(*iv*)
A.	(*a*)	(*b*)	(*d*)	(*c*)
B.	(*c*)	(*a*)	(*b*)	(*d*)
C.	(*d*)	(*a*)	(*c*)	(*b*)
D.	(*b*)	(*c*)	(*a*)	(*d*)

83. 'अजेय खण्डहर' काव्य संग्रह है–

A. रांगेय राघव B. नागार्जुन

C. रामविलास शर्मा D. माखनलाल चतुर्वेदी

84. 'चित्राधर' किसका पहला काव्य संग्रह है?

A. जयशंकर प्रसाद B. सुदर्शन

C. कमलेश D. मुक्तिबोध

85. 'नई कविता' नाम का प्रचार किया–

A. कमलेश ने B. डॉ॰ जगदीश गुप्त ने

C. हरिनारायण विद्रोही ने D. अज्ञेय ने

86. 'नई कविता' पत्रिका का संपादन वर्ष है–

A. 1952 ई॰ B. 1953 ई॰

C. 1954 ई॰ D. 1955 ई॰

87. नकेनवादी परम्परा के प्रतिनिधि कवि हैं–

A. नलिन विलोचन शर्मा B. केसरी कुमार

C. नरेश मेहता D. उपर्युक्त सभी

88. प्रतीकवाद की स्थापना कहाँ हुई?

A. इटली B. फ्रांस

C. जर्मनी D. यूनान

89. बिम्बवाद की स्थापना हुई–

A. इंग्लैंड B. यूनान

C. जर्मनी D. फ्रांस

90. दादावाद के विकसित रूप को कहते हैं–

A. प्रयोगवाद B. यथार्थवाद

C. अतियथार्थवाद D. आदर्शवाद

91. 'भग्नदूत' किसका काव्य संग्रह है?

A. मुक्तिबोध B. अज्ञेय

C. माखन लाल चतुर्वेदी D. कमलेश

92. 'मंजीर' काव्य संग्रह के रचयिता हैं–

A. प्रयाग नारायण त्रिपाठी B. दिनकर

C. गिरिजा कुमार माथुर D. रामस्वरूप चतुर्वेदी

93. 'सात गीत वर्ष' किसका काव्य संग्रह है?

A. गिरिजा कुमार माथुर B. नलिन विलोचन

C. लक्ष्मीकांत वर्मा D. धर्मवीर भारती

94. 'जागते रहो' किसका काव्य-संग्रह है?

A. गिरिजा कुमार माथुर B. केदारनाथ अग्रवाल

C. भारतभूषण अग्रवाल D. दिनकर

95. नीचे कवि और उसके काव्य संग्रह को सुमेलित करें।

कवि	काव्य संग्रह
(*i*) शमशेर	(*a*) मेपल
(*ii*) डॉ॰ रघुवीर सहाय	(*b*) कुछ कविताएँ, कुछ और कविताएँ
(*iii*) दुष्यंत कुमार	(*c*) लोग भूल गए हैं
(*iv*) प्रभाकर माचवे	(*d*) सूर्य का स्वागत

	(*i*)	(*ii*)	(*iii*)	(*iv*)
A.	(*a*)	(*b*)	(*d*)	(*c*)
B.	(*b*)	(*c*)	(*a*)	(*d*)
C.	(*d*)	(*b*)	(*c*)	(*a*)
D.	(*b*)	(*c*)	(*d*)	(*a*)

96. 'चन्द्रगुप्त' नाटक के रचनाकार हैं–

A. बालकृष्ण शर्मा B. श्याम प्रसाद

C. नटवर लाल सनेही D. जयशंकर प्रसाद

97. 'संशय की एक रात' के रचनाकार हैं–

A. नवीन B. नरेश मेहता

C. दिनकर D. मुक्तिबोध

98. 'उन्मुक्त' प्रबन्ध काव्य के रचयिता हैं–

A. बालकृष्ण शर्मा 'नवीन' B. केदारनाथ मिश्र

C. सियाराम शरण गुप्त D. उदयशंकर भट्ट

99. नीचे रचनाकार और रचनाओं को सुमेलित करें–

रचनाकार	रचना
(*i*) नागार्जुन	(*a*) सुवर्णा
(*ii*) नरेन्द्र शर्मा	(*b*) भस्मांकुर
(*iii*) परमानंद	(*c*) उत्तरायण
(*iv*) रामकुमार वर्मा	(*d*) निष्कासिका

	(*i*)	(*ii*)	(*iii*)	(*iv*)
A.	(*b*)	(*a*)	(*c*)	(*d*)
B.	(*b*)	(*a*)	(*d*)	(*c*)
C.	(*a*)	(*d*)	(*c*)	(*b*)
D.	(*c*)	(*a*)	(*d*)	(*b*)

100. नीचे दिए रचनाकार और रचनाओं को सुमेलित करें–

रचनाकार	रचना
(*i*) कृष्णा सोबती	(*a*) मित्रो मरजानी
(*ii*) उषा प्रियंवदा	(*b*) पचपन खम्भे लाल दीवारें
(*iii*) मन्नु भण्डारी	(*c*) आपका बंटी
(*iv*) ममता कालिया	(*d*) नरक दर नरक

	(*i*)	(*ii*)	(*iii*)	(*iv*)
A.	(*a*)	(*b*)	(*c*)	(*d*)
B.	(*b*)	(*a*)	(*d*)	(*c*)
C.	(*a*)	(*d*)	(*c*)	(*b*)
D.	(*c*)	(*a*)	(*d*)	(*b*)

101. नीचे दिए गए रचनाकार और रचनाओं को सुमेलित करें–

रचनाकार	रचना
(*i*) भवानी प्रसाद मिश्र	(*a*) कालजयी
(*ii*) पंत	(*b*) पुरुषोत्तम राम
(*iii*) नरेंद्र शर्मा	(*c*) द्रौपदी
(*iv*) केदार नाथ मिश्र	(*d*) ऋतंवरा

	(*i*)	(*ii*)	(*iii*)	(*iv*)
A.	(*a*)	(*d*)	(*c*)	(*b*)
B.	(*a*)	(*b*)	(*d*)	(*c*)
C.	(*c*)	(*a*)	(*d*)	(*b*)
D.	(*a*)	(*b*)	(*c*)	(*d*)

102. 'हीरामन हाइस्कूल' के रचनाकार हैं–

A. मंजुल भगत　B. कमल कुमार
C. कुसुम कुमार　D. प्रभा खेतान

103. नीचे रचनाकारों और रचनाओं को सुमेलित करें?

रचनाकार	रचना
(*i*) बालकृष्ण शर्मा नवीन	(*a*) कालजयी (प्रबंध काव्य)
(*ii*) भवानी प्रसाद मिश्र	(*b*) प्राण अपर्ण
(*iii*) उपेन्द्रनाथ 'अश्क'	(*c*) सुनंदा (प्रबंध काव्य)
(*iv*) सियाराम शरण गुप्त	(*d*) चांदनी रात

	(*i*)	(*ii*)	(*iii*)	(*iv*)
A.	(*a*)	(*b*)	(*d*)	(*c*)
B.	(*b*)	(*a*)	(*d*)	(*c*)
C.	(*c*)	(*a*)	(*d*)	(*b*)
D.	(*d*)	(*b*)	(*a*)	(*c*)

104. 'नई कविता' के प्रमुख कवि हैं–

A. दिनकर　B. प्रसाद
C. निराला　D. अज्ञेय

105. नवगीत के प्रवर्तन का श्रेय किसे है?

A. राजेन्द्र प्रसाद सिंह　B. अज्ञेय
C. डॉ॰ देवराज　D. शमशेर

106. केन्द्रीय हिंदी संस्थान का मुख्यालय है–

A. कोलकाता में　B. इलाहाबाद में
C. आगरा में　D. मेरठ में

107. रंगायन संस्था स्थित है–

A. मैसूर में　B. कोलकाता में
C. दिल्ली में　D. हैदराबाद में

108. 'नागरीप्रचारिणी सभा' का प्रधान कार्यालय अवस्थित है–

A. दिल्ली　B. हरिद्वार
C. लखनऊ　D. बनारस

109. नवगीत परम्परा में सर्वाधिक प्रसिद्धि किसे मिली?

A. राजेन्द्र प्रसाद सिंह
B. अज्ञेय
C. नीरज
D. इनमें से कोई नहीं

110. नीचे दिए गए कवि और उनके काव्य संग्रह को सुमेलित करें।

कवि	काव्य संग्रह
(*i*) नीरज	(*a*) संघर्ष
(*ii*) रवीन्द्र भ्रमर	(*b*) सोन मछरी मन बसो
(*iii*) राजेन्द्र प्रसाद सिंह	(*c*) मिट्टी बोलती है
(*iv*) रमेश रंजक	(*d*) संजीवनी कहाँ

	(*i*)	(*ii*)	(*iii*)	(*iv*)
A.	(*a*)	(*b*)	(*c*)	(*d*)
B.	(*a*)	(*d*)	(*b*)	(*c*)
C.	(*b*)	(*c*)	(*a*)	(*d*)
D.	(*a*)	(*b*)	(*d*)	(*c*)

111. नीचे दिए गए कवि और उनकी रचनाओं को सुमेलित करें–

कवि	रचना
(*i*) रामदरश मिश्र	(*a*) मेंहदी और महावर
(*ii*) जगदीश श्रीवास्तव	(*b*) वंशी और मादल
(*iii*) ठाकुर प्रसाद सिंह	(*c*) कंधे पर सूरज
(*iv*) उमाकांत मालवीय	(*d*) तारीखें

	(*i*)	(*ii*)	(*iii*)	(*iv*)
A.	(*c*)	(*b*)	(*a*)	(*d*)
B.	(*a*)	(*b*)	(*d*)	(*c*)
C.	(*c*)	(*d*)	(*b*)	(*a*)
D.	(*d*)	(*b*)	(*a*)	(*c*)

112. ब्राह्मण–मासिक पत्रिका का प्रकाशन किसने किया?

A. भारतेंदु　B. राजा रामपाल सिंह
C. प्रताप नारायण मिश्र　D. प्रकाश कुमार उपाध्याय

113. बालकृष्ण भट्ट ने किस पत्रिका का सम्पादन किया?

A. सरस्वती　B. भारत बंधु
C. हिंदी प्रदीप　D. इंदु

114. जगदीश चतुर्वेदी किस विधा से संबंधित हैं?

A. प्रगतिवाद　B. प्रयोगवाद
C. नई कविता　D. अकविता

115. राजकमल चौधरी किस विधा से संबंधित हैं–

A. नई कविता　B. अकविता
C. छायावाद　D. प्रगतिवाद

116. 'नयी कविता' का नामकरण किसने किया?

A. रामस्वरूप चतुर्वेदी　B. अज्ञेय
C. मुक्तिबोध　D. रामविलाश शर्मा

117. 'चिंता' और 'पूर्वा' किसकी कविताएँ हैं–

A. प्रसाद　B. अज्ञेय
C. निराला　D. मुक्तिबोध

118. 'बंगदूत' पत्रिका का सम्बन्ध है?

A. तोताराम　B. रूद्र दत्त
C. स्वामी विवेकानंद　D. राजा राममोहन राय

119. वातायन पत्रिका का सम्पादन कौन करता था?

A. जगदीश चतुर्वेदी　B. इंद्रनाथ मदान
C. शलभ श्री राम सिंह　D. हरीश मादानी

120. 'समकालीन कविता' साहित्य-आन्दोलन से सम्बन्धित है–
A. मुक्तिबोध B. त्रिलोचन
C. शमशेर D. उपर्युक्त सभी

121. वीरेंद्र कुमार जैन किस पत्रिका का प्रकाशन करते थे?
A. भारती B. आर्य दर्पण
C. नया प्रतीक D. सैनिक

122. सहज कविता आंदोलन के प्रवर्तक हैं–
A. रवीन्द्र भ्रमर B. परमानंद श्रीवास्तव
C. रामदरश मिश्र D. विश्वनाथ त्रिपाठी

123. इसमें कौन-सा रीति ग्रंथ है?
A. चुभते चौपदे B. चोखे चौपदे
C. रस कलश D. बोलचाल

124. 'त्रिशूल' उपनाम से काव्य रचना किया करते थे?
A. गया प्रसाद शुक्ल B. रामचरित उपाध्याय
C. रायदेवी प्रसाद 'पूर्ण' D. सैयद अमीर अली 'मीर'

125. मैथिलीशरण गुप्त की प्रथम रचना का नाम बतावें–
A. झंकोर B. पंचवटी
C. रंग में भंग D. वृत्त-संहार

126. किस आलोचक की आलोचना दृष्टि रसवादी, नीतिवादी और लोकमंगलवादी मानी गई है?
A. महावीर प्रसाद द्विवेदी B. हजारी प्रसाद द्विवेदी
C. आचार्य रामचन्द्र शुक्ल D. नामवर सिंह

127. 'प्रिय-प्रवास' की विशेषता नहीं है–
A. संस्कृत के वर्ण वृत्त B. कोमलकांत पदावली
C. खंडकाव्य D. भाव व्यंजनात्मय

128. 'नागरी तेरी यह दशा' कविता के रचयिता हैं–
A. अयोध्या सिंह उपाध्याय B. भारतेन्दु हरिश्चंद्र
C. अम्बिका दत्त व्यास D. महावीर प्रसाद द्विवेदी

129. महावीर प्रसाद द्विवेदी मूलतः किससे प्रभावित थे?
A. कीट्स B. वर्डस्वर्थ
C. शैली D. क्रोचे

130. मैथिलीशरण गुप्त के साहित्यिक गुरू माने जाते हैं–
A. महावीर प्रसाद द्विवेदी B. हजारी प्रसाद द्विवेदी
C. दिनकर D. वर्डसबर्थ

131. द्विवेदी-युग में समस्या पूर्ति का केन्द्र था–
A. बनारस B. कानपुर
C. इलाहाबाद D. मेरठ

132. मैथिलीशरण गुप्त के काव्य की विशेषता नहीं है–
A. इतिवृत्तात्मकता B. मात्रिक छन्द
C. संस्कृत वृत्तों का प्रयोग D. खड़ी बोली का प्रयोग

133. कुणाल-गीत के रचयिता का नाम बतावें।
A. माखनलाल चतुर्वेदी B. मैथिलीशरण गुप्त
C. मुक्तिबोध D. दिनकर

134. 'उर्वशी' महाकाव्य के रचयिता हैं–
A. बालकृष्ण शर्मा B. दिनकर
C. रामनरेश त्रिपाठी D. विश्वनाथ त्रिपाठी

135. बालकृष्ण शर्मा नवीन की रचना नहीं है–
A. हल्दी घाटी B. क्वासि
C. अपलक D. उर्मिला

136. जयद्रथ वध का प्रकाशन वर्ष बतावें–
A. 1905 B. 1910
C. 1912 D. 1913

137. मैथिलीशरण गुप्त की रचना नहीं है–
A. पंचवटी B. विष्णुप्रिया
C. करूणा कादम्बिनी D. वृत-संहार

138. 'प्रथम रश्मि का आना' कविता पंत के किस संग्रह से है–
A. वीणा B. पल्लव
C. ग्रन्थि D. इनमे से कोई नहीं

139. रवीन्द्र नाथ टैगोर-कृत गीतांजलि को नोबेल पुरस्कार कब मिला?
A. 1903 ई॰ B. 1907 ई॰
C. 1909 ई॰ D. 1913 ई॰

140. 'राम की शक्ति पूजा' पर किसका प्रभाव है?
A. बांग्ला रामायण B. वाल्मीकी रामायण
C. रामचरित मानस D. रामचन्द्रिका

141. सरोज स्मृति का रचना वर्ष क्या है?
A. 1935 B. 1936
C. 1937 D. 1934

142. 'पंत' का आरम्भिक काव्य-ग्रंथ है–
A. ग्रंथि B. गुंजन
C. उच्छ्वास D. वीणा

143. 'हिमतरंगिनी' के रचयिता हैं–
A. दिनकर B. माखनलाल चतुर्वेदी
C. रामनरेश त्रिपाठी D. सियाराम शरण गुप्त

144. कौन 'कवि सम्राट' की उपाधि से विभूषित हुआ?
A. माखनलाल चतुर्वेदी B. मैथिलीशरण गुप्त
C. दिनकर D. हरिऔध

145. नीहार काव्य संग्रह के रचयिता हैं–
A. सुमित्रानंदन पंत B. महादेवी वर्मा
C. रामचरित उपाध्याय D. श्रीकांत वर्मा

146. सुमित्रानंदन पंत को ज्ञानपीठ पुरस्कार प्राप्त हुआ–
A. कला और बूढ़ा चाँद B. चिदम्बरा
C. पल्लव D. युगांत

147. 'मधुकण' कृति के रचयिता हैं–
A. भगवतीचरण वर्मा B. रामकुमार वर्मा
C. महादेवी वर्मा D. दिनकर

148. 'बादल-राग' कविता के कवि हैं–
A. नागार्जुन B. निराला
C. पंत D. केदारनाथ अग्रवाल

149. 'मांझी न बजाओ वंशी' कविता किस कवि की है?
A. केदारनाथ अग्रवाल B. रामविलास शर्मा
C. शिवमंगलसिंह सुमन D. त्रिलोचन शास्त्री

150. 'वैद्यनाथ मिश्र' किस कवि का उपनाम है?
A. रांगेय राधव B. सर्वेश्वर दयाल सक्सेना
C. नागार्जुन D. केदारनाथ सिंह

151. 'यात्री' नाम से नागार्जुन किस भाषा में कविता लिखते थे?
A. खड़ी बोली B. मैथिली
C. उर्दू D. ब्रजभाषा

152. दूसरा तार-सप्तक के कवि नहीं हैं–
A. हरिनारायण व्यास B. शमशेर बहादुर सिंह
C. भवानी प्रसाद मिश्र D. अज्ञेय

153. प्रथम तार-सप्तक के कवि नहीं है–
A. शकुंतला माथुर B. मुक्तिबोध
C. रामविलास शर्मा D. प्रभाकर माचवे

154. पृथ्वी-कल्प काव्य-नाटक के रचयिता हैं–
A. शमशेर बहादुर सिंह B. गिरिजा कुमार माथुर
C. भारतभूषण अग्रवाल D. प्रभाकर माचवे

155. जापानी लोक कथा पर आधारित कविता है–
A. शब्द B. असाध्य वीणा
C. अँधेरे में D. ब्रह्मराक्षस

156. 'अमन का राग' कविता के रचनाकार हैं–
A. भारतभूषण अग्रवाल B. शमशेर
C. जगदीश गुप्त D. बालकृष्ण भट्ट

157. फैंटेसी शिल्प पर आधारित रचनाकार का नाम बतावें।
A. भवानी प्रसाद मिश्र B. मुक्तिबोध
C. शमशेर बहादुर सिंह D. गिरिजा कुमार माथुर

158. 'कनुप्रिया' कृति का काव्य-रूप है–
A. प्रबंध B. मुक्तक
C. खंड काव्य D. गीतिनाट्य

159. 'नई कविता' पत्रिका का प्रकाशन स्थल है–
A. काशी B. प्रयाग
C. कोलकाता D. कानपुर

160. 'अमन का राग' कविता का काव्य-रूप है–
A. प्रगीत B. गीत
C. काव्य-नाटक D. लंबी कविता

161. 'कल्पना और छायावाद' आलोचना ग्रन्थ के रचनाकार हैं–
A. कुँवर नारायण B. लक्ष्मीकांत वर्मा
C. केदारनाथ सिंह D. केदारनाथ अग्रवाल

162. 'आत्मजयी' कृति का प्रकाशन वर्ष है–
A. 1955 B. 1958
C. 1961 D. 1965

163. 'माया-दर्पण' कविता के रचयिता हैं–
A. श्री राम वर्मा B. दुष्यन्त कुमार
C. निर्मल वर्मा D. दूधनाथ सिंह

164. निम्न में से कौन 'अभ्युदय' के सम्पादक थे–
A. प्रेमचंद B. मदनमोहन मालवीय
C. बनारसीदास चतुर्वेदी D. महादेवी वर्मा

165. 'मधुस्त्रोत' के रचयिता हैं–
A. जगदीश गुप्त B. बच्चन
C. रामचन्द्र शुक्ल D. केदारनाथ सिंह

166. 'शंख-ध्वनि' के रचयिता हैं–
A. पंत B. भवानी प्रसाद मिश्र
C. केदारनाथ अग्रवाल D. भारतभूषण अग्रवाल

167. 'इति' के रचयिता हैं–
A. दिनेश नंदिनी डालमिया B. त्रिलोचन
C. अज्ञेय D. नरेश मेहता

168. 'साहित्य और संस्कृति' के रचनाकार हैं–
A. देवराज B. दिनेश नंदिनी डालमिया
C. त्रिलोचन D. नरेश मेहता

169. 'जलते हुए वन का वसंत' के रचयिता हैं–
A. देवराज B. दुष्यंत कुमार
C. जगूड़ी D. धूमिल

170. तीसरा अँधेरा के रचयिता हैं–
A. धूमिल B. अशोक वाजपेयी
C. कैलाश वाजपेयी D. दुष्यंत कुमार

171. 'मिट्टी की बारात' किसकी रचना है?
A. शिवमंगल सिंह सुमन B. दिनेश कुमार शुक्ल
C. नागार्जुन D. दिनकर

172. 'बायीं हथेली का दर्द' के रचनाकार हैं–
A. उदय प्रकाश B. राजेश जोशी
C. वीरेन्द्र कुमार जैन D. भवानी प्रसाद मिश्र

173. 'गीत हंस' के रचयिता–
A. रमेशचन्द्र शाह B. पंत
C. आलोक धन्वा D. बौधिसत्व

174. 'कछुए की पीठ पर' के रचयिता हैं–
A. प्रभाकर माचवे B. रमेशचन्द्र शाह
C. शकुन्तला माथुर D. मंगलेश डबराल

175. 'खुशबू के शिलालेख' के रचयिता हैं–
A. सर्वेश्वर B. शमशेर
C. भवानी प्रसाद मिश्र D. भारतभूषण अग्रवाल

176. 'गन्धवीथी' के रचयिता हैं–
A. पंत B. जगुड़ी
C. शमशेर D. धूमिल

177. 'जाल समेटा' के रचयिता हैं–
A. पंत B. भवानी प्रसाद मिश्र
C. केदारनाथ अग्रवाल D. बच्चन

178. 'युग्म' के रचयिता हैं–
A. पंत B. जगदीश गुप्त
C. जगदीश चतुर्वेदी D. रघुवीर सहाय

179. 'व्यक्तिगत' के रचयिता हैं–
A. भवानी प्रसाद मिश्र B. शमशेर
C. सर्वेश्वर D. धर्मवीर भारती

180. 'तालाब की मछलियाँ' के रचनाकार हैं–
A. केदारनाथ सिंह B. नागार्जुन
C. दुष्यंत कुमार D. अज्ञेय

181. 'दीवारों पर खून से' के रचनाकार हैं–
A. मंगलेश डबराल B. वल्लभ डोभाल
C. चंद्रकात देवताले D. बलदेव जोशी

182. 'महा प्रस्थान' के रचनाकार हैं–
A. रघुवीर सहाय B. प्रयाग शुक्ल
C. नरेश मेहता D. कैलाश वाजपेयी

183. 'अग्निलीक' के रचयिता हैं–
A. भवानी प्रसाद मिश्र B. केदारनाथ अग्रवाल
C. भारतभूषण अग्रवाल D. बच्चन

184. 'जंगल का दर्द' के रचयिता हैं–
A. सर्वेश्वर B. शमशेर
C. रघुवीर सहाय D. धर्मवीर भारती

185. 'प्रवाद पर्व' के रचयिता हैं–
A. नरेश मेहता B. पंत
C. भवानी प्रसाद मिश्र D. केदारनाथ अग्रवाल

186. 'बची हुई पृथ्वी' के रचयिता हैं–
A. जगूड़ी B. धूमिल
C. सर्वेश्वर D. लक्ष्मीकांत वर्मा

187. 'पानी की पुकार' के रचनाकार हैं–
A. रामदरश मिश्र B. गोविन्द मिश्र
C. मंजुश्री गुप्ता D. बच्चन

188. 'आमने-सामने' के रचयिता हैं–
A. इब्बार रब्बी B. गिरधर लाठी
C. कुंवर नारायण D. भवानी प्रसाद मिश्र

189. 'सामना होने पर' के रचयिता हैं–
A. गिरधर लाठी B. सोमदत्त
C. नरेन्द्र मोहन D. जगूड़ी

190. 'आदिम एकान्त' के रचनाकार हैं–
A. जगदीश गुप्त B. शमशेर
C. बच्चन D. नागार्जुन

191. 'उदिता' के रचयिता हैं–
A. त्रिलोचन B. सर्वेश्वर
C. शमशेर D. केदारनाथ सिंह

192. 'जमीन पक रही है' के रचयिता हैं–
A. रामदरश मिश्र B. केदारनाथ सिंह
C. वेणु गोपाल D. नागार्जुन

193. 'जिप्सी लड़की' के रचयिता हैं–
A. सोमदत्त B. राजेश जोशी
C. सुमन राजे D. अवधेश कुमार

194. 'मंटो मेरा दुश्मन' के रचनाकार हैं–
A. हरिनारायण व्यास B. उपेन्द्रनाथ 'अश्क'
C. मदन वात्स्यायन D. प्रयाग शुक्ल

195. 'सच्ची समालोचना' के रचनाकार हैं–
A. बालकृष्ण भट्ट B. प्रताप नारायण मिश्र
C. लाला श्रीनिवास D. आचार्य महावीर प्रसाद द्विवेदी

196. 'सुनो कारीगर' के रचनाकार हैं–
A. उदय प्रकाश B. प्रयाग शुक्ल
C. गिरधर राठी D. सोमदत्त

197. 'भोलाराम का जीव' कहानी के कहानीकार हैं–
A. हरिशंकर परसाई B. कृष्णा सोबती
C. मन्नु भण्डारी D. नासिरा शर्मा

198. 'अपूर्वा' के रचयिता हैं–
A. अज्ञेय B. केदारनाथ अग्रवाल
C. भवानी प्रसाद मिश्र D. अरूण कमल

199. 'हजार-हजार बाहों वाली' के रचयिता हैं–
A. नागार्जुन B. लक्ष्मीकांत वर्मा
C. जगदीश गुप्त D. केदारनाथ सिंह

200. 'मगध' के रचयिता हैं–
A. कैलाश वाजपेयी B. अशोक वाजपेयी
C. श्रीकांत वर्मा D. नरेश मेहता

201. 'पहाड़ पर लालटेन' के रचयिता हैं–
A. मंगलेश डबराल B. इब्बार रबी
C. चंद्रकांत देवताले D. विनोद कुमार शुक्ल

202. 'फूल नहीं रंग बोलते हैं' के रचयिता हैं–
A. केदारनाथ अग्रवाल B. त्रिलोचन
C. शमशेर D. सर्वेश्वर

203. 'कटौती' के रचयिता हैं–
A. मदन वात्स्यायन B. कीर्ति चौधरी
C. सुमन राजे D. निलय उपाध्याय

204. 'मगर एक आवाज' के रचनाकार हैं–
A. जगूड़ी B. लीलाधर मंडलोई
C. विनोद कुमार शुक्ल D. मंगलेश डबराल

205. 'हम जो नदियों का संगम है' के रचयिता हैं–
A. गीतांजलि श्री B. नमिता सिंह
C. अनामिका D. बोधिसत्व

206. 'घर का रास्ता' के रचयिता हैं–
A. मंगलेश डबराल B. इब्बार रबी
C. अरूण कमल D. प्रयाग शुक्ल

207. 'कोई दूसरा नहीं' के रचनाकार का नाम है–
A. अशोक वाजपेयी B. कुंवर नारायण
C. अरूण कमल D. विनोद कुमार शुक्ल

208. 'मैं वक्त के हूँ सामने' के रचयिता हैं–
A. विनोद कुमार शुक्ल B. सर्वेश्वर
C. शमशेर D. गिरिजाकुमार माथुर

209. 'खूँटियों पर टंगे लोग' के रचयिता हैं–
A. रघुवीर सहाय B. शमशेर
C. सर्वेश्वर दयाल सक्सेना D. धर्मवीर भारती

210. 'आग का आइना' के रचयिता हैं–
A. भवानी प्रसाद मिश्र B. केदारनाथ अग्रवाल
C. भारतभूषण अग्रवाल D. केदार नाथ सिंह

211. 'परीक्षा गुरु' उपन्यास का नायक है–
A. ब्रजकिशोर B. मदनमोहन
C. चुन्नीलाल D. शम्भूदयाल

212. 'नूतन ब्रह्मचारी' उपन्यास के लेखक हैं–
A. बालकृष्ण भट्ट B. प्रेमधन
C. प्रताप नारायण मिश्र D. श्रीनिवास दास

213. 'कंकाल' उपन्यास की कथावस्तु है–
A. सामाजिक B. ऐतिहासिक
C. बौद्धकालीन D. सांस्कृतिक

214. बौद्धकालीन परिदृश्य पर आधारित उपन्यास है–
A. कंकाल B. इरावती
C. तितली D. चित्रलेखा

215. हिंदी के प्रथम नाटक के रूप में मान्यता प्राप्त 'आनन्द रघुनन्दन' के रचयिता है–
A. प्रताप नारायण मिश्र B. बदरीनारायण चौधरी 'प्रेमधन'
C. माधव प्रसाद मिश्र D. लाला श्रीनिवासदास

216. निम्न में कौन प्राकृतवादी उपन्यासकार नहीं है–
A. चतुरसेन शास्त्री B. पांडेय बेचन शर्मा 'उग्र'
C. ऋषभचरण जैन D. अमृतलाल नागर

217. प्राकृतवादी उपन्यासों के जनक माने जाते हैं–
A. जोला B. चतुरसेन शास्त्री
C. उपेन्द्रनाथ 'अश्क' D. ऋषभचरण जैन

218. 'शहर में घूमता आईना' उपन्यास के रचयिता हैं–
A. अमृतलाल नागर B. चतुरसेन शास्त्री
C. बेचन शर्मा 'उग्र' D. उपेन्द्रनाथ 'अश्क'

219. 'मुक्तिबोध' उपन्यास के रचयिता हैं–
A. लक्ष्मीनारायण लाल B. जैनेन्द्र
C. रामेश्वर शुक्ल अंचल D. मुक्तिबोध

220. जैनेन्द्र का अन्तिम उपन्यास है–
A. अनाम स्वामी B. दर्शाक
C. जयवर्धन D. मुक्तिबोध

221. गाँधी जी के दक्षिण अफ्रीकी जीवन पर आधारित उपन्यास है–
A. अढ़ाई घर
B. पहला गिरमिटिया
C. दीवार में एक खिड़की रहती थी
D. कालिकथा : वाया बाइपास

222. 'आलोक पूर्व' रचना की विधा है–
A. उपन्यास B. कहानी
C. संस्मरण D. निबंध

223. नागार्जुन का पहला उपन्यास है–
A. नई पौध B. रतिनाथ की चाची
C. कुम्भीपाक D. इमरतिया

224. राही मासूम रजा का उपन्यास नहीं है–
A. आधा गाँव B. जाग मछंदर गोरख आया
C. दिल एक सादा कागज D. असंतोष के दिन

225. हरिजनों के उत्पीड़न की कथा पर आधारित उपन्यास है–
A. कटरा बी आरजू B. धरती धन न अपना
C. सात घूँघट वाला मुखड़ा D. मुर्दो का टीला

226. नरेश मेहता का उपन्यास नहीं है–
A. डूबते मस्तूल B. प्रथम फाल्गुन
C. उत्तर कथा D. अन्तराल

227. आधुनिकता बोध का आशय है–
(*a*) अकेलेपन का बोध
(*b*) विजातीयता की अनुभूति
(*c*) उदासी, तनाव तथा जीव की निरर्थकता
(*d*) महायुद्ध का संत्रास
A. केवल (*a*) B. केवल (*a*), (*b*)
C. केवल (*b*), (*c*), (*d*) D. सभी (*a*), (*b*), (*c*), (*d*)

228. उषा प्रियंवदा के उपन्यास 'पचपन खम्भे लाल दीवारें' की नायिका है–
A. राधिका B. नमिता
C. अनु D. सुषमा

229. द्वितीय महायुद्ध के बाद की स्थिति पर केन्द्रित उपन्यास है–
A. वे दिन B. रात का रिपोर्टर
C. लाल टीन की छत D. एक चिथड़ा सुख

230. 'स्मृतिलेखा' के रचयिता हैं–
A. प्रेमचन्द B. जैनेन्द्र
C. अज्ञेय D. शरतचन्द्र

231. 'मृगनयनी' उपन्यास के रचयिता हैं–
A. वृंदावनलाल वर्मा B. भगवती चरण वर्मा
C. निर्मल वर्मा D. रांगेय राघव

232. गाँधी-इरविन समझौते से संबंधित उपन्यास है–
A. कायाकल्प B. कर्मभूमि
C. रंगभूमि D. गबन

233. 'चितकोबरा' उपन्यास की लेखिका हैं–
A. मन्नू भण्डारी B. कृष्णा सोबती
C. मृदुला गर्ग D. मंजुल भगत

234. 'डूब' उपन्यास का संबंध है–
A. विनोद कुमार शुक्ल से B. वीरेन्द्र जैन से
C. मैत्रेयी पुष्पा से D. कमलेश्वर से

235. 'अन्तराल' उपन्यास के लेखक हैं–
A. गिरिराज किशोर B. मणि मधुकर
C. मोहन राकेश D. महेन्द्र भल्ला

236. नागार्जुन का उपन्यास नहीं है–
A. कुम्भीपाक B. नदी बहती थी
C. गरीबदास D. मर्यादा पुरूषोत्तम

237. अमृतलाल-नागर का उपन्यास नहीं है–
A. एक इंच मुस्कान B. उग्रतारा
C. बिखरे तिनके D. नाच्यो बहुत गोपाल

238. मृदुला गर्ग का उपन्यास नहीं है–
A. कठगुलाब B. वंशज
C. जुलूस D. चितकोबरा

239. 'एक चूहे की मौत' के रचयिता हैं–
A. रामदरश मिश्र B. राही मासूम रजा
C. बदी उज्जमां D. संजीव

240. 'सफेद मेमने' उपन्यास लिखा है–
A. मणि मधुकर B. गिरिराज किशोर
C. जगदीश चन्द्र D. अखिलेश

241. 'कटा हुआ आसमान' के उपन्यासकार हैं–
A. जगदंबा प्रसाद दीक्षित B. राही मासूम रजा
C. नागार्जुन D. मोहन राकेश

242. 'समर शेष है' के रचयिता हैं–
A. भीष्म साहनी B. अब्दुल बिस्मिल्लाह
C. राजेन्द्र यादव D. कमलेश्वर

243. 'प्रेम एक अपवित्र नदी' के रचनाकार हैं–
A. अमृतलाल नागर B. लक्ष्मीनारायण लाल
C. अखिलेश D. नागार्जुन

244. 'बीस रानियों के बाइस्कोप' के रचयिता हैं–
A. नागार्जुन B. शिवानी
C. रांगेय राधव D. राजकमल चौधरी

245. 'सूरजमुखी अँधेरे के' उपन्यास के रचयिता हैं–
A. कृष्णा सोबती B. शिवानी
C. ममता कालिया D. महेन्द्र भल्ला

246. 'तमस' उपन्यास लिखा है–
A. भीष्म साहनी B. राजेन्द्र यादव
C. कृष्णा सोबती D. उदय प्रकाश

247. 'पुनर्नवा' उपन्यास के लेखक हैं–
A. कृष्णा सोबती B. भीष्म साहनी
C. अमृतलाल नागर D. हजारी प्रसाद द्विवेदी

248. 'सीमाएँ टूटती हैं' उपन्यास लिखा है–
A. श्रीलाल शुक्ल B. गिरिराज किशोर
C. शिवप्रसाद सिंह D. निर्मल वर्मा

249. 'काली आँधी' के रचयिता हैं–
A. मोहन राकेश B. कमलेश्वर
C. शिवप्रसाद सिंह D. काशीनाथ सिंह

250. 'भुर्दाघर' उपन्यास के रचनाकार हैं–
A. जगदम्बा प्रसाद दीक्षित B. गोविन्द मिश्र
C. महीप सिंह D. बदी उज्जमां

251. 'लाल टीन की छत' उपन्यास लिखा है–
A. जैनेन्द्र कुमार B. निर्मल वर्मा
C. अमृतलाल नागर D. मोहन राकेश

252. 'नरक-दर-नरक' उपन्यास लिखा है–
A. रवीन्द्र कालिया B. ममता कालिया
C. बदी उज्जमां D. मृदुला गर्ग

253. 'मुठ्ठी भर कांकर' के रचनाकार हैं–
A. गोविन्द मिश्र B. जगदीश चन्द्र माथुर
C. रांगेय राघव D. वीरेन्द्र जैन

254. 'लाल-पीली जमीन' के रचयिता हैं–
A. उदय प्रकाश B. गोविंद मिश्र
C. रामदरश मिश्र D. शैलेश मटियानी

255. 'तीसरा आदमी' के उपन्यासकार हैं–
A. जैनेन्द्र कुमार B. मोहन राकेश
C. हिमांशु जोशी D. कमलेश्वर

256. 'एक चिथड़ा सुख' उपन्यास के रचयिता हैं–
A. निर्मल वर्मा B. मृणाल पाण्डेय
C. राजेन्द्र यादव D. मन्नु भण्डारी

257. 'कसप' के रचयिता हैं–
A. कृष्ण बलदेव वैद B. मनोहर श्याम जोशी
C. कमलेश्वर D. प्रभाकर माचवे

258. यथार्थवादी लेखन की विशेषता है कि वह–
A. आदर्श का अनुकूल प्रयोग करता है
B. फोटोग्राफिक चित्रण करता है
C. ब्यौरेवार चित्रण नहीं करता
D. कल्पना प्रधान होता है

259. मानवतावादी लेखक की विशेषता यह है कि वह–
A. प्रकृतिवादी लेखक का अनुसरण करता है
B. प्रकृतिवादी लेखक का अनुसरण नहीं करता
C. प्रकृतिवादी लेखक से सद्भाव बनाता है
D. यथार्थवाद का विरोधी होता है

260. प्रेमचंद की कहानी 'कफन' का प्रकाशन वर्ष है–
A. 1933 B. 1934
C. 1935 D. 1936

261. 'आँधी' किस लेखक की कहानी है?
A. भगवती प्रसाद वाजपेयी B. जयशंकर प्रसाद
C. कमलेश्वर D. पाण्डेय बेचन शर्मा 'उग्र'

262. प्रेमचंद को कबीर के बाद हिन्दी का सबसे बड़ा व्यंग्यकार किसने माना है?
A. नंद दुलारे वाजपेयी B. रामविलास शर्मा
C. विजयदेव नारायण साही D. नामवर सिंह

263. जनवादी विचार मंच की स्थापना सन् 1977 ई. में किस विश्वविद्यालय में हुई?
A. दिल्ली विश्वविद्यालय B. काशी हिन्दू विश्वविद्यालय
C. कोलकाता विश्वविद्यालय D. इलाहाबाद विश्वविद्यालय

264. वैराग्य कथा-संग्रह के रचनाकार हैं–
A. अलका सरावगी B. गीतांजलि श्री
C. मैत्रेयी पुष्पा D. वीरेन्द्र जैन

265. 'वारेन हेस्टिंग्ज का सांड' कहानी के लेखक हैं–
A. स्वयं प्रकाश B. उदय प्रकाश
C. काशीनाथ सिंह D. बाल मुकुन्द गुप्त

266. अज्ञेय की कहानियों की विशेषता है–
A. को-संघर्ष B. व्यक्ति का आत्मसंघर्ष
C. पैना व्यंग्य D. अर्थ का असामंजस्य

267. हिन्दी के प्रथम नाटक 'नहुष' का रचना वर्ष है–
A. 1835 B. 1836
C. 1857 D. 1869

268. 'दुःखिनी बाला' नाटक का प्रकाशन वर्ष है–
A. 1876 B. 1880
C. 1882 D. 1886

269. मोहन राकेश का पहला नाटक है–
A. लहरों के राजहंस B. आषाढ़ का एक दिन
C. आधे-अधूरे D. इनमे से कोई नहीं

270. जयशंकर प्रसाद के नाटकों का मंचन करवाया–
A. ब.ब. करंत ने B. प्रतिभा अग्रवाल ने
C. हमीदुल्ला ने D. नवल किशोर ने

271. किशोरी लाल गोस्वामी की कहानी 'इन्दुमति' को किस प्रख्यात आलोचक ने हिंदी की पहली कहानी माना है?
A. डा. रामविलाश शर्मा B. हजारी प्रसाद द्विवेदी
C. आचार्य रामचन्द्र शुक्ल D. नन्द दुलारे वाजपेयी

272. गोपालराम गहमरी कृत 'चीन देश का विवरण' की विधा है–
A. यात्रा-साहित्य B. संस्मरण
C. निबंध D. उपन्यास

273. 'रेल का टिकट' निबंध संग्रह है–
A. धीरेन्द्र वर्मा का B. शान्ति प्रिय द्विवेदी का
C. यशपाल का D. भदन्त आनंद कौसल्यायन का

274. 'साहित्यकार की आस्था तथा अन्य निबंध' नामक निबंध संग्रह संबंधित है–
A. जयशंकर प्रसाद से B. बालकृष्ण भट्ट से
C. महादेवी वर्मा से D. महावीर प्रसाद द्विवेदी से

275. हजारी प्रसाद द्विवेदी की निबंध कला की विशेषता नहीं है–
A. मनुष्य की जय यात्रा
B. समस्या का सांस्कृतिक समाधान
C. लालित्य और आत्मव्यंजना
D. गाँधी और रवीन्द्रनाथ टैगोर का प्रभाव

276. हजारी प्रसाद द्विवेदी का प्रथम निबंध संग्रह है–
A. कल्पलता B. साहित्य सहचर
C. अशोक के फूल D. विचार प्रवाह

277. 'प्रगतिशील साहित्य की समस्याएँ' निबंध संग्रह के लेखक हैं–
A. रामविलास शर्मा B. विजयेन्द्र स्नातक
C. नगेन्द्र D. विद्यानिवास मिश्र

278. आस्था के चरण निबंध संग्रह का प्रकाशन वर्ष है–
A. 1949 B. 1961
C. 1966 D. 1968

279. विद्यानिवास मिश्र का पहला निबंध संग्रह है–
A. कदम्न की फूली डाल B. छितवन की छाँह
C. तमाल के झरोखे से D. गाँव का मन

280. इनमें से कौन सहज कविता के कवि हैं–
A. परमानंद श्रीवास्तव B. उदय प्रकाश
C. प्रभाकर माचवे D. विश्वनाथ त्रिपाठी

281. समकालीन कविता आंदोलन का सूत्रपात किसने किया?
A. विश्वम्भरनाथ उपाध्याय B. वीरेन्द्र कुमार जैन
C. शलभ श्री राम सिंह D. जगदीश चतुर्वेदी

282. 'समकालीन कविता की भूमिका' पुस्तक किसने लिखी है?
A. प्रभाकर माचवे B. विश्वम्भरनाथ उपाध्याय
C. अज्ञेय D. नवल किशोर

283. निम्न में कौन-सी पत्रिका निराला द्वारा संपादित नहीं है?
A. मतवाला B. गंगा पुस्तक माला
C. सुधा D. इनमें से कोई नहीं

284. निम्न में कौन-सा उपन्यास निराला का नहीं है?
A. निष्पक्ष B. नीला चांद
C. चोटी की पकड़ D. काले कारनामे

285. निम्न में निराला के संस्मरण बताएं–
A. बिल्लेसुर बकरीहा B. कुल्ली भाट
C. उपर्युक्त दोनों D. इनमें से कोई नहीं

286. निराला के कहानी संग्रह का नाम है–
(*a*) लिली (*b*) सखी
(*c*) चतुरी चमार (*d*) सुकुल की बीबी
A. केवल (*a*), (*b*) B. केवल (*a*), (*c*), (*d*)
C. केवल (*c*), (*d*) D. सभी (*a*), (*b*), (*c*), (*d*)

287. 'रवीन्द्र कविता कानन' किसकी समीक्षा पुस्तक हैं?
A. नंद दुलारे वाजपेयी B. हजारी प्रसाद द्विवेदी
C. निराला D. अज्ञेय

288. इनमें से कौन बालकृष्ण भट्ट का नाटक नहीं है?
A. कविराज की सभा B. भारत सौभाग्य
C. रेल का विकट खेल D. दमयन्ती स्वयंवर

289. पंत को साहित्य अकादमी पुरस्कार किस कृति पर मिला?
A. कला और बूढ़ा चाँद B. पल्लव
C. वीणा D. गुंजन

290. पंत को सोवियत पुरस्कार मिला–
A. वीणा पर B. उच्छ्वास पर
C. लोकायतन पर D. ग्रन्थि पर

291. महादेवी वर्मा की रचना 'पथ के साथी' किस विद्या के अन्तर्गत आती है–
A. संस्मरण B. रेखाचित्र
C. यात्रा विवरण D. जीवनी

292. 'हार' किसका उपन्यास है?
A. प्रसाद B. निराला
C. पंत D. दिनकर

293. 'ग्यारह वर्ष का समय' कहानी किसकी है?
A. सियाराम शरण गुप्त B. रामचन्द्र शुक्ल
C. सुमित्रा नन्दन पंत D. नवीन

294. विश्व प्रपंच (रिड्ल ऑफ दि यूनीवर्स का अनुवाद) के लेखक हैं–
A. केदारनाथ अग्रवाल B. सुमित्रानन्दन पंत
C. आचार्य रामचंद्र शुक्ल D. भवानी प्रसाद मिश्र

295. 'महावृक्ष के नीचे' किसकी काव्य रचना है?
A. मुक्तिबोध B. पंत
C. अज्ञेय D. दिनकर

296. 'कल्पना' फिल्म के लिए किसने गीत लिखे थे?
A. हरिवंश राय बच्चन B. पंत
C. मैथिलीशरण गुप्त D. माखनलाल चतुर्वेदी

297. 'साहित्यकार' किसके द्वारा संपादित मुख्य पत्र था?
A. प्रसाद B. निराला
C. पंत D. महादेवी वर्मा

298. 'पथ के साथी' हिन्दी की कौन-सी विधा है?
A. उपन्यास B. कहानी
C. संस्मरण D. इनमें से कोई नहीं

299. 'साहित्यकार की आस्था' किसका निबंध संग्रह है?
A. हजारी प्रसाद द्विवेदी B. आचार्य शुक्ल
C. अज्ञेय D. महादेवी वर्मा

300. महादेवी की प्रौढ़तम काव्य रचना कौन है?
A. यामा B. रश्मि
C. सान्ध्यगीत D. दीपशिखा

301. 'कर्फ्यू' के रचयिता हैं–
A. रामकुमार वर्मा B. उदयशंकर भट्ट
C. लक्ष्मीनारायण लाल D. रमेश बक्षी

302. 'अमृत पुत्र' के रचयिता हैं–
A. लक्ष्मीनारायण लाल B. रामकुमार वर्मा
C. सत्यव्रत सिन्हा D. ब्रजमोहन शाह

303. 'बकरी' के रचयिता हैं–
A. सर्वेश्वर B. निर्मल वर्मा
C. ज्ञानदेव अग्निहोत्री D. रमेश बक्षी

304. 'दरिन्दे' के रचयिता हैं–
A. सर्वेश्वर B. हमीदुल्ला
C. मुद्राराक्षस D. रमेश बक्षी

305. 'सत्य हरिशचन्द्र' के रचनाकार हैं–
A. लक्ष्मीनारायण लाल B. रामगोपाल गोयल
C. अज्ञात D. सुरेन्द्र तिवारी

306. 'मैं नीर भरी....' कहाँ की पंक्ति है–
A. नीरजा B. सान्ध्यगीत
C. नीहार D. रश्मि

307. 'अरूणोदय' कविता के लेखक हैं–
A. प्रसाद B. बच्चन
C. दिनकर D. माखनलाल चतुर्वेदी

308. 'पथिक' के काव्य-संग्रह किसका है?
A. महादेवी का B. सियाराम शरण गुप्त
C. रामनरेश त्रिपाठी D. प्रभाकर माचवे

309. 'प्रणमंत्र' खंडकाव्य के रचयिता हैं–
A. जगदीश चतुर्वेदी B. मैथिलीशरण गुप्त
C. शमशेर D. दिनकर

310. इनमें से कौन दिनकर का मुक्तक काव्य संग्रह नहीं है–
A. इतिहास के आंसू B. नील कुसुम
C. उतना वह सूरज है D. धूप-छांह

311. 'सीपी और शंख' के रचयिता हैं–
A. सुरेन्द्र वर्मा B. सर्वेश्वर दयाल सक्सेना
C. त्रिलोचन D. दिनकर

312. आत्मा की आँखें के रचयिता हैं–
A. विष्णु प्रभाकर B. दिनकर
C. नरेश मेहता D. केदारनाथ सिंह

313. 'हुंकार' किसका काव्य संग्रह है?
A. मुक्तिबोध B. धूमिल
C. दिनकर D. श्रीकांत वर्मा

314. इनमें से दिनकर का निबंध-संग्रह कौन नहीं है–
A. अर्द्धनारीश्वर B. वट वृक्ष
C. धर्म, नैतिकता और विज्ञान D. इनमें से कोई नहीं

315. 'कस्मैदे वाय' नामक कविता के रचयिता कौन हैं?
A. दिनकर B. हजारी प्रसाद द्विवेदी
C. भारत भूषण अग्रवाल D. श्रीकांत वर्मा

316. 'भारत' नामक पत्र का सम्पादन किसने किया?
A. निर्मल वर्मा B. केदारनाथ अग्रवाल
C. नरेन्द्र शर्मा D. अज्ञेय

317. निम्न में कौन सी रचना नरेंद्र शर्मा की नहीं है–
A. अरण्य B. प्रवासी के गीत
C. रक्त चंदन D. द्रौपदी

318. 'अंधेरे में' के लेखक हैं–
A. नरेश मेहता B. मुक्ति बोध
C. दिनकर D. सियाराम शरण गुप्त

319. सबसे पुराने साहित्यिक पत्र का नाम है–
A. कर्मवीर B. भारत जीवन
C. आर्य दर्पण D. ब्राह्मण

320. 'भारतेन्दु का साहित्य व्यापक स्तर पर गदर से प्रभावित' उक्ति है–
A. आचार्य शुक्ल B. हजारी प्रसाद द्विवेदी
C. डॉ. रामविलास शर्मा D. डॉ. नगेन्द्र

321. 'भारतेन्दु जी साहित्य के नए युग प्रवर्तक तथा नवजागरण के अग्रदूत हैं'- उक्ति है–
A. आचार्य शुक्ल B. नंद दुलारे वाजपेयी
C. नामवर सिंह D. रामविलास शर्मा

322. भारतेन्दु रचित "स्वर्ग की विचार सभा" साहित्य की विधा है–
A. कविता B. संस्मरण
C. निबंध D. कहानी

323. निम्न में कौन प्रतापनारायण मिश्र का निबंध नहीं है–
A. खुशामद B. भौं
C. कवि और कविता D. नारी

324. 'यमलोक की यात्रा' क्या है?
A. कहानी B. नाटक
C. संस्मरण D. निबंध

325. 'यमलोक की यात्रा' के रचनाकार हैं–
A. बालकृष्ण भट्ट B. प्रतापनारायण मिश्र
C. भारतेन्दु हरिश्चन्द्र D. राधाचरण गोस्वामी

326. निम्न में कौन-सा निबंध बाल कृष्ण भट्ट का नहीं है?
A. बाल विवाह B. आँख
C. देश सेवा महत्व D. इनमें से कोई नहीं

327. इनमें से कौन-सा नाटक भारतेन्दु कृत नहीं है–
A. चंद्रावली B. हठी हमीर
C. अंधेर नगरी D. सती प्रताप

328. निम्न में कौन-सा नाटक प्रतापनारायण मिश्र का नहीं है–
A. प्रेम जोगिनी B. कलि कौतुक रूपक
C. गौ संकट D. भारत दुर्दशा

329. राधाकृष्ण दास रचित नाटक है–
A. महाराणा प्रताप B. दुःखिनी बाला
C. उपर्युक्त दोनों D. इनमें से कोई नहीं

330. 'संयोगिता स्वयंवर' नाटक लिखा है–
A. लाला श्री निवासदास B. राधाकृष्ण दास
C. राधाचरण गोस्वामी D. भारतेंदु

331. इनमें से कौन गोपाल राम गहमरी का नाटक नहीं है–
A. प्रहलाद चरित्र B. बूढ़े मुँह मुँहासे
C. तन-मन-धन D. श्रीदामा अमर सिंह राठौर

332. प्रेमघन के नाटक का नाम है–
A. विषस्य विषमौषधम B. भारत सौभाग्य
C. मयंक मंजरी D. तप्तासंवरण

333. किशोरी लाल गोस्वामी का नाटक है–
A. प्रणियिनी B. चंद्रावली
C. जुआरी-खुआरी D. प्रहलाद चरित्र

334. हिन्दी का पहला दुःखांत नाटक माना जाता है–
A. भारत दुर्दशा B. सती प्रताप
C. दुःखिनी बाला D. तप्ता संवरण

335. 'भाग्यवती' उपन्यास के रचयिता हैं–
A. लाला श्रीनिवास दास B. श्रद्धाराम फुल्लौरी
C. किशोरी लाल गोस्वामी D. गोपाल राम गहमरी

336. 'रहस्य कथा' उपन्यास लिखा है–
A. बालकृष्ण भट्ट B. लाला श्री निवासदास
C. भारतेन्दु D. लाल कृष्ण भट्ट

337. 'हिन्दी कालिदास की आलोचना है'- किसका कथन है?
A. नंद दुलारे वाजपेयी B. आचार्य शुक्ल
C. हजारी प्रसाद द्विवेदी D. महावीर प्रसाद द्विवेदी

338. किसने कहा था कि "खड़ी-बोली नीरस और कर्णकटु है।"
A. बालकृष्ण भट्ट B. लाला भगवान दीन
C. पद्मसिंह शर्मा D. राधाचरण गोस्वामी

339. रामचन्द्र शुक्ल ने हिन्दी साहित्य का आरंभ माना है–
A. वि. सं. 1043 B. वि. सं. 1047
C. वि. सं. 1050 D. वि. सं. 1052

340. 'मनुष्य ही साहित्य का लक्ष्य है।' किसकी उक्ति है?
A. नंद दुलारे वाजपेयी B. डॉ. नगेन्द्र
C. आचार्य शुक्ल D. हजारी प्रसाद द्विवेदी

341. साकेत लिखा गया–
A. 1930 ई. B. 1931 ई.
C. 1932 ई. D. 1933 ई.

342. कामायनी की रचना हुई–
A. 1932 ई. B. 1934 ई.
C. 1936 ई. D. 1937 ई.

343. इनमें से कौन सियाराम शरण गुप्त की रचना नहीं है–
A. विषाद B. रक्त चंदन
C. बापू D. नकुल

344. 'हार की जीत' कहानी के लेखक हैं–
A. सुदर्शन B. कौशिक
C. जैनेन्द्र D. प्रेमचंद

345. लक्ष्मीकांत वर्मा किससे संबंधित हैं–
A. प्रगतिवाद B. प्रयोगवाद
C. नई कविता D. अकविता

346. 'औरंगजेब की आखिरी रात', एकांकी के लेखक हैं–
A. माखनलाल चतुर्वेदी B. दिनकर
C. मैथिलीशरण गुप्त D. रामकुमार वर्मा

347. कौन-सी नाट्य रचना भारतेन्दु की नहीं है?
A. भारत दुर्दशा B. नील देवी
C. अंधेर नगरी D. भारत भारती

निर्देश : नीचे दो वक्तव्य दिए गए हैं। एक को **कथन (A)** और दूसरे को **कारण (R)** कहा गया है। दोनों वाक्यों का सावधानीपूर्वक परीक्षण करें और निर्णय करें कि क्या **कथन (A)** और **कारण (R)** स्वतंत्र रूप से सही हैं और यदि ऐसा है तो क्या **कारण (R) कथन (A)** का सही स्पष्टीकरण है। इन प्रश्नों का उत्तर नीचे दिए गए कूटों की सहायता से चुनिए।

कूट :
A. कूट (A) और (R) दोनों सही हैं, और (R), (A) का सही स्पष्टीकरण है।
B. (A) और (R) दोनों सही हैं, किन्तु (R), (A) का सही स्पष्टीकरण नहीं है।
C. (A) सही है, परन्तु (R) गलत है।
D. (A) गलत है, परन्तु (R) सही है।

348. **कथन (A) :** महादेवी प्रगतिवादी कवयित्री हैं।
कारण (R) : उन्हें आधुनिक युग की मीरा कहा जाता है।

349. सुमेलित कीजिए–

सूची-क (रचना)	सूची-ख (रचनाकार)
(*a*) राम रावण विरोध	1. रामनरेश त्रिपाठी
(*b*) वैदेही वनवास	2. राय देवी प्रसाद पूर्ण
(*c*) मुक्तावली	3. हरिऔध
(*d*) मिलन	4. राम चरित उपाध्याय

कूट :	(a)	(b)	(c)	(d)
A.	1	2	3	4
B.	4	3	2	1
C.	2	3	4	1
D.	3	2	4	1

350. सुमेलित कीजिए–

सूची-क (रचना)	सूची-ख (रचनाकार)
(a) विचित्र प्रवाह	1. अज्ञेय
(b) वसन्त वियोग	2. दिनकर
(c) रसवंती	3. राम चरित उपाध्याय
(d) महावृक्ष के नीचे	4. राय देवी प्रसाद पूर्ण

कूट :	(a)	(b)	(c)	(d)
A.	1	2	3	4
B.	3	4	2	1
C.	4	3	2	1
D.	3	2	1	4

351. सुमेलित कीजिए–

सूची-क (रचना)	सूची-ख (रचनाकार)
(a) आंसू	1. निराला
(b) आर्द्रा	2. प्रसाद
(c) अपरा	3. मुक्ति बोध
(d) भूल गलती	4. सियाराम शरण गुप्त

कूट :	(a)	(b)	(c)	(d)
A.	4	3	2	1
B.	1	2	3	4
C.	3	2	1	4
D.	2	4	1	3

352. सुमेलित कीजिए–

सूची-क (रचना)	सूची-ख (रचनाकार)
(a) चुभते चौपदे	1. राम नरेश त्रिपाठी
(b) देव सभा	2. हरिऔध
(c) मृत्युंजय	3. राम चरित उपाध्याय
(d) पथिक	4. राय देवी प्रसाद पूर्ण

कूट :	(a)	(b)	(c)	(d)
A.	2	3	4	1
B.	1	2	3	4
C.	4	3	2	1
D.	2	1	4	3

353. सुमेलित कीजिए–

सूची-क (रचना)	सूची-ख (रचनाकार)
(a) समर्पण	1. राम नरेश त्रिपाठी
(b) चोखे चौपदे	2. रामचरित उपाध्याय
(c) राम चरित चिंतामणि	3. हरिऔध
(d) मानसी	4. माखन लाल चतुर्वेदी

कूट :	(a)	(b)	(c)	(d)
A.	2	1	4	3
B.	4	3	2	1
C.	3	2	1	4
D.	1	2	3	4

354. सुमेलित कीजिए–

सूची-क (रचना)	सूची-ख (रचनाकार)
(a) सूक्ति	1. राम चरित उपाध्याय
(b) रस कलश	2. हरि औध
(c) स्वप्न	3. राम नरेश त्रिपाठी
(d) वेणुलो गूंजे धरा	4. माखन लाल चतुर्वेदी

कूट :	(a)	(b)	(c)	(d)
A.	1	2	3	4
B.	4	3	2	1
C.	1	4	3	2
D.	4	2	1	3

निर्देश : नीचे दो वक्तव्य दिए गए हैं। एक को **कथन (A)** और दूसरे को **कारण (R)** कहा गया है। दोनों वाक्यों का सावधानीपूर्वक परीक्षण करें और निर्णय करें कि क्या **कथन (A)** और **कारण (R)** स्वतंत्र रूप से सही हैं और यदि ऐसा है तो क्या **कारण (R) कथन (A)** का सही स्पष्टीकरण है। इन प्रश्नों का उत्तर नीचे दिए गए कूटों की सहायता से चुनिए।

कूट :

A. कूट (A) और (R) दोनों सही हैं, और (R), (A) का सही स्पष्टीकरण है।

B. (A) और (R) दोनों सही हैं, और (R), (A) का सही स्पष्टीकरण नहीं है।

C. (A) सही है, परन्तु (R) गलत है।

D. (A) गलत है, परन्तु (R) सही है।

355. कथन (A) : निराला ने बड़ी संख्या में यथार्थवादी कविताएँ लिखीं हैं।

कारण (R) : उनके अनुसार 'कविता परिवेश की पुकार' है।

356. सुमेलित कीजिए–

सूची-क (रचना)	सूची-ख (रचनाकार)
(a) अनाथ	1. राम नरेश त्रिपाठी
(b) युगदीप	2. मोहन लाल महतो वियोगी
(c) निर्माल्य	3. उदयशंकर भट्ट
(d) मिलन	4. सियाराम शरण गुप्त

कूट :	(a)	(b)	(c)	(d)
A.	4	3	2	1
B.	1	2	3	4
C.	4	3	2	1
D.	2	4	3	1

357. सुमेलित कीजिए–

सूची-क (रचना)	सूची-ख (रचनाकार)
(a) पथिक	1. उदयशंकर भट्ट
(b) अमृत और विष	2. रामनरेश त्रिपाठी
(c) प्रिय प्रवास	3. रामचरित उपाध्याय
(d) राष्ट्रभारती	4. हरिऔध

कूट :	(a)	(b)	(c)	(d)
A.	1	4	2	3
B.	4	3	2	1
C.	2	1	4	3
D.	1	2	3	4

358. सुमेलित कीजिए–

सूची-क (रचना)	सूची-ख (रचनाकार)
(a) आर्द्रा	1. हरिऔध
(b) एकतारा	2. सियाराम शरण गुप्त
(c) युगचारण	3. मोहन लाल महतो वियोगी
(d) प्रद्यप्रसून	4. माखन लाल चतुर्वेदी

कूट :	(a)	(b)	(c)	(d)
A.	1	2	3	4
B.	2	3	4	1
C.	4	3	2	1
D.	3	4	1	2

359. सुमेलित कीजिए–

सूची-क (रचना)	सूची-ख (रचनाकार)
(a) रश्मि रेखा	1. उदयशंकर भट्ट
(b) करूणा कादम्बिनी	2. सियाराम शरण गुप्त
(c) पाथेय	3. गयाप्रसाद शुक्ल सनेही
(d) राका	4. बालकृष्ण शर्मा नवीन

कूट :	(a)	(b)	(c)	(d)
A.	1	2	3	4
B.	4	3	1	2
C.	3	2	4	1
D.	4	3	2	1

360. सुमेलित कीज़िए–

सूची-क (रचना)	सूची-ख (रचनाकार)
(a) मृण्मयी	1. गयाप्रसाद शुक्ल सनेही
(b) प्रेम पचीसी	2. माखन लाल चतुर्वेदी
(c) हिम किरीटिनी	3. उदयशंकर भट्ट
(d) मानसी	4. सियाराम शरण गुप्त

कूट :	(a)	(b)	(c)	(d)
A.	4	2	1	3
B.	1	2	3	4
C.	4	1	2	3
D.	4	3	2	1

361. सुमेलित कीजिए–

सूची-क (रचना)	सूची-ख (रचनाकार)
(a) हिम तरंगिनी	1. सियाराम शरण गुप्त
(b) त्रिशूल तरंग	2. गया प्रसाद शुक्ल सनेही
(c) बापू	3. माखन लाल चतुर्वेदी
(d) विसर्जन	4. उदयशंकर भट्ट

कूट :	(a)	(b)	(c)	(d)
A.	3	2	1	4
B.	3	1	2	4
C.	4	2	3	1
D.	1	2	3	4

362. सुमेलित कीजिए–

सूची-क (रचना)	सूची-ख (रचनाकार)
(a) जय भारत	1. गयाप्रसाद शुक्ल सनेही
(b) कविता कलाप	2. बालकृष्ण शर्मा नवीन
(c) क्वासि	3. मैथिलीशरण गुप्त
(d) कृषक कृन्दन	4. महावीर प्रसाद द्विवेदी

कूट :	(a)	(b)	(c)	(d)
A.	1	2	3	4
B.	4	3	2	1
C.	1	3	2	4
D.	3	4	2	1

363. सुमेलित कीजिए–

सूची-क (रचना)	सूची-ख (रचनाकार)
(a) हम विषपायी जन्म के	1. महावीर प्रसाद द्विवेदी
(b) नहुष	2. बालकृष्ण शर्मा नवीन
(c) काव्य मंजूषा	3. मैथिलीशरण गुप्त
(d) दूर्वादल	4. सियाराम शरण गुप्त

कूट :	(a)	(b)	(c)	(d)
A.	1	3	2	4
B.	2	3	1	4
C.	1	2	3	4
D.	3	4	2	1

364. सुमेलित कीजिए–

सूची-क (रचना)	सूची-ख (रचनाकार)
(a) विषाद	1. महावीर प्रसाद द्विवेदी
(b) कान्यकुब्ज अबला विलाप	2. सियाराम शरण गुप्त
(c) विनोबा स्तवन	3. गया प्रसाद शुक्ल सनेही
(d) राष्ट्रीय वीणा	4. बालकृष्ण शर्मा नवीन

कूट :	(a)	(b)	(c)	(d)
A.	2	4	3	1
B.	4	3	2	1
C.	2	1	4	3
D.	1	2	3	4

365. सुमेलित कीजिए–

सूची-क (रचना)	सूची-ख (रचनाकार)
(a) द्वापर	1. नाथू राम शर्मा शंकर
(b) बिहार विहार	2. मैथिली शरण गुप्त
(c) अनुराग रत्न	3. बाल कृष्ण शर्मा नवीन
(d) कुंकुम	4. अम्बिका दत्त व्यास

कूट :	(a)	(b)	(c)	(d)
A.	2	4	1	3
B.	1	2	3	4
C.	4	3	2	1
D.	1	2	4	3

366. सुमेलित कीजिए–

सूची-क (रचना)	सूची-ख (रचनाकार)
(*a*) कंसवध	1. नाथू राम शर्मा शंकर
(*b*) यशोधरा	2. अम्बिका दत्त व्यास
(*c*) शंकर सरोज	3. मैथिलीशरण गुप्त
(*d*) उर्मिला	4. बालकृष्ण शर्मा नवीन

कूट :	(*a*)	(*b*)	(*c*)	(*d*)
A.	1	2	3	4
B.	2	3	1	4
C.	4	3	2	1
D.	1	3	4	2

367. सुमेलित कीजिए–

सूची-क (रचना)	सूची-ख (रचनाकार)
(*a*) झंकार	1. मैथिलीशरण गुप्त
(*b*) अपलक	2. बालकृष्ण शर्मा नवीन
(*c*) गर्भरण्डा रहस्य	3. नाथूराम शर्मा शंकर
(*d*) मौर्य विजय	4. सियाराम शरण गुप्त

कूट :	(*a*)	(*b*)	(*c*)	(*d*)
A.	1	2	3	4
B.	1	3	4	2
C.	2	3	1	4
D.	4	1	2	3

368. सुमेलित कीजिए–

सूची-क (रचनाकार)	सूची-ख (रचना)
(*a*) नरेन्द्र मोहन	1. एक अग्निकाण्ड जगहें बदलता
(*b*) वीरेन्द्र कुमार डंगवाल	2. दुष्चक्र में सृष्टा
(*c*) बिजेन्द्र	3. त्रास
(*d*) पंकज सिहं	4. कुछ आहटें आसपास

कूट :	(*a*)	(*b*)	(*c*)	(*d*)
A.	1	2	3	4
B.	1	4	2	3
C.	3	2	1	4
D.	4	3	2	1

369. सुमेलित कीजिए–

सूची-क (रचना)	सूची-ख (रचनाकार)
(*a*) एक दिन लौटेगी लड़की	1. ऋतुराज
(*b*) इस हादसे में	2. अनामिका शिव
(*c*) कोई और नाम दो	3. नरेन्द्र मोहन
(*d*) अंगीरस	4. गगन गिल

कूट :	(*a*)	(*b*)	(*c*)	(*d*)
A.	3	2	4	1
B.	4	3	2	1
C.	4	1	2	3
D.	2	3	1	4

370. सुमेलित कीजिए–

सूची-क (रचना)	सूची-ख (रचनाकार)
(*a*) एक मरण धर्मा और अन्य	1. पंकज सिंह
(*b*) पवन जैसे पानी	2. ऋतुराज
(*c*) आकाश विभाजित है	3. कात्यायनी
(*d*) इस पौरूषपूर्ण समय में	4. विष्णुचन्द्र शर्मा

कूट :	(*a*)	(*b*)	(*c*)	(*d*)
A.	1	2	3	4
B.	4	3	2	1
C.	4	2	3	1
D.	2	1	4	3

371. सुमेलित कीजिए–

सूची-क (रचना)	सूची-ख (रचनाकार)
(*a*) अपनी केवल धार	1. लीलाधर मण्डलोई
(*b*) घर-घर घूमा	2. कैलाश वाजपेयी
(*c*) महास्वप्न का मध्यांतर	3. स्वप्निल श्रीवास्तव
(*d*) ईश्वर एक लाठी है	4. अरूण कमल

कूट :	(*a*)	(*b*)	(*c*)	(*d*)
A.	2	1	4	3
B.	4	3	1	2
C.	4	1	2	3
D.	1	2	3	4

372. सुमेलित कीजिए–

सूची-क (रचना)	सूची-ख (रचनाकार)
(*a*) खिलाफ हवा से गुजरते हुए	1. केदारनाथ सिंह
(*b*) नए इलाके में	2. विनोददास
(*c*) यहां से देखो	3. अरूण कमल
(*d*) प्रकाश वर्ष	4. संजय चतुर्वेदी

कूट :	(*a*)	(*b*)	(*c*)	(*d*)
A.	1	2	3	4
B.	2	3	1	4
C.	4	3	2	1
D.	3	4	1	2

373. सुमेलित कीजिए–

सूची-क (रचना)	सूची-ख (रचनाकार)
(*a*) सबूत	1. केदारनाथ सिंह
(*b*) एक और अयोध्या	2. विनोददास
(*c*) अकाल में सारस	3. धूमिल
(*d*) सुदामा पाण्डेय का प्रजातंत्र	4. अरूण कमल

कूट :	(*a*)	(*b*)	(*c*)	(*d*)
A.	1	2	3	4
B.	3	1	2	4
C.	2	4	1	3
D.	4	2	1	3

374. सुमेलित कीजिए–

सूची-क (रचनाकार)	**सूची-ख (रचना)**
(*a*) राजेश जोशी	1. समरगाथा
(*b*) धूमिल	2. पटकथा
(*c*) राजकमल चौधरी	3. दास कवि
(*d*) सौमित्र मोहन	4. लुकमान अली

कूट :	(*a*)	(*b*)	(*c*)	(*d*)
A.	1	2	3	4
B.	2	4	1	3
C.	1	3	4	2
D.	2	4	3	1

375. सुमेलित कीजिए–

सूची-क (रचनाकार)	**सूची-ख (रचना)**
(*a*) कुमार विकल	1. रात में हारमोनियम
(*b*) विमल कुमार	2. अनंतिम
(*c*) कुमार अंबुज	3. यह मुखौटा किसका है
(*d*) उदय प्रकाश	4. एक छोटी सी लड़ाई

कूट :	(*a*)	(*b*)	(*c*)	(*d*)
A.	3	1	4	2
B.	1	2	3	4
C.	2	4	3	1
D.	4	3	2	1

376. सुमेलित कीजिए–

सूची-क (रचना)	**सूची-ख (रचनाकार)**
(*a*) अबूतर कबूतर	1. बलदेव वंशी
(*b*) किवाड़	2. ललित शुक्ल
(*c*) अंतर्गत	3. उदय प्रकाश
(*d*) बच्चे की दुनिया	4. कुमार अंबुज

कूट :	(*a*)	(*b*)	(*c*)	(*d*)
A.	1	3	2	4
B.	4	3	2	1
C.	3	4	2	1
D.	1	2	3	4

377. सुमेलित कीजिए–

सूची-क (रचना)	**सूची-ख (रचनाकार)**
(*a*) मोचीराम	1. ठाकुर प्रसाद सिंह
(*b*) जमीन पक रही है	2. धूमिल
(*c*) अन्न हैं मेरे शब्द	3. केदारनाथ सिंह
(*d*) हारी हुई लड़ाई लड़ते हुए	4. एकांत श्रीवास्तव

कूट :	(*a*)	(*b*)	(*c*)	(*d*)
A.	2	3	4	1
B.	1	2	3	4
C.	4	3	2	1
D.	3	2	1	4

378. सुमेलित कीजिए–

सूची-क (रचना)	**सूची-ख (रचनाकार)**
(*a*) कल सुनना मुझे	1. उदय प्रकाश
(*b*) प्रार्थना बन्द करो	2. आलोक धन्वा
(*c*) क से कबूतर	3. धूमिल
(*d*) दुनिया रोज बनती है	4. ज्ञानेन्द्रपति

कूट :	(*a*)	(*b*)	(*c*)	(*d*)
A.	1	2	3	4
B.	3	4	1	2
C.	4	3	2	1
D.	1	4	3	2

379. सुमेलित कीजिए–

सूची-क (रचना)	**सूची-ख (रचनाकार)**
(*a*) सुनो कारीगर	1. राजेश जोशी
(*b*) एक दिन बोलेंगे पेड़	2. उदय प्रकाश
(*c*) संसद से सड़क तक	3. विमल कुमार
(*d*) सपने में एक औरत से बातचीत	4. धूमिल

कूट :	(*a*)	(*b*)	(*c*)	(*d*)
A.	1	2	4	3
B.	3	2	4	1
C.	1	2	3	4
D.	2	1	4	3

380. सुमेलित कीजिए–

सूची-क (रचना)	**सूची-ख (रचनाकार)**
(*a*) रोशनी के मैदान की तरफ	1. चन्द्रकांत देवताले
(*b*) अत्याचारी के प्रमाण	2. मंगलेश डबराल
(*c*) यह एक दिन है	3. प्रयाग शुक्ल
(*d*) साथ चलते हुए	4. विश्वनाथ प्रसाद तिवारी

कूट :	(*a*)	(*b*)	(*c*)	(*d*)
A.	1	2	3	4
B.	4	3	2	1
C.	2	1	4	3
D.	3	4	1	2

381. सुमेलित कीजिए–

सूची-क (रचना)	**सूची-ख (रचनाकार)**
(*a*) बेहतर दुनिया के लिए	1. राजकमल चौधरी
(*b*) दीवारों पर खून से	2. धूमिल
(*c*) भाषा की रात	3. चन्द्रकांत देवताले
(*d*) मुक्ति प्रसंग	4. विश्वनाथ प्रसाद तिवारी

कूट :	(*a*)	(*b*)	(*c*)	(*d*)
A.	1	2	3	4
B.	4	2	1	3
C.	1	3	2	4
D.	4	3	2	1

382. सुमेलित कीजिए–

सूची-क (रचना)	सूची-ख (रचनाकार)
(*a*) लुकमान अली तथा अन्य कविताएं	1. मुक्ति बोध
(*b*) कंकावती	2. सौमित्र मोहन
(*c*) जो नितांत मेरी है	3. राजकमल चौधरी
(*d*) चांदा का मुंह टेड़ा है	4. बाल स्वरूप राही

कूट :	(*a*)	(*b*)	(*c*)	(*d*)
A.	2	3	4	1
B.	1	2	3	4
C.	4	3	1	2
D.	2	1	4	3

383. सुमेलित कीजिए–

सूची-क (रचना)	सूची-ख (रचनाकार)
(*a*) उदय प्रकाश	1. इतना जो मिला
(*b*) श्याम विमल	2. पहाड़ पर लालटेन
(*c*) बलदेव वंशी	3. बच्चे की दुनिया
(*d*) मंगलेश डबराल	4. महापुरूष

कूट :	(*a*)	(*b*)	(*c*)	(*d*)
A.	4	1	3	2
B.	1	2	3	4
C.	4	3	2	1
D.	1	2	4	3.

384. सुमेलित कीजिए–

सूची-क (रचना)	सूची-ख (रचनाकार)
(*a*) कोई आवाज नहीं	1. मणि मधुकर
(*b*) घर का रास्ता	2. मलयज
(*c*) बलराम के हजारों हाथ	3. बलदेव वंशी
(*d*) जख्म पर धूल	4. मंगलेश डबराल

कूट :	(*a*)	(*b*)	(*c*)	(*d*)
A.	1	2	3	4
B.	3	4	1	2
C.	1	2	4	3
D.	4	3	2	1

385. सुमेलित कीजिए–

सूची-क (रचना)	सूची-ख (रचनाकार)
(*a*) लक्कड़ बग्घा हंस रहा है	1. दिविक रमेश
(*b*) हम जो देखते हैं	2. चन्द्रकांत देवताले
(*c*) मुझे मालूम है	3. मंगलेश डबरवाल
(*d*) खुली आंखों का आकाश	4. कन्हैयालाल नन्दन

कूट :	(*a*)	(*b*)	(*c*)	(*d*)
A.	2	1	4	3
B.	4	3	2	1
C.	2	3	4	1
D.	1	2	3	4

386. सुमेलित कीजिए–

सूची-क (रचना)	सूची-ख (रचनाकार)
(*a*) भूरी भूरी खाक धूल	1. रणजीत मिश्र
(*b*) नाटक जारी है	2. मुक्ति बोध
(*c*) मंजीर	3. लीलाधर जगूड़ी
(*d*) इतिहास का दर्द	4. गिरिजा कुमार माथुर

कूट :	(*a*)	(*b*)	(*c*)	(*d*)
A.	1	2	3	4
B.	2	3	4	1
C.	4	3	2	1
D.	3	2	4	1

387. सुमेलित कीजिए–

सूची-क (रचना)	सूची-ख (रचनाकार)
(*a*) झुलसा हुआ रक्त कमल	1. लीलाधर जगूड़ी
(*b*) ब्रह्म राक्षस	2. गिरिजा कुमार माथुर
(*c*) रात अब भी मौजूद है	3. मुक्तिबोध
(*d*) नाश और निर्माण	4. रणजीत मिश्र

कूट :	(*a*)	(*b*)	(*c*)	(*d*)
A.	4	3	1	2
B.	1	2	3	4
C.	4	3	2	1
D.	2	1	4	3

388. सुमेलित कीजिए–

सूची-क (रचना)	सूची-ख (रचनाकार)
(*a*) बची हुई पृथ्वी	1. लीलाधर जगूड़ी
(*b*) अंधेरे में	2. गिरिजा कुमार माथुर
(*c*) बेरंग बेनाम चिट्ठियां	3. मुक्ति बोध
(*d*) धूप के धान	4. रामदरश मिश्र

कूट :	(*a*)	(*b*)	(*c*)	(*d*)
A.	2	1	4	3
B.	4	3	2	1
C.	1	2	3	4
D.	1	3	4	1

389. सुमेलित कीजिए–

सूची-क (रचना)	सूची-ख (रचनाकार)
(*a*) घबराए हुए शब्द	1. रामदरश मिश्र
(*b*) भूल गलती	2. गिरिजा कुमार माथुर
(*c*) साक्षी रहे वर्तमान	3. मुक्तिबोध
(*d*) कंधे पर सूरज	4. लीलाधर जगूड़ी

कूट :	(*a*)	(*b*)	(*c*)	(*d*)
A.	4	3	2	1
B.	1	2	3	4
C.	3	4	2	1
D.	2	3	4	1

390. सुमेलित कीजिए–

सूची-क (रचना)	सूची-ख (रचनाकार)
(*a*) दिन एक नदी बन गया	1. रामदरश मिश्र
(*b*) भीतरी नदी की यात्रा	2. गिरिजा कुमार माथुर
(*c*) तीसरा पक्ष	3. लक्ष्मीकांत वर्मा
(*d*) कलम के फूल	4. भवानी प्रसाद मिश्र

कूट :	(*a*)	(*b*)	(*c*)	(*d*)
A.	2	3	1	4
B.	1	4	2	3
C.	2	3	4	1
D.	1	2	3	4

391. सुमेलित कीजिए–

सूची-क (रचना)	सूची-ख (रचनाकार)
(*a*) अतुकांत	1. अजित कुमार
(*b*) कविताएं	2. लक्ष्मीकांत वर्मा
(*c*) शिलापंख चमकीले	3. कीर्ति चौधरी
(*d*) अंकित होने दो	4. गिरिजा कुमार माथुर

कूट :	(*a*)	(*b*)	(*c*)	(*d*)
A.	2	1	4	3
B.	4	3	2	1
C.	2	3	4	1
D.	1	2	3	4

392. सुमेलित कीजिए–

सूची-क (रचनाकार)	सूची-ख (रचना)
(*a*) साही	1. संवाद तुम से
(*b*) भवानी प्रसाद मिश्र	2. सन्नाटा
(*c*) रघुवीर सहाय	3. आत्महत्या के विरुद्ध
(*d*) सौमित्र मोहन	4. चाकू से खेलते हुए

कूट :	(*a*)	(*b*)	(*c*)	(*d*)
A.	1	2	3	4
B.	4	3	2	1
C.	2	1	3	4
D.	3	4	1	2

393. सुमेलित कीजिए–

सूची-क (रचनाकार)	सूची-ख (रचना)
(*a*) रघुवीर सहाय	1. इतिहास पुरूष
(*b*) धर्मवीर भारती	2. गीत फरोश
(*c*) भवानी प्रसाद मिश्र	3. अंधायुग
(*d*) डा. देवराज	4. हंसो-हंसो जल्दी हंसो

कूट :	(*a*)	(*b*)	(*c*)	(*d*)
A.	1	2	3	4
B.	4	3	2	1
C.	2	1	3	4
D.	4	3	2	1

394. सुमेलित कीजिए–

सूची-क (रचना)	सूची-ख (रचनाकार)
(*a*) भटका मेघ	1. भवानी प्रसाद मिश्र
(*b*) ठण्डा लोहा	2. श्रीकांत वर्मा
(*c*) लोग भूल गए हैं	3. धर्मवीर भारती
(*d*) चूंकि है दुख	4. रघुवीर सहाय

कूट :	(*a*)	(*b*)	(*c*)	(*d*)
A.	3	2	1	4
B.	4	3	2	1
C.	2	3	4	1
D.	1	2	3	4

395. सुमेलित कीजिए–

सूची-क (रचना)	सूची-ख (रचनाकार)
(*a*) अकेले कण्ठ की पुकार	1. भवानी प्रसाद मिश्र
(*b*) छायामत छूना	2. हरिनारायण व्यास
(*c*) मृग और तृष्णा	3. अजित कुमार
(*d*) वाणी की दीनता	4. गिरिजाकुमार माथुर

कूट :	(*a*)	(*b*)	(*c*)	(*d*)
A.	1	2	3	4
B.	3	4	2	1
C.	4	3	1	2
D.	1	2	4	3

396. सुमेलित कीजिए–

सूची-क (रचना)	सूची-ख (रचनाकार)
(*a*) टूटने का सुख	1. हरिनारायण व्यास
(*b*) मछली घर	2. भवानी प्रसाद मिश्र
(*c*) पृथ्वी कल्प	3. साही
(*d*) त्रिकोण पर सूर्योदय	4. गिरिजा कुमार माथुर

कूट :	(*a*)	(*b*)	(*c*)	(*d*)
A.	2	1	4	3
B.	4	3	1	2
C.	2	3	4	1
D.	1	2	3	4

397. सुमेलित कीजिए–

सूची-क (रचना)	सूची-ख (रचनाकार)
(*a*) कल्पांतर	1. भवानी प्रसाद मिश्र
(*b*) साखी	2. रघुवीर सहाय
(*c*) सतपुड़ा के जंगल	3. गिरिजा कुमार माथुर
(*d*) सीढ़ियों पर धूप में	4. साही

कूट :	(*a*)	(*b*)	(*c*)	(*d*)
A.	1	2	3	4
B.	4	3	2	1
C.	2	3	4	1
D.	3	4	1	2

398. सुमेलित कीजिए–

सूची-क (रचनाकार)	**सूची-ख (रचना)**
(*a*) रघुवीर सहाय	1. अंधेरी कविताएं
(*b*) धर्मवीर भारती	2. माया दर्पण
(*c*) श्रीकांत वर्मा	3. कुछ पते कुछ चिट्ठियां
(*d*) भवानी प्रसाद मिश्र	4. कनुप्रिया

कूट :	(*a*)	(*b*)	(*c*)	(*d*)
A.	2	1	3	4
B.	4	3	2	1
C.	3	4	2	1
D.	1	2	3	4

399. सुमेलित कीजिए–

सूची-क (रचनाकार)	**सूची-ख (रचना)**
(*a*) श्रीकांत वर्मा	1. सूर्य का स्वागत
(*b*) भवानी प्रसाद मिश्र	2. मगध
(*c*) धर्मवीर भारती	3. गांधी पंचशती
(*d*) दुष्यंत कुमार	4. देशांतर

कूट :	(*a*)	(*b*)	(*c*)	(*d*)
A.	2	1	4	3
B.	2	3	4	1
C.	4	3	1	2
D.	1	2	3	4

400. सुमेलित कीजिए–

सूची-क (रचनाकार)	**सूची-ख (रचना)**
(*a*) दुष्यंत कुमार	1. बुनी हुई रस्सी
(*b*) नरेश मेहता	2. दिनारंभ
(*c*) श्रीकांत वर्मा	3. वनपांखी सुनो
(*d*) भवानी प्रसाद मिश्र	4. जलते हुए वन का वसंत

कूट :	(*a*)	(*b*)	(*c*)	(*d*)
A.	3	4	1	2
B.	1	3	2	4
C.	1	2	3	4
D.	4	3	2	1

उत्तरमाला

1	**2**	**3**	**4**	**5**	**6**	**7**	**8**	**9**	**10**
A	B	C	B	C	D	A	B	A	C
11	**12**	**13**	**14**	**15**	**16**	**17**	**18**	**19**	**20**
B	D	A	C	B	C	A	C	B	D
21	**22**	**23**	**24**	**25**	**26**	**27**	**28**	**29**	**30**
B	C	A	D	D	B	C	B	D	B
31	**32**	**33**	**34**	**35**	**36**	**37**	**38**	**39**	**40**
D	C	D	C	D	A	A	C	D	D
41	**42**	**43**	**44**	**45**	**46**	**47**	**48**	**49**	**50**
B	D	B	B	C	B	A	D	A	A
51	**52**	**53**	**54**	**55**	**56**	**57**	**58**	**59**	**60**
C	D	A	A	C	D	D	B	D	D
61	**62**	**63**	**64**	**65**	**66**	**67**	**68**	**69**	**70**
C	C	B	B	A	A	B	C	D	B
71	**72**	**73**	**74**	**75**	**76**	**77**	**78**	**79**	**80**
A	D	C	B	B	C	C	D	B	B
81	**82**	**83**	**84**	**85**	**86**	**87**	**88**	**89**	**90**
C	B	A	A	B	C	D	B	A	C
91	**92**	**93**	**94**	**95**	**96**	**97**	**98**	**99**	**100**
B	C	D	C	D	D	B	C	B	A
101	**102**	**103**	**104**	**105**	**106**	**107**	**108**	**109**	**110**
D	C	B	D	A	C	A	D	C	D
111	**112**	**113**	**114**	**115**	**116**	**117**	**118**	**119**	**120**
C	C	C	D	B	B	B	D	D	D
121	**122**	**123**	**124**	**125**	**126**	**127**	**128**	**129**	**130**
A	A	C	A	C	C	C	D	B	A
131	**132**	**133**	**134**	**135**	**136**	**137**	**138**	**139**	**140**
B	C	B	B	A	B	C	A	D	A
141	**142**	**143**	**144**	**145**	**146**	**147**	**148**	**149**	**150**
A	A	B	D	B	B	A	B	A	C

151	152	153	154	155	156	157	158	159	160
B	D	A	B	B	B	B	C	B	D
161	**162**	**163**	**164**	**165**	**166**	**167**	**168**	**169**	**170**
C	D	C	B	C	A	A	A	B	C
171	**172**	**173**	**174**	**175**	**176**	**177**	**178**	**179**	**180**
A	C	B	B	C	A	D	B	A	B
181	**182**	**183**	**184**	**185**	**186**	**187**	**188**	**189**	**190**
C	C	C	A	A	A	C	C	C	A
191	**192**	**193**	**194**	**195**	**196**	**197**	**198**	**199**	**200**
C	B	D	B	A	A	A	B	A	C
201	**202**	**203**	**204**	**205**	**206**	**207**	**208**	**209**	**210**
A	A	D	B	D	A	B	D	C	B
211	**212**	**213**	**214**	**215**	**216**	**217**	**218**	**219**	**220**
B	A	A	B	D	D	A	D	B	C
221	**222**	**223**	**224**	**225**	**226**	**227**	**228**	**229**	**230**
B	D	B	B	B	D	D	D	A	C
231	**232**	**233**	**234**	**235**	**236**	**237**	**238**	**239**	**240**
A	B	C	B	C	B	A	C	C	A
241	**242**	**243**	**244**	**245**	**246**	**247**	**248**	**249**	**250**
A	B	B	D	A	A	D	A	B	A
251	**252**	**253**	**254**	**255**	**256**	**257**	**258**	**259**	**260**
B	B	B	B	D	A	B	B	B	D
261	**262**	**263**	**264**	**265**	**266**	**267**	**268**	**269**	**270**
B	B	A	B	B	B	C	B	B	A
271	**272**	**273**	**274**	**275**	**276**	**277**	**278**	**279**	**280**
C	C	D	C	D	C	A	D	B	C
281	**282**	**283**	**284**	**285**	**286**	**287**	**288**	**289**	**290**
A	B	D	B	C	D	C	B	A	C
291	**292**	**293**	**294**	**295**	**296**	**297**	**298**	**299**	**300**
A	C	B	C	C	B	D	C	D	D
301	**302**	**303**	**304**	**305**	**306**	**307**	**308**	**309**	**310**
C	C	A	B	A	B	C	C	D	C
311	**312**	**313**	**314**	**315**	**316**	**317**	**318**	**319**	**320**
D	B	C	D	A	C	A	B	A	C
321	**322**	**323**	**324**	**325**	**326**	**327**	**328**	**329**	**330**
A	C	C	D	D	D	B	A	C	A
331	**332**	**333**	**334**	**335**	**336**	**337**	**338**	**339**	**340**
A	B	A	D	B	A	D	C	C	D
341	**342**	**343**	**344**	**345**	**346**	**347**	**348**	**349**	**350**
C	C	B	A	C	D	D	D	C	B
351	**352**	**353**	**354**	**355**	**356**	**357**	**358**	**359**	**360**
D	A	B	A	A	A	C	B	D	C
361	**362**	**363**	**364**	**365**	**366**	**367**	**368**	**369**	**370**
A	D	B	C	A	B	A	A	B	D
371	**372**	**373**	**374**	**375**	**376**	**377**	**378**	**379**	**380**
C	B	D	A	D	C	A	B	D	A
381	**382**	**383**	**384**	**385**	**386**	**387**	**388**	**389**	**390**
D	A	A	B	C	B	A	D	A	D
391	**392**	**393**	**394**	**395**	**396**	**397**	**398**	**399**	**400**
C	A	D	C	B	C	D	C	B	D

❑ ❑ ❑

काव्य के भेद

काव्यशास्त्रीय दृष्टिकोण से काव्य का विभाजन अनेक प्रकार से किया गया है। संस्कृत काव्यशास्त्र में व्यंग्यार्थ की प्रधानता और अप्रधानता के आधार पर काव्य के मुख्यतः तीन भेद बताए गए हैं–

1. **उत्तम काव्य :** जिस काव्य में वाच्यार्थ की अपेक्षा व्यंग्यार्थ अनेक चमत्कारी होता है, उसे उत्तम काव्य माना जाता है। इसे ध्वनि काव्य भी कहा जाता है, क्योंकि इसमें ध्वनि (व्यंग्यार्थ) की प्रधानता होती है।
2. **मध्यम काव्य :** जिस काव्य में व्यंग्यार्थ अथवा ध्वनि का चमत्कार वाच्यार्थ के चमत्कार की अपेक्षा न्यून होता है अथवा वाच्यार्थ के समान होता है, उस काव्य को मध्यम काव्य माना जाता है। इसे गुणीभूत व्यंग्य काव्य भी कहा जाता है, क्योंकि व्यंग्यार्थ वाच्यार्थ की अपेक्षा गौण होता है।
3. **अधम काव्य :** जिस काव्य में व्यंग्यार्थ अस्फुट रूप में हो तथा शब्दालंकार, अर्थालंकार तथा वर्ग व्यंजनकता आदि का प्राधान्य हो, उस काव्य को अधम कोटि का काव्य माना जाता है।

रस

काव्य को पढ़ने या सुनने में उसमें वर्णित वस्तु या विषय का शब्द-चित्र मन में बनता है। इससे मन को अलौकिक आनन्द प्राप्त होता है। इस आनन्द और इसकी अनुभूति को शब्दों में व्यक्त नहीं किया जा सकता, केवल अनुभव किया जा सकता है। यही काव्य में रस कहलाता है। किसी विनोदपूर्ण कविता को सुनकर हँसी से वातावरण गूँज उठता है। किसी करुण-कथा या कविता को सुनकर हृदय में दया का स्रोत उमड़ पड़ता है। यह रस की अनुभूति है।

स्थायी भाव : भाव आनन्द है। काव्य में नौ भाव प्रधान माने गए हैं–प्रेम (रति), हास, शोक, क्रोध, उत्साह, भय, घृणा (जुगुप्सा), विस्मय (आश्चर्य) और निर्वेद या वैराग्य। ये मनुष्य के मन में सदैव सुप्तावस्था में विद्यमान रहते हैं। लेकिन अनुकूल अवसर पाकर (कोई काव्य सुनने या पढ़ने पर या कोई नाटक देखने पर) जाग उठते हैं। ये मन में आस्वाद का मूल-भाव होते हैं। चूँकि ये मन में स्थायी रूप से विद्यमान रहते हैं, इसीलिए इन्हें स्थायी भाव कहा जाता है। इन्हीं के फलस्वरूप क्रमशः शृंगार, हास्य, करुण, रौद्र, वीर, भयानक, वीभत्स, अद्‌भुत और शान्त रस की उत्पत्ति होती है।

काव्य के दो अंग होते हैं–भाव और विभाव।

भाव : भाव मन की वह स्थिति है, जो किसी विशेष वस्तु या व्यक्ति के प्रति किसी विशेष दशा में होती है।

विभाव : जिस वस्तु या व्यक्ति के प्रति वह भाव प्रकट होता है, उसे विभाव कहते हैं।

आश्रय : जिसके मन में भाव संचरित होता है, उसे आश्रय कहते हैं। जैसे सीता-स्वयंवर के अवसर पर लक्ष्मण की बातों से परशुराम क्रुद्ध हो जाते हैं। क्रोध का संचार परशुराम के मन में हुआ, अतः परशुराम आश्रय हुए।

आलम्बन : जिसके प्रति भाव उत्पन्न होता है, उसे आलम्बन कहते हैं। उपर्युक्त उदाहरण में परशुराम आश्रय हैं और लक्ष्मण आलम्बन।

उद्दीपन : भावों को उद्दीप्त करने वाले कार्यों या वस्तुओं को उद्दीपन कहते हैं। जैसे उपर्युक्त उदाहरण में लक्ष्मण के कठोर वचन सुनकर परशुराम का क्रोध बढ़ जाता है। अतः लक्ष्मण के कठोर वचन उद्दीपन हैं।

संचारी या व्यभिचारी भाव : जो भाव स्थायी भावों को पुष्ट करते हैं या उनके सहकारी का काम करते हैं और अपना काम करने के बाद स्थायीभाव में ही लुप्त हो जाते हैं, उन्हें संचारी या व्यभिचारी भाव कहते हैं। संचारी या व्यभिचारी भाव 33 माने गए हैं; जैसे–निर्वेद, ग्लानि, शंका, असूया, मद, श्रम, आलस्य, दैन्य, चिन्ता, मोह, स्मृति आदि।

रस के भेद

1. **शृंगार रस :** कामदेव का अंकुरित होना या प्रादुर्भाव। इसकी उत्पत्ति का कारण, अधिकांश उत्तम प्रकृति से युक्त रस 'शृंगार' कहलाता है।

   स्थायी भाव–रति अथवा प्रेम।
2. **हास्य रस :** अनोखे अलंकरण आदि असंगतिपूर्ण वस्तुओं या क्रियाओं को देखकर हृदय में जो विनोद का भाव उत्पन्न होता है, वही हास्य रस कहलाता है।

   स्थायी भाव–किसी अनोखे वेश, मूर्खतापूर्ण वचन, ऊटपटाँग चेष्टा आदि अथवा असाधारण कुरूप व्यक्ति को देखने से उत्पन्न रस हास्य रस कहलाता है।
3. **करुण रस :** प्रिय व्यक्ति के पीड़ित या इष्ट वस्तु के अभाव और अनिष्ट वस्तु के प्राप्त होने से हृदय को जो क्षोभ होता है, वह करुण रस कहलाता है।

   स्थायी भाव–शोक।
4. **रौद्र रस :** शत्रु पक्ष या किसी अविनीत की चेष्टाओं, कृतियों अथवा गुरुजनों की निन्दा आदि के कारण उत्पन्न मनोविकार को क्रोध कहते हैं। उससे रौद्र रस का संचार होता है।

   स्थायी भाव–क्रोध
5. **वीर रस :** शत्रु का उत्कर्ष, उसकी ललकार आदि से जो मन में 'उत्साह' उत्पन्न और क्रियाशील होता है वह वीर रस कहलाता है।

   स्थायी भाव–उत्साह।
6. **भयानक रस :** किसी डरावने जीव, प्राणी या पशु आदि को देखने से या घोर अपराध के लिए दण्ड पाने की कल्पना आदि से मन की व्याकुलता को भय कहते हैं।

   स्थायी भाव–भय।
7. **वीभत्स रस :** गंदी, भद्दी, घृणा उत्पन्न करने वाली अशुद्ध वस्तुओं, व्यक्तियों, स्थलों, कार्यों आदि के वर्णन से हृदय में जो ग्लानि होती है, उसी से वीभत्स रस का जन्म होता है।

   स्थायी भाव–जुगुप्सा व घृणा।

8. **अद्‌भुत रस :** 'आश्चर्य' का भाव होने से किसी वर्णन में 'अद्‌भुत रस' का संचार होता है।

   स्थायी भाव–विस्मय या आश्चर्य।

9. **शांत रस :** संसार की असारता, सभी वस्तुओं की नश्वरता आदि का बोध होने से मन को विश्राम मिलता है, जो हृदय में 'शांत रस' का उद्‌भाव करता है।

   स्थायी भाव–निर्वेद।

10. **वात्सल्य रस :** शिशुओं के सौंदर्य, उनके क्रिया-कलाप आदि को देखकर मन बरबस उनकी ओर खिचंता है। फलतः मन में जो स्नेह उत्पन्न होता है, वह वात्सल्य रस कहलाता है।

    स्थायी भाव–स्नेह।

छंद

अर्थ

छन्द शब्द नियम विशेष के आधार पर गति-लय-युक्त रचना होती है। इसमें वर्ण तथा मात्राओं का विशेष प्रतिबन्ध रहता है। इस प्रकार 'पद्य' या 'छन्द' ऐसी शब्द-योजना है, जिसमें मात्राओं तथा वर्णों का नियमित क्रम होता है और उसमें विराम, गति या प्रवाह आदि की व्यवस्था होती है।

छंद रचना

छन्द रचना के शब्दों की मात्राएँ तथा उनके वर्ण होते हैं। मात्रा के आधार पर रचित छन्द या पद्य 'मात्रिक' या 'जाति' और वर्ण के आधार पर निर्मित पद्य 'वृत' या 'वर्णिक' कहे जाते हैं। अक्षर या वर्ण दो प्रकार के होते हैं– ह्रस्व या लघु तथा दीर्घ या गुरु। लघु का चिह्न एक खड़ी पाई (।) और गुरु का चिह्न टेढ़ी रेखा (ऽ) है। लघु-गुरु का संक्षिप्त रूप ल और गु भी है।

मात्रिक विचार

मात्रिक छन्दों में मात्राओं की गणना होती है। 'लघु' में 'एक' तथा 'गुरु' में 'दो' मात्राएँ मानी जाती हैं। यथा–राज शब्द में रा 'दो' मात्रा वाला तथा ज 'एक' मात्रा वाला है। इस प्रकार 'राज' में कुल तीन मात्राएँ हुई।

लघु मात्राएँ

1. जिन वर्णों के उच्चारण में कम समय लगे अर्थात् अ, इ, उ, ऋ तथा उनसे युक्त वर्ण।
2. जिन वर्णों के ऊपर चन्द्रबिन्दु लगा हो किन्तु वर्ण ह्रस्व हो जैसे हँसना का 'हँ'।
3. पद का अन्तिम वर्ण गति एवं लय के आधार पर दीर्घ होते हुए भी ह्रस्व मान लिया जाता है।
4. कभी-कभी संयुक्ताक्षर के पूर्व का अक्षर लघु मान लिया जाता है जैसे तुम्हारा, कुम्हड़ा।

गुरु मात्राएँ

1. जिन वर्णों के उच्चारण में अधिक समय एवं बल लगे अर्थात् आ, ई, ऊ, ए, ऐ, ओ, औ और उनसे युक्त वर्ण।
2. जिन वर्णों में अनुस्वार अथवा विसर्ग के चिह्न लगे हों जैसे मंजन का 'मं', या दुःख का 'दुः'।
3. पद का अन्तिम वर्ण गति एवं लय के आधार पर लघु होते हुए भी दीर्घ हो सकता है।
4. संयुक्ताक्षर के पूर्व का अक्षर ह्रस्व होते हुए भी दीर्घ माना जाता है यथा–धर्म का 'ध'।

वर्णिक-विचार

वर्णिक छन्दों में वर्णों अथवा गणों का ध्यान रखना होता है। गण तीन वर्णों में होता है। गणों की संख्या आठ है। नीचे के सूत्र से गणों का बोध सरल है–

। ऽ ऽऽ। ऽ।।। ऽ

यमाताराज भानसलगा

इस सूत्र का प्रत्येक अक्षर गण का सूचक है। तीन-तीन अक्षरों का समूह बनाकर पहले अक्षर से उनका नाम और उन अक्षरों के लघु-गुरु से उनके स्वरूपों का बोध करना चाहिए। जैसे-यमाता (।ऽऽ) यगण, मतारा (ऽऽऽ) मगण, ताराज (ऽऽ।) तगण, राजभा) (ऽ।ऽ) रगण, जमान (।ऽ।) जगण, मानस, (ऽ।।) भगण, नसत (।।।) नगण, सलगा (।।ऽ) सगण, ल (।) लघु और गा (ऽ) गुरु।

गणों की पहचान के लिए निम्न बातों पर ध्यान देना चाहिए।

गण	वर्ण क्रम	चिहन मात्राएँ	उदाहरण
यगण	लघु गुरु गुरु	।ऽऽ	कहानी, अनूठी
मगण	गुरु गुरु गुरु	ऽऽऽ	आजादी, यूनानी
तगण	गुरु गुरु लघु	ऽऽ।	मारीचि, आमोद
रगण	गुरु लघु गुरु	ऽ।ऽ	सभ्यता, वीरता
जगण	लघु गुरु लघु	।ऽ।	विज्ञान, समाज
भगण	गुरु लघु लघु	ऽ।।	धार्मिक, लोहित
नगण	लघु लघु लघु	।।।	कमल, दिवस
सगण	लघु लघु गुरु	।।ऽ	कमला, जिसकी

प्रत्येक छन्द के चार चरण, होते हैं जो 'पद' या 'पाद' भी कहलाते हैं। बहुत से छन्दों के चारों चरण दो ही पंक्तियों में लिखे जाते हैं। जैसे–दोहा, सोरठा, बरवै आदि ऐसे छन्दों की प्रत्येक पंक्ति 'दल' नाम से प्रसिद्ध है। वर्णिक तथा मात्रिक छन्दों की मुख्य पहचान यह है कि वर्णिक छन्दों में वर्ण लघु-गुरु-क्रम से समान संख्या में होते हैं। इसी कारण इनकी मात्राएँ भी समान होती हैं। इनमें वर्णों की संख्या, समानता को प्रमुखता दी जाती है।

मात्रिक छन्दों में वर्णों की संख्या तथा लघु-गुरु के क्रम का नियम नहीं होता। उनमें मात्राओं में समानता होती है। जैसे–

ऽऽ। ऽ।। ऽ। ।।ऽ ।। ।ऽ ऽऽऽ।ऽ = 28 मात्रा।

निश्चेष्ट होकर बैठे रहना यह महा दुष्कर्म है। = 20 अक्षर।

ऽऽ। ।।ऽ ऽ। ऽऽ ऽ। ऽऽ ऽ।ऽ= 28 मात्रा।

न्यायार्थ अपने बन्धु को भी दण्ड देना धर्म है। = 17 अक्षर।

स्पष्ट है कि दोनों चरणों में मात्राएँ 28-28 हैं किन्तु अक्षर 20,17 हैं। लघु-गुरु का कोई भी क्रम नहीं है। अतः यह मात्रिक छन्द हुआ।

नीचे के चरणों को देखिए–

।।। ऽ।। ऽ। ।ऽ। ऽ = 4 गण।

दिवस का अवसान समीप था। = 12 वर्ण।

।।। ऽ।। ऽ। ।ऽ। = 4 गण।

गगन था कुछ लोहित हो चला।

ऊपर के चरणों में वर्णों का लघु गुरु क्रम भी समान है। अतः यह वर्णिक वृत हुआ।

झिल्ली झनकारे पिक, चातक पुकारे वन। = 8, 8 वर्ण।

इसमें केवल वर्णों की संख्या समान है।

कुछ मात्रिक छन्द

चौपाई– यह मात्रिक सम छन्द है। इसके प्रत्येक चरण में 16 मात्राएँ होती हैं; चरण के अन्त में जगण (।ऽ।) या तगण (ऽऽ।) नहीं होते हैं। प्रथम और द्वितीय चरणों में तुक समान होते हैं।

16 मात्रा।

बरनि न जाई मनोहर जोरी। = 16 मात्रा।
शोभा बहुत मोरी मति थोरी।। = 16 मात्रा।
राम लखन सिय सुन्दरताई। = 16 मात्रा।
सब चितवहिं चित मन मति लाई।।

रोला– यह मात्रिक सम छन्द है। इसके प्रत्येक चरण में 11, 13 मात्राओं के विराम से कुल 24 मात्राएँ होती हैं। अन्त में दो लघु या गुरु आना उत्तम है। जैसे–

= 11+13 = 24 मात्रा।
पर सहमा यह, रूप देख होता है विस्मय।
= 11+13 = 24 मात्रा।
आर्य लोग क्या एक समय थे ऐसे निर्भय 11
= 11+13 = 24 मात्रा।
क्या हम सब जो आज, बने हैं निर्बल कामी।
= 11+13 = 24 मात्रा।
रहते थे स्वाधीन समर में होकर नामी।।

हरिगीतिका–यह मात्रिक सम छन्द है। इसके प्रत्येक चरण में 16 और 12 विराम से कुल 28 मात्राएँ होती हैं। अन्त में रगण (ऽ।ऽ) होने से सुनने में मधुर होता है। इसमें 5वीं, 12वीं, 18वीं मात्राएँ लघु होनी चाहिए। जैसे–

= 28 मात्रा।
अधिकार खोकर बैठ रहना यह महा दुष्कर्म है।
= 28 मात्रा।
न्यायार्थ अपने बन्धु को भी दण्ड देना धर्म है।।।
= 28 मात्रा।
इस ध्येय पर ही कौरवों और पाण्डवों का रण हुआ।।
= 28 मात्रा।
जो भव्य भारतवर्ष के कल्पांत का कारण हुआ।।

दोहा–यह मात्रिक अर्द्धसम छन्द है। इसके पहले और तीसरे चरण में 13, 13 और दूसरे तथा चौथे चरण में 11, 11 मात्राएँ होती हैं। दूसरे-चरण के अन्त में गुरु, लघु होते हैं। जैसे–

222 11 212 1112 11 21
= 13+11 = 24 मात्रा।
थोरेई गुन रीझते बिसराई वह बानि।
= 13+11 = 24 मात्रा।
तुमहू कान्ह मनौ भये, आजु-काल्हि के दानि।।

सोरठा–यह दोहे के ठीक विपरीत होता है , अर्थात् इसके पहले और तीसरे चरण में 11,11 और दूसरे तथा चौथे चरण में 13, 13 मात्राएँ होती हैं। जैसे–

= 11+13 = 24 मात्रा।
रहिमन मोहिं न सुहाय, अमिय पियावत मान बिनु।
= 11+13 = 24 मात्रा।
जो विष देय बुलाय, मान सहित मरिबो भलो।।

छप्पय–यह मात्रिक विषय तथा संयुक्त छन्द होता है। इसमें छः चरण होते हैं। इसके प्रथम चार चरणों में चौबीस-चौबीस मात्राएँ तथा अन्त के दोनों चरणों में अट्ठाइस-अट्ठाइस मात्राएँ होती हैं। प्रथम चार चरणों तक 12-13 पर यति होती है तथा पाँचवें और छठे चरणों में 15-13 पर यति होती है। छः पद होने के कारण इसे षट्पदी भी कहते हैं।

उदाहरण– निर्मल तेरा नीर, अमृत के सम उत्तम है,
शीतल मन्द-सुगन्ध, पवन हर लेता श्रम है।
षड्ऋतुओं का विविध, दृश्ययुक्त अद्भुत क्रम है,
हरियाली का फर्श, नहीं मखमल से कम है,
शुचि सुधा सींचता रात में, तुझ पर इन्द्र प्रकाश है।
हे मातृभूमि! दिन में तरणि, करता तम का नाश है।

बरवै–यह मात्रिक अर्द्धसम छन्द है जिसके प्रथम और तृतीय चरणों में 12 तथा द्वितीय और चतुर्थ चरणों में 7 मात्राएँ होती हैं। सम अर्थात् द्वितीय और चतुर्थ चरणों में जगण या तगण के प्रयोग से कविता में सरसता पैदा होती है। यथा–

=12+7 = 19 मात्रा।
संकट सोच विमोचन, मंगल-गेहु
=12+7 = 19 मात्रा।
तुलसी राम नाम पर, करिय सनेहु

कुण्डलियां–यह मात्रिक विषय छन्द है जो दोहा और रोला छन्दों के मेल से बनता है। इसमें 6 चरण होते हैं। आरम्भ में दोहा तथा तत्पश्चात् दो छन्द रोला के होते हैं। इस तरह प्रत्येक चरण में 24 मात्राएँ होती है। दोहे के अन्त के शब्द रोला के आरम्भ में आते हैं। यथा–

जुगनू बोले सूर्य सों, हम बिन जग अँधियाला।
दिन के ठाकुर तुम भये, रात के हम कोतवाला।।
रात के हम कोतवाल, जुगनू अस नाम हमारो।
तुम आकाश में रहौ, हमरो पृथ्वी हारौ।।
कह गिरधर कविराय, सुनों हो मन के मगनू।
ऐंडि ऐंडि बतराय, सूर्य के सम्मुख जुगनू।।

कुछ वर्णिक शब्द

द्रुतविलम्बित–यह वर्णिक समवृत छन्द है। इसके प्रत्येक चरण में अक्षरों की संख्या 12 होती है, तथा गणों की दृष्टि से क्रमशः नगण (।।।) भगण (ऽ।।) भगण (ऽ।।) और रगण (ऽ।ऽ) होता है। जैसे–

ı ı ı ऽ ı ı ऽ ı ı ऽ ı ऽ ı ऽ
दिवस का अवसान समीप था।
ı ı ı ऽ ı ı ऽ ı ı ऽ ı ऽ
गगन था कुछ लोहित हो चला।
ı ı ı ऽ ı ı ऽ ı ı ऽ ı ऽ
तरु शिखा पर थी अब राजती।
ı ı ı ऽ ı ı ऽ ı ı ऽ ı ऽ
कमलिनी-कुल-बल्लभ की प्रभा।।

मनहरण–यह वर्णिक समृत छन्द है। इसके प्रत्येक चरण में 16, 15 अक्षरों के विराम से कुल 31 अक्षर होते हैं। अन्त में एक 'गुरु' वर्ण होता है। चारों चरणों में तुक होता है। यथा–

साजि चतुरंग सैन अंग मैं उमंग धारि = 16 अक्षर।
सरजा शिवाजी जंग जीतन चलत हैं। = 15 अक्षर।
'भूषन' भनत नाद बिहद नगारन के, = 16 अक्षर।
नदी-नद मद गैबरन के रलत हैं। = 15 अक्षर।
ऐल-फैल खैल भैल खलफ में गैस-गैल = 16 अक्षर।
गजन की ठैल-पैल सैल उसलत है। = 15 अक्षर।
तारा सो तरनि धूरि धारा मैं लगत जिनि = 16 अक्षर।
थारा पर पारा पारावार यों हलत हैं। = 15 अक्षर।

शिखरिणी–इस छन्द में चार चरण होते हैं। प्रत्येक चरण में यगण (। ऽ ऽ), मगण (ऽ ऽ ऽ) नगण (। । ।), सगण (। । ऽ) भगण (ऽ । ।) तथा अन्त में लघु-गुरु होता है और प्रत्येक चरण में 17 वर्ण होते हैं। 6 और 11 वर्णों या अक्षरों पर यति होती है।

ı ऽ ऽ ऽ ऽ ı ı ı ı ı ऽ ı ı ऽ

उदाहरण– अनूठी आभा से सरस सुषमा से सुरस से।
बना जो देती थी, वह गुणमयी भू विपिन को।
निराले फूलों की, विविध दलवाली अनुपमा।
जड़ी-बूटी हो, हो, बहु फलवती थी विलसती।

मालिनी–यह समवृत वर्णिक छन्द है। इसके चार चरणों में प्रत्येक चरण 15 वर्ण या अक्षर का होता है तथा गणों की दृष्टि से हर चरण में एक नगण (। । ।) एक मगण (ऽ ऽ ऽ) और अन्त में दो यगण (। ऽ ऽ) होते हैं। क्रमशः सात और आठ वर्णों या अक्षरों पर यति होती है।

ı ı ı ı ı ı ऽ ऽ ऽ ı ऽ ऽ ı ऽ ऽ

उदाहरण– प्रियपति! वह मेरा प्राण-प्यारा कहाँ है?
दुःख-जलनिधि डूबी का सहारा कहाँ है?
मुख लख जिसका मैं आज लौं जी सकी हूँ–
वह हृदय हमारा नयन-तारा कहाँ है?

वंशस्थ–यह समवृत वर्णिक छन्द है। इसके चार चरणों में से प्रत्येक चरण में 12 वर्ण होते हैं, पहला, दूसरा, छठा, सातवाँ, नवाँ तथा ग्यारहवाँ वर्ण या अक्षर लघु तथा शेष अक्षर गुरु होते हैं। इस प्रकार प्रत्येक चरण में क्रमशः जगण (। ऽ ।), तगण (ऽ ऽ ।), जगण (। ऽ ।) तथा रगण (ऽ । ऽ) होते हैं।

ı ऽ ı ऽ ऽ ı ı ऽ ı ऽ ı ऽ

उदाहरण– दिनांत था थे दिननाथ डूबते।
सधेनु आते गृह ग्वाल बाल थे।
दिगंत में गो राज थी समुत्थिता।
विषाण नाना बजते सवेणु थे।।

अलंकार

काव्य की शोभा बढ़ाने वाले शब्दों को अलंकार कहते हैं। जिस प्रकार नारी के सौन्दर्यवर्द्धन के लिए अनेक आभूषण होते हैं, उसी प्रकार भाषा के सौन्दर्य के उपकरणों को अलंकार कहते हैं।

शब्द और अर्थ के विशेष प्रयोग के कारण काव्य की भाषा में जो लालित्य या सौन्दर्य आ जाता है, उसे अलंकार कहते हैं।

अलंकार के भेद–इनके तीन भेद होते हैं।

1. शब्दालंकार 2. अर्थालंकार 3. उभयालंकार

1. शब्दालंकार

जहाँ वर्णों की पुनरावृत्ति अथवा समान शब्दों के एक से अधिक बार प्रयोग से भाषा में लालित्य उत्पन्न हो, वहाँ शब्दालंकार होता है।

शब्दालंकार के भेद–

शब्दालंकार के तीन भेद होते हैं– 1. अनुप्रास 2. यमक 3. श्लेष

1. अनुप्रास अलंकार : अनुप्रास शब्द अनु (बार-बार) और प्रास (चमत्कारित ढंग से रचना) दो शब्दों के मेल से बना है, अर्थात् जहाँ समान वर्णों की चमत्कारित ढंग से पुनरावृत्ति एक या अनेक बार हो भले ही स्वरों में वैषम्य हो, वहाँ अनुप्रास अलंकार होता है।

उदाहरण–'सम ससुर गुरु सुजन सुहाई।
सुठि सुन्दर सुशील सुखदाई।।

अनुप्रास अलंकार के भेद–

अनुप्रास अलंकार के तीन भेद होते हैं।

(अ) छेकानुप्रास
(ब) वृत्यानुप्रास
(स) लाटानुप्रास

(अ) छेकानुप्रास– जहाँ एक या अनेक वर्णों की आवृत्ति केवल दो बार होती है उसे छेकानुप्रास कहते हैं, जैसे–

"राधा के घर बैन सुनि, चीनी चकित सुभाय।
दास दुखी मिशरी मुरी, सुधा रही सकुचाय।"

इसमें च, द, म और स की आवृत्ति भाव दो बार हुई है। अतः यहाँ छेकानुप्रास है।

(ब) वृत्यानुप्रास–जहाँ एक या अनेक वर्णों की आवृत्ति बार-बार हो वहाँ वृत्यानुप्रास होता है, जैसे–

"तरनि-तनूजा तट तमाल तरुवर बहु छाये।"

यहाँ 'त' शब्द की आवृत्ति बार-बार होने से वृत्यानुप्रास हुआ।

(स) लाटानुप्रास–जहाँ शब्दों या वर्णों की आवृत्ति बार-बार हो तथा प्रत्येक स्थान पर अर्थ भी वही रहे पर अन्वय करने पर भिन्नता आ जाय वहाँ लाटानुप्रास होता है, जैसे–

"लाली मेरे लाल की जित देखो तित लाल"।
"लाली देखन मैं चली मैं भी हो गयी लाल"।

यहाँ पर दोनों स्थानों में 'लाल' और 'लाली' शब्द देखने से एक ही प्रतीत होते हैं पर दोनों में अन्वय करने पर भिन्नता आ जाती है।

2. यमक अलंकार : जहाँ एक ही शब्द अधिक बार प्रयुक्त हो लेकिन अर्थ हर बार भिन्न हो, वहाँ यमक अलंकार होता है।

उदाहरण– कनक-कनक तें सौगुनी, मादकता अधिकाय।
वा खाये बौराय जग, वा पाये बौराय।।

यहाँ कनक शब्द की दो बार आवृत्ति हुई है जिसमें एक कनक का अर्थ धतूरा, और दूसरे का स्वर्ण है।

3. श्लेष : जहाँ पर एक शब्द के दो अर्थ होते हैं, श्लेष अलंकार होता है।

उदाहरण– चिर जीवो जोरी जुरै, क्यों न सनेह गम्भीर
को घटि ये वृषभानुजा, 'व हलधर के वीर।।

यहाँ 'वृषभानुजा' और हलधर के दो-दो अर्थ हैं 'वृषभानुजा' शब्द का एक अर्थ है-वृषभानु की पुत्री राधिका और दूसरा अर्थ है–वृषभ की अनुजा अर्थात् बैल की बहन (गाय)। इसी प्रकार 'हलधर' के दो अर्थ हैं–एक हलधर अर्थात् श्री कृष्ण के भाई बलराम और दूसरा हलधर-हल को धारण करने वाला अर्थात् बैल। इन दोनों शब्दों के अर्थों से दोहे के अलग-अलग दो अर्थ निकलते हैं। अतः यह श्लेष अलंकार है।

2. अर्थालंकार : जहाँ शब्द के आन्तरिक अर्थ से भाषा या वाणी का सौन्दर्य बढ़े, वहाँ अर्थालंकार होता है।

अर्थालंकार के भेद–अर्थालंकार के 9 भेद होते हैं।

1. **उपमालंकारः** जहाँ दो वस्तुओं में अन्तर रहते हुए भी आकृति एवं गुण की समता दिखाई जाय वहाँ उपमालंकार होता है।

उपमालंकार के अंग–

उपमा के चार अंग हैं– 1. उपमेय 2. उपमान, 3. साधारण धर्म, और 4. वाचक।

1. **उपमेय**–जिस वस्तु का वर्णन किया जाता है उसे उपमेय कहते हैं।
2. **उपमान**–जिस वस्तु से समता की जाती है उसे उपमान कहते हैं।
3. **साधारण धर्म**–जिस विशेषता के कारण उपमेय और उपमान की समानता दिखाई जाती है उसे साधारण धर्म कहते हैं।
4. **वाचक**–जिस शब्द से उपमेय और उपमान की समता सूचित की जाती है, उसे वाचक कहते हैं।

वाचक शब्द ये हैं–

सो, से, सी, इव, तूल, लौ, सम, सदृश, समान।
ज्यों, जैसे, इयि, सरिस, जिमि, उपमा वाचक जान।।

उपमा का उदाहरण– "दादुर धुनि चहुँदिशा सुहाई।
वेद पढ़त जनु वटु समुदाई"।।

इसमें 'दादुर' उपमेय, 'बटु' उपमान, 'धुनि' साधारण धर्म और 'जनु' वाचक है।

उपमालंकार के भेद– उपमा के दो भेद होते हैं– 1. पूर्णोपमा और 2. लुप्तोपमा।

1. **पूर्णोपमा**–इसमें उपमा के सभी अंग जैसे– उपमेय, उपमान, साधारण धर्म एवं वाचक उपस्थित होते हैं, अतः यह पूर्णोपमा कहलाती है, यथा–
"सागर-सा गम्भीर हृदय हो,
गिरि-सा ऊँचा हो जिसका मन''।
इसमें सागर तथा गिरि उपमान, मन और हृदय उपमेय, सा वाचक, गम्भीर एवं ऊँचा साधारण धर्म हैं।
2. **लुप्तोपमा**–जहाँ उपमा के चारों अंगों में से किसी एक, दो या तीनों का लोप हो वहाँ लुप्तोपमा होती है।
"कल्पना-सी अतिशय कोमल।"
इसमें उपमेय लुप्त है। इसमें कल्पलता उपमान है, 'अतिशय कोमल' साधारण धर्म।

2. **रूपक अलंकार**–जहाँ उपमेय पर उपमान का आरोप किया जाय वहाँ रूपक अलंकार होता है अर्थात् उपमेय और उपमान में कोई अन्तर न दिखाई पड़े।

उदाहरण– उदित उदय गिरि मंच पर रघुबर बाल पतंग।
बिकसे सन्त सरोज सब हरषे लोचन भृंग।।

यहाँ 'मंच' में उदय गिरि पर्वत का, 'रघुबर' में मोर के शिशु-सूर्य का, 'सन्त' में सरोज का तथा 'लोचन' में भृंग का अर्थात् भ्रमर का आरोप किया गया है।

रूपक अलंकार के भेद

रूपक अलंकार के तीन भेद होते हैं–

1. सम 2. अधिक 3. न्यून

(अ) सांग (ब) निरंग (ख) परंपरित

1. **सम रूपक**–इसमें उपमेय एवं उपमान में समानता दिखाई जाती है। कोई भी एक दूसरे की अपेक्षा कम या अधिक नहीं होता है– तब सम, अभेद या तद्रूप रूपक होता है।
जैसे–मुख चंद्र है।
2. **अधिक रूपक**–जहाँ उपमेय में उपमान की तुलना में कुछ अधिकता दिखाई जाती है, तब वहाँ अधिक रूपक होता है। जैसे–मुख निष्कलंक चंद्रमा है।
3. **न्यून रूपक**–जब उपमान की तुलना में उपमेय को न्यून दिखाया जाता है, तब उसे न्यून रूपक कहते हैं। जैसे–मुख घर को प्रकाशित करने वाला चंद्रमा है।
(अ) सांग रूपक–इसमें रूपक के सभी अंग उपस्थित रहकर उपमान का उपमेय पर आरोप प्रकट करते हैं।
(ब) निरंग रूपक–इसमें उपमेय पर उपमान के प्रधान गुण का आरोप होता है।
(स) परंपरित रूपक–इसमें दो रूपक होते हैं अर्थात् रूपक अपने स्पष्टीकरण के लिए अप्रधान रूपक पर आश्रित होता है।

उदाहरण–

"टूक-टूक हवै है मन मुकुट हमारे, हाथ।
चूकिहू कठोर बैन-पाहन चलाओ ना।
एक मनमोहन तो हिय बसि के उजारयौं हमें
हिय में अनेक मनमोहन बसाओ ना।।"

इनमें मन पर मुकुट का एवं बैन पर पाहन का आरोप किया गया है।

3. **उत्प्रेक्षा अलंकार :** जब उपमेय में उपमान से भिन्नता जानते हुए भी उसमें उपमान की संभावना की जाती है, तब उत्प्रेक्षा अलंकार होता है। इस अलंकार के वाचक शब्द मनु, मानो, इव, जनु, जानो, आदि होते हैं।

उदाहरण–

"लता-भवन ते प्रगट में तेहि अवसर दोऊ भाई।
निकसे जनु जुग विमल विधु जलद पटल बिलगाई।"

इसमें लता भवन से निकलते हुए दोनों भाई अर्थात् राम एवं लक्ष्मण को बादलों से निकलते हुए दो चन्द्रमा बताया गया है। यहाँ भिन्नता से अभिन्नता दिखाई गई है अतः उत्प्रेक्षा है।

उत्प्रेक्षा अलंकार के भेद :

उत्प्रेक्षा अलंकार के तीन भेद होते हैं–

(अ) वस्तुप्रेक्षा (ब) हेतुत्प्रेक्षा (स) फलोत्प्रेक्षा

(अ) वस्तुप्रेक्षा–जहाँ प्रस्तुत में अप्रस्तुत की सम्भावना प्रकट की जाय उसे वस्तुप्रेक्षा कहते हैं।

उदाहरण–

"सखि सोहत गोपाल के, उर गुञ्जन की माल।
बाहर लसत मनो पिये, दावानल की ज्वाल।"

(ब) हेतु प्रेक्षा–जहाँ अहेतु में हेतु की सम्भावना की जाती है। अर्थात् जहाँ वास्तविक कारण को छोड़कर अन्य हेतु को मान लिया जाता है।

(स) फलोत्प्रेक्षा–इनमें वास्तविक फल के न होने पर भी उसी को फल मान लिया जाता है।

उदाहरण–

"खंजरी नहिं लखि परत कुछ रिन साँची बात।
बाल दृगन सम हीन को करन मनो तप जात।।"

4. **अपहनुति अलंकार :** अपहनुति का अर्थ ही होता है 'छिपना', अतः इस अलंकार में उपमेय को छिपाकर उपमान को स्थापित किया जाता है। अर्थात् इसमें सत्य को छिपाकर असत्य को सत्य बना दिया जाता है।

उदाहरण–

"उड़न पराग न चित्त उड़ावत।
भ्रमर भ्रमत नहीं जीव भ्रमावत।।"

अपहनुति अलंकार के भेद–इस अलंकार के छः भेद होते हैं :

अपहनुति अलंकार

शुद्ध | हेतु | पर्यस्त | भ्रान्त | धेय | केतव

5. **सन्देह अलंकार :** जहाँ दो वस्तुओं में समता होने के कारण दोनों के एक ही होने का सन्देह हो जाता है, पर निश्चय नहीं हो पाता, सन्देह अलंकार कहते हैं, अर्थात् उपमेय का उपमान के रूप में वर्णन किया जाता है।

उदाहरण–

"साड़ी बीच नारी है कि नारी बीच साड़ी है,
कि साड़ी ही की नारी है कि नारी ही की साड़ी है।"

इसमें चीर हरण के समय बढ़ती हुई द्रोपदी की साड़ी को देखकर नारी में सारी एवं सारी में नारी का सन्देह होता है। सन्देह और भ्रान्तिमान, अलंकार में यही अन्तर होता है कि सन्देह अलंकार में निश्चय नहीं होता, मात्र संशय ही रहता है परन्तु भ्रान्तिमान अलंकार में निश्चय रहता है।

6. **भ्रान्तिमान अलंकार :** जहाँ उपमान एवं उपमेय दोनों को एक साथ देखने पर उपमान का निश्चयात्मक भ्रम हो जाए अर्थात् जहाँ एक वस्तु को देखने पर दूसरी वस्तु का भ्रम हो जाए, वहाँ भ्रान्तिमान अलंकार होता है।

उदाहरण–

"पाँव महावर दैन को नाइनि बैठी आय।
फिरि-फिरि जानि महावरी एँड़ी मोड़ती जाय।

इसमें नायिका की लाल एँड़ियों को देखकर नाइन महावर समझ कर रगड़ती जाती है।

एक अन्य उदाहरण–

"नाक का मोती अधर की कांति से
बीज दाड़िम का समझ कर भ्रान्ति से।
देखकर सहसा हुआ शुक मौन है
सोचता है, अन्य शुक यह कौन है?

इसमें नायिका की नुकीली नाक को देखकर तोता नाक में पहने मोती को अनार का दाना समझता है।

7. **दृष्टांत अलंकार :** जहाँ दो वाक्यों में बिम्ब-प्रतिबिम्ब का भाव हो अर्थात् जहाँ दो वाक्यों के गुण तो अलग-अलग हों परन्तु प्रथम वाक्य को स्पष्ट करने के लिए दूसरे वाक्य का प्रयोग होता है। उसे दृष्टांत अलंकार कहते हैं।

उदाहरण–

"बड़े न छूजै गुननु, विरद बड़ाई पाइ।
कहत धतूरे सौ कनक, गहनों गदयों न जाई"

यहाँ पर गुणों से बना होना एक बात और 'गहने गढ़ना 'दूसरी बात है। फिर भी 'बिना गुणों के बड़ा होना 'तथा धतूरे से गहना गढ़ना दोनों धर्म समान ज्ञात होते हैं और पुनः प्रथम कथन का स्पष्टीकरण द्वितीय से किया गया है। अतः यहाँ दृष्टांत अलंकार है।

8. **व्याजस्तुति अलंकार :** इसमें किसी की व्यंग रूप में स्तुति की जाती है, अर्थात् जो इस स्तुति के योग्य नहीं है उसकी भी स्तुति की जाती है मात्र दिखाने के लिए पर वास्तव में यह स्तुति नहीं होती– यह एक प्रकार का व्यंग्य होता है।

उदाहरण–

"ऊधौ भलो कियो तुम आयो,
पर निर्गुण भक्ति की यह गठरी क्यों लायो!"

इसमें ब्रज-गोपियाँ ऊधो को आया देखकर चिढ़ जाती हैं कि ये क्यों चले आये और श्याम को क्यों नहीं लाये। घर पर आये मेहमान का स्पष्ट शब्दों में अनादर नहीं करके व्याज स्तुति द्वारा प्रशंसा करती हैं (वे कहती हैं कि ऊधो अच्छा हुआ कि तुम आ गये लेकिन निर्गुण भक्ति की गठरी क्यों उपहार स्वरूप हमारे लिए लाये हो? हमें यह गठरी नहीं चाहिए।

9. **अर्थान्तरन्यास अलंकार :** जहाँ सामान्य कथन का किसी भी विशेष कथन द्वारा समर्थन किया जाता है, वहाँ अर्थान्तरन्यास अलंकार होता है।

उदाहरण–

लोकन के अपवाद को डर करिए दिन-रैन।
रघुपति सीता परिहरी सुनत रजक कर बैन।।

इस उदाहरण में सामान्य कथन तो यह है कि लोक अपवाद से डरना चाहिए और विशेष कथन द्वारा समर्थन किया है कि राम ने भी धोबी की निंदा सुनकर सीता का परित्याग कर दिया था।

उभयालंकार : जहाँ शब्द में भी अलंकार हो और अर्थ में भी अलंकार हो वहाँ उभयालंकार की स्थिति होती है। उभयालंकार कोई अलंकार नहीं है। यह एक स्थिति है जिसमें शब्द और अर्थ दोनों में चमत्कार दिखते हैं। उभयालंकार का मतलब ही है– दोनों अलंकार यानी शब्द में भी अलंकार (शब्दालंकार) और अर्थ में भी अलंकार (अर्थालंकार)। वस्तुतः विद्यार्थी

शब्दालंकार और अर्थालंकार ही पढ़ते हैं। काव्य शास्त्रवेत्ताओं ने उभयालंकार को अलंकार के भेदों में जोड़ कर तीन भेद कर डाले हैं। वस्तुतः अलंकार के दो ही भेद हैं– शब्दालंकार और अर्थालंकार। उभय (दोनों) + अलंकार = उभयालंकार। श्रेष्ठ कवियों की रचनाओं में उभयालंकार प्राप्त होते हैं।

काव्य गुण

सर्वप्रथम आचार्य भरतमुनि ने नाट्यशास्त्र में दस गुणों को निर्धारित किया है, जो निम्न हैं–श्लेष, प्रसाद, समता, समाधि, माधुर्य, ओज, पद सौकुमार्य, अर्थ, व्यक्ति उदारता तथा कान्ति।

''श्लेषः प्रसादः सामाधिर्माधुर्य भोजः पदसौकुमार्यम।
अर्थस्थ च व्यक्तिरुदारता च कान्तिश्च काव्यार्थगुणा दशैते।।''

काव्य में आकर्षण, प्रवाह, ओज एवं चमत्कार उत्पन्न करने वाले तत्वों को गुणों की संज्ञा दी जाती है। तात्पर्य है–काव्य शोभा की वृद्धि करने वाले तत्व गुण हैं।

''काव्य-शोभायाः कर्त्तारो धर्मा गुणोंः।''

आचार्य भामह ने काव्य के केवल तीन गुण माने हैं, जो इस प्रकार हैं–माधुर्य, ओज तथा प्रसाद।

1. **माधुर्य :** सानुनासिक वर्णो (ङ्, ञ्, ण्, न्, म्) से युक्त छोटे-छोटे समास तथा कोमल वर्णो से परिपूर्ण गुण माधुर्य कहलाता है। शृंगार, करुण तथा शान्त रस में इस गुण का प्रयोग प्रभावशाली होता है। प्रेम, करुणा अथवा शान्ति के क्षणों में माधुर्यगुणयुक्त रचना सुनकर चित्त प्रसन्न हो उठता है।
2. **ओज :** कठोर वर्णों, लम्बे-लम्बे समासों से युक्त तथा ट वर्ग विशेष के प्रयोग वाला गुण ओज कहलाता है। यह गुण चित्त में उत्साह बढ़ाने वाला तथा दीप्ति लाने वाला है। इसका प्रयोग वीर, रौद्र तथा वीभत्स रसों में उपयुक्त होता है।
3. **प्रसाद :** प्रसाद गुण सरल शब्दावली से युक्त होता है, इसमें क्लिष्टता नाममात्र की भी नहीं होती। इसे सुनते ही अर्थ स्पष्ट हो जाता है। प्रसाद गुण का प्रयोग सभी रसों और सभी प्रकार की रचनाओं में होता है।

काव्य दोष

'दोष' शब्द 'दुण' धातु से बना है, जिसका सामान्य अर्थ है–भूल, त्रुटि, रोग, गुणरहित। आचार्य भरत ने गुण के अभाव को ही दोष माना है। आचार्य विश्वनाथ ने अनुसार, ''दोष वह तत्व है, जो रस की हानि करता है।'' आचार्य मम्मट मुख्यार्थ में बाधक तत्त्वों को दोष मानते हैं–''मुख्यार्थ हतिदोष।'' उपरोक्त तथ्यों से यह स्पष्ट होता है कि काव्यानुभूति में अवरोध पैदा करने वाले, रस में बाधक और शब्दार्थ को नष्ट या कम करने वाले तत्व दोष माने जाते हैं।

काव्य-दोष के प्रमुख भेद निम्न हैं–

1. **शब्द दोष :** रस भाव के कर्णकटु शब्दों का प्रयोग, अप्रचलित, ग्रामीण, अश्लील, क्लिष्ट तथा अनुचितार्थ वाले शब्दों का प्रयोग शब्द दोष के अन्तर्गत आता है।
2. **अर्थ दोष :** काल का ध्यान न रखना, एक ही शब्द या भाव बार-बार दोहराना, शास्त्र विरुद्ध कथन और लोकविरुद्ध कथन अर्थ दोष के अन्तर्गत आता है।
3. **रस दोष :** रस दोष और उसके भावों की अभिधात्मक व्यंजना करना अथवा रस के विपरीत भावों का वर्णन या रस पुष्टि के पूर्व ही विपरीत कहकर रसभंग की स्थिति उत्पन्न करना रस दोष के अन्तर्गत आता है।

वस्तुनिष्ठ प्रश्न

1. काव्य में कितने स्थायी भाव प्रधान माने गए हैं?
A. पाँच B. सात
C. नौ D. ग्यारह

2. मन में जिसके प्रति भाव (स्थायी भाव) प्रकट होता है, इसे कहते हैं–
A. आलम्बन B. आश्रय
C. उद्दीपन D. संचारी भाव

3. संचारी भाव कितने माने गए हैं?
A. ग्यारह B. बाईस
C. तैंतीस D. सात

4. शृंगार रस का स्थायी भाव क्या है?
A. उत्साह B. शोक
C. रति D. विनोद

5. संचारी भाव
A. स्थायी भाव को पुष्ट करता है
B. स्थायी भाव के सहयोगी का काम करता है
C. अपना काम करने के बाद स्थायी भाव में ही लुप्त हो जाता है
D. उपरोक्त तीनों

6. रौद्र रस का स्थायी भाव क्या है?
A. शोक B. जुगुप्सा
C. क्रोध D. भय

7. वात्सल्य रस का स्थायी भाव क्या है?
A. स्नेह B. उत्साह
C. प्रेम D. जुगुप्सा

8. जिसके कारण हृदय में भाव प्रवृत्त होता है, वह क्या कहलाता है?
A. विभाव B. आलम्बन
C. उद्दीपन D. आश्रय

9. हास्य रस के कितने भेद हैं?
A. दो B. तीन
C. छह D. आठ

10. करुण रस का स्थायी भाव क्या है?
A. क्रोध B. भय
C. जुगुप्सा D. शोक

11. रस का आधार क्या है?
A. अनुभूति B. काव्य
C. संचारी भाव D. अलंकार

12. एक ओर अजगरहिं लखि एक ओर मृग राय।
विकल बटोही बीच ही परयौ मूरछा खाय।
उक्त पद में रस कौन-सा है?
A. करुण रस B. रौद्र रस
C. वीभत्स रस D. भयानक रस

13. जशोदा हरि पालने झुलावै।
हलरावै दुलरावै जोई सोई कछु गावै।
उक्त पद में रस कौन-सा है?
A. शृंगार रस B. वात्सल्य रस
C. वीभत्स रस D. वीर रस

14. 'क्या भाग रहा है भार देख?
तू मेरी ओर निहार देख
मैं त्याग चला निस्सार देख
अटकेगा मेरा कौन काम?
उक्त पद में रस कौन-सा है?
A. शांत रस B. वात्सल्य रस
C. रौद्र रस D. करुण रस

15. 'अखिल भुवन चर-अचर सब, हरि मुख में लखि मातु।
चकित भई गद्गद् वचन, विकसित दृग पुलकातु।'
उक्त पद में रस कौन-सा है?
A. शांत रस B. वात्सल्य रस
C. अदभुत रस D. वीभत्स रस

16. इसमें रस कौन-सा है–
'बरतस लालच लाल की मुरली धरी लुकाय।
सौंह करै, भौंहन हँसै, दैन कहै, नटिं जाय।।'
A. करुण रस B. हास्य रस
C. शृंगार रस D. रौद्र रस

17. 'सभय बिलोके लोग सब जानि जानकी भीर।
हृदय न हरप विषाद कछु बोले श्रीरघुवीर।।
उक्त पद में रस कौन-सा है?
A. शांत रस B. शृंगार रस
C. वीर रस D. करुण रस

18. वीर रस कितने प्रकार के होते हैं?
A. तीन B. चार
C. पाँच D. छह

19. रस की भांति भाव के भी शुद्ध रूप में न होने और किसी विकार या दोष से युक्त होने के कारण उसे कहा जाता है–
A. रसाभाव B. भावाभाव
C. भाव-सन्धि D. भाव सबलता

20. जहाँ किसी भाव के शांत होते ही सहसा किसी दूसरे भाव के उदय होने का वर्णन होता है, वहां–
A. भावोदय होता है B. भाव-संधि होती है
C. भावसबलता होती है D. रसाभाव होता है

21. 'चेतक के पीछे दो काल, पड़े हुए ये ले असि ढाल।
उसके पथ में उनको मार, पावन की अपनी करवान।'
उक्त पंक्तियों में क्या है?
A. भाव-संधि B. भावोदय
C. भाव-शांति D. भावाभास

22. जहाँ दो भावों का संचार एक ही साथ वर्णन किया जाए, वहाँ क्या होता है?
A. भावाभास B. रसाभाव
C. भाव-शांति D. भाव-संधि

23. जहाँ दो से अधिक परस्पर विरोधी व उदासीन भावों के गड्डमड्ड होने अथवा एक साथ उदय होने का भाव हो, वहाँ क्या होता है–
A. भावाभास B. भाव-संधि
C. भाव-शांति D. भावसबलता

24. रस में विरोध कितने प्रकार का माना जाता है?
A. दो B. तीन
C. चार D. पाँच

25. जो स्वर दो स्वरों के योग से उच्चारित होते हैं, वे क्या कहलाते हैं?
A. ह्रस्व B. दीर्घ
C. व्यंजन D. गुरु

26. स्वर के उच्चारण में जो समय लगता है, उस अवधि को क्या कहते हैं?
A. मात्रा B. ह्रस्व
C. लघु D. वर्ण

27. लघु वर्ण की कितनी मात्रा होती है?
A. एक B. दो
C. चार D. पाँच

28. गुरु वर्ण की कितनी मात्रा होती है?
A. एक B. दो
C. चार D. तीन

29. 'मान्धाता' शब्द में तीनों मात्राएँ क्या हैं?
A. लघु B. गुरु
C. ह्रस्व D. दीर्घ

30. छंदों में प्रवाह होना चाहिए, जिससे पढ़ने में रुकावट न हो। इस प्रवाह को क्या कहते हैं?
A. क्रम B. यति
C. गण D. गति

31. चरणों में रुकावट, विराम, विश्राम को क्या कहते हैं?
A. गण B. क्रम
C. गति D. यति

32. छंद में गण शब्द का क्या तात्पर्य है?
A. दो अक्षरों का समूह B. तीन अक्षरों का समूह
C. पाँच अक्षरों का समूह D. छह अक्षरों का समूह

33. छंदों में त्रि-वर्ण के कितने समूह हैं?
A. तीन B. चार
C. सात D. आठ

34. छंद के दो या चार चरणों के अन्त में जब कोई एक स्वर आता है, तब उस अक्षर की एकता को क्या कहते हैं?
A. यति B. गति
C. क्रम D. तुक

35. छंदों के कितने भेद हैं?
A. दो B. तीन
C. चार D. आठ

36. चौपाई छंद के एक चरण में कितनी मात्राएँ होती हैं?
A. 16 B. 14
C. 17 D. 13

37. 'खंजन मंजु तिरीछे नयननि, निज पति कहेऊ तिन्हहि सिय सयननि।'
प्रस्तुत छंद क्या है?
A. चौपाई B. सोरठा
C. दोहा D. रोला

38. वर्णों के अनुसार गणों का मिलान कीजिए तथा दिए गए कूट की सहायता से सही उत्तर का चयन कीजिए–

गण	वर्ण
(*a*) रगण	1. सावन
(*b*) तगण	2. सौतेला
(*c*) भगण	3. साधना
(*d*) मगण	4. साकार

कूट :

	(*a*)	(*b*)	(*c*)	(*d*)
A.	3	4	1	2
B.	1	2	4	3
C.	1	2	3	4
D.	3	4	2	1

39. वर्णों के अनुसार गणों का मिलान कीजिए तथा दिए गए कूट की सहायता से सही उत्तर का चयन कीजिए–

गण	वर्ण
(*a*) नगण	1. सुभाषा
(*b*) यगण	2. सुजाता
(*c*) जगण	3. सरिता
(*d*) सगण	4. सरल

कूट :

	(*a*)	(*b*)	(*c*)	(*d*)
A.	2	1	4	3
B.	4	2	1	3
C.	1	2	3	4
D.	3	4	2	1

40. मगण गण में गण का क्या लक्षण है?
A. पहला वर्ण गुरु B. बीच वर्ण गुरु
C. अन्त वर्ण गुरु D. तीनों वर्ण गुरु

41. तगण गण में गण का क्या लक्षण है?
A. अन्त का वर्ण लघु B. बीच का वर्ण लघु
C. तीनों वर्ण लघु D. पहला वर्ण लघु

42. जगण गण में गण का क्या लक्षण है?
A. बीच का वर्ण लघु B. बीच का वर्ण गुरु
C. अन्त का वर्ण लघु D. अन्त का वर्ण गुरु

43. निम्न में अर्द्धमात्रिक छंद कौन-सा है?
A. दोहा B. रोला
C. सोरठा D. चौपाई

44. निम्न में अर्द्धसममात्रिक छंद कौन-सा है?
A. दोहा B. रोला
C. सोरठा D. कुण्डलिया

45. छंदों में विषम चरणों से तात्पर्य है–
A. पहला और दूसरा चरण
B. दूसरा और तीसरा चरण
C. पहला और चौथा चरण
D. पहला और तीसरा चरण

46. दोहे के सम्बन्ध में कौन-सा कथन सही नहीं है?
A. यह अर्द्ध मात्रिक छंद है
B. प्रत्येक दल में 24 मात्राएँ होती हैं
C. विषम चरणों में 11 मात्राएँ, सम चरणों में 13 मात्राएँ होती हैं
D. दूसरे और चौथे चरण की तुक मिलती है

47. चौपाई के एक चरण में कितनी मात्राएँ होती हैं?
A. 16 मात्राएँ B. 13 मात्राएँ
C. 11 मात्राएँ D. 17 मात्राएँ

48. अर्द्धाली किसे कहते हैं?
A. एक चरण की चौपाई को
B. दो चरण की चौपाई को
C. चार चरण की चौपाई को
D. सोरठा छंद को

49. दोहे का उल्टा रूप किसे कहा जाता है?
A. सोरठा छंद B. रोला छंद
C. कुण्डलियां छंद D. चौपाई छंद

50. हरिगीतिका के प्रत्येक चरण में कितनी मात्राएँ होती हैं?
A. 4 मात्राएँ B. 3 मात्राएँ
C. 6 मात्राएँ D. 8 मात्राएँ

51. रोला के प्रत्येक चरण में कुल कितनी मात्राएँ होती हैं?
A. 2 मात्राएँ B. 6 मात्राएँ
C. 4 मात्राएँ D. 8 मात्राएँ

52. निम्न पद्य में कौन-सा छंद है?
'जीती जाती हुई जिन्होंने भारत बाजी
निज बल दल मेट विरोधी सबल कुराजी
जिनके आगे ठहर सके जंगी न जहाजी
हैं ये वही प्रसिद्ध छत्रपति भूप शिवाजी।'
A. सोरठा B. रोला
C. चौपाई D. कुण्डलिया

53. कुण्डलियां में कुल कितने पद होते हैं?
A. दो B. चार
C. छह D. आठ

54. कुण्डलियां में कुल कितनी मात्राएँ होती हैं?
A. 134 मात्राएँ B. 140 मात्राएँ
C. 142 मात्राएँ D. 144 मात्राएँ

55. वंशस्थ के प्रत्येक चरण में कितनी मात्राएँ होती हैं?
A. 10 मात्राएँ B. 12 मात्राएँ
C. 14 मात्राएँ D. 17 मात्राएँ

56. वंशस्थ में कौन-सा गण है?
A. ज त र B. र म ज
C. त स य D. भ न य

57. मालिनी छंद में प्रत्येक चरण में कितनी मात्राएँ होती हैं?
A. 15 मात्राएँ B. 17 मात्राएँ
C. 22 मात्राएँ D. 24 मात्राएँ

58. वसन्ततिलका छंद में कौन-सा गण है?
A. त भ र र म B. त भ ज ज ग
C. त भ ग म स D. त भ र ज म

59. वसन्ततिलका छंद में कितनी मात्राएँ होती हैं?
A. 11 मात्राएँ B. 12 मात्राएँ
C. 14 मात्राएँ D. 24 मात्राएँ

60. "केवल मनोरंजन न कवि का कर्म होना चाहिए।
उसमें उचित उपदेश का भी मर्म होना चाहिए।।"
उक्त छंद कौन-सा है?
A. कुण्डलियां B. शिखरिणी
C. वंशस्थ D. हरिगीतिका

61. मनहरण छंद का दूसरा नाम क्या है?
A. कवित्त B. घनाक्षरी
C. गीतिका D. दण्डवृत्त

62. छप्पय में कुल कितने चरण होते हैं?
A. दो B. चार
C. छह D. पाँच

63. सरसी के प्रत्येक चरण में कितनी मात्राएँ होती हैं?
A. 12 मात्राएँ B. 24 मात्राएँ
C. 26 मात्राएँ D. 27 मात्राएँ

64. गीतिका के प्रत्येक चरण में कितनी मात्राएँ होती हैं?
A. 12 मात्राएँ B. 24 मात्राएँ
C. 26 मात्राएँ D. 28 मात्राएँ

65. तीमर के प्रत्येक चरण में कितनी मात्राएँ होती हैं?
A. 4 मात्राएँ B. 5 मात्राएँ
C. 10 मात्राएँ D. 12 मात्राएँ

66. उल्लाला के प्रत्येक चरण में कितनी मात्राएँ होती हैं?
A. 6 मात्राएँ B. 8 मात्राएँ
C. 10 मात्राएँ D. 13 मात्राएँ

67. हिन्दी में कौन-सा छंद विषम कहलाता है?
A. चौपाई B. दोहा
C. सोरठा D. छप्पय

68. मात्राओं और वर्णों की संख्या के विचार से सम छंदों के कितने भेद होते हैं?
A. दो B. तीन
C. चार D. छह

69. अलंकार के कितने मुख्य भेद होते हैं?
A. दो B. तीन
C. चार D. पाँच

70. काव्य का अस्थिर धर्म क्या है?
A. रस B. शब्द शक्ति
C. अलंकार D. छंद

71. जहाँ एक साथ शब्द और अर्थ दोनों में विशेषता हो, वहाँ–
A. शब्दालंकार होता है B. अर्थालंकार होता है
C. अनुप्रास अलंकार होता है D. उभयालंकार होता है

72. जब किसी कविता में एक शब्द का एक ही बार प्रयोग हो, परन्तु उसके दो या अधिक अर्थ हों, तब कौन-सा अलंकार होता है?
A. रूपक B. उपमा
C. प्रतीप D. श्लेष

73. निम्न में कौन-सा शब्दालंकार नहीं है?
A. उपमा, रूपक B. व्यतिरेक, दृष्टांत
C. अनुप्रास, यमक D. श्लेष, वक्रोक्ति

74. 'कुन्द इन्दु सम देह, उमा रमन करुण अयन'
उक्त पद में अलंकार कौन-सा है?
A. श्लेष B. उपमा
C. अनुप्रास D. रूपक

75. 'कनक कनक ते सौ गुनी मादकता अधिकाय।
वा खाये बौराय जग या पाये बौराय।'
उक्त पद में अलंकार कौन-सा है?
A. यमक B. अनुप्रास
C. रूपक D. प्रतीप

76. 'स्वर्ग की तुलना उचित ही है यहाँ, किन्तु सुरसरिता कहाँ सरयू कहाँ?
वह मरों को मात्र पार उतारती, यह यहीं से जीवितों को तारती।'
उक्त पद में अलंकार कौन-सा है?
A. श्लेष B. व्यतिरेक
C. रूपक D. भ्रान्तिमान

77. 'हनुमान की पूँछ में लगन न पाई आग।
लंका सिगरी जल गई, गए निसाचर भाग।'
उक्त पद में अलंकार कौन-सा है?
A. उत्प्रेक्षा B. भ्रान्तिमान
C. दृष्टान्त D. अतिशयोक्ति

78. 'एक राज्य न हो बहुत से हों जहाँ, राष्ट्र का बल बिखर जाता है वहाँ,
बहुत तारे थे अँधेरा कब मिटा, सूर्य का आना सुना जब तब मिटा।'
उक्त पद में अलंकार कौन-सा है?
A. दृष्टान्त B. व्यतिरेक
C. भ्रान्तिमान D. उपमा

79. 'मेरी भव बाधा हरौ, राधा नागरि सोई।
जो तन की झाईं परत, स्यामु हरित दुति होई।'
उक्त पद में अलंकार कौन-सा है?
A. व्यतिरेक B. श्लेष
C. उपमा D. अनुप्रास

80. जब शब्द (पद) में एक या कई व्यंजन एक से अधिक बार एक ही क्रम में आएं, वह कौन-सा अलंकार होता है?
A. यमक B. दृष्टान्त
C. भ्रान्तिमान D. अनुप्रास

81. काव्य में शब्दगत और अर्थगत सौंदर्य की वृद्धि उत्पन्न करने वाले साधन को क्या कहते हैं?
A. अलंकार B. रस
C. छंद D. शब्द-शक्ति

82. निम्न पंक्तियों में कौन-सा अलंकार है?
''बहुरि अंजली बांधि ध्यान विधि को विधिवत गहि।
माँगी गंग उमंग सहित पूरब प्रसंग कहि।।''
A. अनुप्रास B. उत्प्रेक्षा
C. मालोपमा D. भ्रान्तिमान

83. अनुप्रास के कितने भेद होते हैं?
A. दो B. तीन
C. चार D. पाँच

84. जब कविता में एक ही शब्द दो या अधिक बार आये हर बार उसका अर्थ भिन्न हो, तो कौन-सा अलंकार होता है?
A. यमक B. अतिशयोक्ति
C. अनुप्रास D. प्रतीप

85. किस अलंकार में लक्षण से चमत्कार घटित होता है?
A. प्रतीप B. रूपक
C. अतिशयोक्ति D. अनन्वय

86. किस अलंकार में प्रसिद्ध उपमानों को उपमेय के रूप में कर लिया जाता है?
A. रूपक B. अनुप्रास
C. प्रतीप D. उपमा

87. प्रस्तुत वर्ण्य को बढ़ा-चढ़ाकर अतिरंजित रूप में अभिव्यक्त करने से कौन-सा अलंकार होता है?
A. अतिशयोक्ति B. दृष्टान्त
C. विभावना D. विशेषोक्ति

88. किस अलंकार में कविता में उपमेय और उपमान बिम्ब-प्रतिबिम्ब भाव से होते हैं?
A. अतिशयोक्ति B. प्रतीप
C. विशेषोक्ति D. दृष्टान्त

89. जब भ्रववश किसी एक चीज को देखकर उसके समान की किसी अन्य वस्तु का भ्रम हो तो कौन-सा अलंकार होता है?
A. विभावना B. उत्प्रेक्षा
C. भ्रान्तिमान D. विशेषोक्ति

90. उपमान की अपेक्षा उपमेय के वर्णन में जब उत्कृष्टता दिखाई जाती है, तो कौन-सा अलंकार होता है?
A. प्रतीप B. विभावना
C. उत्प्रेक्षा D. व्यतिरेक

91. किस अलंकार में उपमेय में उपमान की सम्भावना की जाती है?
A. उत्प्रेक्षा B. विभावना
C. प्रतीप D. अनुप्रास

92. कविता में जब बिना पर्याप्त कारण के कार्य सम्पन्न होने का चमत्कार घटित होता है, तो कौन-सा अलंकार होता है?
A. प्रतीप B. उत्प्रेक्षा
C. अतिशयोक्ति D. विभावना

93. प्रबल कारणों के उपस्थित होते हुए भी जब कार्य सिद्ध न होने का वर्णन किया जाए तो कौन-सा अलंकार होता है?
A. विशेषोक्ति B. विभावना
C. व्यतिरेक D. प्रतीप

94. जहाँ किसी उक्ति में वक्ता के अभिप्रेत आशय से भिन्न अर्थ की कल्पना की जाये, वहाँ कौन-सा अलंकार होता है?
A. प्रतीप B. अनुप्रास
C. वक्रोक्ति D. विभावना

95. जहाँ सादृश्य के कारण किसी वस्तु को देखकर यह निश्चय न हो सके कि यह वही वस्तु है या अन्य, अर्थात् दोनों में दुविधा वही वस्तु है या अन्य, अर्थात् दोनों में दुविधा बनी रहे, वहाँ कौन-सा अलंकार होता है?

A. भ्रान्तिमान B. विभावना

C. सन्देह D. प्रतीप

96. जहाँ सामान्य कथन का विशेष कथन द्वारा और विशेष कथन का सामान्य कथन द्वारा समर्थन किया जाता है, वहाँ कौन-सा अलंकार होता है?

A. विशेषोक्ति B. विभावना

C. अर्थान्तरन्यास D. वक्रोक्ति

97. जहाँ कविता में एक ही चीज उपमान और उपमेय भाव से कही जाती है, वहाँ कौन-सा अलंकार होता है?

A. प्रतीप B. अनन्वय

C. अनुप्रास D. रूपक

98. वर्णन में जो प्रस्तुत विषय के रूप में होता है (जैसे सीता का मुख) उसे क्या कहते हैं?

A. उपमेय

B. उपमान

C. धर्म

D. वाचक

99. वर्ण्य वस्तु की शोभा बढ़ाने के लिए जिस अप्रस्तुत (जैसे चन्द्रमा) की कल्पना की जाती है, उसे क्या कहते हैं?

A. धर्म B. वाचक

C. उपमान D. उपमेय

100. जिस गुण के कारण उपमेय और उपमान में समानता स्थापित की जाती है (जैसे सुन्दर), उसे क्या कहते हैं?

A. उपमेय B. उपमान

C. वाचक D. धर्म

उत्तरमाला

1	2	3	4	5	6	7	8	9	10
C	A	C	C	D	C	A	C	C	D
11	12	13	14	15	16	17	18	19	20
A	D	B	A	C	B	C	B	B	A
21	22	23	24	25	26	27	28	29	30
B	D	D	B	B	A	A	B	B	D
31	32	33	34	35	36	37	38	39	40
D	B	D	D	C	A	A	A	B	D
41	42	43	44	45	46	47	48	49	50
A	B	A	C	D	C	A	B	A	D
51	52	53	54	55	56	57	58	59	60
C	B	C	D	B	A	A	B	C	D
61	62	63	64	65	66	67	68	69	70
A	C	D	C	B	D	D	A	A	C
71	72	73	74	75	76	77	78	79	80
D	D	B	C	A	B	D	A	B	D
81	82	83	84	85	86	87	88	89	90
A	A	D	A	B	C	A	D	C	D
91	92	93	94	95	96	97	98	99	100
A	D	A	C	C	C	B	A	C	D

❑ ❑ ❑

हिन्दी की बोलियाँ

हिंदी भाषा का क्षेत्र हिमाचल प्रदेश, पंजाब का कुछ भाग, हरियाणा, राजस्थान, दिल्ली, उत्तर प्रदेश, उत्तराखंड, छत्तीसगढ़, झारखंड, मध्य प्रदेश तथा बिहार है, जिसे हिंदी (भाषी) प्रदेश कहते हैं।

इस पूरे क्षेत्र में हिंदी की पांच उपभाषाएं हैं, जिनके अंतर्गत मुख्यतः 10 बोलियां हैं:

भाषा	उपभाषाएं	बोलियां
हिंदी	1. पश्चिमी हिंदी	1. खड़ी बोली या कौरवी, 2. ब्रजभाषा 3. हरियाणी, 4. बुंदेली, 5. कन्नौजी
	2. पूर्वी हिंदी	1. अवधी, 2. बघेली, 3. छत्तीसगढ़ी
	3. राजस्थानी	1. पश्चिमी राजस्थानी (मारवाड़ी), 2. पूर्वी राजस्थानी (जयपुरी), 3. उत्तरी राजस्थानी (मेवाती), 4. दक्षिणी राजस्थानी (मालवी)
	4. पहाड़ी	1. पश्चिमी पहाड़ी, 2. मध्यवर्ती पहाड़ी (कुमाऊंनी-गढवाली),
	5. बिहारी	1. भोजपुरी, 2. मगही, 3. मैथिली

खड़ी बोली

'खड़ी बोली' शब्द का प्रयोग दो अर्थों में होता है: एक तो साहित्यिक हिंदी खड़ी बोली के अर्थ में और दूसरे, दिल्ली-मेरठ के आसपास की लोक बोली के अर्थ में। यहाँ दूसरे अर्थ में ही इस शब्द का प्रयोग किया जा रहा है। इसी अर्थ में 'कौरवी' का भी प्रयोग कुछ लोग करते हैं। 'खड़ी बोली' में 'खड़ी' शब्द का अर्थ विवादास्पद है। कुछ लोगों ने 'खड़ी' का अर्थ 'खरी' (Pure) अर्थात् शुद्ध माना है, तो दूसरों ने 'खड़ी' (Standing)। कुछ अन्य लोगों ने इसका संबंध खड़ी बोली में अधिकता से प्रयुक्त खड़ी पायी 'ा' (गया, बड़ा, का) तथा उसके ध्वन्यात्मक प्रभाव कर्कशता से जोड़ा है। यों, अभी तक यह प्रश्न अनिश्चित है। खड़ी बोली या कौरवी का उद्‌भव शौरसेनी अपभ्रंश के उत्तरी रूप से हुआ है तथा इसका क्षेत्र देहरादून का मैदानी भाग सहारनपुर, मुजफ्फरनगर, मेरठ, दिल्ली का कुछ भाग, बिजनौर, रामपुर तथा मुरादाबाद है। लोक-साहित्य की दृष्टि से खड़ी बोली बहुत संपन्न है और इसमें पवाड़ा, नाटक, लोककथा, लोकगीत आदि पर्याप्त मात्रा में मिलते हैं। इनका काफी अंश प्रकाशित भी हो चुका है। हिंदी, उर्दू, हिंदुस्तानी तथा दक्खिनी एक सीमा तक खड़ी बोली पर आधारित हैं।

ब्रजभाषा

ब्रज का पुराना अर्थ 'पशुओं' या 'गौओं का समूह' या 'चरागाह' आदि है। पशुपालन के प्राधान्य के कारण यह क्षेत्र ब्रज कहलाया, और इसी आधार पर इसकी बोली ब्रजभाषा कहलायी। इसका विकास शौरसेनी अपभ्रंश के मध्यवर्ती रूप से हुआ है। ब्रजभाषा आगरा, मथुरा, अलीगढ़, धौलपुर, मैनपुरी, एटा, बदायूं, बरेली तथा आसपास के क्षेत्रों में बोली जाती है। साहित्य और लोकसाहित्य दोनों ही दृष्टियों से ब्रजभाषा बहुत संपन्न है। हिंदी प्रदेश के बाहर भी भारत के अनेक क्षेत्रों में ब्रजभाषा में साहित्य-रचना होती रही है। सूरदास, तुलसीदास, नंददास, रहीम, रसखान, बिहारी, देव, रत्नाकर आदि इसके प्रमुख कवि हैं।

हरियाणी

'हरियाना' शब्द की व्युत्पत्ति विवादास्पद है। हरि + यान (कृष्ण का यान इधर से ही द्वारका गया था), हरि + अरण्य (हरा वन) तथा अहीर + आना (राजपूताना, तिलंगाना की तरह) आदि कई मत दिये गये हैं, किंतु कोई भी सर्वमान्य नहीं है। हरियाणी का विकास उत्तरी शौरसेनी अपभ्रंश के पश्चिमी रूप से हुआ है। खड़ी बोली, अहीरवाटी, मारवाड़ी, पंजाबी से घिरी इस बोली को कुछ लोग खड़ी बोली का पंजाबी से प्रभावित रूप मानते हैं। इसका क्षेत्र मोटे रूप से हरियाणा तथा दिल्ली का देहाती भाग है। हरियाणी में केवल लोकसाहित्य है, जिसका कुछ अंश मुद्रित भी है।

बुंदेली

बुंदेले राजपूतों के कारण मध्य प्रदेश तथा उत्तर प्रदेश की सीमारेखा के झांसी, छतरपुर, सागर आदि तथा आसपास के भाग को बुंदेलखंड कहते हैं। वहीं की बोली बुंदेली या बुंदेलखंडी है। इसका क्षेत्र झांसी, जालौन, हमीरपुर, ग्वालियर, ओरछा, सागर, नृसिंहपुर, सिवनी, होशंगाबाद तथा आसपास का क्षेत्र है। बुंदेली का विकास शौरसेनी अपभ्रंश से हुआ है। बुंदेली में लोकसाहित्य काफी है, जिसमें ईसुरी के फाग बड़े प्रसिद्ध हैं। कहा जाता है कि हिंदी प्रदेश की प्रसिद्ध लोकगाथा 'आल्हा', जिसे हिंदी साहित्य में भी स्थान मिला है, मूलतः बुंदेली की एक उपबोली बनाफरी में लिखी गयी थी।

कन्नौजी

कन्नौज (संस्कृत कान्यकुब्ज) इस बोली का केंद्र है, अतः इसका नाम कन्नौजी पड़ा है। यह इटावा, फर्रुखाबाद, शाहजहांपुर, कानपुर, हरदोई, पीलीभीत आदि में बोली जाती है। कन्नौजी भी शौरसेनी अपभ्रंश से ही निकली है। यह ब्रजभाषा से इतनी अधिक समान है कि कुछ लोग इसे ब्रजभाषा की ही एक उपबोली मानते हैं। कन्नौजी में केवल लोकसाहित्य मिलता है, जिसमें से कुछ अंश प्रकाशित भी हो चुका है।

अवधी

इस बोली का केंद्र अयोध्या है। 'अयोध्या' का ही विकसित रूप 'अवध' है, जिससे 'अवधी' शब्द बना है। इसके उद्‌भव के संबंध में विवाद है। अधिकांश विद्वान इसका संबंध अर्धमागधी अपभ्रंश से मानते हैं, किंतु कुछ लोग इससे पाली की समानता के आधार पर इस मत को नहीं मानते। अवधी का क्षेत्र लखनऊ, इलाहाबाद, फतेहपुर, मिर्जापुर (अंशतः), उन्नाव, रायबरेली, सीतापुर, फैजाबाद, गोंडा, वस्ती, बहराइच, सुल्तानपुर, प्रतापगढ़, बाराबंकी आदि है। अवधी में साहित्य तथा लोकसाहित्य दोनों ही पर्याप्त मात्रा में हैं। इसके प्रसिद्ध कवि मुल्ला दाऊद, कुतुबन, जायसी, तुलसीदास, उस्मान, सबलसिंह आदि हैं।

बघेली

बघेले राजपूतों के आधार पर रीवा तथा आसपास का इलाका बघेलखंड कहलाता है, और वहाँ की बोली को बघेलखंडी या बघेली कहते हैं। बघेली का उद्‌भव अर्धमागधी अपभ्रंश के ही एक क्षेत्रीय रूप से हुआ है। यद्यपि जनमत इसे अलग बोली मानता है, किंतु भाषा वैज्ञानिक स्तर पर यह अवधी की ही एक उपबोली ज्ञात होती है और इसे दक्षिणी अवधी कह सकते हैं। इसका क्षेत्र रीवां, नागौद, शहडोल, सतना, महर तथा आसपास का क्षेत्र है। कुछ अपवादों को छोड़ कर बघेली में केवल लोकसाहित्य है।

छत्तीसगढ़ी

मुख्य क्षेत्र छत्तीसगढ़ होने के कारण इसका नाम छत्तीसगढ़ी पड़ा है। अर्धमागधी अपभ्रंश के दक्षिणी रूप से इसका विकास हुआ है। इसका क्षेत्र सरगुजा, कोरिया, बिलासपुर, रायगढ़, खैरगढ़, रायपुर, दुर्ग, नंदगांव, कांकेर आदि है। छत्तीसगढ़ी में भी लोकसाहित्य है।

पश्चिमी राजस्थानी

राजस्थानी का यह रूप पश्चिमी राजस्थान अर्थात जोधपुर, अजमेर, किशनगढ़, मेवाड़, सिरोही, जैसलमेर, बीकानेर आदि में बोला जाता है। इसे मारवाड़ी भी कहते हैं। शौरसेनी अपभ्रंश से इसका विकास हुआ है। मारवाड़ी में साहित्य तथा लोकसाहित्य दोनों ही पर्याप्त मात्रा में हैं। मीरा के पद इसी भाषा में हैं।

उत्तरी राजस्थानी

उत्तरी राजस्थान में इसका क्षेत्र अलवर, गुड़गांव, भरतपुर तथा आसपास है। मेओ जाति के इलाके मेवात के नाम पर इसे 'मेवाती' भी कहते हैं। इसकी एक मिश्रित बोली अहीरवाटी है, जो गुड़गांव, दिल्ली तथा करनाल के पश्चिमी क्षेत्रों में बोली जाती है। इस पर हरियाणी का बहुत प्रभाव है। मेवाती में केवल लोकसाहित्य है। उत्तरी राजस्थानी का उद्‌भव शौरसेनी अपभ्रंश से हुआ है।

पूर्वी राजस्थानी

राजस्थान के पूर्वी भाग में जयपुर, अजमेर, किशनगढ़ आदि में यह बोली जाती है। इसकी प्रतिनिधि बोली जयपुरी है, जिसका केंद्र जयपुर है। जयपुरी को 'ढूंढाणी' भी कहते हैं, क्योंकि इस क्षेत्र का नाम ढूंढाण है। शौरसेनी अपभ्रंश से विकसित इस बोली में केवल लोक-साहित्य है।

दक्षिणी राजस्थानी

इंदौर, उज्जैन, देवास, रतलाम, भोपाल, होशंगाबाद तथा इनके आसपास इसका क्षेत्र है। इसकी प्रतिनिधि बोली मालवी है, जिसका मुख्य क्षेत्र मालवा है। शौरसेनी अपभ्रंश से विकसित इस बोली में कुछ साहित्य तथा पर्याप्त लोकसाहित्य है।

पश्चिमी पहाड़ी

जौनसार, सिरमौर, शिमला, मंडी, चंबा तथा आसपास इसका क्षेत्र है। शौरसेनी अपभ्रंश से विकसित इस बोली में केवल लोक साहित्य है।

मध्यवर्ती पहाड़ी

शौरसेनी अपभ्रंश से विकसित इस बोली का क्षेत्र गढ़वाल, कुमाऊं तथा आसपास का कुछ क्षेत्र है। वस्तुतः यह गढ़वाली और कुमाऊंनी, इन दो बोलियों का ही सामूहिक नाम है। इन बोलियों में लोकसाहित्य तो पर्याप्त मात्रा में है, साथ ही कुछ साहित्य भी है।

भोजपुरी

बिहार के शाहाबाद जिले के भोजपुर गांव के नाम के आधार पर इस बोली का नाम 'भोजपुरी' पड़ा है। मागधी अपभ्रंश के पश्चिमी रूप से विकसित इस बोली का क्षेत्र बनारस, जौनपुर, मिर्जापुर, गाजीपुर, बलिया, गोरखपुर, देवरिया, आजमगढ़, बस्ती, शाहाबाद, चंपारन, सारन तथा आसपास का कुछ क्षेत्र है। हिंदी प्रदेश की बोलियों में भोजपुरी बोलने वाले सबसे अधिक हैं। भोजपुरी में मुख्यतः लोकसाहित्य ही मिलता है, शिष्ट साहित्य बहुत कम है। भारतेंदु, प्रेमचंद, प्रसाद आदि इसी क्षेत्र के रहे हैं, किंतु साहित्य में इन्होंने इसका प्रयोग नहीं किया।

मगही

संस्कृत 'मगध' से विकसित शब्द 'मगह' पर इसका नाम आधारित है। मागधी अपभ्रंश से विकसित यह बोली पटना, गया, पलामू, हजारीबाग, मुंगेर, भागलपुर तथा उनके आसपास बोली जाती है। इसमें लोकसाहित्य काफी है। कुछ ललित साहित्य भी है।

मैथिली

मागधी अपभ्रंश के मध्यवर्ती रूप से विकसित यह बोली हिंदी और बांग्ला क्षेत्र की संधि पर मिथिला में बोली जाती है। दरभंगा, मुजफ्फरपुर, सहरसा, पूर्णिया तथा मुंगेर आदि में इसका क्षेत्र है। लोकसाहित्य की दृष्टि में मैथिली बहुत संपन्न है, साथ ही इसमें साहित्य-रचना अत्यंत प्राचीन काल से होती चली आयी है। हिंदी साहित्य को विद्यापति जैसे रससिद्ध कवि देने का श्रेय मैथिली को ही है। इनके अतिरिक्त ज्योतिरीश्वर ठाकुर, गोविंददास, उमानाथ, हरिमोहन झा आदि भी इनके अच्छे साहित्यकार हैं।

हिन्दी की शब्द सम्पदा

शब्द

ध्वनियों के मेल से बने सार्थक वर्ण समुदाय को 'शब्द' कहते हैं। दूसरे शब्दों में– एक अक्षर या एक से अधिक अक्षरों का समूह, जिसका कुछ अर्थ होता है, शब्द कहा जाता है।

जैसे– पुष्प, पहाड़, लड़का, मैं, तुम आदि।

शब्दों का वर्गीकरण

साधारणतः शब्दों का वर्गीकरण चार आधारों पर किया जाता है। ये आधार निम्नलिखित हैं :

(1) व्युत्पत्ति के आधार पर
(2) उत्पत्ति के आधार पर
(3) अर्थ के आधार पर
(4) विकार के आधार पर

(1) व्युत्पत्ति के आधार पर

व्युत्पत्ति के आधार पर शब्दों के तीन भेद होते हैं :-
(क) रूढ़ (ख) यौगिक (ग) योगरूढ़

(क) **रूढ़ :** रूढ़ वे शब्द हैं जिनका खण्ड नहीं हो सकता। यदि इन शब्दों को खण्डित कर दिया जाता है तो उनके खण्डों का कोई अर्थ नहीं होता। जैसे- नाक, कान, घर, जल, फल, शीला, सीता, राम, हल, रात आदि।

(ख) **यौगिक :** वे शब्द जिनका निर्माण अन्य शब्दों के या प्रत्ययों के जोड़ से होता है, यौगिक कहे जाते हैं। जैसे- पाठशाला, दहीवाली, नाकवाला, शक्तिवान, पानीवाला आदि।

(ग) **योगरूढ़ :** योगरूढ़ शब्द दूसरे शब्दों के योग से निर्मित होते हैं। खण्ड करने पर इनके प्रत्येक खण्ड या योग का अपना अर्थ होता है। परन्तु जब दोनों खण्डों को एक कर दिया जाता है तो उस शब्द का अपना एक विशेष अर्थ होता है। इस प्रकार, योगरूढ़ वे शब्द हैं जो दूसरे शब्दों के योग से बनते हैं और प्रत्येक योग का अपना अर्थ होता है तथापि उनका एक विशेष अर्थ होता है। उदाहरणतः जलज में जल का अर्थ है पानी और 'ज' का अर्थ है– जन्म लेने वाला। इस प्रकार दोनों का अर्थ हुआ जल में जन्म लेने वाला। परन्तु यह शब्द जल में उत्पन्न होने वाले सेवार आदि अन्य पदार्थों के लिए व्यवहृत नहीं होता है, वरन् कमल के लिए रूढ़ हो गया है और उससे मात्र कमल का बोध होता है। इसी प्रकार जलद, कुशल, पीताम्बर, लम्बोदर आदि शब्द हैं।

(2) उत्पत्ति के आधार पर

उत्पत्ति के अनुसार शब्दों का वर्गीकरण निम्नलिखित है : (क) तत्सम (ख) तद्भव (ग) देशज (घ) विदेशज

(क) **तत्सम :** तत्सम मूलतः संस्कृत के शब्द हैं। संस्कृत के इन शब्दों के प्रयोग हिन्दी में ज्यों-के-त्यों होते हैं। जैसेः- कवि, घृत, अग्नि, रवि, माता, भ्राता, पिता, अमृत, महान् आदि।

(ख) **तद्भव :** तद्भव वे शब्द हैं जिनका विकास संस्कृत के शब्दों से हुआ है। तद्भव का अर्थ है- 'तत्' (तस्य) = उसके अर्थात् 'संस्कृत से' और 'भव' अर्थात् उत्पन्न। जैसे- घृतः = घी, अग्नि = आग, कर्म = काम, दाध = दही, अमृत = अमरित, कार्य = कारज, दुग्ध = दूध, जन्म = जनम, धर्म = धरम आदि।

(ग) **देशज :** देशज का अर्थ है– देश में उत्पन्न। हिन्दी भाषा के वे शब्द जो भारत की विभिन्न बोलियों एवं भाषाओं से आए हैं, देशज कहे जाते हैं। जैसे- कटोरी, थाली, पेट, पैर, पेड़, लोटा, डोरी आदि।

(घ) **विदेशज :** हिन्दी भाषा के वे शब्द जिनका आगम विदेशी भाषाओं से हुआ है, विदेशज शब्द कहे जाते हैं। जैसे- चाकू, मोटर, ट्रेन, स्टेशन, आदमी, अमीर, फालतू, किताब, तारीख़, तकिया, गवाह, देहात, जहर, बाल्टी, चेहरा, लगाम, कालीन, कैंची, बेग़म, तम्बाकू, बहादुर, प्रेस, पार्टी, स्टेशन, गजट, डायरी, रेडियो, नम्बर, नोटिस आदि।

(3) अर्थ के आधार पर

अर्थ के अनुसार शब्दों के दो भेद हैं : (क) सार्थक (ख) निरर्थक

(क) **सार्थक :** सार्थक शब्द वे हैं, जिनका कुछ अर्थ होता है। जैसे- घर, घोड़ा, कमल, कलम, पुस्तक आदि। ये सभी शब्द सार्थक हैं, क्योंकि इन शब्दों के कहने से किसी परिचित पदार्थ का बिम्ब बनता है। जैसे– पुस्तक कहने से पढ़ने के काम में आने वाली किताब का बोध होता है। इस प्रकार ऊपर सभी शब्द सार्थक हैं।

(ख) **निरर्थक :** निरर्थक शब्द वे हैं जिनका कुछ भी अर्थ नहीं होता है। जैसे– अल्ल, बल्ल, गर्र, फर्र, मलक, नीपा, धदू आदि।

(4) विकार के आधार पर

विकार के अनुसार सार्थक शब्दों के दो भेद किए गए हैं : (क) विकारी (ख) अविकारी

(क) **विकारी शब्द :** विकारी शब्द वे शब्द हैं, जिनके रूप में विकार या परिवर्तन होता है। यह विकार लिंग, वचन और कारक में होता है। जैसे– घोड़ा।

लिंग के कारण परिवर्तन	घोड़ा से घोड़ी।
वचन के कारण परिवर्तन	घोड़ा से घोड़े, घोड़ों।
कारक के कारण परिवर्तन	घोड़ा से घोड़ों ने, घोड़े से आदि।

विकारी शब्दों के भेद

विकारी शब्दों के चार भेद हैं : (i) संज्ञा (ii) सर्वनाम (iii) विशेषण (iv) क्रिया

(i) **संज्ञा :** संज्ञा का अर्थ है नाम। किसी वस्तु, व्यक्ति, स्थान आदि के नाम को संज्ञा कहते हैं। जैसे- घर, पटना, कलम, बुढ़ापा आदि।

(ii) **सर्वनाम :** सर्वनाम उन शब्दों को कहते हैं जिनका प्रयोग संज्ञा के स्थान पर होता है। जैसे- वह, मैं, तुम, उस, आप, वे आदि।

(iii) **विशेषण :** संज्ञा अथवा सर्वनाम की विशेषता प्रकट करने वाले शब्द को विशेषण कहते हैं। जैसे- सुन्दर, मोटा, लाल, काला, दुबला आदि।

(iv) **क्रिया :** क्रिया उन शब्दों को कहते हैं जिनसे किसी काम का होना या करना प्रकट हो, जैसे- खाना, रोना, हँसना, लिखना आदि।

(ख) अविकारी शब्द : वे शब्द जिनके रूप में विकार अथवा परिवर्तन नहीं होता है, अविकारी शब्द कहलाते हैं, अर्थात लिंग वचन और कारक की दृष्टि से कोई परिवर्तन या विकार नहीं होता है। अविकारी शब्द 'अव्यय' भी कहलाते हैं।

अविकारी शब्दों के चार भेद हैं-

(i) क्रिया विशेषण (ii) समुच्चय बोधक (iii) सम्बन्ध बोधक (iv) विस्मयादि बोधक

- **(i) क्रिया विशेषण :** क्रिया की विशेषता प्रकट करने वाले शब्द क्रिया विशेषण कहलाते हैं। जैसे- धीरे-धीरे, जल्दी-जल्दी आदि।
- **(ii) समुच्चय बोधक :** समुच्चय बोधक शब्द वे हैं जो दो शब्दों, वाक्यों या वाक्यांशों को परस्पर जोड़ते हैं। जैसे- परन्तु, किन्तु, तथा और आदि।
- **(iii) सम्बन्ध बोधक :** सम्बन्ध बोधक वे अव्यय हैं जो एक शब्द का दूसरे शब्द से सम्बन्ध स्थापित करते हैं। जैसे- ऊपर, नीचे, समीप, पास, निकट आदि।
- **(iv) विस्मयादि बोधक :** विस्मय, हर्ष, शोक, घृणा, आदि भावों को प्रकट करने के लिए जिन शब्दों का प्रयोग किया जाता है, उन्हें विस्मयादि बोधक अव्यय कहते हैं। जैसे- हाय! छिः! अरे! हे! आदि।

प्रमुख विदेशी शब्द

अंग्रेजी भाषा के शब्द : अफसर, अपील, अस्पताल, ऑर्डर, ऑर्डरली, इंच, इंजन, इन्जीनियर, इन्सपेक्टर, एजेन्ट, एजेन्सी, कप्तान, कम्पनी, कमिश्नर, कमीशन, कैम्प, कोर्ट, क्वार्टर, क्रिकेट, केबिन, गार्ड, गजट, गवर्नर, गारंटी, जेलर, जेल, डॉक्टर, डायरी, डेयरी, डिप्टी, डिस्ट्रिक्ट, ट्यूशन, टीचर, पेन, पेंसिल, पॉकेट, नोटिस, नर्स, नम्बर, पार्टी, पार्सल, प्लेट, पाउडर, मीटिंग, मिनिस्टर, मोनीटर, मेनेजमेंट, मार्केट, म्युनिस्पेलटी, पार्लियामेंट, क्वालिटी, कॉलेज, कस्टमर, टिकट, चेन, चैलेंज, टेलीविजन, रेडियो, कम्प्यूटर, मीडिया, मेम्बर, ट्राफिक, ट्रेन, प्लेटफार्म, ड्रेस, ड्रामा, कार्बन, हेलिकॉप्टर, कॉर्पोरेशन आदि।

अरबी भाषा के शब्द : अमीर, अजीब, अजब, अहमियत, आखिर, आदमी, अक्ल, असर, आदत, इनाम, इज्जत, इमारत, इलाज, ईनाम, औरत, औलाद, कसूर, कदम, कर्ज, किस्त, किस्मत, कसम, कीमत, कसरत, कुर्सी, किताब, खबर, खत्म, खराब, गरीब, जवाब, तकदीर, तारीख, तकिया, तमाशा, तरक्की, दिमाग, दवा, दावा, दावत, दावात, दफ्तर, दुकान, दौलत, नतीजा, नशा, नकद, नकल, नहर, फकीर, फैसला, बहस, मुहावरा, माल, मालूम, मल्लाह, मवाद, मौसम, मुसाफिर, लिफाफा, लायक, वकील, शराब, हिम्मत, हैजा, कैद, हक, हुक्म, हाल, हवालात, हाकिम आदि।

तुर्की भाषा के शब्द : उर्दू, कालीन, कैंची, कुली, कुर्की, चेचक, चमचा, चुगली, चकमक, तमगा, तलाश, तोप, बहादुर, बेगम, लफंगा, लाश, सुराग, कुर्ता, खच्चर, दारोगा, बारूद आदि।

पुर्तगाली भाषा के शब्द : अलकतरा, अनन्नास, आया, आलपीन, आलमारी, इंसान, इस्तिरी, कमीज, किरानी, कमरा, काजू, गमला, गोदाम, गोभी, चाभी, तम्बाकू, तौलिया, नीलाम, पादरी, पिस्तौल, फीता, मेज, लबादा, साया आदि।

फारसी भाषा के शब्द

आराम, आमदनी, अफसोस, आतिशबाजी, आवारा, आफत, आवाज, आईना, उम्मीद, कबूतर, कमीना, कुश्ती, किशमिश, कमरबन्द, किनारा, खाल, खुद, खामोश, खरगोश, खुश, खुराक, खूब, गल्ला, गवाह, गिरफ्तार, गरम, गुलाब, चाबुक, चिराग, चश्मा, चर्खा, चूंकि, चेहरा, जहर, जिन्दगी, जादू, जान, जुर्माना, जोश, तमाशा, तेज, तीर, ताक, ताजा, दीवार, देहात, दुकान, दरबान, दंगल, दिल, दवा, नाव, पलंग, पैदावार, पलक, पुल, पारा, पेशा, बहरा, बीमार, मुफ्त, मोर्चा, मुर्गा, मरहम, याद, यार, रंग, रात, लेकिन, शादी, शोर, सितारा, सरदार, सरकार, सूद, सौदागर आदि।

तत्सम-तद्भव शब्द

तत्सम	तद्भव	तत्सम	तद्भव
आम्र	आम	अग्नि	आग
उष्ट्र	ऊँट	वत्स	बच्चा
नव	नौ	मध्य	में
शलाका	सलाई	गृह	घर
पुष्प	फूल	मयूर	मोर
नारिकेल	नारियल	हरिद्रा	हल्दी
कर्पूर	कपूर	घृत	घी
सक्तु	सत्तू	हस्त	हाथ
चतुर्दश	चौदह	क्षीर	खीर

हिन्दी की ध्वनियाँ

वर्ण

वर्ण वह मूल ध्वनि है जिसका खण्ड नहीं किया जा सकता है। जैसे- अ, आ, क्, ख्, ग्, च्, ट् आदि।

वर्ण को लिखने के लिए जिन चिह्नों का प्रयोग किया जाता है, उसे अक्षर कहते हैं। अक्षर का अर्थ है, जिसका क्षर न हो अर्थात् जो नष्ट न हो।

वर्णमाला : वर्णों के समूह को वर्णमाला कहते हैं। अंग्रेजी में इसे ही Alphabet कहते हैं। हिन्दी वर्णमाला को दो भागों में विभक्त किया जा सकता है– (i) स्वर (ii) व्यंजन

स्वर (Vowel)

स्वर उन मूल ध्वनियों या वर्णों को कहा जाता है जिनका उच्चारण बिना किसी अवरोध के होता है। वस्तुतः इनका उच्चारण अबाध एवं स्वतंत्रतापूर्वक होता है। हिन्दी के भाषा-वैज्ञानिकों ने स्वर वर्णों की संख्या ग्यारह निर्धारित की है। स्वर निम्नलिखित हैं :- अ, आ, इ, ई, उ, ऊ, ए, ऐ, ओ, औ, ऋ।

विद्वानों का एक वर्ग 'ऋ' को अब हिन्दी वर्णमाला के अन्तर्गत नहीं रखता है। क्योंकि इसका प्रयोग मात्र तत्सम शब्दों में ही होता है। वास्तव में 'ऋ' के प्रयोग की अपनी सीमाएँ हैं।

स्वरों का वर्गीकरण : सामान्यतः स्वरों का वर्गीकरण चार आधारों पर किया जाता है–(i) उच्चारण काल (ii) उत्पत्ति (iii) जाति (iv) उच्चारण स्थान।

उच्चारण-काल का आधार

उच्चारण-काल का आधार स्वर के उच्चारण में लगे हुए समय हैं। कुछ स्वर ऐसे हैं जिनके उच्चारण में कम समय लगता है और कुछ ऐसे हैं जिनके उच्चारण में अधिक। उच्चारण में लगे समय का मापन मात्रा से किया

जाता है। उच्चारण के काल-मान को मात्रा कहते हैं। उच्चारण-काल के आधार पर स्वरों के दो भेद किये जाते हैं :

(क) ह्रस्व स्वर (Short Vowel) (ख) दीर्घ स्वर (Long Vowel)

(क) **ह्रस्व स्वर :** जिनके उच्चारण में समय कम लगता है उन स्वरों को ह्रस्व स्वर कहते हैं। जैसे– अ, इ, उ, ए, ऋ।

(ख) **दीर्घ स्वर :** जिनके उच्चारण में अधिक समय लगता है, उन्हें दीर्घ स्वर कहते हैं। जैसे– आ, ई, ऊ, ऐ, औ।

उत्पत्ति का आधार

उत्पत्ति को आधार मानकर भी स्वरों का वर्गीकरण दो रूपों में किया गया है-(i) मूल स्वर (ii) संधि स्वर

(i) **मूल स्वर :** मूल स्वर उन स्वरों को कहते हैं जिनकी उत्पत्ति में दूसरे स्वरों की आवश्यकता नहीं होती है। जैसे- अ, इ, उ, ऋ।

(ii) **संधि स्वर :** संधि स्वर उन स्वरों को कहते हैं जिनकी उत्पत्ति मूल स्वरों के योग से होती है। संधि स्वर के भी दो भेद हैं- (अ) दीर्घ संधि स्वर (ब) संयुक्त संधि स्वर

(अ) **दीर्घ संधि स्वर :** किसी एक मूल स्वर में उसी मूल स्वर के योग से बने स्वर को दीर्घ संधि कहते हैं। जैसे : आ, ई, ऊ।

(ब) **संयुक्त संधि स्वर :** दो भिन्न स्वरों के मेल से निर्मित स्वर संयुक्त संधि स्वर कहे जाते हैं। जैसे- अ + इ = ए, अ + उ = ओ, आ + ए = ऐ, आ + ओ = औ। इस प्रकार- ए, ऐ, ओ, औ– संयुक्त संधि स्वर हैं।

जाति का आधार

जाति के आधार पर स्वरों को निम्नलिखित वर्गों में विभक्त किया गया है–(i) सवर्ण स्वर (ii) असवर्ण स्वर

(i) **सवर्ण स्वर :** सवर्ण स्वर वे हैं जिनका उच्चारण समान स्थान तथा प्रयत्न से होता है। इन्हें सजातीय स्वर भी कहते हैं। जैसे : अ, आ, इ, ई, उ, ऊ।

(ii) **असवर्ण स्वर :** असवर्ण स्वर वे हैं जिनका उच्चारण अलग-अलग स्थानों तथा असमान प्रयत्नों से होता है। इसे विजातीय स्वर भी कहते हैं। जैसे : अ + इ = ए, आ + ए = ऐ, अ + उ = ओ, अ + ओ = औ।

उच्चारण-स्थान का आधार

स्वरों के उच्चारण में जिह्वा तथा ओष्ठ की विशेष भूमिका है। अतएव इनको आधार मानकर स्वरों के अनेक भेद किये गये हैं।

जिह्वा के भागों के आधार पर

स्वरों के उच्चारण में कभी जिह्वा का अग्रभाग काम करता है तो कभी पश्चभाग और कभी मध्यभाग। अतः इस दृष्टि से स्वरों के निम्नलिखित भेद हो सकते है:

(i) **अग्रस्वर :** ये वे स्वर हैं जिनके उच्चारण में जिह्वा का अग्रभाग कार्य करता है। जैसे- इ, ई, ए, ऐ।

(ii) **मध्य स्वर :** यह स्वर जिह्वा के मध्य भाग से उच्चरित होता है। जैसे-अ।

(iii) **पश्च स्वर :** पश्च स्वर वे स्वर हैं जिनका उच्चारण जिह्वा के पश्चभाग से होता है। जैसे- आ, उ, ऊ, ओ, औ।

जिह्वा की ऊँचाई के आधार पर : तालु और जिह्वा के मध्य की ऊँचाई के अनुसार स्वरों के निम्नलिखित चार भेद हैं :-

(i) **संवृत :** संवृत स्वरों के उच्चारण में जिह्वा तालु से नीचे सटी रहती है। जैसे- इ, ई, उ, ऊ।

(ii) **अर्द्ध संवृत :** अर्द्ध संवृत स्वरों के उच्चारण करते समय जिह्वा अपेक्षाकृत कम सटी रहती है। जैसे- ए, ओ।

(iii) **विवृत :** विवृत स्वर के उच्चारण में जिह्वा ऊपर उठी रहती है। जैसे–आ।

(iv) **अर्द्ध विवृत :** अर्द्ध विवृत स्वर के उच्चारण में जिह्वा विवृत की अपेक्षा कुछ समय ऊपर जाती है। जैसे- ऐ, औ।

ओष्ठ की स्थिति के आधार पर

इसके अनुसार स्वरों के तीन भेद किये गए हैं :

(i) **वर्तुल :** वर्तुल स्वर वे हैं जिनके उच्चारण में ओष्ठ की स्थिति गोलाकार हो जाती है। जैसे-उ, ऊ।

(ii) **अर्द्ध वर्तुल :** इन स्वरों के उच्चारण में ओष्ठ वर्तुल स्वरों की अपेक्षा कुछ कम गोल होते हैं। जैसे- ओ, औ।

(iii) **अवर्तुल :** ऐसे स्वर जिनके उच्चारण में ओष्ठ फैले रहते हैं, अवर्तुल कहे जाते हैं। जैसे- इ, ई, ए, ऐ, अ, आ।

व्यंजन (Consonant)

व्यंजन : वे ध्वनियाँ जिनके उच्चारण में बाहर निकलती हुई वायु मुख विवर में किसी न किसी स्थान पर बाधित होती है, व्यंजन कहलाती हैं। व्यंजन ध्वनि का उच्चारण स्वतंत्र रूप से नहीं होता है। अर्थात् इनके उच्चारण में स्वर की सहायता की आवश्यकता पड़ती है। जैसे- क, च, ट, त, प, आदि। हिन्दी में व्यंजन ध्वनियों की संख्या 33 है।

व्यंजन की परिभाषा दूसरे प्रकार से भी दी जा सकती है। जिन वर्णों का उच्चारण किसी दूसरे वर्ण की सहायता से (स्वर की सहायता से) होता है या स्वरों की सहायता के बिना नहीं हो सकता– उन्हें व्यंजन वर्ण कहते हैं। 'अ' के बिना व्यंजन का उच्चारण संभव नहीं है। उदाहरण- क् + अ = क, ग् + अ = ग आदि।

व्यंजनों को निम्नलिखित वर्गों में रखा जाता है :

क वर्ग	क ख ग घ ङ
च वर्ग	च छ ज झ ञ
ट वर्ग	ट ठ ड ढ ण
त वर्ग	त थ द ध न
प वर्ग	प फ ब भ म
अन्तस्थ	य र ल व
उष्म	श ष स ह
संयुक्त व्यंजन	क्ष त्र ज्ञ
द्विगुण व्यंजन	ड़ ढ़
अनुस्वार	(ं)
विसर्ग	(:)

हिन्दी व्यंजन ध्वनियों का उच्चारण निम्नलिखित आधार पर किया जाता है–

(i) उच्चारण स्थान के आधार पर

(ii) उच्चारण प्रयत्न के आधार पर

उच्चारण स्थान के आधार पर

ध्वनि का उच्चारण मुख के जिस स्थान विशेष से होता है उसको उस ध्वनि विशेष का उच्चारण स्थान कहा जाता है। उच्चारण स्थान को दृष्टि में रखकर व्यंजन के निम्नलिखित भेद किये गये हैं :

(क) कंठ्य (ख) तालव्य (ग) मूर्धन्य (घ) दन्त्य (ङ) ओष्ठ्य (च) दन्तोष्ठ्य (छ) नासिक्य (ज) कण्ठ तालव्य (झ) कण्ठोष्ठ्य

(क) **कंठ्य :** कंठ से उच्चरित ध्वनियों को कंठ्य ध्वनियाँ कहते हैं। जैसे- क, ख, ग, घ, ङ। अ, आ, और विसर्ग भी।

(ख) **तालव्य :** तालु से उच्चारण की जाने वाली ध्वनियाँ तालव्य ध्वनियाँ कही जाती हैं। जैसे- च, छ, ज, झ, ञ, श, य। इ, ई भी।

(ग) **मूर्धन्य :** मूर्धा का स्थान कठोर तालु और कोमल तालु के मध्य है। जैसे : ट, ठ, ड, ढ, ण।

(घ) **दन्त्य :** दन्त्य ध्वनियाँ वे हैं जिनके उच्चारण में जिह्वा ऊपर की दन्तावली का स्पर्श करती है। जैसे- त, थ, द, ध, न, ल, स।

(ङ) **ओष्ठ्य :** वे ध्वनियाँ जिनका उच्चारण दोनों ओष्ठों के सम्पर्क में आने से होता है ओष्ठ्य कहलाती है। जैसे- प, फ, ब, भ, म। उ, ऊ भी।

(च) **दन्तोष्ठ्य :** दन्तोष्ठ्य वे ध्वनियाँ हैं जिनका उच्चारण ऊपर की दन्तावली और अधरोष्ठ के सम्पर्क से होता है।

(छ) **नासिक्य :** जिन ध्वनियों के उच्चारण में नासिका की सहायता लेनी पड़ती है उन्हें नासिक्य या आनुनासिक ध्वनियाँ कहते हैं। जैसे- ङ, ञ, ण, न, य।

(ज) **कण्ठ तालव्य :** जिन ध्वनियों के उच्चारण में तालु और कण्ठ दोनों को सहयोग करना पड़ता है, उन्हें कण्ठ तालव्य ध्वनियाँ कहते हैं। जैसे- ए, ऐ।

(झ) **कण्ठोष्ठ्य :** वे ध्वनियाँ कण्ठोष्ठ्य हैं जिनका उच्चारण कण्ठ और ओष्ठ्य के मिले-जुले प्रयत्न से होता है। जैसे- ओ, औ।

उच्चारण प्रयत्न के आधार पर

व्यंजन ध्वनियों के उच्चारण-काल में उनमें स्पष्टता लाने के लिए जो क्रिया करनी पड़ती है उसे 'प्रयत्न' कहते हैं।

उच्चारण-प्रयत्न की दृष्टि से हिन्दी के व्यंजनों का वर्गीकरण निम्नलिखित है–

(क) **स्पर्श :** इन व्यंजनों के उच्चारण के समय वागेन्द्रिय विभिन्न उच्चारण अवयवों को संस्पर्शित करती है। वस्तुतः इनके उच्चारण-काल में वायु बाहर निकलते समय अवरुद्ध होती है। तदन्तर वायु वेग से बाहर निकलती है और उसी समय व्यंजन ध्वनि का निर्माण करती है। इस प्रक्रिया से उत्पन्न व्यंजन को स्पर्श व्यंजन कहते हैं। क वर्ग, च वर्ग, ट वर्ग, तथा प वर्ग की व्यंजन ध्वनियाँ स्पर्श हैं।

(ख) **उष्म :** कुछ ध्वनियों के उच्चारण के समय वायु पूर्ण रूप से अवरुद्ध नहीं होती वरन् आंशिक रूप में अवरुद्ध होती है। इस समय वायु मुख-विवर से संकीर्ण मार्ग से बाहर निकलती है जिससे उसका संघर्षण होता है। इस संघर्षण की क्रिया से उत्पन्न ध्वनि को उष्म कहते हैं। श, ष, स, ह उष्म व्यंजन ध्वनियाँ हैं।

(ग) **पार्श्विक :** पार्श्विक ध्वनि के उच्चारण में जिह्वा का अगला हिस्सा मसूड़े को स्पर्श करता है और वायु जिह्वा के दाहिने तथा बायें पार्श्व से बाहर निकल जाती है। केवल 'ल' ध्वनि पार्श्विक है।

(घ) **लुण्ठित :** लुण्ठित ध्वनि वह है जिसके उच्चारण में जिह्वा का अग्रांश दन्त मूल को छूता है और छूते समय उसमें कम्पन उत्पन्न होता है। केवल 'र' लुण्ठित व्यंजन ध्वनि है।

(ङ) **उत्क्षिप्त :** इन ध्वनियों को उच्चारित करते समय जिह्वा का निचला हिस्सा कठोर तालु को ताड़ित करता है अर्थात् उसमें ठोकर मारता है और तेजी से सामान्य स्थिति में लौट आता है। ड़, ढ़ उत्क्षिप्त ध्वनियाँ हैं।

(च) **अल्पप्राण :** जिन वर्णों के उच्चारण में अल्पप्राण अर्थात् कम वायु की आवश्यकता पड़ती है, उन्हें अल्पप्राण कहते हैं। प्रत्येक वर्ण की प्रथम, तृतीय, पंचम ध्वनियाँ अल्पप्राण होती हैं। जैसे- क, ग, ङ, च, ज, ञ, ट, ड, ण, त, द, न, प, ब, म तथा य, र, ल, व अल्पप्राण हैं।

(छ) **महाप्राण :** महाप्राण ध्वनियाँ वे हैं जिनके उच्चारण में अधिक वायु की जरूरत होती है। इन ध्वनियों के उच्चारण में हकार की ध्वनि सुनाई देती पड़ती है। प्रत्येक वर्ग के द्वितीय, और चतुर्थ व्यंजन महाप्राण हैं। जैसे- ख, घ, छ, झ, ठ, ढ़, थ, ध, फ, भ, तथा श, ष, ह।

(ज) **घोष व्यंजन :** घोष व्यंजन वे हैं जिनके उच्चारण में स्वर यंत्रों में प्रकम्पन होते हैं। इन्हें नाद ध्वनियाँ भी कहते हैं। प्रत्येक वर्ग का तीसरा, चौथा और पाँचवा व्यंजन घोष या नाद वर्ण है। जैसे- ग, घ, ङ, ज, झ, ञ, द, ध, न, ब, भ, म।

(झ) **अघोष व्यंजन :** अघोष व्यंजन के उच्चरित होने में स्वर यंत्रों में कम्पन नहीं होता है। प्रत्येक वर्ग का प्रथम और द्वितीय वर्ण अघोष होता है। जैसे- क, ख, च, छ, त, थ, प, फ।

(ञ) **अन्तस्थ वर्ण :** य और व को अंतस्थ माना जाता है।

नवागत ध्वनियाँ

हिन्दी में कुछ विदेशी ध्वनियों का आगम हुआ है। ये ध्वनियाँ मूलतः अरबी-फारसी की हैं जो उर्दू के माध्यम से हिन्दी में पहुँची हैं। इन ध्वनियों को हिन्दी ने आत्मसात् कर लिया है। जैसे–क़, ख़, ग़, ज़, फ़।

अनुस्वार और विसर्ग

अनुस्वार और विसर्ग भी व्यंजन वर्ण हैं। अनुस्वार के लिए एक बिन्दु तथा विसर्ग के लिए दो बिन्दुओं का प्रयोग किया जाता है। अनुस्वार का प्रयोग स्वर/व्यंजन के ऊपर तथा विसर्ग का स्वर/व्यंजन के बाद किया जाता है। जैसे–अं, अः, पं, तः।

देवनागरी लिपि नामकरण

डॉ. धीरेन्द्र वर्मा के अनुसार, मध्यकाल की एक स्थापत्य शैली का नाम नगर था, जिसकी आकृतियाँ चौकोर होती थीं, नागरी लिपि के अधिकतर अक्षर भी चौकोर हैं। अतएव इसी साम्य पर यह लिपि नागर या नागरिक कहलाई। बाद में, सम्मानसूचक देव शब्द के जुड़ने पर इसका नाम 'देवनागरी' हो गया।

उपरोक्त मत कल्पना अथवा अनुमान पर ही आधारित हैं। वास्तव में वर्तमान नागरी लिपि का विकास प्राचीन नागरी से ही हुआ है और इसमें देव शब्द इसी प्रकार जुड़ गया, जैसे संस्कृत को देवभाषा या देववाणी, आदि कहते हैं।

भारत की प्राचीन लिपियों में सिन्धु घाटी की लिपि, खरोष्ठी लिपि और ब्राह्मी लिपि प्रसिद्ध हैं। सिन्धु घाटी की लिपि कुछ चित्राक्षर और कुछ ध्वन्याक्षर रूप में थी। यह लिपि 400 ई.पू. से पहले भारत के उत्तर-पश्चिमी प्रदेश में प्रचलित थी। खरोष्ठी लिपि दाएँ से बाएँ की ओर लिखी जाती थी। यह लिपि उत्तर-पश्चिमी भारत में एक हजार वर्ष तक प्रचलन में थी। कुछ विद्वानों का मत है कि ब्राह्मी लिपि का विकास वैदिक काल की किसी लिपि से हुआ है। लिपि विज्ञान के आचार्य डॉ. राजबली पाण्डे का मत है कि ब्राह्मी लिपि का आविष्कार ब्रह्म या वेद की रक्षा के लिए हुआ था।

विशेषताएँ

- देवनागरी लिपि का यह गुण है कि वह उच्चारण के अनुसार हिन्दी भाषा को अंकित करने में पूर्णतया समर्थ है। इससे उच्चारणगत एकरूपता लाने में सहायता मिलती है साथ ही स्थिरता एवं सुव्यवस्था आ गई।
- व्याकरण का भाषा के मानकीकरण में आवश्यक योगदान होता है। महावीर प्रसाद द्विवेदी की प्रेरणा से कामता प्रसाद गुरू ने व्याकरण का निर्माण किया।
- केन्द्रीय हिन्दी निदेशालय ने नागरीलिपि और अंकों में एक रूपता लाने हेतु उपयोगी सुझाव प्रसारित किये हैं। शिक्षा के क्षेत्र में विश्वविद्यालयों का योगदान भी सराहनीय रहा। वैज्ञानिक और तकनीकी शब्दावली आयोग ने विज्ञान, आयुर्विज्ञान, अभियांत्रिकी, मानविकी आदि विश्वविद्यालीय विषयों पर अनेक शब्दावलियों को प्रकाशित करके उच्चतम् शिक्षा में हिन्दी के प्रयोग में भारी सहायता पहुंचाई है – गैर सरकारी स्तर पर हिन्दी के मानकीकरण में सिनेमा, रेडियो, पत्र-पत्रिकाओं, छापेखानों और उनसे निकलने वाली असंख्य पुस्तकों ने सहायता पहुंचाई।
- वर्तनी का मानकीकरण किया गया।
- शब्दावली का मानकीकरण किया।
- व्याकरण निश्चित किया।

त्रुटियाँ

- देवनागरी लिपि चिह्नों के अनेकं रूपता है : जैसे–श्र, अ रण, अ, रा, ण, भ्क, झ, ळ, ल आदि।
- देवनागरी लिपि में कुछ चिह्नों के रूप समान होने के कारण भ्रम उत्पन्न करते हैं : जैसे–ख, र, व अर्थात् ख पढ़ते समय र, व भी प्रतीत होता है।
- कुछ ऐसे चिह्नों का प्रयोग होता है, जिनमें सम्बन्धित ध्वनियाँ हिन्दी में नहीं हैं, जैसे–ऋ, ॠ, ष आदि।
- संयुक्त अक्षरों की बनावट भ्रम उत्पन्न करती है, जैसे–धर्म में 'र' का उच्चारण 'म' से पहले चिह्न बनाकर लिखा जाता है।
- उच्चारण की दृष्टि से स्वरों की मात्राएँ व्यंजनों के पीछे लगनी चाहिए, परन्तु वे व्यंजनों के आगे, पीछे, ऊपर और नीचे लगती हैं।

सुधार के प्रयत्न

भारत की पुरातन लिपियों में सिंधुघाटी की लिपि, खरोष्ठी और ब्राह्मी लिपि प्रसिद्ध है। सिंधुघाटी सभ्यता की लिपि कुछ चित्राक्षर थी और कुछ ध्वन्याक्षर। सन् 400 ई.पू. से पूर्व इस भाषा को भारत के उत्तर-पश्चिमी प्रदेश में व्यवहृत किया जाता था। खरोष्ठी लिपि का प्रचलन उत्तर-पश्चिमी भारत में एक हजार वर्ष तक रहा। यह दाहिनें से बायें ओर चलती हुई लिखी जाती थी। इन दोनों लिपियों का देवनागरी से कोई प्रत्यक्ष सम्बंध नहीं रहा। व्यवहार में ब्राह्मी लिपि की प्रचलितता प्रमाणित होती है। डा॰ राजबली पाण्डेय का मत है कि ब्राह्मी का आविष्कार ब्रह्म या वेद की रक्षा के लिए हुआ था। ब्राह्मी लिपि के बहुत से अक्षर सिंधु घाटी की लिपि से मिलते-जुलते हैं।

देवनागरी का सर्वप्रथम प्रयोग गुजरात के राजा जयभट्ट (7वीं-8वीं शती ई॰) के एक शिलालेख में हुआ है। राष्ट्रकूट नरेशों और विजयनगर के राजाओं के राज्यकाल में इसका भरपूर प्रसार हुआ। इस समय यह लिपि हिन्दी प्रदेश के अतिरिक्त महाराष्ट्र और नेपाल में प्रचलित है। इसका वैदिक और संस्कृत वाङ्मय देवनागरी लिपि में उपलब्ध है।

मानकीकरण

सन् 1996 में 'मानक देवनागरी वर्णमाला' प्रकाशित की गई। इसके अनुसार देवनागरी के जो वर्ग एक से अधिक रूपों में लिखे जाते थे, उनके स्थान पर प्रत्येक वर्ण का एक ही मानक रूप निर्धारित किया गया।

- 1967 में 'हिन्दी वर्तनी' का मानकीकरण' नामक पुस्तिका प्रकाशित की।
- 1983 में केन्द्रीय हिन्दी निदेशालय की ओर से देवनागरी लिपि तथा हिन्दी वर्तनी का मानकीकरण का प्रकाशन हुआ।

हिन्दी प्रसार के आंदोलन

भारत के संविधान में स्वीकृत भाषाओं की संख्या बाईस है, जिनमें संघ की राजभाषा हिन्दी है, जिसकी लिपि देवनागरी है। इसके साथ ही, अनुच्छेद-351 के अनुसार हिन्दी भाषा का प्रसार करना, उसका विकास करना ताकि वह भारत की सामाजिक संस्कृति के तत्वों की अभिव्यक्ति का माध्यम् हो सके, भारतीय भाषाओं के रूप, शैली और पदावली को आत्मसात करते हुए, जहाँ आवश्यक या वांछनीय हो वहाँ, उसके शब्द भंडार के लिए मुख्यतः संस्कृत से तथा गौणत अन्य भाषाओं से शब्द ग्रहण करते हुये उसकी समृद्धि सुनिश्चित करना संघ का कर्तव्य होगा।

पहला शिक्षा आयोग सन् 1949 ई॰ में डॉ॰ सर्वपल्ली राधाकृष्णन की अध्यक्षता में 'विश्वविद्यालय आयोग' के नाम से नियुक्त हुआ। उसे 'राधाकृष्णन आयोग' के नाम से भी अभिहित किया गया। इस आयोग ने उच्चशिक्षा का माध्यम् मातृ भाषा हो इस पर विचार किया।

डा॰ ताराचंद की अध्यक्षता में एक उच्चस्तरीय समिति गठित की गई, जो संघीय राजभाषा के माध्यम् पर विचार करने के लिए बनायी गई। इस समिति ने मातृभाषा के अतिरिक्त संघीय भाषा हिन्दी को उच्च बेसिक स्तर पर अनिवार्य करने की सिफारिश की।

- सन् 1952 में 'माध्यमिक शिक्षा आयोग' बना जिसके अध्यक्ष डॉ॰ लक्ष्मण स्वामी मुद्लियार थे। मातृ भाषा या क्षेत्रीय भाषा के प्रयोग पर इस समिति ने बल दिया।
- सन् 1956 में केन्द्रीय शिक्षा परामर्शदात्री परिषद् ने त्रिभाषा-सूत्र का आविष्कार किया। मातृभाषा हिन्दी और अंग्रेजी पर बल दिया।
- गुजरात का सरदार पटेल विश्वविद्यालय (वल्लभ विद्यानगर) सबसे पहला विश्वविद्यालय था जिसने हिन्दी को उच्चस्तरीय शिक्षा का माध्यम बनाया था।

भारत में पुनर्जागरण की लहर बंगाल में तदनंतर उत्तर भारत में आयी। बंगाल में राजा राजमोहन राय इसके कर्णधार बने और स्वभाषा प्रचार का कार्य किया।

– उत्तर भारत में पुनर्जागरण का श्रेय स्वामी दयानंद सरस्वती को है। स्वामी जी ने अपनी मातृभाषा गुजराती और प्रत्यत्नलब्ध संस्कृत को छोड़कर हिन्दी द्वारा सुधार-आंदोलन चलाया और दर्जनों ग्रंथों का हिन्दी में प्रचलन किया। पुनर्जागरण की उस लहर में भारतेंदु हरिश्चंद्र युग के लेखक पूरी तरह से योगदान देते रहे। महावीर प्रसाद द्विवेदी, प्रेमचन्द, मैथिलीशरण गुप्त, श्रीधर पाठक आदि इसी युग की देन हैं।

– इटली के भाषाविद् जान टी. प्लेट्स ने अपने व्याकरण में उर्दू को स्वतंत्र भाषा न मानकर हिंदुस्तानी ही माना है। इन विद्वानों के अतिरिक्त हिन्दी भाषा और साहित्य पर विचार करने वाले जॉन शेक्सपीयर, विलियम प्राइस, विलियम परे, जेम्स आर. वैलटाइन, सैड फोर्ट आनर्ट आदि हैं। इन सभी ने हिन्दी को स्वतंत्र भाषा मानते हुये उसे माध्यम के रूप में प्रचालित करने की सिफारिश की है। 'भाषा भास्कर' लिखने वाले रेवरैंड विलियम ऐथरिंगटन थे।

श्री राजगोपालाचारी दक्षिणी हिन्दी प्रचार सभा, मद्रास के संस्थापकों में थे।

★ हिन्दी के प्रचार में संलग्न प्रमुख संस्थायें

1. अखिल भारतीय हिन्दी संस्था संघ, दिल्ली – 5 अगस्त, 1964
2. नागरीप्रचारणी सभा, काशी – 1893
3. दक्षिण भारत हिन्दी प्रचार सभा, मद्रास – 1918
4. केन्द्रीय सचिवालय हिन्दी परिषद्, नई दिल्ली – 3 मई, 1980
5. महाराष्ट्र राष्ट्रभाषा सभा, पूना –1937
6. गुजरात विद्यापीठ, अहमदाबाद
7. राष्ट्रभाषा प्रचार समिति, बर्धा – 1936
8. केरल हिन्दी प्रचार सभा, तिरूअनन्तपुरम – 1934
9. बिहार राष्ट्रभाषा परिषद्, पटना – 1947
10. असम राष्ट्रभाषा प्रसार समिति, गुवाहाटी – 1954
11. मणिपुर हिन्दी परिषद्, इम्फाल – 1953
12. प्रगतिशील लेखक संघ, लखनऊ – 1936
13. हिन्दी साहित्य सम्मेलन, प्रयाग –1910
14. सरस्वती पत्रिका – चिंतामणि घोष द्वारा संस्थापित – 1900
15. परिमल – 1935
16. दक्षिण भारत हिन्दी प्रचार संस्था, मद्रास में – गांधी जी द्वारा स्थापित – 1915
17. संगीत नाटक अकादमी – 1953
18. राष्ट्रीय नाटक अकादमी – 1959
19. साहित्य अकादमी – 1955
20. IPTA (Indian Peoples Theatre Association) 1942
21. हिन्दी भाषा संवर्द्धनी सभा, अलीगढ़
22. अखिल भारतीय संगीत परिषद् – 1919
23. फोर्ट विलियम कॉलेज –1801 ई.

★ राजभाषा के रूप में हिन्दी

राजकाज संचालन हेतु किसी न किसी भाषा की आवश्यकता पड़ती है। स्वतंत्रता के बाद राजसत्ता जनता के हाथ में आ गई। लोकतांत्रिक व्यवस्था में यह आवश्यक हो गया कि देश का राजकाज, लोक की भाषा में हो, अतः राजभाषा के रूप में हिन्दी को स्वीकार किया गया। 14 सितम्बर, 1949 ई. को भारत के संविधान में हिन्दी को मान्यता प्रदान की गई।

संविधान की धारा 120 के अनुरूप संसद का कार्य हिन्दी में या अंग्रेजी में किया जाता है।

धारा 210 के अंतर्गत राज्यों के विधानमंडलों का कार्य अपने-अपने राज्य की राजभाषा या हिन्दी में या अंग्रेजी में किया जा सकता है।

धारा 343 – संघ की राजभाषा हिन्दी और लिपि देवनागरी होगी और अंकों रूप भारतीय अंकों का अंतर्राष्ट्रीय रूप होगा।

धारा 344 – राष्ट्रपति द्वारा निर्धारित किया जाएगा कि कौन-2 से शासकीय कार्यों हेतु हिन्दी का प्रयोग अधिकाधिक किया जाये। 345, 346, 347, 348, 349, 350, 351 आदि सभी में राजभाषा के विकास और प्रसार का वर्णन है।

राजभाषा और राष्ट्रभाषा

राजभाषा का अर्थ है राजा या राज्य की भाषा – वह भाषा जिसमें शासक या शासन का काम होता है और राष्ट्र भाषा वह है जिसका व्यवहार राष्ट्र के सामान्य जन करते हैं। राजभाषा का क्षेत्र सीमित होता है। राष्ट्रभाषा सारे देश की संपर्क भाषा है। राष्ट्र भाषा के साथ जनता का भावात्मक लगाव रहता है क्योंकि उसके साथ जनसाधारण की सांस्कृतिक परम्परायें जुड़ी रहती हैं। राजभाषा के प्रति वैसा सम्मान हो तो सकता है, लेकिन नहीं भी हो सकता है, क्योंकि वह अपने देश की भी हो सकती है। किसी गैर देश से आए शासक की भी हो सकती है।

वस्तुनिष्ठ प्रश्न

1. भाषा किसका साधन है ?
   A. लिखने का B. बोलने का
   C. अध्ययन का D. अभिव्यक्ति का
2. भाषा—
   A. जड़ होती है B. विकासोन्मुख होती है
   C. बोधगम्य होती है D. उपर्युक्त तीनों
3. भाषा में किन शब्दों का बाहुल्य होता है ?
   A. तत्सम B. तद्भव
   C. विदेशी D. लोक व्यवहार के
4. हिन्दी के विकास के आदिकाल में इस पर किसका प्रभाव रहा ?
   A. संस्कृत का B. देशज शब्दों का
   C. ब्रज भाषा का D. अपभ्रंश का
5. खड़ी बोली का विकास कब हुआ ?
   A. आधुनिक युग में B. मध्य युग में
   C. आदिकाल में D. उपर्युक्त में से कोई भी नहीं

6. अपभ्रंश भाषा का व्याकरण किसने लिखा?
A. हेमचन्द्र
B. चन्द्रनाथ
C. उमानाथ
D. धर्मेन्द्र

7. निम्नलिखित में से कौन-सी बिहारी बोली है?
A. ब्रज
B. मैथिली
C. बुन्देली
D. अवधी

8. भाषा को बोलने में किसका प्रयोग किया जाता है?
A. लिपि का
B. ध्वनियों का
C. दोनों का
D. दोनों में से कोई भी नहीं

9. व्याकरण—
A. भाषा की लिपि निर्धारित करता है
B. भाषा को सुबोध बनाता है
C. भाषा का रूप निर्धारित करता है
D. भाषा के वर्णों का अध्ययन करता है

10. वर्ण—
A. स्वर हैं
B. व्यंजन हैं
C. ध्वनियाँ हैं
D. उच्चारण हैं

11. हिन्दी में कितने वर्ण हैं?
A. 56
B. 26
C. 44
D. 36

12. स्वर/स्वरों—
A. मूल ध्वनियाँ हैं
B. को किसी अन्य ध्वनि की सहायता के बिना उच्चरित किया जा सकता है
C. की संख्या 11 है
D. उपरोक्त सभी

13. जिन स्वरों के उच्चारण में 'अ' के उच्चारण के बराबर समय लगता है, उन्हें क्या कहते हैं?
A. दीर्घ स्वर
B. ह्रस्व स्वर
C. प्लुत स्वर
D. पूर्ण स्वर

14. संयुक्त स्वर का एक उदाहरण है—
A. आ
B. अ
C. इ
D. उ

15. क् + ष =
A. श
B. क्ष
C. ष
D. उपर्युक्त में से कोई नहीं

16. व्यंजन तीन प्रकार के होते हैं–(i) स्पर्श, (ii) अन्तस्थ और (iii) . . . .
A. ऊष्म
B. कन्ठ्य
C. दन्तोष्ठ
D. नासिका

17. त, थ, द, ध, का उच्चारण—
A. दाँतों के साथ जिह्वा के मेल से होता है
B. कंठ और ओठों के मेल से होता है
C. केवल ओठों से होता है
D. जीभ के प्रयोग के बिना होता है

18. एक या एक से अधिक वर्णों के संयोग से बनी ध्वनियों को क्या कहते हैं?
A. स्वर
B. व्यंजन
C. शब्द
D. रूढ़ि

19. व्युत्पत्ति के आधार पर शब्दों के तीन भेद होते हैं—(i) रूढ़ि, (ii) यौगिक और (iii) . . .
A. मिश्र
B. योगरूढ़ि
C. तद्भव
D. उपर्युक्त में से कोई भी नहीं

20. 'पाठशाला' शब्द किस वर्ग का है?
A. यौगिक
B. रूढ़ि
C. योगरूढ़ि
D. उपर्युक्त में से कोई भी नहीं

21. 'नीलकंठ' शब्द किस वर्ग का है?
A. यौगिक
B. रूढ़ि
C. योगरूढ़ि
D. उपर्युक्त में से कोई भी नहीं

22. जो शब्द संस्कृत के हैं और जिन्हें हिन्दी में ज्यों-का-त्यों इस्तेमाल किया जाता है, क्या कहलाते हैं?
A. तत्सम
B. तद्भव
C. देशज
D. उपर्युक्त में से कोई भी नहीं

23. 'अग्नि' शब्द किस वर्ग का है?
A. तत्सम
B. तद्भव
C. देशज
D. उपरोक्त में से कोई नहीं

24. संस्कृत मूल वाले शब्दों को जब हिन्दी में कुछ परिवर्तन के साथ इस्तेमाल किया जाता है, तो उन्हें क्या नाम दिया जाता है?
A. अविकारी
B. तद्भव
C. तत्सम
D. देशज

25. 'खेत' शब्द किस वर्ग का है?
A. देशज
B. तत्सम
C. तद्भव
D. विदेशी

उत्तरमाला

1	2	3	4	5	6	7	8	9	10
D	B	D	D	A	A	B	B	C	C
11	**12**	**13**	**14**	**15**	**16**	**17**	**18**	**19**	**20**
C	D	B	A	B	A	A	C	B	A
21	**22**	**23**	**24**	**25**					
C	A	A	B	C					

●●●

हिन्दी व्याकरण

'व्याकरण' शब्द का अर्थ है– 'वाक् पृथक्करण-प्रक्रिया'। इसका निर्माण वि+आकरण यानि 'आ' उपसर्ग को 'कृ' धातु में जोड़कर जो रूप निष्पन्न होता है उसमें पुनः लुयुट् प्रत्यय जोड़ने से होता है। व्याकरण से भाषा में अनुशासन बना रहता है। वस्तुतः व्याकरण एक शास्त्र है। व्याकरण का निर्माण भाषा-विशेष के लिए होता है। अर्थात् प्रत्येक भाषा का अपना निजी व्याकरण होता है। इसके द्वारा भाषा विशेष के वर्ण, शब्द, ध्वनि और वाक्य के शुद्ध रूप एवं प्रयोग के नियम का सम्यक् निरूपण किया जाता है। दूसरे शब्दों में, व्याकरण वह शास्त्र है जिसका निर्माण भाषा-विशेष के लिए होता है और जिससे भाषा-विशेष के शुद्ध रूप तथा प्रयोग की नियमावली का ज्ञान होता है।

लिंग

हिन्दी में दो लिंग होते हैं–स्त्रीलिंग और पुल्लिंग। जो शब्द स्त्री जाति का बोध कराते हैं, उन्हें स्त्रीलिंग कहा जाता है, जैसे–राधा, लड़की, पुत्री, पुस्तक, शेरनी, चिड़िया आदि। इसके विपरीत जो शब्द पुरुष जाति का बोध कराते हैं, उन्हें पुल्लिंग कहा जाता है, जैसे–कृष्ण, शेर, बैल, गीदड़, पुत्र, लड़का। ध्यान रहे कि नपुंसक लिंग का प्रयोग संस्कृत में होता है, हिन्दी में नहीं होता।

कुछ शब्द जो प्रायः स्त्रीलिंग ही होते हैं–

(1) ईकारान्त शब्द। जैसे–चिट्ठी, पत्री, लेखनी, बोली, गोली, चोली, डोली इत्यादि।
अपवाद–मोती, घी, जी, पानी आदि शब्द पुल्लिंग हैं।

(2) नदियों के नाम। जैसे–गंगा, यमुना, सरस्वती, रावी इत्यादि। प्रायः सभी नदियों के साथ नदी शब्द का प्रयोग किया जा सकता है।

(3) संस्कृत के स्त्रीलिंग और नपुंसक लिंग जैसे–आशा, माता, दिशा इत्यादि।

(4) राशियों, तिथियों और नक्षत्रों के नाम। जैसे–मेष, वृष, मिथुन, कन्या, तीज, प्रतिपदा, आश्विन, रोहणी आदि।

(5) धातुओं के नाम जैसे–चांदी, मिट्टी, धातु आदि।

(6) कुछ समुदाय वाचक संज्ञाएं। जैसे–सेना, शाला, फौज, टोली, सभा, श्रेणी, कक्षा इत्यादि।

(7) अनाज, दालें इत्यादि। जैसे–अरहर, मकई आदि।

(8) कुछ प्राणीवाचक शब्द। जैसे–भगिनी, गाय, कोयल, चील, मैना, बिल्ली आदि।

कुछ शब्द जो प्रायः पुल्लिंग ही होते हैं–

(1) पर्वतों आदि के नाम। जैसे–हिमालय, शिवालिक, विंध्याचल आदि।

(2) भावनावाचक संज्ञाएं–जिनके अन्त में आव, पन, पा, त्व हों। जैसे–चढ़ाव, बहाव, बड़प्पन, बचपन, रंडापा, बुढ़ापा, महत्व, पुरुषत्व।

(3) महीने और दिनों के नाम। जैसे–ज्येष्ठ, बैसाख, चैत्र, मंगलवार, रविवार।

(4) ग्रहों के नाम। जैसे–मंगल, बुध, राहु, केतु आदि।

(5) वर्णमाला के सभी अक्षर–केवल इ, ई और ऋ को छोड़कर।

(6) संस्कृत के नपुंसक लिंग। जैसे–दही, मधु आदि।

(7) पेड़, अनाज सम्बन्धी शब्द। जैसे–बड़, पीपल, आम, चावल, गेहूँ, बाजरा, उड़द।

(8) द्रव्यवाचक शब्द। जैसे–सोना, तांबा, लोहा, मोती, माणिक आदि।

पुल्लिंग से स्त्रीलिंग बनाने के नियम–

(1) अकारान्त और आकारान्त शब्दों के अन्त में ई जोड़ देने से स्त्रीलिंग बन जाता है। जैसे–

नाना–नानी	लड़का–लड़की	दादा–दादी
चाचा–चाची	पुत्र–पुत्री	देव–देवी
गीदड़–गीदड़ी	कबूतर–कबूतरी	नट–नटी

(2) कुछ आकारान्त शब्दों के अन्त का 'आ' हटा कर 'इया' जोड़ दिया जाता है। जैसे–

चिड़ा–चिड़िया	चूहा–चुहिया	डिब्बा–डिबिया
कुत्ता–कुतिया	बेटा–बिटिया	बूढ़ा–बुढ़िया

(3) कुछ व्यापार-सूचक (अकारान्त, आकारान्त, इकारान्त) शब्दों के पीछे 'इन' प्रत्यय लगाकर स्त्रीलिंग बनाते हैं। जैसे–

जुलाहा–जुलाहिन	धोबी–धोबिन	कहार–कहारिन
चमार–चमारिन	ठठेरा–ठठेरिन	ग्वाला–ग्वालिन

(4) कुछ प्राणीवाचक शब्दों के पीछे 'नी' या 'इनी' प्रत्यय लगाया जाता है। जैसे–

हंस–हंसिनी	जाट–जाटिनी	हाथी–हथिनी
शेर–शेरनी		

(5) कुछ प्राणीवाचक शब्दों के पीछे 'आनी' प्रत्यय भी लगाया जाता है। जैसे–

नौकर–नौकरानी	जेठ–जेठानी	देवर–देवरानी
चौधरी–चौधरानी	सेठ–सेठानी	मेहतर–मेहतरानी

(6) कुछ अकारान्त शब्दों के अन्त में 'आ' प्रत्यय लगाने से, जैसे–

शिव–शिवा	शूद्र–शूद्रा	प्रिय–प्रिया
बाल–बाला	सुत–सुता	

(7) कुछ शब्दों के अन्त में 'वती' या 'मती' लगाने से, जैसे–

भगवान्–भगवती	गुणवान्–गुणवती	श्रीमान्–श्रीमती
रूपवान्–रूपवती	बुद्धिमान्–बुद्धिमती	धनवान्–धनवती

(8) कुछ उपनाम सम्बन्धी शब्दों के अन्त में 'आइन' प्रत्यय लगाने से, जैसे–

लाला–ललाइन	ठाकुर–ठकुराइन	बाबू–बबुआइन
दुबे–दुबाइन	पण्डित–पण्डिताइन	

(9) कुछ शब्दों के अन्त में 'अक' आता है। उनको स्त्रीलिंग बनाने के लिए 'अक' प्रत्यय का 'इका' कर लिया जाता है। जैसे–

अध्यापक–अध्यापिका	सेवक–सेविका	नायक–नायिका
बालक–बालिका	प्रेषक–प्रेषिका	लेखक–लेखिका

(10) कुछ शब्दों के अन्त में 'त्री' लगाने से स्त्रीलिंग बन जाता है। जैसे–

कवि–कवयित्री　　कर्ता–कर्त्री

(11) कुछ इकारान्त शब्दों के अन्त में 'ई' प्रत्यय को 'इ' करके 'णी' लगाकर स्त्रीलिंग बना लिया जाता है। जैसे–

परोपकारी–परोपकारिणी　　अधिकारी–अधिकारिणी
सहधर्मी–सहधर्मिणी　　कल्याणकारी–कल्याणकारिणी

(12) कुछ पुल्लिंग शब्दों के स्त्रीलिंग सर्वथा भिन्न होते हैं, जैसे–

पिता–माता　　वर–वधु
राजा–रानी　　विद्वान–विदुषी

वचन

वचन का शाब्दिक अर्थ है- बोली। परन्तु हिन्दी में व्याकरण की दृष्टि में वचन का अर्थ संख्या से लिया जाता है। इसलिए वचन को परिभाषित करते हुए कहा जा सकता है– संज्ञा, सर्वनाम, विशेषण और क्रिया के जिस रूप से संख्या का बोध होता है, उसे वचन कहते हैं।

वचन के भेद

हिन्दी में वचन के दो भेद माने गए हैं (1) एकवचन (2) बहुवचन

(1) एकवचन (Singular Number) : जैसा कि नाम से स्पष्ट है, एकवचन विकारी शब्द का वह रूप है जिससे एक ही व्यक्ति या वस्तु का बोध होता है। उदाहरण- घोड़ा दौड़ता है। गाय चरती है। इन वाक्यों में 'घोड़ा' और 'गाय' से एक जानवर का बोध होता है। अतः ये एकवचन हैं।

(2) बहुवचन (Plural Number) : बहुवचन वह विकारी शब्द है जिससे एक से अधिक वस्तुओं, व्यक्तियों आदि का बोध होता है। जैसे- घोड़े चरते हैं। गायें दौड़ती हैं। 'घोड़े' और 'गायें' कहने से एक से अधिक जानवरों का बोध होता है। अतः ये बहुवचन हैं।

वचन के रूपान्तर : यद्यपि वचन के कारण संज्ञा, सर्वनाम, विशेषण और क्रिया के रूप में परिवर्तन होता है तथापि सर्वनाम, विशेषण और क्रिया के रूप मूलतः इनसे जुड़ी संख्या पर ही आधारित होते हैं। अतएव एकवचन में संज्ञा शब्दों के रूपान्तर की ही प्रमुखता है।

वचन के अधीन संज्ञा के रूप दो तरह से परिवर्तित होते हैं– (1) विभक्ति रहित (2) विभक्ति सहित

विभक्ति रहित संज्ञाओं के बहुवचन बनाने के नियम :

विभक्ति रहित संज्ञाओं का बहुवचन साधारणतः निम्नलिखित नियमों के अन्तर्गत बनाया जाता है-

1. पुल्लिंग संज्ञा के आकारान्त को एकारान्त कर बहुवचन बनाया जाता है। यथा-

एकवचन	बहुवचन	एकवचन	बहुवचन
घोड़ा	घोड़े	गधा	गधे
लड़का	लड़के		

अपवाद- मामा, नाना, बाबा, पिता, योद्धा, आत्मा, देवता, जामाता आदि। इन शब्दों के रूप दोनों वचनों में समान होते हैं।

2. पुल्लिंग आकारान्त शब्दों के अतिरिक्त अन्य मात्राओं से अन्त होने वाले शब्दों के रूप दोनों वचनों में एक समान रहते हैं। जैसे–

एकवचन	बहुवचन	एकवचन	बहुवचन
एक बालक	चार बालक	एक डाकू	चार डाकू
एक भाई	चार भाई	एक जौ	चार जौ

3. आकारान्त स्त्रीलिंग शब्दों के अन्त में 'एँ' जोड़ने से बहुवचन बनता है। जैसे–

एकवचन	बहुवचन	एकवचन	बहुवचन
शाखा	शाखाएँ	लता	लताएँ
माता	माताएँ	महिला	महिलाएँ

4. अकारान्त स्त्रीलिंग संज्ञा के बहुवचन शब्द में आगत अंतिम अ को यें कर देने से बनता है। जैसे–

एकवचन	बहुवचन	एकवचन	बहुवचन
गाय	गायें	रात	रातें
बात	बातें	आँख	आँखें
याद	यादें		

5. दीर्घ या ह्रस्व इकारान्त संज्ञाओं को ह्रस्व इकारान्त कर उनके अन्त में याँ जोड़ देने से बहुवचन बनता है। जैसे–

एकवचन	बहुवचन	एकवचन	बहुवचन
नारी	नारियाँ	पहेली	पहेलियाँ
लड़की	लड़कियाँ	सहेली	सहेलियाँ
नीति	नीतियाँ	नदी	नदियाँ
घड़ी	घड़ियाँ	छड़ी	छड़ियाँ
धोती	धोतियाँ	साड़ी	साड़ियाँ

6. जिन स्त्रीलिंग शब्दों के अन्त में 'या' आता है, 'या' पर चन्द्रबिन्दु लगाकर बहुवचन बनाया जाता है जैसे–

एकवचन	बहुवचन	एकवचन	बहुवचन
बुढ़िया	बुढ़ियाँ	चिड़िया	चिड़ियाँ
गुड़िया	गुड़ियाँ	डिबिया	डिबियाँ
दुनिया	दुनियाँ		

7. ह्रस्व या दीर्घ ऊकारान्त स्त्रीलिंग संज्ञाओं को ह्रस्व उकारान्त बनाकर अन्त में 'एँ' लगाने से बहुवचन का निर्माण होता है। जैसे-

एकवचन	बहुवचन	एकवचन	बहुवचन
धेनु	धेनुएँ	वस्तु	वस्तुएँ
बहू	बहुएँ	ऋतु	ऋतुएँ

8. कुछ शब्द समष्टि मूलक होते हैं। जैसे– गण, कुल, वृन्द, समूह, वर्ग, लोग, जन, मण्डल, दल, ग्राम, मण्डली आदि। ये शब्द विशेषतः वहाँ जोड़े जाते हैं, जहाँ दोनों वचनों में पुल्लिंग अथवा स्त्रीलिंग में एक ही रूप होते हैं।

उदाहरण :

एकवचन	बहुवचन	एकवचन	बहुवचन
पाठक	पाठकगण	आप	आप लोग
तुम	तुम लोग	छात्र	छात्रगण
विद्यार्थी	विद्यार्थीगण		

विभक्ति सहित संज्ञाओं के बहुवचन बनाने के नियम :-

सविभक्ति संज्ञाओं के बहुवचन बनाने के सामान्य नियम निम्नलिखित हैं–

1. संस्कृत शब्दों को छोड़कर हिन्दी के अकारान्त, आकारान्त तथा एकारान्त संज्ञाओं के अन्तिम अ, आ, ए के बदले बहुवचन बनाने में इसे 'ओ' कर दिया जाता है। जैसे-

एकवचन	बहुवचन
नर	नरों (का)
चीता	चीतों (द्वारा)
चोर	चोरों (ने)
घोड़ा	घोड़ों (को)

विभक्ति चिह्नों के साथ प्रयोग :

(क) नरों की कहानी।

(ख) चीतों का भय।

(ग) चोरों की पकड़।

(घ) घोड़ों की हिनहिनाहट।

कारक

संज्ञा या सर्वनाम के उस रूप को कारक कहते हैं जिससे उसका सम्बन्ध वाक्य के अन्य शब्दों विशेषतः क्रिया के साथ प्रकट होता है। वास्तव में, विभक्ति चिह्नों से युक्त संज्ञा या सर्वनाम शब्द ही वाक्य में अन्य शब्दों से सम्बन्ध प्रकट करते हैं।

ने, को, से, द्वारा– आदि विभक्ति चिह्न हैं। कारक का एक उदाहरण इस प्रकार है-'मोहन ने बाग में डण्डे से आम तोड़ा।' इस वाक्य में मोहन ने, डण्डे से, और आम संज्ञाओं के रूपान्तरण हैं। जिस तत्त्व के द्वारा इन रूपान्तरित संज्ञाओं का सम्बन्ध तोड़ा, क्रिया से स्पष्ट होता है, वही कारक है।

कारक-चिह्न

हिन्दी में कारक के आठ भेद माने जाते हैं :

	कारक	विभक्ति या कारक चिह्न
1.	कर्त्ता	ने
2.	कर्म	को
3.	करण	से, द्वारा
4.	सम्प्रदान	को, के लिए
5.	अपादान	से
6.	सम्बन्ध	का, के, की, रा, रे, री, ना, ने, नी
7.	अधिकरण	में, पर
8.	सम्बोधन	हे, हो, अरे, अजी, अहो आदि।

कारक-चिह्न/विभक्ति/परसर्ग

हिन्दी में कारक का ज्ञान कराने के लिए संज्ञा या सर्वनाम के साथ जो प्रत्यय लगाये जाते हैं, उन्हें ही व्याकरण में विभक्ति कहते हैं। हिन्दी में चूँकि विभक्ति चिह्न पद से अलग प्रयुक्त होते हैं इसलिए इन्हें 'परसर्ग' भी कहा जाता है। परसर्ग का शब्दिक अर्थ है- पीछे जुड़ना। कारक चिह्न सदैव संज्ञा या सर्वनाम के पीछे जुड़ते हैं।

(i) **कर्त्ता कारक :** कर्त्ता का अभिप्राय है, करने वाला। वाक्य में जो क्रिया सम्पन्न करता है, उसे कर्त्ता कहा जाता है। जैसे- राम पढ़ता है। सुरेश पत्र लिखता है। इन वाक्यों में राम और सुरेश कर्त्ता कारक हैं क्योंकि ये ही क्रिया को सम्पादित करने वाले हैं।

(ii) **कर्म कारक :** कर्त्ता द्वारा सम्पादित क्रिया का फल जिस पर पड़ता है, उसे 'कर्म' कहते हैं। जैसे– शीला ने राजेश को पढ़ाया। इस वाक्य में कर्त्ता है- शीला, क्रिया है– पढ़ाना। पढ़ाना क्रिया का फल राजेश पर स्पष्ट पड़ रहा है। इसलिए यहाँ राजेश कर्म कारक की स्थिति में है।

(iii) **करण कारक :** वाक्य में कारण कारक उस शब्द को कहते हैं जो क्रिया को पूर्ण करने में साधन के रूप में कर्ता का सहायक होकर आता है। जैसे– मैं कलम से लिखता हूँ। इस वाक्य में 'कलम से' करण कारक है क्योंकि लेखन-क्रिया में कलम साधन है।

(iv) **सम्प्रदान कारक :** कर्त्ता क्रिया की सिद्धि जिसके लिए करता है अथवा जिसको कुछ देता है, उसे प्रकट करने वाले शब्द रूप को सम्प्रदान कारक कहते हैं। जैसे– श्याम मीरा के लिए खिलौने लाया। राकेश शीला के लिए रोता है। इन वाक्यों में लाना और रोना क्रियाएँ क्रमशः मीरा और शीला के लिए सम्पादित की जा रही हैं। इसलिए मीरा और शीला के लिए शब्द रूप सम्प्रदान कारक है।

संधि

सन्धि शब्द का सामान्य अर्थ है– मेल अथवा मिलन। जब दो निकटवर्ती शब्दों का परस्पर मेल होता है, तो उसे संधि कहते हैं। संधि पहले वाले शब्द के अंतिम वर्ण और दूसरे वाले शब्द के प्रथम वर्ण (दोनों वर्णों) के मिलन से होती है। जब संधि होती है, तो दोनों शब्दों के मेल से बना शब्द (नया वाला शब्द) दोनों शब्दों का सामान्य संयोग मात्र नहीं होता, बल्कि उनके मेल से बना नया शब्द कुछ भिन्न होता है। यह भिन्नता या परिवर्तन उन्हीं दोनों वर्णों में होता है, जिनका मेल होता है। उदाहरण के लिए यदि हम 'हिम' और 'आलय' दोनों शब्दों की संधि करें, तो संधि से बनने वाला शब्द 'हिमालय' होगा। इसी प्रकार 'विद्या' और 'अर्थी' शब्दों की संधि से 'विद्यार्थी' शब्द बनता है।

संधि के मुख्य रूप से तीन भेद हैं– स्वर संधि, व्यंजन संधि और विसर्ग संधि।

(क) **स्वर संधिः** जब स्वर के साथ स्वर का मेल हो और स्वर में परिवर्तन हो, तो उसे स्वर संधि कहते हैं। उदाहरण के लिए 'छात्र' और आवास में 'त्र' और 'आ' का मेल होकर 'त्रा' बनेगा और संधि के फलस्वरूप बना शब्द 'छात्रावास' होगा।

इसी प्रकार 'रमा' और ईश' के मेल से 'रमेश' बनता है। 'महा' और 'ऋषि' के मेल से 'महर्षि' बनता है। 'यदि' और 'अपि' के मेल से 'यद्यपि' बनता है।

(ख) **व्यंजन संधिः** जब दो व्यंजनों के मेल से नया शब्द बनता है, तो उसे व्यंजन संधि कहते हैं। जैसे 'जगत' और 'नाथ' के मेल से 'जगन्नाथ' शब्द बनता है। 'तन्' और 'मय' के मेल से 'तन्मय' शब्द बनता है। 'सत्' और 'चित' के मेल से 'सच्चित' शब्द बनता है। 'सम्' और 'राट' के मेल से 'सम्राट' शब्द बनता है।

(ग) **विसर्ग संधिः** जब विसर्ग के साथ व्यंजन का मेल हो तो विसर्ग संधि होती है। जैसे– 'निः' और 'जन' के मेल से 'निर्जन' तथा 'दुः' और 'चरित्र' के मेल से 'दुश्चरित्र' बनता है।

संधि के प्रकार

हिन्दी में संधि के तीन प्रकार हैं–(1) स्वर संधि (2) व्यंजन संधि (3) विसर्ग संधि।

(1) स्वर संधि

दो स्वरों के मेल से जो विकार या वर्ण के रूप में परिवर्तन होता है, वही स्वर संधि कहलाता है।

स्वर संधि के भेदः स्वर संधि के निम्नलिखित पाँच भेद हैं :–

(क) दीर्घ संधि (ख) गुण संधि (ग) वृद्धि संधि (घ) यण् संधि (ङ) अयादि संधि।

(क) **दीर्घ संधिः** जब दो सवर्ण स्वरों का मेल होता है तो एक दीर्घ स्वर बन जाता है। यह दीर्घ संधि है। अ और आ सवर्ण स्वर हैं। इसी प्रकार इ ई उ ऊ और ऋ सवर्ण स्वर हैं। ह्स्व या दीर्घ अ इ उ ऋ के बाद यदि पूर्ववत् ह्स्व या दीर्घ स्वर हो तो दोनों के स्थान पर एक सवर्ण दीर्घ स्वर होता है।

जैसे– अ + अ = आ (नर + अधय = नराधय)
अ + आ = आ (कार्य + आलय = कार्यालय)
आ + अ = आ (विद्या + अर्थी = विद्यार्थी)
आ + आ = आ (महा + आशय = महाशय)
इ + इ = ई (मुनि + इन्द्र = मुनीन्द्र)
इ + ई = ई (कपि + ईश = कपीश)
ई + इ = ई (मही + इन्द्र = महीन्द्र)
ई + ई = ई (नदी + ईश = नदीश)
उ + उ = ऊ (साधु + उवाच = साधूवाच)

(ख) **गुण संधिः** अ या आ के बाद यदि इ या ई, उ या ऊ और ऋ आवे तो दोनों के मेल से क्रमशः ए, ओ अर हो जाता है।

जैसे– अ + इ = ए (नर + इन्द्र = नरेन्द्र)
आ + इ = ए (महा + इन्द्र = महेन्द्र)

(ग) **वृद्धि संधिः** अ या आ के बाद यदि ए या ऐ और ओ या औ का आगमन होता है, तो दोनों मिलकर क्रमशः ऐ और औ उत्पन्न करते हैं।

जैसे– अ + ए = ऐ (एक + एक = एकैक)
आ + ए = ऐ (तथा + एव = तथैव)

(घ) **यण संधिः** ह्स्व या दीर्घ इ, उ, ऋ के अनन्तर यदि कोई असवर्ण स्वर आता है तो 'इ' का य्, उ का व् और ऋ का र् हो जाता है।

जैसे– इ + आ = या (अति + आनन्द = अत्यानन्द)
इ + ए = ये (प्रति + एक = प्रत्येक)

(ङ) **अयादि संधिः** ए ऐ ओ औ के अनन्तर यदि कोई असवर्ण स्वर आये तो ए का अय्, ऐ का आय, ओ का अव् और औ का आव हो जाता है।

जैसे– ए + अ = अय (ने + अन = नयन)
ऐ + अ = आय (नै + अक = नायक)

(2) व्यंजन संधि

व्यंजन संधि उसे कहते हैं जिसमें संधि होने वाले दो वर्णों में से प्रथम वर्ण व्यंजन हो और दूसरा स्वर या व्यंजन हो।

जैसे– दिक् + गज = दिग्गज।

व्यंजन संधि के प्रमुख नियम इस प्रकार हैं–

(क) यदि किसी वर्ण के पहले व्यंजन के अनन्तर किसी वर्ग का पंचम वर्ण आता है तो प्रथम व्यंजन वर्ग का परिवर्तन उसी वर्ग के पंचम वर्ण में होता है।

जैसे– जगत् + नाथ = जगन्नाथ।
वाक् + मय = वाङ्मय।

(ख) यदि म् के बाद किसी स्पर्श वर्ण का आगमन होता है तो म् अनुस्वार में बदल जाता है।

जैसे– किम + चित् = किंचित् या किञ्चित्।
अहम् + कार = अहंकार या अहङ्कार।

(ग) यदि म् के बाद य र ल व (अन्तस्थ) और श ष स ह (ऊष्म) वर्ण हों तो 'म्' अनुस्वार में बदल दिया जाता है।

जैसे– सम् + षय = संशय।
सम् + सार = संसार।

(घ) यदि वर्ग के प्रथम वर्ण के अनन्तर कोई स्वर हो या किसी वर्ग का तृतीय, चतुर्थ व्यंजन हो या य र ल व में से कोई वर्ण आए तो वर्ग के प्रथम वर्ण के स्थान पर तृतीय वर्ण हो जाता है।

जैसे– वाक् + दन्त = वाग्दन्त।
सत् + गति = सद्गति।

(ङ) यदि च अथवा ज के अनन्तर न का आगमन होता है तो दोनों का स्थान ञ ले लेता है।

जैसे– यज् + न = यज्ञ।

(3) विसर्ग संधि

विसर्ग के साथ स्वर अथवा व्यंजन के मेल से उत्पन्न विकार को विसर्ग संधि कहा जाता है।

जैसे– मनः + रथ = मनोरथ।

विसर्ग संधि के प्रमुख नियम

(क) विसर्ग के बाद च् या छ् ट् या ढ् तथा त् या य् आवे तो क्रमशः श, ष हो जाता है।

जैसे– निः + चय = निश्चय
निः + तार = निस्तार

(ख) यदि विसर्ग के बाद श, ष या स आवे तो विसर्ग को उसी परवर्ती सकार में बदल दिया जाता है।
जैसे– दुः + शासन = दुश्शासन
निः + सन्देह = निस्संदेह

(ग) यदि विसर्ग के पूर्व अ आवे और उसके बाद किसी वर्ग का तीसरा चौथा पाँचवां या य र ल व ह में से कोई व्यंजन आवे तो विसर्ग का 'उ' होता है और उ अपने पूर्ववर्ती अ के साथ जुड़कर ओ में रूपान्तरित हो जाता है।
जैसे– सरः + वर = सरोवर।
पयः + धर = पयोधर।

(घ) यदि विसर्ग के बाद र् व्यंजन आवे तो विसर्ग का पूर्ववर्त्ती स्वर दीर्घ हो जाता है साथ ही विसर्ग का लोप हो जाता है।
जैसे– निः + रव = नीरव।
निः + रोग = नीरोग।

(ङ) यदि विसर्ग के पूर्व अकार के अतिरिक्त कोई दूसरा स्वर हो और उसके बाद कोई स्वर हो अथवा किसी वर्ग का तीसरा, चौथा, पाँचवां वर्ण हो तो विसर्ग 'र' में रूपान्तरित होता है।
जैसे– दुः + गन्ध = दुर्गन्ध।
निः + रोग = नीरोग।

समास

अनेक शब्द जब मिलकर एक पद बन जाते हैं तो समास कहलाता है। अर्थात् जब दो या दो से अधिक पद अपने प्रत्ययों या विभक्तियों को छोड़कर मिलते हैं तब उस संयोग को समास कहते हैं।

समास की उपयोगिताः भाषा में समास की उपयोगिता कई दृष्टियों से है–

(क) समास से भाषा में संक्षिप्तता आती है।
(ख) समास से उच्चारण-प्रक्रिया में सहजता का बोध होता है।
(ग) भाषा समास के प्रयोग से चुस्त होती है।
(घ) भाषा के सौंदर्य में वृद्धि समास के प्रयोग से संभव है।

समास के भेद

पदों की प्रधानता को आधार मानकर समास को मुख्यतः चार भागों में विभाजित किया जाता है तथापि छः भेद स्वीकार किये जाते हैं।

(1) अव्ययीभाव समास – पहला पद प्रधान होता है।
(2) तत्पुरुष समास – दूसरा पद प्रधान होता है।
(3) द्वन्द्व समास – दोनों पद प्रधान होते हैं।
(4) बहुब्रीहि समास – कोई भी पद प्रधान नहीं होता है।

नोटः 'कर्मधारय' को तत्पुरुष का एक भेद माना गया है और 'द्विगु' को कर्मधारय का एक भेद माना गया है।

(1) अव्ययीभाव समास

अव्ययीभाव समास का पहला पद क्रिया-विशेषण अव्यय होता है और प्रधानता प्रायः प्रथम पद की ही होती है। जैसे– यथा समय (समय के अनुसार) प्रति वर्ष (प्रत्येक वर्ष)।

अव्ययीभाव समास के अन्तर्गत निम्नलिखित कोटि के पद आते हैं–

(क) अव्यय शब्दों के योग से बनने वाले समास– आचरण, व्यर्थ, यावज्जीवन, प्रतिदिन, यथा-संभव, आदि।
(ख) शब्दों की द्विरुक्ति से भी अव्ययीभाव समास बनता है। जैसे– वन-वन, घर-घर, मन्दिर-मन्दिर आदि।
(ग) द्विरुक्ति शब्दों के बीच में कभी-कभी ही, आ, ओं भी प्रयुक्त होते हैं। जैसे–एका-एक, हाथों-हाथ, मन-ही-मन आदि।

(2) तत्पुरुष समास

जिस समस्त पद में द्वितीय या अंतिम पद की प्रधानता को स्वीकारा जाता है उनमें तत्पुरुष समास होता है। जैसे :– राज-भवन (राजा का **भवन**)। उत्तर पद भवन प्रधान है।

तत्पुरुष समास के भेद

(i) व्यधिकरण तत्पुरुष– यह वास्तव में तत्पुरुष समास होता है।

(ii) समानाधिकरण तत्पुरुष– इस समास को कर्मधारय समास कहते हैं।

समस्त पदों में जिस कारक या विभक्ति चिह्न का लोप होता है उसी के आधार पर उसका नामकरण किया जाता है। तत्पुरुष समास में प्रथम पद कारक की स्थिति में होता है। इसके निम्नलिखित भेद हैं–

(क) कर्म तत्पुरुषः प्रथम पद कर्मधारय की स्थिति में होता है तथा कर्म की विभक्ति 'को' का लोप हो जाता है।
जैसे– गगन चुम्बी (गगन को चूमने वाला)
माखन चोर (माखन को चुराने वाला)

(ख) करण तत्पुरुषः प्रथम पद करण कारक की स्थिति में होता है और करण की विभक्ति चिह्न 'से' द्वारा 'के साथ' का लोप होता है।
जैसे– ईश्वर दत्त (ईश्वर द्वारा दत्त)
विश्व बन्ध (विश्व द्वारा बन्ध)

(ग) सम्प्रदान तत्पुरुषः प्रथम पद सम्प्रदान कारक में रहता है तथा सम्प्रदान की विभक्ति 'को', 'के लिए', 'निमित्त', 'हेतु' आदि का लोप होता है।
जैसे– स्वाधीनता संग्राम (स्वाधीनता के लिए संग्राम)

(घ) अपादान तत्पुरुषः इसमें भी प्रथम पद अपादान कारक में होता है तथा अपादान कारक के विभक्ति चिह्न 'से' का लोप हो जाता है।
जैसे– धर्म विमुख (धर्म से विमुख)

(ङ) सम्बन्ध तत्पुरुषः इसका पूर्व पद सम्बन्ध कारक में होता है तथा सम्बन्ध के विभक्ति चिह्न का, के, की का लोप होता है।
जैसे– वन मानुष (वन का मानुष)

(च) **अधिकरण तत्पुरुषः** अधिकरण तत्पुरुष में पहला पद अधिकरण कारक में होता है तथा अधिकरण कारक का विभक्ति चिह्न 'में' या 'पर' आदि का बोध होता है।
जैसे– आपबीती (आप पर बीती)

(3) द्वन्द्व समास

द्वन्द्व समास में दोनों ही पद प्रधान होते हैं और समस्त पद में दोनों पद संज्ञा या उसका समूह होता है। स्मरणीय है कि इसमें 'और', 'वा' 'अथवा', समुच्चय बोधक का लोप रहता है। इस समुच्चय बोधक के द्वारा दोनों पद जुड़े रहते हैं। द्वन्द्व समास के सामान्यतः निम्नलिखित भेद होते हैं :–

(क) इतरेतर द्वन्द्वः इतरेतर द्वन्द्व में समस्त पदों के बीच 'और' समुच्चय बोधक का लोप होता रहता है।

जैसे– माता-पिता (माता और पिता)
सीता-राम (सीता और राम)
देवर-भाभी (देवर और भाभी)

(ख) समाहार द्वन्द्वः समाहार द्वन्द्व में समस्त पद अपने अर्थ के अलावा उसी रूप के अन्य अर्थ का भी आभास देता है।

जैसे– नमक-रोटी (नमक और रोटी के अतिरिक्त और भी उसी कोटि की खाद्य-सामग्री) रुपया-पैसा, धन-दौलत, सेठ-साहूकार, मान-मर्यादा।

(ग) वैकल्पिक द्वन्द्वः वैकल्पिक द्वन्द्व में दोनों पदों के मध्य 'थ' और 'अथवा' समुच्चय बोधक का लोप रहता है। इस समस्त पद में साधारणतः दो परस्पर विरोधी शब्दों का योग होता है।

जैसे– मान-अपमान, धर्म-अधर्म, ज्ञान-अज्ञान, पाप-पुण्य, चार-छः, दो-चार, जात-कुजात, भला-बुरा।

(4) बहुब्रीहि समास

बहुब्रीहि समास उस समास को कहते हैं जिसमें दोनों ही पद अप्रधान होते हैं। उसमें एक नये अर्थ का संकेत मिलता है।

जैसे– चन्द्रशेखर (चन्द्रमा है शिखर पर जिसके अर्थात् शिव)
चतुर्भुज (चार भुजाएँ हैं जिनकी अर्थात् विष्णु)
गजानन (गज के समान मुख है जिसका अर्थात् गणेश)

(5) कर्मधारय (समानाधिकरण तत्पुरुष)

कर्मधारय समास में दोनों पद प्रधान होते हैं। इसके पदों में विशेषज्ञ-विशेषण, विषेशज्ञ-विशेषण, उपमान-उपमेय का भाव होता है।
जैसे– शशिमुख (शशि सम मुख), नीलाम्बर, पीताम्बर।

कर्मधारय के प्रकार– कर्मधारय के मुख्यतः दो भेद हैं– (1) विशेषता वाचक (2) उपमान वाचक।

(1) **विशेषता वाचक**

विशेषण पूर्वपदः पहला पद विशेषण होता है। जैसे– पीताम्बर, नीलकण्ठ, सुन्दर लाल, सद्गुण, खुशबू, बदबू, काली मिर्च, नीलगाय, छुटभैया।

विशेषणोत्तर पदः इसमें उत्तरपद विशेषण होता है। जैसे– पुरुषोतम, प्रभुदयाल, रामदहिन, देशान्तर, मुनीश्वर, युगान्तर, नराधम, जन्मान्तर।

विशेषणोभय पदः दोनों ही पद विशेषण होते हैं। जैसे– नील-पीत, मोटा ताजा, लाल पीला, श्याम सुन्दर, श्वेत-श्याम, भला-बुरा, खट्टा-मिट्ठा।

विशेष्योभय पदः दोनों ही पद विशेष्य होते हैं। जैसे– प्राणप्रिय, वज्रदेह।

(2) **विशेषता वाचक**

उपमानोत्तर पदः उत्तर पद उपमान होता है। जैसे– मुखारविन्द, राजर्षि।

(6) द्विगु समास

द्विगु समास कर्मधारय समास का एक भेद है। इस समास में पहला पद संख्या बोधक होता है और द्वितीय पद प्रधान होता है। संख्यावाची शब्द समुदाय (समाहार) के अर्थ में प्रयुक्त होता है।

जैसे–नवरत्न (नवरत्नों का समूह), अष्टाध्यायी (आठ अध्यायों का समाहार), त्रिभुवन, तिमाही, पंसेरी, सप्तशती, त्रिकाल, चौमाल।

वर्तनी

हिन्दी शब्दों को लिखने में वर्तनी का बड़ा महत्व है। प्रायः विद्यार्थी लिखने में वर्तनी सम्बन्धी अशुद्धियां करते हैं। ये अशुद्धियाँ संयुक्त वर्ण, विभक्ति चिह्न, क्रिया पद में तो होती ही है साथ ही, व ब तथा श ष स में भी देखने को मिलती हैं। इन अशुद्धियों से बचने का सही उपाय है कि शुद्ध वर्तनी का ज्ञान हो। और यह निरन्तर अभ्यास से ही सम्भव है।

पर्यायवाची

एकार्थ बोधक शब्दों को पर्यायवाची शब्द कहा जाता है। पर्यायवाची शब्दों में से कुछ पूर्ण पर्याय तथा कुछ अपूर्ण पर्याय की श्रेणी में आते हैं। पूर्ण पर्याय—कपि, वानर, मर्कट, प्लवंग आदि बन्दर के पर्याय हैं। अपूर्ण पर्याय—कृपा, दया, करुणा को कहा जाता है, किन्तु इनके प्रयोग में बहुत अन्तर है। भाषा के सूक्ष्म अध्ययन की दृष्टि से अपूर्ण पर्यायों के मध्य सूक्ष्म अन्तर होता है। इस अन्तर को देखते हुए ही उनका प्रयोग किया जाता है। हिन्दी के शब्द-भंडार की पर्याप्त वृद्धि हुई है। इस दिशा में डॉ. रघुवीर जैसे भाषा-पंडितों ने बहुत काम किया है। भारत सरकार का केन्द्रीय हिन्दी निदेशालय, अनुवाद ब्यूरो तथा राजभाषा विधायी आयोग आदि संस्थाओं द्वारा किए जा रहे शब्द रचना के कार्य सराहनीय हैं। हमारे देश में संस्कृत समृद्ध भाषा है जिससे हिन्दी को बहुत-से शब्द प्राप्त हुए हैं, अतएव पर्यायवाची शब्दों की दृष्टि से हिन्दी समृद्ध है।

विलोमार्थी शब्द

ऐसे शब्दों को विपरीतार्थक, विलोमार्थी अथवा विरोधी शब्द कहा जाता है जो किसी शब्द के ठीक विपरीत अर्थ प्रकट करते हैं। अंग्रेजी में जिन

शब्दों को एण्टानिम्स (Antonyms) कहा जाता है हिन्दी में वही शब्द विलोमार्थी अथवा प्रतिकूल अर्थ के बोधक कहे जाते हैं। अतएव विलोमार्थी शब्दों को यदि हम परिभाषाबद्ध करना चाहें तो कह सकते हैं कि—'किसी एक शब्द के ठीक विपरीत अर्थ प्रकट करने वाले शब्द विलोम कहे जाते हैं। इन शब्दों को विपर्याय के रूप में भी जाना जाता है।'

विलोमार्थी शब्दों का महत्त्व

भाषा कोई भी क्यों न हो उसकी सम्पन्नता उसके शब्दों की संख्या से जानी जाती है। आज विश्व में सर्वाधिक सम्पन्न भाषा अंग्रेजी है जिसके शब्दों का निरंतर वार्धक्य होता जाता है। नये-नये विज्ञानों का प्रादुर्भाव होने से उससे सम्बन्धित शब्द भी गढ़े जाते हैं। और उन शब्दों के प्रतिकूल शब्दों की आवश्यकता भी अनुभव की जाती है। नतीजतन शब्दों का सृजन अनवरत गति से चलता रहा है। हिन्दी में भी यह काम काफी द्रुतगति से हो रहा है। कोई माने या न माने किन्तु जब से केन्द्र में हिन्दी को राजभाषा का गरिमामय पद मिला है तब से उसके विकास की गति भी बढ़ी है। विभिन्न क्षेत्रों में उसका प्रवेश हो रहा है। विज्ञान, इंजीनियरी, चिकित्साशास्त्र, आणविकी आदि सभी से सम्बन्धित शब्दों की रचना हिन्दी में अबाध गति से की जा रही है। ये सब प्रभावी लक्षण हैं। शब्दों के समानार्थी तथा विपरीतार्थी दोनों की जरूरत पड़ती रहती है और आज के युग में जबकि प्रतियोगिता का महत्त्व काफी बढ़ गया है विपरीतार्थी शब्द भी किसी के भाषाई ज्ञान की माप करने में उपादेय सिद्ध होते हैं।

इसके अतिरिक्त विपरीतार्थक शब्द किन्हीं दो अच्छी या बुरी वस्तुओं की तुलना करने के लिए भी काफी उपादेय सिद्ध होते हैं। ऐसे शब्दों के प्रयोग से भाषा में निखार आता है, भाषण प्रभावशाली बन जाता है तथा लेखन गरिमावान दिखाई पड़ने लगता है।

श्रुति समभिन्नार्थक शब्द

युग्म शब्द को श्रुतिसम भिन्नार्थक या समोच्चरित शब्द भी कहा जाता है। इस प्रकार के दो शब्दों में मामूली-सा अन्तर होता है। वह अन्तर मात्रागत या वर्णगत होता है। फलतः ऐसे शब्द सुनने में एक समान तो लगते हैं लेकिन अर्थ भिन्न-भिन्न होते हैं। हिन्दी में ऐसे शब्दों की संख्या अत्यधिक है। नीचे वैसे प्रमुख शब्द युग्मों को अर्थ सहित प्रस्तुत किया जा रहा है :

1.	अंश	=	भाग/हिस्सा
	अंस	=	कन्धा
2.	अपेक्षा	=	आवश्यकता/उम्मीद
	उपेक्षा	=	अवहेलना
3.	अभिराम	=	सुन्दर
	अविराम	=	लगातार
4.	अनल	=	आग
	अनिल	=	हवा
5.	अवलम्ब	=	आश्रय/सहारा
	अविलम्ब	=	शीघ्र
6.	अन्त	=	समाप्त/खत्म
	अन्त्य	=	अन्तिम
7.	अभिहित	=	कथित
	अविहित	=	अनुचित
8.	अम्बुज	=	कमल
	अम्बुद	=	बादल
9.	अलि	=	भ्रमर
	अली	=	सखी
10.	उपकार	=	भलाई
	अपकार	=	बुराई
11.	अजिक	=	ललाट
	अलीक	=	झूठ
12.	अभिनय	=	स्वांग
	अविनय	=	उद्दण्डता
13.	अतल	=	तलहीन
	अतुल	=	जिसकी तुलना न हो सके
14.	अकथ	=	जो कहा नहीं जाय
	अथक	=	बिना थके हुए
15.	अन्न	=	अनाज
	अन्य	=	दूसरा
16.	आदि	=	आरम्भ/शुरू
	आदी	=	अभ्यस्त, अदरक
17.	अभय	=	निर्भय
	उभय	=	दोनों
18.	अर्जन	=	संग्रह
	अर्चन	=	पूजा
19.	अमित	=	अत्यधिक
	अमीत	=	शत्रु
20.	अणु	=	सूक्ष्म कण
	अनु	=	पीछे
21.	अशक्त	=	असमर्थ
	असक्त	=	विरक्त
22.	अब्ज	=	कमल
	अब्द	=	बादल
23.	अवधि	=	समय
	अवधी	=	अवध की भाषा
24.	अभ्यास	=	अनुशीलन
	अभ्याश	=	पड़ोस
25.	आभरण	=	आभूषण
	आमरण	=	मरण तक
26.	आकर	=	खान
	आकार	=	आकृति
27.	आयत	=	चतुर्भुज
	आयात	=	बाहर से लाना
28.	आर्त	=	दुःखी
	आर्द्र	=	गीला

29. आवास	=	वास स्थान
आभास	=	झलक
30. आवृत्त	=	घिरा हुआ
आवृत्ति	=	दुहराना
31. इत्र	=	सुगन्धित पदार्थ
इतर	=	दूसरा
32. स्त्री	=	महिला
इस्तिरी	=	कपड़े पर कलप करना
33. अरि	=	दुश्मन
अरी	=	स्त्री के लिए सम्बोधन
34. उद्यत	=	तैयार, तत्पर
उद्धत	=	उद्‌दण्ड
35. ऋतु	=	मौसम
ऋत	=	सत्य
36. कश	=	चाबुक
कष	=	कसौटी
37. कुल	=	वंश
कूल	=	किनारा
38. कलि	=	कलियुग
कली	=	अधखिला फूल
39. कपिश	=	मटमैला
कपीश	=	बन्दरों का राजा
40. कर्म	=	कार्य
क्रम	=	सिलसिला
41. कंगाल	=	दरिद्र
कंकाल	=	ठठरी (मानव की)
42. कटिबद्ध	=	तैयार
कटिबन्ध	=	कमर बन्द
43. करोड़	=	सौ लाख की संख्या
क्रोड़	=	गोद
44. कृत	=	किया हुआ
क्रीत	=	खरीदा हुआ
45. कृपण	=	कंजूस
कृपाण	=	कटार
46. कृषाण	=	किसान
कृशानु	=	आम
47. क्रान्ति	=	उलटफेर, आन्दोलन
कांति	=	चमक
48. कुट	=	किला
कूट	=	पहाड़ की चोटी
49. कुजन	=	दुर्जन
कूजन	=	पक्षियों का कलरव
50. केशर	=	सिंह की गर्दन के बाल
केसर	=	कुमकुम
51. कोष	=	खजाना
कोश	=	शब्द-संग्रह
कोस	=	दो मील की दूरी
52. खाद	=	उर्वरक
खाद्य	=	खाने की सामग्री
53. खोया	=	भूल गया
खोआ	=	दूध से निर्मित खाद्य पदार्थ
54. गिरि	=	पर्वत
गिरी	=	बीज/गूदा
55. चषक	=	प्याला
चसक	=	आदत
56. चरण	=	पैर
चारण	=	भाट
57. चिर	=	पुराना
चीर	=	वस्त्र
58. चिता	=	शव जलाने के लिए लकड़ियों की शय्या
चीता	=	एक हिंसक पशु
59. गृह	=	घर
ग्रह	=	नक्षत्र
60. करण	=	इन्द्रियाँ, करण कारक
कर्ण	=	कान
61. कुच	=	स्तर
कूच	=	प्रस्थान
62. कौर	=	ग्रास
कोर	=	किनारा
63. चतुष्पद	=	चौपाया
चतुष्पथ	=	चौराहा
64. चक्रवात	=	बवंडर
चक्रवाक	=	चकवा पक्षी
65. छत्र	=	छाता
छात्र	=	विद्यार्थी
66. क्षति	=	हानि
क्षिति	=	पृथ्वी
67. जलज	=	कमल
जलद	=	बादल
68. नीरज	=	कमल
नीरद	=	बादल
69. जघन्य	=	गर्हित
जघन	=	जाँच
70. जगत्	=	संसार
जगत	=	कुएँ का चबूतरा
71. जामन	=	दूध जमाने के लिए प्रयुक्त पदार्थ
जामुन	=	एक फल
72. जेठ	=	वर्ष का एक महीना
ज्येष्ठ	=	बड़ा (उम्र में)
73. टुक	=	थोड़ा
टूक	=	टुकड़ा
74. टोटा	=	घाटा
टोंटा	=	बन्दूक का कारतूस

75.	तरणि	=	सूर्य
	तरणी	=	नाव
76.	दाई	=	धामी, नौकरानी
	दायी	=	जवाबदेह
77.	दारु	=	लकड़ी
	दारू	=	शराब
78.	दिवा	=	दिन
	दीया	=	दीपक
79.	दिन	=	दिवस
	दीन	=	गरीब
80.	द्विप	=	हाथी
	द्वीप	=	टापू
81.	दुर्ग	=	गढ़
	दुर्गा	=	एक देवी
82.	दमन	=	दबाना
	दामन	=	आँचल
83.	तक्र	=	मट्ठा
	तर्क	=	बहस
84.	द्रव्य	=	धन
	द्रव	=	तरल पदार्थ
85.	देव	=	देवता
	दैव	=	भाग्य
86.	नहर	=	कृत्रिम नदी
	नाहर	=	सिंह
87.	नग	=	पहाड़
	नाग	=	सर्प
88.	नगर	=	शहर
	नागर	=	चतुर व्यक्ति
89.	नाश	=	ध्वंश
	नास	=	सुंघनी
90.	नारी	=	स्त्री
	नाड़ी	=	नब्ज
91.	निसान	=	झण्डा
	निशान	=	चिह्न, प्रतीक
92.	निर्जर	=	देवता
	निर्झर	=	झरना
93.	निहित	=	छिपा हुआ
	निहत	=	मरा हुआ
94.	नियत	=	निश्चित
	नीयत	=	इरादा
	नियति	=	भाग्य
95.	नमित	=	नत
	निमित्त	=	कारण
96.	नीर	=	जल
	नीड़	=	घोंसला
97.	निर्माण	=	बनाना
	निर्वाण	=	मोक्ष
98.	नकल	=	अनुकरण
	नकुल	=	नेवला, पाण्डवों में एक
99.	निधन	=	मृत्यु
	निर्धन	=	गरीब
100.	नित	=	प्रतिदिन
	नीत	=	लाया हुआ
101.	नीम	=	एक पेड़
	नींव	=	आधार
102.	नेत्र	=	आँख
	नेतृ	=	नेता
103.	पुरुष	=	मर्द
	परुष	=	कठोर
104.	परिधान	=	वस्त्र
	प्रधान	=	मुख्य
105.	पवन	=	हवा
	पावन	=	पवित्र
106.	पाहन	=	पत्थर
	पाहुन	=	अतिथि
107.	परवाह	=	चिन्ता
	प्रवाह	=	बहाव
108.	प्रहर	=	समय
	प्रहार	=	चोट
109.	परिताप	=	दुःख
	प्रताप	=	पराक्रम
110.	पथ	=	मार्ग
	पथ्य	=	रोगी का भोजन
111.	पट्ट	=	तख्ता
	पट	=	वस्त्र
112.	प्रमाण	=	सबूत
	प्रणाम	=	नमस्कार
113.	परिणाम	=	फल
	परिमाण	=	मात्रा
114.	प्रणय	=	प्रेम
	परिणय	=	विवाह
115.	परदेश	=	दूसरा देश
	प्रदेश	=	प्रान्त, राज्य
116.	परीक्षा	=	इम्तहान
	परिक्षा	=	कीचड़
117.	प्रदीप	=	दीपक
	प्रतीप	=	उल्टा
118.	पानी	=	जल
	पाणि	=	हाथ
119.	पास	=	निकट
	पाश	=	बन्धन
120.	पिक	=	कोयल
	पीक	=	पान का थूक

121. प्रेषित = भेजा हुआ
प्रोषित = प्रवासी
122. फन = कला
फण = साँप का फण
123. बलि = बलिदान
बली = वीर
124. बहन = भगिनी
वहन = ढोना
125. बहु = बहुत
बहू = पुत्रवधू
126. बार = दफा
वार = दिन
127. वाण = तीर
बान = आदत
128. बात = वचन
वात = हवा
129. भवन = घर
भुवन = संसार
130. भट = योद्धा
भट्ट = पण्डित
131. भाल = ललाट
भार = वजन
132. मल = गन्दगी
मल्ल = पहलवान
133. मणि = रत्न
मणी = सर्प
134. मद = अहंकार
मद्य = शराब
135. मनुज = मनुष्य
मनोज = कामदेव
136. मांस = गोश्त
मास = महीना
137. मात्र = केवल
मातृ = माता
138. मेध = यज्ञ
मेघ = बादल
139. मेदा = पेट
मैदा = बारीक आटा
140. रत = तल्लीन
रक्त = खून
141. रेचक = दस्तावर
रोचक = रूचिकर
142. लक्ष = लाख
लक्ष्य = उद्देश्य
143. लवण = नमक
लवन = खेत के फसल की कटाई
144. वस्तु = चीज
वास्तु = इमारत, भवन
145. अकुल = बिना कुल के
आकुल = व्याकुल
146. वरद = वर देने वाला
विरद = यश
147. वरण = चुनना
वरन् = बल्कि
148. वाद = विचार/सिद्धान्त
वाद्य = बाजा
149. वदन = मुख
बदन = शरीर
150. विस्मृत = भूला हुआ
विस्मित = आश्चर्य में पड़ा हुआ
151. विपिन = जंगल
विपन्न = दुःखी, निर्धन
152. वित्त = धन
वृत्त = गोलाकार
153. विष = जहर
विस = कमल का डण्ठल
बीस = उन्नीस से एक अधिक संख्या
154. सम = समान
शय = संचय
155. सहर = सबेरा
शहर = नगर
156. शव = लाश
शब = रात
157. सिता = चीनी
सीता = जानकी
158. शस्त्र = हथियार
शास्त्र = ग्रन्थ
159. सर = तालाब
शर = बाण
160. सुर = देवता
सूर = अंधा
शूर = वीर
161. सुत = बेटा
सूत = सारथी, धागा
162. सप्त = सात
शप्त = शाप ग्रस्त
163. शंकर = शिव
संकर = दोगला
164. सर्ग = काव्य का अध्याय
स्वर्ग = कल्पित लोक
165. स्वपच = स्वयंवाकी
श्वपच = चाण्डाल

166.	सत्व	=	सार
	स्वत्व	=	अधिकार
167.	समिति	=	सभा
	सम्मति	=	सलाह
168.	शय्या	=	बिछावन
	सज्जा	=	सजावट
169.	संग	=	साथ
	संघ	=	समिति, संगठन
170.	शाला	=	घर
	साला	=	पत्नी का भाई
171.	सबल	=	ताकतवर
	शवल	=	चितकबरा
172.	सर्व	=	सभी
	शर्व	=	शंकर
173.	सुगन्ध	=	खुशबू
	सौगन्ध	=	कसम
174.	शुक्ति	=	सीप
	सूक्ति	=	अच्छी उक्ति
175.	शीशा	=	काँच
	सीसा	=	एक धातु
176.	सती	=	पतिव्रता नारी
	शती	=	शताब्दी
177.	श्वेत	=	सफेद
	श्वेद	=	पसीना
178.	शुक	=	सुग्गा
	शूक	=	जौ
179.	शिखर	=	चोटी (पर्वत की)
	शेखर	=	सिर
180.	शक्ल	=	चेहरा
	सकल	=	सम्पूर्ण
181.	हरि	=	विष्णु
	हरी	=	हरे रंग की
182.	सुमन	=	फूल
	सुअन	=	पुत्र
183.	संदेह	=	शक
	सदेह	=	सशरीर
184.	स्व	=	अपना
	श्व	=	आने वाला दिन
185.	शुचि	=	पवित्र
	सूची	=	विषय क्रम
186.	सुधि	=	स्मरण
	सुधी	=	समझदार, विद्वान्
187.	हल	=	जोतने का यंत्र
	हलु	=	शुद्ध व्यंजन
188.	भंगि	=	लहर
	भंगी	=	मेहतर
189.	दूत	=	संवाददाता
	द्यूत	=	जुआ का खेल
190.	देश	=	राज्य
	द्वेष	=	शत्रुता
191.	तरंग	=	लहर
	तुरंग	=	घोड़ा
192.	चालक	=	ड्राइवर
	चालाक	=	चतुर
193.	लोम	=	रोवाँ
	लोभ	=	लालच
194.	बिना	=	रहित, अभाव
	वीणा	=	एक वाद्य यंत्र
195.	प्रसाद	=	कृपा
	प्रासाद	=	महल
196.	भित्ति	=	दीवार
	भीति	=	डर
197.	मूल	=	जड़
	मूल्य	=	दाम
198.	अक्ष	=	धुरी
	यक्ष	=	एक देव योनि
199.	अश्व	=	घोड़ा
	अश्म	=	पत्थर
200.	आसन	=	बैठने की वस्तु
	अशन	=	भोजन
201.	अह	=	दिन
	अहि	=	साँप
202.	अणि	=	सूई की नोक
	अनी	=	फौज
203.	दारा	=	पत्नी
	द्वार	=	दरवाजा
204.	पृथा	=	कुन्ती
	प्रथा	=	रीति
205.	श्रवण	=	कान
	स्रवन	=	बहना
206.	श्याम	=	श्री कृष्ण
	स्याम	=	एक देश
207.	वृन्द	=	समूह
	वृन्त	=	डण्ठल
208.	मित	=	थोड़ा
	मित्र	=	दोस्त
209.	दुरित	=	पाप
	दुरत	=	छिपा
210.	चार	=	चार की संख्या
	चारु	=	सुन्दर

वाक्यों की शुद्धता

वाक्य में शब्दों के प्रयोग पर हमें विशेष ध्यान रखना चाहिए। प्रत्येक शब्द का अपना एक विशेष अर्थ होता है। एक ही अर्थ देने वाले कई शब्द हो सकते हैं, किन्तु हमें ध्यान रखना चाहिए कि किस प्रसंग में कौन-सा शब्द प्रयुक्त होगा और कौन-सा शब्द वहां उपयुक्त नहीं बैठेगा। अनुपयुक्त शब्द का प्रयोग करने से अर्थ-भ्रान्ति पैदा होती है। शब्दों का ठीक प्रयोग करने से अभीष्ट अर्थ निकलेगा।

अशुद्धियों के कारणों का विश्लेषण करने के बाद हम देख सकते हैं कि वर्तनी की गलतियाँ होती हैं। ह्रस्व और दीर्घ मात्राओं की गलतियां होती हैं, संयुक्ताक्षरों की गलतियां होती हैं और वाक्यों के निर्माण में भी गलतियाँ होती हैं। मोटे तौर पर हम कह सकते हैं कि वर्ण, शब्द और वाक्य तीनों प्रकार की अशुद्धियाँ देखने को मिलती हैं। इन अशुद्धियों के कारण भाषा दूषित हो जाती है। यदि हम थोड़ी सी सावधानी बरतें, तो हम ऐसी अशुद्धियों से बच सकते हैं।

वाक्यांश के लिए एक शब्द

कथन में लम्बे-लम्बे वाक्यों का प्रयोग करने तथा शब्दों को परिभाषित करने के बजाय यदि एक शब्द का प्रयोग किया जाए तो कथन स्वत: संक्षिप्त और स्पष्ट हो जाता है। कुशल साहित्यकार अपनी रचनाओं में शब्दों का अपव्यय नहीं करते। वाक्य या वाक्यांश के लिए एक शब्द का प्रयोग कथन में आकर्षण और सौन्दर्य भर देता है। हिन्दी भाषा की यह विशेषता है कि उसे संस्कृत शब्दों का प्रचुर भण्डार सुलभ है। इसलिए हिन्दी भाषा कोश में ऐसे अनेक तत्सम शब्द हैं जो वाक्य या वाक्यांश के लिए प्रयोग में लाए जाते हैं।

अपने आशय और मन्तव्य को संक्षेप में प्रकट करने के लिए ही ऐसे शब्दों को गढ़ा गया है जिन्हें गागर में सागर कहा जा सकता है।

इसीलिए अपनी भाषा को समर्थ, प्रभावी तथा आकर्षक बनाने के लिए ऐसे शब्दों की जानकारी रखना नितान्त आवश्यक होता है। भाषा में शक्ति के स्रोत उसके शब्द माने जाते हैं। यहाँ इसी उद्देश्य से अनेक ऐसे शब्द संजोए गए हैं जिनका अर्थ पूरे वाक्य या वाक्यांश द्वारा ही स्पष्ट होता है। इनसे न केवल पाठकों के शब्द भण्डार में वृद्धि होगी वरन् वे हिन्दी भाषा लिखने में भी कुशल बन सकेंगे।

मुहावरा एवं लोकोक्तियां

मुहावरे

मुहावरा ऐसा शब्द-समूह होता है, जो अपने शब्दों के निहित अर्थ न देकर उससे भिन्न, किन्तु एक रूढ़ अर्थ देता है। मुहावरा अभिधेय अर्थ का अनुसरण नहीं करता : वह अपना विलक्षण अर्थ प्रकट करता है। चूँकि मुहावरा लोक-मानस की स्वाभाविक अभिव्यक्ति होता है, अत: इसमें दुरूहता नहीं होती। मुहावरा अपने लोक-परम्परागत रूप में ही शोभायमान और सार्थक होता है। इसका रूप और अर्थ दोनों ही प्राय: रूढ़ होते हैं।

मुहावरे का सम्बन्ध साहित्य से कम और भाषा से अधिक होता है। यह भाषा के सामर्थ्य का प्रतीक होता है। इसका सटीक अर्थ और निर्दिष्ट अर्थ होता है। मुहावरों के माध्यम से भाषा ऊर्जस्वी बनती है और अर्थ का सटीक सम्प्रेषण होता है। मुहावरेदार भाषा असरदार होती है।

मुहावरे एक दृष्टि से 'गागर में सागर' होते हैं। गुल खिलना, रंग में भंग होना, नौ-दो ग्यारह होना, गप हाँकना, चिकना घड़ा होना, नानी मरना आदि मुहावरे व्यापक अर्थ में परिपूर्ण हैं। इनका प्रयोग सुनते ही मन में इनका अर्थ अपने आप उभरने लगता है।

लोकोक्तियाँ

जैसाकि शब्द से ही स्पष्ट है लोकोक्ति का अर्थ है लोक + उक्ति; अर्थात् लोक में प्रचलित उक्ति। जो उक्ति समाज में चिरकाल से प्रचलित होती है, उसे लोक प्रचलित उक्ति अर्थात् लोकोक्ति कहते हैं। लोकोक्तियाँ भूतकाल के अनुभव और प्रेक्षण का संचय होती हैं। लोकोक्तियों में लोक-बोध, लोक-मान्यता और लोक-स्वीकृति होती है। कुछ लोकोक्तियाँ किसी अन्तर्कथा को अभिव्यक्त करती हैं। लोकोक्तियों के उद्‌भव को किसी स्थान या काल से नहीं जोड़ा जा सकता।

लोकोक्तियाँ अपने आप में पूर्ण वाक्य होती हैं। इनका उद्देश्य उक्ति चमत्कार पैदा करना नहीं होता। इनका अभिधात्मक अर्थ ही लिया जाता है। अत: इनके शाब्दिक अर्थ और सांकेतिक अर्थ में समानता होती है। इनका प्रयोग प्राय: दृष्टांत के लिए अथवा किसी बात का समर्थन करने के लिए किया जाता है। ये अभिव्यक्ति का सशक्त साधन हैं।

मुहावरों और लोकोक्तियों में अन्तर

मुहावरों और लोकोक्तियों में रूप सम्बन्धी और अर्थ सम्बन्धी भी अन्तर होता है।

रूप सम्बन्धी पहला अन्तर यह है कि मुहावरों के अन्त में अधिकांशत: **ना** होता है, जैसे सिर धुन**ना**, आँख लग**ना**, टेढ़ी खीर हो**ना**, मक्खी मार**ना**, आसमान सिर पर उठा**ना** आदि जबकि लोकोक्तियों के अन्त में **ना** नहीं होता; जैसे—आ बैल मुझे मार, का वर्षा जब कृषि सुखानी, दीवार के भी कान होते हैं, और धोबी का कुत्ता, घर का न घाट का, आदि।

रूप सम्बन्धी दूसरा अन्तर यह होता है कि मुहावरे मात्र शब्द-समूह होते हैं, जैसे 'गुल खिलाना'; इसे स्वतन्त्र रूप से प्रयोग में नहीं लाया जा सकता, किसी वाक्य में इसे उपयुक्त ढंग से प्रयुक्त किया जाता है; जैसे—'उस बूढ़ी औरत ने क्या गुल खिलाया'; इसके विपरीत लोकोक्ति का प्रयोग स्वतंत्र वाक्य के रूप में किया जा सकता है; जैसे—'न रहेगा बाँस, न बजेगी बाँसुरी'।

वस्तुनिष्ठ प्रश्न

संधि

1. 'मृत्यु + उपरांत' में संधि करने से एक शब्द होगा–
A. मृत्यूपरांत B. मृत्योपरांत
C. मृत्युपर्यन्त D. मर्त्योपरांत

2. 'अनधिकृत' शब्द का संधि-विग्रह होगा–
A. अन + अधिकृत B. अन् + अधिकृत
C. अन्य + अधिकृत D. अन्नधि + कृत

3. 'कपि + ईश' का सही संधि-संयोजन कीजिए–
A. कपिश B. कपीश
C. कपेश D. कपिशि

4. विसर्ग के साथ स्वर अथवा व्यंजन के संयोग से जो विकार उत्पन्न होता है, उसे किस संधि के नाम से जानते हैं?
A. स्वर संधि B. व्यंजन संधि
C. विसर्ग संधि D. इनमें से कोई नहीं

5. 'परोपकार' शब्द का संधि-विच्छेद होगा–
A. परा + उपकार B. परो + पकार
C. परोप + कार D. पर + उपकार

6. 'मनः + रमा' में संधि करने से जो शब्द बनेगा, उसका सम्बन्ध किस संधि से होगा?
A. विसर्ग संधि B. स्वर संधि
C. व्यंजन संधि D. भाव संधि

7. 'चन्द्रोदय' में कौन-सी संधि है?
A. यण संधि B. दीर्घ संधि
C. वृद्धि संधि D. गुण संधि

8. निम्नलिखित में से 'वृद्धि स्वर संधि' किस शब्द में है?
A. रजनीश B. महौषध
C. यतीन्द्र D. शोधार्थी

9. 'सदाशय' का सही संधि-विच्छेद होगा–
A. सद + आशय B. सतत + आशय
C. सत् + आशय D. सदा + आशय

10. 'सन्मार्ग' में कौन-सी संधि है?
A. स्वर संधि B. व्यंजन संधि
C. विसर्ग संधि D. इनमें से कोई नहीं

11. 'ज्ञानोदय' में कौन-सी संधि है?
A. स्वर संधि B. व्यंजन संधि
C. विसर्ग संधि D. इनमें से कोई नहीं

12. 'निराधार' में कौन-सी संधि है?
A. स्वर संधि B. व्यंजन संधि
C. विसर्ग संधि D. इनमें से कोई नहीं

13. निम्नलिखित शब्दों में से किसमें विसर्ग संधि है?
A. अतएव B. नरेन्द्र
C. सज्जन D. सदैव

14. निम्नलिखित शब्दों में से किसमें व्यंजन संधि है?
A. सप्तर्षि B. निराधार
C. सत्कार D. हिमालय

15. 'जगन्नाथ' किस संधि का उदाहरण है?
A. व्यंजन संधि B. विसर्ग संधि
C. दीर्घ स्वर संधि D. यण स्वर संधि

16. निम्नलिखित शब्द का संधि-विच्छेद क्या होगा?
भानूदय
A. भानु + उदय B. भानू + उदय
C. भानू + ऊदय D. भानु + ऊदय

17. 'निर्गुण' का संधि-विच्छेद होगा–
A. निर + गुण B. नि + गुण
C. निः + गुण D. निर + गुण

18. 'महेन्द्र' का संधि विच्छेद है–
A. मही + इन्द्र B. महो + इन्द्र
C. महा + इन्द्र D. इनमें से कोई नहीं

19. 'यद्यपि' का संधि विच्छेद है–
A. यदि + अपि B. यद् + द्यपि
C. यद्यि + अपि D. यद + अपि

20. निम्नलिखित में 'भारतेंदु' का सही संधि-विच्छेद है–
A. भारत + तेन्दु B. भार + तेन्दु
C. भारत + एन्दु D. भारत + इन्दु

21. 'उद्घाटन' शब्द का सही संधि-विच्छेद होगा–
A. उत् + घाटन B. उद् + घाटन
C. उद्ध + आटन D. इनमें से कोई नहीं

22. 'सत्कर्म' का संधि-विच्छेद है–
A. सत + कर्म B. सतत् + कर्म
C. सत् + कर्म D. सम + कर्म

23. 'अत्यन्त' शब्द का सही संधि-विग्रह है–
A. अत् + यन्त B. अति + यन्त
C. अति + अन्त D. अत् + अन्त

24. निम्नलिखित शब्द का सही संधि-विच्छेद चुनिए–
ब्रह्माण्ड
A. ब्रह्मा + अंड B. ब्रह्मण + अंड
C. बृहत् + अंड D. बृह + माण्ड

25. 'निरपेक्ष' शब्द का संधि-विच्छेद होगा–
A. निर् + पेक्ष B. नि + पेंक्ष
C. निर + पेक्ष D. निः + अपेक्ष

26. तत् + शंकर की संधि होगी–
A. तत्शंकर B. तच्छंकर
C. तक्षंकर D. उपर्युक्त में से कोई नहीं

27. 'कठोपनिषद्' का संधि-विच्छेद होगा–
A. कटु + उपनिषद् B. कठो + उपनिषद्
C. कठोप + निषद् D. कठ + उपनिषद्

28. 'भावुक' का संधि-विच्छेद होगा–
A. भाव + उक B. भो + ऊक
C. भव्य + उक D. भौ + उक

29. 'विद्यामंदिर' का विग्रह होगा–
A. विद्या का मंदिर B. विद्या के लिए मंदिर
C. विद्या और मंदिर D. विद्या के समान मंदिर

30. 'उत्कोच' का संधि विच्छेद होगा–
A. उद् + कोच B. उत् + कोच
C. उत + कोच D. उद + कोच

31. कौन-सा शब्द विसर्ग संधि का नहीं है?
A. यशोगान B. निष्कपट
C. मनोहर D. अभिषेक

32. 'मनीषा' का संधि-विच्छेद है–
A. मनि + ईषा B. मनी + ईषा
C. मनस् + ईषा D. मणि + ईशा

33. निम्नलिखित में से दीर्घ संधि का उदाहरण कौन-सा है?
A. नरेश B. नेति
C. मध्वाचार्य D. कामायनी

34. 'अति + उक्ति' शब्दों की संधि करने पर शब्द होगा–
A. अत्युक्ति B. अत्योक्ति
C. अतियुक्ति D. अतिउक्ति

35. 'निराधार' शब्द का संधि-विच्छेद है–
A. निः + आधार B. निरा + आधार
C. निरम् + आधार D. निर् + आधार

36. 'अन्वेषण' का संधि-विच्छेद होगा–
A. अन + वेषण B. अनु + एषण
C. अनु + ऐषण D. अन् + वेषण

37. 'सज्जन' का संधि-विच्छेद होगा–
A. सज् + जन B. सद् + जन
C. सत् + जन D. स + ज् + जन

38. 'इत्यादि' का सन्धि-विच्छेद होगा–
A. इत + आदि B. इति + यादि
C. इति + आदि D. इत्य + आदि

39. 'दुर्जन' का सन्धि-विच्छेद होगा–
A. दुर + जन B. दु + जन
C. दुः + जन D. दु + रजन

40. 'नमस्ते' शब्द का सन्धि-विच्छेद है–
A. नम + स्ते B. नमस् + ते
C. नमः + स्ते D. नमः + ते

41. 'महोत्सव' का संधि-विच्छेद है–
A. महा + उत्सव B. महो + उत्सव
C. मह + ओत्सव D. मही + उत्सव

42. 'पवन' का शुद्ध सन्धि-विच्छेद है–
A. पो + अन B. पव + अन
C. पः + अवन D. पव + न्

43. 'विष्णवे' का संधि-विच्छेद है–
A. विष्णु + ए B. विष्णो + ए
C. विष्णु + अए D. विष्णु + अवे

44. 'स्वागतम्' में कौन-सी संधि है?
A. गुण संधि B. यण् संधि
C. वृद्धि संधि D. दीर्घ संधि

45. 'उच्चारण' में कौन-सी संधि है?
A. व्यंजन संधि B. स्वर संधि
C. विसर्ग संधि D. विलोम संधि

46. 'उल्लेख' का संधि-विच्छेद है–
A. उल् + लेख B. उत् + लेख
C. उल्ल + लेख D. उ + आलेख

47. 'अत्याचार' का शुद्ध संधि-विच्छेद है–
A. अत्य + आचार B. अति + चार
C. अत्या + चार D. अति + आचार

48. 'दिगम्बर' का संधि-विच्छेद क्या होगा?
A. दिग् + अम्बर B. दिक् + अम्बर
C. दिग + अम्बर D. दिक + अम्बर

49. 'पावक' का शुद्ध संधि-विच्छेद होगा–
A. पौ + अक B. पा + अवक
C. पव + अक् D. पाव + अक

50. 'उपैति' का संधि-विच्छेद बताइए–
A. अप + इति B. उपै + इति
C. उप + ऐति D. उप + एति

51. 'नवोढ़ा' का सन्धि-विच्छेद है–
A. नव + उढ़ा B. नवो + ढ़ा
C. नव + ऊढ़ा D. न + ओढ़ा

52. 'उड्डयनम' का सन्धि-विच्छेद होगा–
A. उत + डयनम् B. उद् + डयनम्
C. उड + अयनम् D. उड् + डयनम्

53. 'दिगंत' शब्द का संधि-विच्छेद होगा–
A. दिक् + अंत B. दिग् + अंत
C. दि + गंत D. दिग + अंत

54. 'परिच्छेद' में कौन-सी सन्धि है?
A. व्यंजन संधि B. दीर्घ संधि
C. विसर्ग संधि D. वृद्धि संधि

55. 'अन्यान्य' शब्द का संधि-विच्छेद होगा–
A. अ + न्यान्य B. अन्य + अन्य
C. अन् + यान्य D. अन्या + आन्य

56. व्यंजन संधि का उदाहरण नहीं है–
A. उत् + चारणम् = उच्चारणम्
B. रामस् + टीकते = रामष्टीकते
C. गंगा + उदकम = गंगोदकम्
D. सत् + चित् = सच्चित्

57. स्वस्त्यस्तु का संधि-विच्छेद होगा–
A. स्वस्ति + अस्तु B. स्वः + अस्त्यस्तु
C. स्वस्त्य + अस्तु D. स्व + स्त्यस्तु

58. 'तेजोमय' का सही सन्धि-विच्छेद है–
A. तेज + ओमय B. तेजः + अमय
C. तेजः + मय D. तेजो + मय

59. 'तथेति' का सन्धि-विच्छेद होगा–
A. तथ + इति B. ता + थेति
C. तथा + इति D. तथा + इत

60. 'वृहस्पति' का संधि-विच्छेद है–
A. वृहस + पति B. वृहस् + पति
C. वृहः + पति D. वृहश् + पति

61. 'व्याप्त' में संधि है–
A. गुण संधि B. दीर्घ संधि
C. यण् संधि D. अयादि संधि

62. 'पित्राकृतिः' का शुद्ध संधि विच्छेद है–
A. पितृ + आकृतिः B. पित्र + आकृतिः
C. पित्रृ + आकृतिः D. पितु + आकृतिः

63. 'न्यून' का संधि विच्छेद होगा–
A. नि + ऊन B. न्यू + नन
C. नव + ऊन D. नवी + नन

64. 'षडानन' में कौन-सी संधि है?
A. दीर्घ संधि B. वृद्धि संधि
C. यण संधि D. गुण संधि

65. 'धर्मात्मा' में कौन-सी संधि है?
A. स्वर संधि B. व्यंजन संधि
C. विसर्ग संधि D. यण संधि

66. 'रेखांकित' में प्रयुक्त संधि है–
A. गुण संधि B. वृद्धि संधि
C. दीर्घ संधि D. स्वर संधि

67. 'निश्छल' में कौन-सी संधि है?
A. गुण संधि B. स्वर संधि
C. दीर्घ संधि D. वृद्धि संधि

68. 'दुरुपयोग' में प्रयुक्त संधि है–
A. स्वर संधि B. यण संधि
C. गुण संधि D. दीर्घ संधि

69. 'अत्यावश्यक' का संधि विच्छेद है–
A. अ + आवश्यक B. अति + आवश्यक
C. अत्य + आवश्यक D. अत्या + वश्यक

70. 'वाङ्मय' का संधि विच्छेद है–
A. वांग + मय B. वाक् + मय
C. वान् + मय D. इनमें से कोई नहीं

71. 'उपर्युक्त' का संधि विच्छेद क्या है?
A. उप + रूक्त B. उपरि + उक्त
C. उपर + युक्त D. उपः + युक्त

72. 'चन्द्रोदय' शब्द में है–
A. स्वर संधि B. व्यंजन संधि
C. विसर्ग संधि D. इनमें से कोई नहीं

73. 'निष्कपट' का संधि विच्छेद है–
A. निः + कपट B. निष + कपट
C. नि + कपट D. इनमें से कोई नहीं

74. 'प्रत्युपकार' का सही संधि विच्छेद है–
A. प्रत्युप + कार B. प्रति + उपकार
C. प्रत्यु + उपकार D. प्रत्य + उपकार

75. 'स्वागत' शब्द का संधि विच्छेद है–
A. स्वा + गत B. स्व + आगत
C. सु + वागत D. सु + आगत

समास

निर्देश (प्र.सं. 1 से 70 तक): *नीचे दिए गए शब्दों में प्रयुक्त समास के नाम का चयन कीजिए–*

1. पीताम्बर–
A. तत्पुरुष B. अव्ययीभाव
C. बहुब्रीहि D. द्विगु

2. चरणकमल–
A. तत्पुरुष B. कर्मधारय
C. बहुब्रीहि D. अव्ययीभाव

3. घुड़सवार–
A. द्विगु B. कर्मधारय
C. तत्पुरुष D. अव्ययीभाव

4. स्वर्गप्राप्त–
A. कर्म तत्पुरुष B. करण तत्पुरुष
C. सम्प्रदान तत्पुरुष D. अपादान तत्पुरुष

5. गर्वशून्य–
A. कर्म-तत्पुरुष B. संप्रदान-तत्पुरुष
C. करण-तत्पुरुष D. अपादान-तत्पुरुष

6. 'लम्बोदर' में कौन-सा समास है?
A. तत्पुरुष B. बहुब्रीहि
C. द्विगु D. कर्मधारय

7. 'देवालय' में कौन-सा समास है?
A. तत्पुरुष B. बहुब्रीहि
C. द्विगु D. इनमें से कोई नहीं

8. 'खरा खोटा' शब्द में कौन-सा समास है?
A. द्वंद्व B. द्विगु
C. कर्मधारय D. बहुब्रीहि

9. 'निर्विवाद' में कौन-सा समास है?
A. कर्मधारय B. अव्ययीभाव
C. तत्पुरुष D. बहुब्रीहि

10. 'दहीबड़ा' में कौन-सा समास है?
A. तत्पुरुष B. द्विगु
C. बहुब्रीहि D. द्वन्द्व

11. 'चौराहा' में समास है–
A. तत्पुरुष B. द्वन्द्व
C. कर्मधारय D. द्विगु

12. 'माता-पिता' शब्द में समास है–
A. द्वन्द्व B. द्विगु
C. तत्पुरुष D. कर्मधारय

13. 'वज्रपाणि' शब्द में कौन-सा समास है?
A. तत्पुरुष B. बहुब्रीहि
C. द्वन्द्व D. द्विगु

14. 'देशभक्ति' शब्द में समास होगा–
A. अपादान तत्पुरुष B. सम्बन्ध तत्पुरुष
C. अधिकरण तत्पुरुष D. सम्प्रदान तत्पुरुष

15. 'सुनीता के बच्चे घास-फूस की तरह बढ़ रहे हैं।'
उपर्युक्त वाक्य में प्रयुक्त 'घास-फूस' शब्द में समास होगा–
A. कर्मधारय B. द्वन्द्व
C. द्विगु D. अव्ययीभाव

16. निम्नलिखित शब्दों में कौन-सा शब्द बहुब्रीहि समास का उदाहरण है?
A. शूलपाणि B. यथाक्रम
C. हँसमुख D. हथकड़ी

17. इनमें से कौन-सा शब्द 'द्विगु' समास है?
A. भुजदण्ड B. माखनचोर
C. पंचशील D. लज्जाशील

18. 'प्रतिदिन' शब्द में समास होगा–
A. द्विगु B. कर्मधारय
C. तत्पुरुष D. अव्ययीभाव

19. जिन समस्त पदों में पहला शब्द संख्यावाची हो और उससे समुदाय का बोध होता हो, तो उसे कहते हैं–
A. द्विगु समास B. द्वन्द्व समास
C. कर्मधारय समास D. अव्ययीभाव समास

20. जिसमें पहला शब्द विशेषण हो और दूसरा शब्द विशेष्य, तो उसे कौन-सा समास कहेंगे?
A. द्विगु B. कर्मधारय
C. द्वन्द्व D. तत्पुरुष

21. 'पंचवटी' शब्द के लिए दिए गए विकल्प में से उपयुक्त समास कौन-सा है?
A. द्विगु B. तत्पुरुष
C. बहुब्रीहि D. कर्मधारय

22. 'बुरा-भला' शब्द में कौन-सा समास है?
A. द्वन्द्व B. द्विगु
C. कर्मधारय D. तत्पुरुष

23. 'चिड़ीमार' शब्द में कौन-सा समास है?
A. द्विगु B. कर्मधारय
C. तत्पुरुष D. अव्ययीभाव

24. 'यथोचित' शब्द में समास बताइए–
A. अव्ययीभाव B. कर्मधारय
C. बहुब्रीहि D. तत्पुरुष

25. समास कहते हैं–
A. शब्दों के मेल को
B. अक्षर के मेल को
C. स्वर-से-स्वर के मेल को
D. स्वर के साथ व्यंजन के मेल को

26. 'शिवार्पण' शब्द में कौन-सा समास है?
A. अधिकरण तत्पुरुष B. करण तत्पुरुष
C. सम्प्रदान तत्पुरुष D. अपादान तत्पुरुष

27. निम्नलिखित में किसमें तत्पुरुष समास है?
A. पदप्राप्त B. शताब्दी
C. चौमासा D. भाई-बहन

28. 'रसगुल्ला' में कौन-सा समास है?
A. तत्पुरुष B. बहुब्रीहि
C. द्वन्द्व D. अव्ययीभाव

29. 'भुखमरा' का समास विग्रह होगा–
A. भूख से जो मर गया B. भूख से मरा हुआ
C. भूखों मर गया जो D. भूख द्वारा मरा हुआ

30. 'दशरथ सुत' में कौन-सा समास है?
A. तत्पुरुष B. बहुब्रीहि
C. द्विगु D. द्वन्द्व

31. 'अष्टाध्यायी' में कौन-सा समास है?
A. द्वन्द्व B. द्विगु
C. तत्पुरुष D. कर्मधारय

32. 'यथाशीघ्र' में कौन-सा समास है?
A. अव्ययीभाव B. द्वन्द्व
C. कर्मधारय D. तत्पुरुष

33. चौखंभा में कौन-सा समास है?
A. बहुब्रीहि B. द्वन्द्व
C. द्विगु D. तत्पुरुष

34. कौन-सा समास विशेषण के रूप में प्रयुक्त होता है?
A. अव्ययीभाव B. तत्पुरुष
C. कर्मधारय D. बहुब्रीहि

35. द्विगु समास का उदाहरण होगा–
A. षट्कोण B. कुपुत्र
C. प्रतिवर्ष D. सूरसागर

36. कौन-सा शब्द अव्ययीभाव समास का उदाहरण है?
A. नवग्रह B. गाँठकर
C. महात्मा D. आमरण

37. 'राजपुत्र' में कौन-सा समास है?
A. बहुब्रीहि B. तत्पुरुष
C. द्विगु D. कर्मधारय

38. निम्नलिखित में से तत्पुरुष समास किसमें है?
A. नील गाय B. राजकुमार
C. त्रिलोचन D. दशानन

39. निम्नलिखित में द्वन्द्व समास बताइए–
A. प्रतिदिन B. चौमासा
C. घी-शक्कर D. महादेव

40. 'आजीवन' में कौन-सा समास है?
A. अव्ययीभाव B. तत्पुरुष
C. कर्मधारय D. द्विगु

41. निम्नलिखित में 'यथाविधि' का सही समास कौन-सा है?
A. अव्ययीभाव B. तत्पुरुष
C. कर्मधारय D. बहुब्रीहि

42. 'पर्णकुटी' शब्द का समास है–
A. तत्पुरुष B. द्वन्द्व
C. कर्मधारय D. बहुब्रीहि

43. निम्नलिखित में 'द्वन्द्व समास' का शब्द है–
A. आज-कल B. रातों-रात
C. दिन-दिन D. वीर पुरुष

44. 'निशिदिन' शब्द में प्रयुक्त समास है–
A. द्वन्द्व B. अव्ययीभाव
C. कर्मधारय D. तत्पुरुष

45. जिस समास में पहला शब्द प्रधान होता है और समूचा शब्द क्रिया विशेषण अव्यय होता है, उसे कौन-सा समास कहते हैं?
A. अव्ययीभाव B. तत्पुरुष
C. बहुब्रीहि D. द्वन्द्व

46. 'जलपिपासु' में कौन-सा समास है?
A. तत्पुरुष B. अव्ययीभाव
C. द्वन्द्व D. बहुब्रीहि

47. 'वनवास' में कौन-सा समास है?
A. तत्पुरुष B. कर्मधारय
C. द्वन्द्व D. बहुब्रीहि

48. 'दिगम्बर' में कौन-सा समास है?
A. बहुब्रीहि B. द्वन्द्व
C. द्विगु D. कर्मधारय

49. 'नरोत्तम' में कौन-सा समास है?
A. द्वन्द्व B. तत्पुरुष
C. अव्ययीभाव D. कर्मधारय

50. 'आजन्म' में कौन-सा समास है?
A. द्विगु B. तत्पुरुष
C. कर्मधारय D. अव्ययीभाव

51. 'अकालपीड़ित' में समास होगा–
A. कर्मधारय B. द्वन्द्व
C. तत्पुरुष D. बहुब्रीहि

52. 'जय-पराजय' में कौन-सा समास है?
A. द्वन्द्व B. कर्मधारय
C. द्विगु D. तत्पुरुष

53. 'वियोग-विकल' शब्द में प्रयुक्त समास है–
A. तत्पुरुष B. कर्मधारय
C. द्वन्द्व D. द्विगु

54. इन युग्मों में से कौन-सा सही नहीं है?
A. नीलोत्पलम् – कर्मधारय समास
B. दशाननः – बहुब्रीहि समास
C. रामलक्ष्मणौ – अव्ययीभाव समास
D. दिवारात्रि – द्वन्द्व समास

55. 'तिरंगा' शब्द में समास है–
A. द्वन्द्व B. अव्ययीभाव
C. द्विगु D. कर्मधारय

56. 'लम्बोदर' उदाहरण है–
A. बहुब्रीहि समास का B. द्वन्द्व समास का
C. द्विगु समास का D. कर्मधारय समास का

57. निम्नलिखित में से कर्मधारय समास किसमें है?
A. चक्रपाणि B. चतुर्युगम्
C. नीलोत्पलम् D. माता-पिता

58. 'चक्रपाणिदर्शनार्थ' पद में मान्य समास है–
A. कर्मधारय B. तत्पुरुष
C. अव्ययीभाव D. बहुब्रीहि

59. 'कठपुतली' में कौन-सा समास है?
A. सम्प्रदान तत्पुरुष B. सम्बन्ध तत्पुरुष
C. अधिकरण तत्पुरुष D. कर्म तत्पुरुष

60. 'कष्टापन्नः' शब्द में समास है–
A. अव्ययीभाव B. तत्पुरुष
C. बहुब्रीहि D. कर्मधारय

61. 'चन्द्रकान्तिः' में समास है–
A. बहुब्रीहि B. कर्मधारय
C. तत्पुरुष D. इनमें से कोई नहीं

62. 'चन्द्रशेखर' में प्रयुक्त समास है–
A. तत्पुरुष B. कर्मधारय
C. बहुब्रीहि D. द्विगु

63. 'रात-दिन' में कौन-सा समास होता है?
A. द्वन्द्व B. द्विगु
C. कर्मधारय D. अव्ययीभाव

64. 'बहन-भाई' में समास है–
A. बहुब्रीहि B. तत्पुरुष
C. द्वन्द्व D. द्विगु

65. 'दशमुख' में कौन-सा समास है?
A. तत्पुरुष B. बहुब्रीहि
C. द्वन्द्व D. कर्मधारय

66. 'यथाशक्ति' में समास है–
A. द्विगु B. तत्पुरुष
C. कर्मधारय D. अव्ययीभाव

67. 'देशभक्ति' में समास है–
A. तत्पुरुष B. बहुब्रीहि
C. द्विगु D. कर्मधारय

68. 'हस्तलिखित' में प्रयुक्त समास है–
A. कर्मधारय B. तत्पुरुष
C. बहुब्रीहि D. द्वन्द्व

69. 'त्रिनेत्र' में कौन-सा समास है?
A. तत्पुरुष B. बहुब्रीहि
C. द्विगु D. द्वन्द्व

70. 'भरपेट' में कौन-सा समास है?
A. अव्ययीभाव B. कर्मधारय
C. तत्पुरुष D. बहुब्रीहि

वर्तनी

निर्देश (प्र.सं. 1 से 80 तक): *नीचे के प्रश्नों में एक शब्द की चार अलग-अलग वर्तनियां दी हुई हैं। इनमें से सही वर्तनी छाँटकर उस पर निशान लगाइयेः*

1. A. जयोत्स्ना B. ज्योत्स्ना
C. जोत्स्ना D. ज्योत्सना

2. A. कवयित्री B. कवियित्री
C. कवियत्री D. कवित्री

3. A. उत्ज्वल B. उज्जवल
C. ऊज्जवल D. उज्ज्वल

4. A. छः B. छह
C. छह् D. छै

5. A. जिजीविषा B. जिजीवषा
C. जजीवषा D. जिजिवीषा

6. A. दृश्य B. द्रश्य
C. दृष्य D. दृिश्य

7. A. इतिहासिक B. ऐतिहासिक
C. ऐतिहासीक D. ऐतीहासिक

8. A. वाङ्मय B. वाँङ्मय
C. वांग्मय D. वांगमय

9. A. सौर्हाद्र B. सैहार्द
C. सैर्हाद D. सौहार्द

10. A. आर्शीवाद B. आशिर्वाद
C. आशीर्वाद D. आर्शिवाद

11. A. भूगोलिक B. भूगौलिक
C. भोगौलिक D. भौगोलिक

12. A. सन्कीर्णता B. सन्कीरणता
C. संर्कीणता D. संकीर्णता

13. A. परचन्ड B. प्रचण्ड
C. प्रचान्ड D. परचण्ड

14. A. तार्क्रिक B. तार्किक
C. ताकृिक D. तािक्रक

15. A. इर्षा B. ईर्षा
C. इर्ष्या D. ईर्ष्या

16. A. पूज्यनीय B. पुजनीय
C. पूजनीय D. पुज्यनीय

17. A. अधम्र B. अध्रम
C. अधर्म D. अधृम

18. A. अधिकृत B. अधिक्रित
C. अधिक्रित्त D. अधिर्कित

19. A. अनुकृम B. अनुक्रम
C. अनुकर्म D. अनुकम्र

20. A. अनवेषण B. अन्वेषण
C. अन्वेछण D. अन्वेशण

21. A. अभिशेक B. अभिषेख
C. अभिषेक D. अभीषेक

22. A. इच्छुक B. इक्षुक
C. इक्छुक D. इच्छिक

23. A. इन्र्दिय B. इन्द्यि
C. इन्दिय D. इन्द्रिय

24. A. उतकण्ठा B. उत्कण्ठा
C. उत्क्णठा D. उत्तकन्ठा

25. A. उम्रिृला B. उम्रिला
C. उमिर्ला D. उर्मिला

26. A. रिषि B. ऋषि
C. त्रिषि D. ऋशि

27. A. एकागृ B. एकांग्र
C. एकार्ग D. एक्राग्र

28. A. ओजश्वि B. ओजस्वी
C. ओजश्वी D. ओजष्वी

29. A. औशधी B. औषधी
C. औषधि D. औध्षि

30. A. करम B. क्राम
C. कम्र D. कर्म

31. A. ग्रिहीत B. ग्रहीत
C. गृहीत D. गर्हित

32. A. कृतज्ञ B. क्रतज्ञ
C. क्रितज्ञ D. क्रितग्य

33. A. चतुदर्श B. चर्तुदश
C. चतुर्दश D. चतुद्रश

34. A. जर्जर B. जरर्जर
C. जज्रर D. जरजर

35. A. जघ्नय B. जघ्रय
C. जघ्न्य D. जघन्य

36. A. जेष्ठ B. ज्येश्ठ
C. ज्येष्ठ D. ज्येस्ठ

37. A. तपस्वनी B. तपस्विनी
C. तपिस्वनी D. तपिस्विनी

38. A. तादातमय B. तदात्स्य
C. तादात्स्य D. तादात्यम

39. A. तृष्णा B. तृिष्णा
C. त्रिष्णा D. तृश्णा

40. A. त्रिमूर्ती B. त्रिमुर्ति
C. त्रिमूर्ति D. त्रृमूर्ति

41. A. दक्छ B. दक्च्छ
C. दक्ष D. दज्ञ

42. A. द्रर्पन B. दर्पन
C. दपर्ण D. दर्पण

43. A. दामपत्य B. दम्पत्य
C. दाम्पत्य D. दाम्पत

44. A. दीप्पित B. दीपति
C. दीप्ति D. दीप्ती

45. A. दीर्घायु B. दीरघायु
C. दीघार्यु D. दीर्घियु

46. A. दुर्निती B. दुनीर्ति
C. दुरनीति D. दुर्नीति

47. A. दुर्दषा B. दुहशा
C. दुर्दशा D. दुद्रशा

48. A. दुर्योधन B. दुयोर्धन
C. दूरयोधन D. द्रुयोधन

49. A. दुरबुद्धि B. दुर्बुधि
C. दुबुद्धि D. दुर्बुद्धि

50. A. धनुष्विद्या B. धनुर्विद्या
C. धर्नुविद्या D. धनुर्वेद्या

51. A. धर्म B. धृर्म
C. ध्रर्म D. धम्र

52. A. ध्रुर्व B. धुव्र
C. ध्रुव D. ध्रुर्व

53. A. नम्रदेश्वर B. नम्रदेश्वर
C. नमर्देश्वर D. नर्मदेश्वर

54. A. निरक्षेप B. निक्क्षेप
C. निक्षेप D. निक्छेप

55. A. निर्गह B. नृग्रह
C. निग्रह D. निगर्ह

56. A. निरजीव B. निर्जीव
C. नृिजीव D. निज्रीव

57. A. निम्रूल B. निर्मूल
C. निरमूल D. नृर्मूल

58. A. निवृत्त B. निव्रत्त
C. निवृत D. नृिवत्त

59. A. प्रिक्रमा B. परीक्रमा
C. परिकृमा D. परिक्रमा

60. A. प्रयटन B. पृयटन
C. पर्यटन D. प्रर्यटन

61. A. प्रक्रिति B. प्रकृति
C. प्रक्रति D. पृक्रति

62. A. बर्हिमुख B. बहिर्मुख
C. बहिम्रुख D. बहिमुर्ख

63. A. भरतस्ना B. भर्त्सना
C. भर्तसना D. भर्तृसना

64. A. मूर्ती B. मूर्ति
C. मूर्तृि D. मूरती

65. A. गिद्ध B. गीध
C. गिद्धा D. ग्रिद्ध

66. A. निकर्सन B. निर्कषन
C. निकर्षण D. निर्कषण

67. A. निकृष्ट B. निक्रस्ट
C. निकृस्ट D. निक्रिष्ट

68. A. पार्थिव B. पार्थिव
C. पार्थीव D. पाथिर्व

69. A. विदूश्क B. विदूष्क
C. विदूशक D. विदूषक

70. A. फुर्तीला B. फुर्तीला
C. फुर्तिला D. फुर्तला

71. A. वर्ज B. वज्र
C. वजृ D. वज्रृ

72. A. ब्रम्हचर्य B. ब्रह्मचर्य
C. बृह्मचर्य D. ब्रह्मर्चय

73. A. मत्स्य B. मतस्य
C. मत्सत्य D. मत्श्य

74. A. भ्रित्य B. भर्त्य
C. भृत्य D. भ्रत्य

75. A. निग्रंध B. निर्गंध
C. र्निगंध D. नृगंध

76. A. प्रकर्श B. प्रकर्ष
C. पृकर्श D. पृकर्ष

77. A. भद्र B. भद्
C. भर्द्र D. भर्द

78. A. मंजूशा B. मंजूषा
C. मंजुषा D. मंजुशा

79. A. मुर्मूषु B. मुमुर्षू
C. मुमुर्षु D. मुमूर्षु

80. A. ब्राह्मण B. बृाह्मण
C. ब्राम्हण D. बृाहम्ण

निर्देश (प्र.सं. 81 से 115 तक): *नीचे प्रत्येक प्रश्न में A, B, C और D अक्षरांक में चार शब्द दिए गए हैं। जिनमें से एक में वर्तनी सम्बन्धी त्रुटि हो सकती है। उस त्रुटियुक्त शब्द का अक्षरांक ही आपका उत्तर होगा। यदि चारों शब्दों की वर्तनी सही है तो उत्तर दीजिए E अर्थात् 'सभी सही हैं'।*

81. A. अप्रयुक्त B. अतीषयोक्ति
C. अशोध्य D. सम्मति
E. सभी सही हैं

82. A. अभ्युक्ति B. इष्टतम
C. अपुरित D. उपस्थित
E. सभी सही हैं

83. A. उत्तरजिवीता B. प्रारक्षित
C. क्षैतिज D. आयातित
E. सभी सही हैं

84. A. आस्थगित B. आतिथ्य
C. अंतरिम D. निर्धारित
E. सभी सही हैं

85. A. किफायत B. परिस्थिति
C. संतुलित D. असिंचीत
E. सभी सही हैं

86. A. तात्पर्य B. महोत्सव
C. दंभ D. कृशक
E. सभी सही हैं

87. A. लक्षण B. व्यंजन
C. पगडंडी D. पारंगत
E. सभी सही हैं

88. A. स्थानापन्न B. व्यावशयिक
C. कोशिका D. आर्थिक
E. सभी सही हैं

89. A. दांडधिकारी B. प्राधिकरण
C. आदित्य D. क्रियान्वयन
E. सभी सही हैं

90. A. गोपनीयता B. कार्यवाही
C. उत्रदायित्व D. वयस्क
E. सभी सही हैं

91. A. चूल्लु B. जीविका
C. ठिठोली D. तकली
E. सभी सही हैं

92. A. नजरिया B. पंडीताइ
C. फरियादी D. बधाई
E. सभी सही हैं

93. A. प्रकाशकीय B. फाल्गुन
C. बधिर D. भोतिक
E. सभी सही हैं

94. A. हौसला B. स्वीकृति
C. व्यवासायिक D. लिपाई
E. सभी सही हैं

95. A. फलित B. बटोही
C. भजनीक D. मंडली
E. सभी सही हैं

96. A. अनामिष B. अपरिहार्य
C. किफायती D. गिलाफ
E. सभी सही हैं

97. A. गोधुलि B. चांचल्य
C. जिजीविषु D. तमोली
E. सभी सही हैं

98. A. तितिक्षा B. दखलंदाजी
C. दिप्ति D. दैनिकी
E. सभी सही हैं

99. A. नजदिकी B. नियोक्ता
C. परिणीता D. पाणिग्रहण
E. सभी सही हैं

100. A. पुनीत B. प्रख्यापीत
C. फरोख्त D. बुजुर्गी
E. सभी सही हैं

101. A. अद्‌भुत B. व्यंग्य
C. अदृश्य D. समारंभ
E. सभी सही हैं

102. A. लक्षण B. महात्मन
C. सम्पर्क D. कर्तज्ञ
E. सभी सही हैं

103. A. गझिन B. आशय
C. निशपादन D. आकर्षण
E. सभी सही हैं

104. A. उत्तरीय B. स्थानापन
C. कुंभ D. असामान्य
E. सभी सही हैं

105. A. न्ययाधिश B. पुरस्कृत
C. वारिद D. अधिशासी
E. सभी सही हैं

106. A. चिनाई B. तंबूल
C. ठिठोली D. तन्मय
E. सभी सही हैं

107. A. अगड़ाइ B. गठीला
C. खिलाफ D. कल्पनातीत
E. सभी सही हैं

108. A. सूरत B. वैधव्य
C. लतीका D. रेगिस्तान
E. सभी सही हैं

109. A. इति B. अखिलेश
C. कबूतर D. खेरात
E. सभी सही हैं

110. A. चमत्कृत B. जिल्द
C. तमोली D. दमित
E. सभी सही हैं

111. A. प्रहसन B. तात्पर्य
C. महसूल D. पाणिगृहण
E. सभी सही हैं

112. A. मस्तिष्क B. प्रोत्साहन
C. सम्वत् D. क्रियाविधि
E. सभी सही हैं

113. A. विचारणीय B. क्रन्दन
C. पर्यावर्ण D. उपलब्धि
E. सभी सही हैं

114. A. विसतृत B. वाग्विलास
C. तात्कालिक D. अलंकार
E. सभी सही हैं

115. A. दृष्टांत B. रूढ़ि
C. सूचि D. आचमन
E. सभी सही हैं

पर्यायवाची

1. 'कमल' शब्द का पर्यायवाची होगा–
A. कन्दर्प B. अनंग
C. घनेश D. इन्दीवर

2. 'क्रोध' के लिए इन दिए गए पर्यायवाची शब्दों में एक गलत शब्द है, उसे चयनित कीजिए–
A. रोष B. अमर्ष
C. स्वत्व D. कोप

3. निम्नलिखित पर्यायवाची शब्दों में से जो एक शब्द 'मोर' का पर्यायवाची नहीं है, उसे चिन्हित कीजिए–
A. केकी B. कीश
C. शिखी D. शिखण्डी

4. इनमें से कौन-सा शब्द 'कृष्णा' का पर्यायवाची है?
A. राधा B. रुक्मिणी
C. द्रोपदी D. यशोदा

5. इनमें से एक शब्द 'बैल' का पर्यायवाची नहीं है, उसे चयनित कीजिए–
A. अश्म B. बृषभ
C. बलीवर्द D. गो

6. निम्नलिखित में से जो शब्द 'सौन्दर्य' का पर्यायवाची नहीं है, उसे चयनित कीजिए–
A. सुषमा B. शोभा
C. सुन्दरता D. रमणी

7. निम्नलिखित विकल्पों में से एक शब्द 'नदी' का पर्यायवाची नहीं है, उसे चयनित कीजिए–
A. तरंगिणी B. तटिनी
C. तरिणी D. सरिता

8. नीचे दिए गए विकल्पों में से एक शब्द 'घर' का पर्यायवाची नहीं है, उसे चयनित कीजिए–
A. भवन B. भुवन
C. निकेतन D. सदन

9. इनमें से कौन-सा शब्द 'पार्थ' का पर्यायवाची है?
A. भीष्म B. श्रीकृष्ण
C. युधिष्ठिर D. अर्जुन

10. 'दुःख' का पर्यायवाची शब्द निम्नलिखित में से कौन-सा है?
A. व्यथा B. पीड़ा
C. वेदना D. ये सभी पर्याय हैं

11. नीचे दिए गए शब्दों में से एक शब्द 'गीदड़' का पर्यायवाची नहीं है, उसका चयन कीजिए–
A. खगेश B. शृंगाल
C. सियार D. जम्बुक

12. निम्न में से कौन चन्द्रमा का पर्यायवाची नहीं है?
A. शशि B. हिमकर
C. शशांक D. रूपक

13. निम्न में से कौन गाय का पर्यायवाची नहीं है?
A. हेरम्ब B. गौरी
C. भद्रा D. धेनु

14. कुत्ता का पर्यायवाची शब्द निम्नलिखित में से कौन-सा है?
A. सारमेय B. क्रमेलक
C. कीर D. नागान्तक

15. आनंद का पर्यायवाची नहीं है–
A. हर्ष B. उल्लास
C. चाह D. आह्लाद

16. 'कृशानु' का पर्यायवाची शब्द है–
A. अनल B. पवन
C. दोहित्री D. अनिल

17. 'द्रौपदी' का पर्याय नहीं है–
A. द्रुपदसुता B. याज्ञसेनी
C. पांचाली D. रमणी

18. 'महादेव' का पर्यायवाची शब्द चुनिए–
A. गरुड़ध्वज B. नारायण
C. चन्द्रशेखर D. विश्वम्भर

19. 'चन्द्रमा' का पर्यायवाची शब्द चुनिए–
A. निशाकर B. निशाचर
C. तरणि D. कृशानु

20. 'धन' का पर्यायवाची जो शब्द नहीं है, उसे चुनिए–
A. द्रव्य B. द्रव
C. सम्पदा D. दौलत

21. 'पुत्री' का पर्यायवाची शब्द नहीं है–
A. तनय B. सुता
C. आत्मजा D. दुहिता

22. निम्नलिखित में से कौन-सा शब्द 'कमल' का पर्यायवाची शब्द नहीं है?
A. सरोज B. अरविन्द
C. सलिल D. पंकज

23. निम्नलिखित किस समूह में सभी शब्द 'कामदेव' के पर्यायवाची हैं?
A. कंदर्प, मदन, मनसिज, मारक
B. मदन, मन्मथ, अनंग, कंदर्प
C. मान, त्रिपुर, मन्मथ, अनंग
D. मन्मथ, मनसिज, त्रिपुर, अनंग

24. कौन-सा शब्द जंगल शब्द का पर्यायवाची नहीं है?
A. अटवी B. कान्ता
C. कान्तार D. कानन

25. कौन-सा शब्द 'अम्बर' का पर्यायवाची है?
A. आकाश B. अवनि
C. मेघ D. बादल

26. कौन-सा शब्द 'मित्र' का पर्याय नहीं है?
A. अलि B. सखा
C. सुहृद D. मीत

27. निम्नांकित में किस शब्द का अर्थ कमल होता है?
A. उत्पल B. उपल
C. जलद D. नीरद

28. निम्नलिखित में 'पुत्री' शब्द के पर्यायवाची शब्द-समूह कौन हैं?
A. भार्या, कान्ता, अबला, वनिता
B. लड़की, बेटी, अचला, वसुधा
C. सुता, धरा, वसुमती, अचला
D. तनया, आत्मजा, दुहिता, तनुजा

29. निम्नलिखित शब्द-समूह में 'बिजली' के पर्यायवाची कौन हैं?
A. ज्योति, रोशनी, चमक, प्रभा
B. विद्युत, तड़ित, चपला, दामिनी
C. उजाला, प्रभंजन, विहग, निशापति
D. मंदाकिनी, अश्म, प्रस्तर, प्रभा

30. 'जलधि' शब्द का पर्यायवाची क्या है?
A. नहर B. नाव
C. नदी D. समुद्र

31. 'पंकज' शब्द का पर्यायवाची क्या है?
A. सूर्य B. कमल
C. चन्द्रमा D. अमृत

32. 'तरकश' का पर्यायवाची शब्द है–
A. तीर B. धनुष
C. प्रत्यंचा D. निषंग

33. 'स्त्री' का पर्यायवाची शब्द नहीं है–
A. तरुणी B. प्रमदा
C. ललाम D. ललना

34. 'गणेश' का पर्यायवाची शब्द है–
A. सुधांशु B. कुबेर
C. एकदंत D. सुधाकर

35. निम्नलिखित में से कौन-सा शब्द 'तलवार' का पर्यायवाची नहीं है?
A. असि B. खड्ग
C. कृपण D. चंद्रहास

36. इनमें से कौन 'कौआ' का पर्यायवाची है?
A. वायस B. पाली
C. भद्रा D. उदक

37. निम्न में से कौन 'पत्ता' का पर्यायवाची नहीं है?
A. दल B. पर्ण
C. पल्लव D. प्रसून

38. निम्न में से कौन 'हंस' का पर्यायवाची है?
A. मराल B. सारंग
C. अनीक D. अरि

39. निम्न में से कौन 'रण' का पर्यायवाची नहीं है?
A. युद्ध B. संग्राम
C. समर D. सार

40. इनमें से कौन 'युवती' का पर्यायवाची नहीं है?
A. तरुणी B. किशोरी
C. श्यामा D. यामिनी

41. निम्न में से कौन 'इन्द्र' का पर्यायवाची नहीं है?
A. सुरपति B. मघवा
C. धनाधिप D. सुरेश

42. इनमें से कौन 'सरस्वती' का पर्यायवाची नहीं है?
A. वीणापाणि B. वाचा
C. धनद D. शारदा

43. निम्न में से कौन 'कन्या' का पर्यायवाची नहीं है?
A. तनुजा B. आत्मजा
C. नन्दिनी D. भार्या

44. इनमें से कौन 'मयूर' का पर्यायवाची नहीं है?
A. सारंग B. शिखी
C. विशिख D. केकी

45. इनमें से कौन 'शेर' का पर्यायवाची नहीं है?
A. तुरंग B. मृगेन्द्र
C. मृगराज D. व्याघ्र

46. निम्न में से कौन 'अग्नि' का पर्यायवाची है?
A. अनल B. धनद
C. सारंग D. जाह्नवी

47. 'अलंकेश' पर्यायवाची शब्द है–
A. बादल का B. कल्पवृक्ष का
C. कुबेर का D. चपला का

48. इनमें से किस शब्द के पर्यायवाची गलत हैं?
A. कमल – जलज, पंकज, सरोज
B. पुष्प – कुसुम, फूल, सुमन
C. सरस्वती – गिरा, भारती, वाणी
D. सूर्य – दिवस, याम, वासर

49. निम्नलिखित में कौन-सा शब्द 'पताका' का पर्यायवाची नहीं है?
A. झण्डा B. निशान
C. प्रस्तर D. ध्वज

50. निम्नलिखित शब्दों में से 'हनुमान' का पर्यायवाची शब्द नहीं है–
A. रामभक्त B. पवनपुत्र
C. बजरंगबली D. कपीश्वर

51. 'खेचर' का पर्याय होगा–
A. आकाश में चलने वाला B. पक्षी
C. ग्रह D. इनमें से सभी

52. 'बटोही' का पर्यायवाची निम्न में से कौन शब्द-समूह होगा?
A. वटमार, एकाकी B. असहाय, दुर्गम
C. पथिक, राहगीर D. पाथेय, मेघ

53. निम्न में से कौन-सा शब्द समूह 'विरद' का पर्यायवाची होगा?
A. यश, ख्याति B. बीज, मूल
C. वृक्ष, पौधा D. विरही, वियोगी

54. 'यातु' का पर्यायवाची निम्न में से कौन शब्द-समूह होगा?
A. पथिक, कष्ट B. काल, हवा
C. यातना, हिंसा D. राक्षस, निशाचर

55. 'विभु' का पर्यायवाची शब्द-समूह होगा–
A. सर्वव्यापक, नित्य B. ब्रह्म, आत्मा
C. महान, ईश्वर D. चिरस्थायी, दृढ़

56. 'क्षुद्र' का पर्यायवाची शब्द-समूह होगा–
A. कंजूस, कृपण B. निर्धन, दरिद्र
C. अल्प, मामूली D. नीच, अधम

57. 'कुबेर' शब्द का निम्नलिखित में से कौन- सा शब्द पर्यायवाची नहीं है?
A. श्वान B. कोषपाल
C. धनपति D. यक्षपति

58. 'सेवक' का पर्यायवाची है–
A. परिचर्या B. यायावर
C. शायक D. परिचारक

59. 'पार्वती' का पर्यायवाची है–
A. कमला B. इला
C. गौरा D. विभा

60. 'अग्र' शब्द का पर्यायवाची नहीं है–
A. शिखर B. अगला
C. ज्येष्ठ D. दावा

61. निम्नलिखित में से कौन-सा एक 'जानकी' का पर्यायवाची नहीं है?
A. जनकात्मजा B. वैदेही
C. जनकसूता D. वामा

62. 'पुष्प' का पर्यायवाची नहीं है–
A. सुमन B. प्रसून
C. कुसुम D. निलय

63. 'पत्थर' का पर्यायवाची है–
A. हिमगिरि B. पाषाण
C. गिरि D. शैल

64. 'पावक' का पर्यायवाची शब्द निम्नलिखित में से कौन-सा है?
A. पृथ्वी B. जल
C. अग्नि D. वायु

65. निम्नलिखित में से जो शब्द 'पत्नी' का पर्याय न हो, उसे चिन्हित कीजिए–
A. कलत्र B. दौहित्र
C. भार्या D. जाया

66. 'अर्वाचीन' शब्द का पर्यायवाची है–
A. आधुनिक B. विदेशी
C. चीनी D. प्राचीन

विलोमार्थी शब्द

निर्देश (प्र.सं. 1 से 75 तक): *सही-सही विलोम शब्द चुनिए–*

1. अनादर
A. मान B. सम्मान
C. आदर D. सत्कार

2. अभिज्ञ
A. अज्ञानी B. अनभिज्ञ
C. अनिपुण D. मूर्ख

3. अथ
A. इति B. समाप्त
C. खत्म D. संपूर्ण

4. करुण
A. कठोर B. निष्ठुर
C. निर्दय D. कोमल

5. ऋजु
A. सीधा B. सरल
C. तिर्यक् D. वक्र

6. मौन
A. मुखर B. मूक
C. वाचाल D. प्रगल्भ

7. निर्दय
A. निर्भय B. सहृय
C. सभय D. सदय

8. तिमिर
A. प्रकाश्य B. आलोक
C. ज्योतिर्मय D. आभास

9. तीक्ष्ण
A. मंद B. तीव्र
C. प्रखर D. क्षीण

10. कृत्रिम
A. प्राकृतिक B. स्वनिर्मित
C. स्वाभाविक D. स्वचालित

11. उदात्त
A. उद्धत B. दानशील
C. अनुदात्त D. क्षमावान्

12. उदार
A. कठोर B. निर्भय
C. अपव्यय D. अनुदार

13. शुक्ल
A. काला B. कृष्ण
C. असित D. श्यामल

14. प्रस्थान
A. आगमन B. गमनागमन
C. निगम D. निर्गम

15. शूल
A. मूल B. धूल
C. फूल D. तूल

16. अपेक्षा
A. कामना B. भावना
C. अभीप्सा D. उपेक्षा

17. निरक्षर
A. शिक्षित B. अशिक्षित
C. साक्षर D. अक्षर

18. प्रकट
A. गुप्त B. लुप्त
C. सुप्त D. विलुप्त

19. उर्वर
A. उपजाऊ B. बंजर
C. गत्वर D. शस्यश्यामल

20. संधि
A. अनुग्रह B. ग्रह
C. विच्छेद D. मैत्री

21. संयोग
A. प्रयोग B. सुयोग
C. नियोग D. वियोग

22. विकास
A. सीमा B. ह्रास
C. दुबला D. नीचा

23. उत्थान
A. नमन B. पतन
C. उदय D. ध्वंस

24. क्षुद्र
A. क्षुद्रतर B. महान्
C. तुच्छ D. अवमान

25. इहलोक
A. उपकार B. पाताल
C. आदि D. परलोक

26. ज्योति
A. पुंज B. दीपक
C. तम D. रोशनी

27. यथार्थ
A. मनोवांछित B. अनुमानित
C. कल्पित D. सत्य

28. अमर
A. देवता B. मरणशील
C. मर्त्य D. दानव

29. आघात
A. अनाघात B. विस्तीर्ण
C. स्निग्ध D. डरपोक

30. व्यष्टि
A. सृष्टि B. वृष्टि
C. समष्टि D. इनमें से कोई नहीं

31. सज्जन
A. चापलूस B. व्यभिचारी
C. सहयोगी D. दुर्जन

32. उत्कर्ष
A. अपकर्ष B. परामर्श
C. संघर्ष D. विमर्श

33. क्षुधा
A. तृषा B. तृष्ण
C. तृप्ति D. मृगतृष्णा

34. सुबह
A. प्रातः B. शाम
C. रात D. दिन

35. अनुकूल
A. प्रतिकूल B. अपकूल
C. अनुकूलन D. सानूकूल

36. आहूत
A. अनागत B. आगत
C. अनेक D. अनाहूत

37. श्रीगणेश
A. समापन B. इतिश्री
C. अंत D. अथ

38. निंदा
A. स्तुति B. संस्तुति
C. संवेदना D. स्तवन

39. आचार
A. आनाचार B. अनाचार
C. अत्याचार D. विचार

40. सहज
A. असहज B. असली
C. अप्राकृतिक D. निर्मित

41. प्राच्य
A. उदीच्य B. प्रतीच्य
C. पाश्चात्य D. अर्वाचीन

42. गुण
A. दोष B. पुण्य
C. अधिक D. विशाल

43. 'लाघव' शब्द का विपरीतार्थक शब्द है–
A. विस्तार B. संक्षेप
C. लम्बा D. दीर्घकालीन

44. आहार
A. प्रतिहार B. साहार
C. अनाहार D. विहार

45. 'ध्वंस' शब्द का विलोम बताइए–
A. विनाश B. निर्माण
C. विध्वंस D. उत्कर्ष

46. 'वादी' का विलोमार्थी शब्द बताएँ–
A. समवादी B. कुवादी
C. अनुवादी D. प्रतिवादी

47. अतिवृष्टि का विलोमार्थी शब्द है–
A. अन्तरवृष्टि B. अल्पवृष्टि
C. असमयवृष्टि D. अस्तवृष्टि

48. आदि
A. अंत B. प्रारम्भ
C. व्याधि D. बर्बादी

49. शाश्वत
A. मृत्यु B. मर्त्य
C. नश्वर D. क्षणिक

50. व्यस्त
A. विश्रांत B. अभ्यस्त
C. अव्यस्त D. अतिव्यस्त

51. गत्यात्मक
A. गतिभाव B. स्थिर
C. अस्थिर D. प्रत्यात्मक

52. अज्ञ
A. अनज्ञ B. सुमज्ञ
C. विज्ञ D. कुमज्ञ

53. कटु
A. मधुर B. पटु
C. मृदु D. मीठा

54. नीरस
A. रसीला B. सरस
C. विरस D. अरस

55. ओजस्वनी
A. तेजस्वनी B. निर्जस्वी
C. निस्तेज D. तपस्वी

56. अर्पण
A. ग्रहण B. तर्पण
C. समर्पण D. प्रत्यर्पण

57. अनभिज्ञ
A. भिज्ञ B. अज्ञ
C. अभिज्ञ D. अतिभिज्ञ

58. अन्यमनस्क
A. स्वस्थ B. प्रसन्न
C. सजग D. सतर्क

59. अपव्यय
A. अधिव्यय B. व्यय
C. मितव्यय D. इनमें से कोई नहीं

60. आवरण
A. अनावरण B. आचरण
C. सुवरण D. अवज्ञा

61. गमन
A. आना B. उतरना
C. रुकना D. आगमन

62. राजा
A. देवता B. साथी
C. विज्ञ D. प्रजा

63. विश्लेषण
A. संश्लेषण B. गवेषण
C. विशेषण D. अन्वेषण

64. दिवस
A. विभावरी B. अरविन्द
C. प्रवाहिणी D. विचक्षण

65. निर्मल
A. पवित्र B. शुद्ध
C. मलिन D. मृदु

66. उद्यम
A. प्रवीण B. आलस्य
C. नीरज D. नृप

67. द्युति
A. छवि B. प्रभा
C. ज्योति D. अन्धकार

68. रुक्ष
A. पिच्छल B. चिक्कण
C. स्निग्ध D. सरस

69. विघटन
A. सामूहिकता B. संगठन
C. एकीकरण D. समष्टि

70. गरिमा
A. कालिमा B. लघुमा
C. अरुणिमा D. लालिमा

71. सामिष
A. निरामिष B. वैष्णव
C. शाकाहारी D. मांसरहित

72. अंधेरा
A. सुबह B. उजाला
C. प्रकाश D. झुरमुट

73. उदय
A. अस्त B. अवसान
C. विनाश D. नाभ

74. कुटिल
A. संत B. उदार
C. साधु D. सरल

75. ग्राह्य
A. त्याज्य B. ग्रहण
C. तरल D. वाञ्छा

वाक्यों की शुद्धता

निर्देश (प्र.सं. 1 से 35 तक): *नीचे दिए गए प्रश्नों में चार वाक्यों में एक वाक्य शुद्ध है और तीन अशुद्ध हैं। शुद्ध वाक्य को चुनिए।*

1. A. मैंने एक रुपए का सामान खरीदा
B. मैं एक रुपए का सामान खरीदा
C. मुझने एक रुपया का सामान खरीदा
D. मैं एक रुपया का सामान खरीदी

2. A. उसे कॉफी बनाना नहीं आता
B. उसे कॉफी बनानी नहीं आता
C. उसे कॉफी बनाना नहीं आती
D. उसे कॉफी बनाने को नहीं आते

3. A. देश का सम्मान की रक्षा करो
B. देश के सम्मान की रक्षा करो
C. देश को सम्मान की रक्षा करो
D. देश के लिए सम्मान की रक्षा करो

4. A. अतिथि को चाकू से काटकर फल खिलाओ
B. चाकू से अतिथि को काटकर फल खिलाओ
C. चाकू से फल काटकर अतिथि को खिलाओ
D. फल को काटकर चाकू से अतिथि को खिलाओ

5. A. राम ने पेट भर मिठाई खाई
B. राम ने पेट भर के मिठाई खाई
C. राम ने भरपेट मिठाई खाई
D. इनमें से सभी शुद्ध हैं

6. A. मैं आपकी सौजन्यता पर मुग्ध हूँ
B. मैं आपके सौजन्य पर मुग्ध हूँ
C. मैं आपके सुजन्य पर मुग्ध हूँ
D. इनमें से तीनों वाक्य अशुद्ध हैं

7. A. लाओ एक पानी का गिलास
B. एक पानी का गिलास लाओ
C. गिलास एक पानी का लाओ
D. एक गिलास पानी लाओ

8. A. हमारी सौभाग्यवती कन्या का विवाह होने जा रहा है।
B. हमारी आयुष्मती कन्या का विवाह होने जा रहा है।
C. हमारी सौभाग्यवती कन्या का विवाह होने जा रही है
D. इनमें से सभी शुद्ध हैं

9. A. माँ बच्चे को दूध धाय से पिला रही है
B. माँ बच्चे को दूध धाय से पिलवा रही है
C. माँ बच्चे को दूध धाय से पी रही है
D. माँ बच्चे को दूध धाय से चखा रही है

10. A. ये हमारे पास रहते हैं और वे दूर
B. वे हमारे पास रहते हैं और ये दूर
C. वे हमारे पास रहते हैं और वह दूर
D. ये हमारे पास रहते हैं और वह दूर

11. A. वेदों के छः अंग माने जाते हैं
B. वेदों में छः अंग माने जाते हैं
C. वेदों से छः अंग माने जाते हैं
D. वेदों पर छः अंग माने जाते हैं

12. A. भक्तों की सेना जा रही थी
B. भक्तों की मंडली जा रही थी
C. भक्तों की टुकड़ी जा रही थी
D. भक्तों की भीड़ जा रही थी

13. A. आपकी शंका का परिहार हुआ कि नहीं
B. आपकी शंका का निदान हुआ कि नहीं
C. आपकी शंका का समाधान हुआ कि नहीं
D. आपकी शंका निर्मूल हुई कि नहीं

14. A. यह ग्रंथ विद्वतापूर्ण लिखा गया है
B. यह ग्रंथ विद्वतापूर्वक लिखा गया है
C. यह ग्रंथ विद्वानपूर्ण लिखा गया है
D. यह ग्रंथ विद्वानपूर्वक लिखा गया है

15. A. वह टका-सा उत्तर देता है
B. वह टका-सा प्रश्न करता है
C. वह टका-सा जवाब देता है
D. इनमें से कोई नहीं

16. A. जो मिठाई पसन्द हों आप खा लो
B. जो मिठाई पसन्द हों तुम खा लो
C. जो मिठाइयाँ पसन्द हों तुम खा लो
D. जो मिठाइयाँ पसन्द हों उन्हें आप खाइए

17. A. हम बचपन में वहाँ जायेंगे
B. हम बचपन में वहाँ जाते रहे हैं
C. मैं बचपन में वहाँ जाता रहा
D. मैं बचपन में वहाँ जाऊँगा

18. A. प्रत्येक व्यक्ति कविता कर सकते हैं
B. प्रत्येक व्यक्ति कविता नहीं कर सकते हैं
C. प्रत्येक व्यक्ति कविता नहीं कर सकता
D. हर व्यक्ति कविता कर सकते हैं

19. A. हेम नरेश की पुस्तक दी
B. हेम ने नरेश को पुस्तक दी
C. हेम नरेश का पुस्तक देगा
D. हेम ने नरेश का पुस्तक दिया

20. A. मन्त्री ड्राइवर से कार चलवाता है
B. मन्त्री ड्राइवर की कार चलवाता है
C. मन्त्री ड्राइवर के लिए कार चलवाता है
D. मन्त्री ड्राइवर पर कार चलवाता है

21. A. उसकी आयु तीस वर्ष है इस समय
B. इस समय उसकी अवस्था तीस वर्ष है
C. तीस वर्ष की अवस्था है इस समय उसकी
D. इस समय तीस वर्ष की अवस्था है उसकी

22. A. रागिनी अपने आप चली गई
B. रागिनी खुद से चली गई
C. रागिनी अपने से ही चली गई
D. रागिनी आपके आप चली गई

23. A. श्याम पौधे को जल से सींच रहा है
B. पौधे को जल से सींच रहा है श्याम
C. श्याम पौधे सींच रहा है
D. जल से सींच रहा है श्याम पौधे को

24. A. वह उद्दंडनीय है
B. वह दण्ड भोगने के योग्य है
C. वह दण्डयोग्य है
D. वह दण्ड देने के योग्य है

25. A. हमारे यहाँ तरुण नवयुवकों की शिक्षा का अच्छा प्रबन्ध है
B. हमारे यहाँ तरुण नवयुवकों का शिक्षा का अच्छा प्रबन्ध है
C. हमारे नवयुवकों की शिक्षा का यहाँ अच्छा प्रबन्ध है
D. हमारे यहाँ नवयुवकों की शिक्षा का अच्छा प्रबन्ध है

26. A. मुरझाया हुआ फूल वर्षा की फुहार से अभिसिंचित होकर पुनः खिल उठा
B. मुरझाई हुई फूल वर्षा की फुहार से अभिसिंचित होकर पुनः खिल उठा
C. मुरझाया हुआ फूल वर्षा की फुहार से अभिसिंचित होकर पुनः खिल उठी
D. मुरझाया हुआ फूल वर्षा के फुहार द्वारा अभिसिंचित होकर पुनः खिल उठे

27. A. आपके दर्शन दुर्लभ हैं
B. वह विलाप करके रोने लगा
C. हम लोग कुशलपूर्वक से हैं
D. उसे मृत्युदण्ड की सजा मिली है

28. A. तीन महानगरों के नाम बताइए
B. इस समस्या की औषधि मेरे पास है
C. चरखा कातना चाहिए
D. यह एक इतिहासिक घटना है

29. A. मेरे को कल छुट्टी जाना होगा
B. आप ही तो मना किये थे
C. मुझको लौटने में विलम्ब हो गया
D. कपड़े डालकर तुमने मेरे साथ क्या करा?

30. A. राम का बहन गांधीजी पर कविता लिखी है
B. राम का बहन गांधीजी पर कविता लिखा है
C. राम की बहन ने गांधीजी पर कविता लिखी है
D. राम की बहन गांधीजी के ऊपर कविता लिखा है

31. A. कवि ने सम्पादक को एक कविता भेजा
B. अध्यापिका ने शिष्य से प्रश्न पूछी
C. बच्चे ने कहा था, पर आप ने नहीं सुनी
D. अमित ने जेब से दस रुपए का नोट निकाला

32. A. पेड़ की पत्ता गिरी
B. पेड़ में से पत्ता गिरा
C. पत्ता गिर पड़ा पेड़ों से
D. पेड़ से पत्ता गिरा

33. A. बैल और बकरी घास चरती हैं
B. बैल और बकरी घास चरते हैं
C. बैल और बकरी घास चरता है
D. बैल और बकरी घास चरती है

34. A. महात्मा गांधी का देश सदा आभारी रहेगा
B. देश महात्मा गांधी का सदा आभारी रहेगा
C. आभारी रहेगा देश सदा महात्मा गांधी का
D. देश आभारी रहेगा सदा महात्मा गांधी का

35. A. कश्मीर में अनेक दर्शनीय स्थल देखने योग्य हैं
B. अनेक दर्शनीय स्थल कश्मीर में देखने योग्य हैं
C. कश्मीर में अनेक दर्शनीय स्थल हैं
D. अनेक दर्शनीय स्थल देखने योग्य हैं कश्मीर में

निर्देश (प्र.सं. 36 से 80 तक): *नीचे दिया गया हर एक वाक्य चार भागों में बाँटा गया है जिन्हें (A), (B), (C) और (D) अक्षरांक दिए गए हैं। आपको यह देखना है कि वाक्य के किसी भाग में व्याकरण, भाषा, वर्तनी, शब्दों के गलत प्रयोग या इसी तरह की कोई त्रुटि तो नहीं है। त्रुटि अगर हो तो वाक्य के किसी एक भाग में ही होगी। उस भाग का अक्षरांक ही उत्तर है। अगर वाक्य त्रुटिरहित है तो उत्तर (E) दीजिए।*

36. कैक्टस के पौधे में कई चमत्कारी गुण (A)/ होते हैं लेकिन यह दुखदायी की बात (B)/ है कि हमारे देश में अभी तक इस पर (C)/ बहुत अधिक ध्यान नहीं दिया गया है। (D)/ त्रुटिरहित (E).

37. वाणिज्यिक वाहन निर्माताओं के (A)/ अनुसार, ईंधन की कीमतों में तेजी के (B)/ बावजूद बिक्री वाणिज्यिक वाहनों की (C)/ में तेजी दर्ज की गई है। (D)/ त्रुटिरहित (E).

38. जब तपती और धूल भरी (A)/ सड़कों पर मोटी-मोटी बूँदें गिरतीं तब (B)/ उमस के साथ मिट्टी की (C)/ भुनी भुनी गंध वातावरण में फैल जाती थी। (D)/ त्रुटिरहित (E).

39. औसत अगर मध्यवर्गीय (A)/ परिवार की बात करें तो उसमें (B)/ स्त्री मन को समझने की (C)/ गुंजाइश बहुत कम होती है। (D)/ त्रुटिरहित (E).

40. सुखद स्मृतियाँ चमकीले वर्तमान (A)/ से कहीं ज्यादा आनंददायक, (B)/ दुष्प्रेरणादायक और स्फूर्ति (C)/ प्रदान करने वाली होती हैं। (D)/ त्रुटिरहित (E).

41. किसी तंदरुस्त वृद्ध की देहयष्टि (A)/ देखकर लग पड़ता है (B)/ कि आयु ने उनके शरीर (C)/ पर अपना प्रभाव नहीं डाला है। (D)/ त्रुटिरहित (E).

42. कोशिश करने से मसले (A)/ समय रहते हल हो जाएं (B)/ तो ठीक वरना मन (C)/ में ग्रंथियाँ बन जाती हैं। (D)/ त्रुटिरहित (E).

43. यदि कोई विकलांग व्यक्ति (A)/ घर का मुखिया हो (B)/ तो वह गरीबी रेखा से (C)/ नीचे के दायरे में आएगा। (D)/ त्रुटिरहित (E).

44. एक मध्यवर्गीय भारतीय परिवार में पिता (A)/ काम के बोझ या दूसरे कारणों से अपने (B)/ बच्चों से कट जाता है, जिसका बच्चों (C)/ के मन पर प्रतिकूल प्रभावशाली पड़ता है।(D)/ त्रुटिरहित (E).

45. अर्थव्यवस्था विश्व के बदतर हो रहे (A)/ हालात से चिंतित वित्त मंत्री ने (B)/ कहा कि सरकार के पास नरमी (C)/ से निपटने के विकल्प सीमित हैं। (D)/ त्रुटिरहित (E).

46. बचत बैंक खातों (A)/ में बैंकों द्वारा (B)/ ब्याज की अदायगी (C)/ किया जाता है। (D)/ त्रुटिरहित (E).

47. वर्ष 2010 को आधार (A)/ बना कर राष्ट्रीय स्तर पर (B)/ नया उपभोक्ता तूल्य (C)/ सूचकांक जारी किया गया है। (D)/ त्रुटिरहित (E).

48. गुजरात की (A)/ राजरानी गांधीनगर (B)/ में एक बहुत बड़े समारोह का (C)/ आयोजन किया गया है। (D)/ त्रुटिरहित (E).

49. विमानन क्षेत्र का (A)/ नामी कम्पनी की (B)/ मुश्किलें दिनोंदिन (C)/ बढ़ती जा रही हैं। (D)/ त्रुटिरहित (E).

50. सरकार अपनी योजनाओं (A)/ का लाभ केवल कमजोर (B)/ वर्ग के लोगों तक सीमित (C)/ रखने के क्क्ष में नहीं है। (D)/ त्रुटिरहित (E).

51. भारत सरकार द्वारा अर्जित (A)/ कुल राजस्व की (B)/ अधिकतम राशि आय कर (C)/ से प्राप्त होती है। (D)/ त्रुटिरहित (E).

52. दूरदर्शन के अधिकारियों (A)/ ने लोकप्रिय वाहिका (B)/ का प्रसारण बंद करने (C)/ का आदेश दिया है। (D)/ त्रुटिरहित (E).

53. राष्ट्रीय एकता तथा मानवीय (A)/ मूल्यों के मूलभूत सिद्धान्तों (B)/ को म्यान में रखकर (C)/ पाठ्य-सामग्री तैयार की गई है। (D)/ त्रुटिरहित (E).

54. दोनों देशों के वाणी (A)/ सचिवों की बैठक में (B)/ परस्पर व्यापार बढ़ाने (C)/ के लिए सहमति हो गयी। (D)/ त्रुटिरहित (E).

55. कोश के इस (A)/ नए संस्करण में बहुत (B)/ से नए शब्द (C)/ शामिल किए गए हैं। (D)/ त्रुटिरहित (E).

56. बैंक से जारी होने वाले (A)/ सभी परिपत्र, आदेश आदि (B)/ कागज के बजाय डिजिटल (C)/ माध्यमों से प्रेषित किया जाता है। (D)/ त्रुटिरहित (E).

57. नियंत्रण प्राधिकारियों से (A)/ भी अपेक्षा की गई है (B)/ कि वे प्रतिदिन प्रतिवेदन (C)/ का अध्ययन अवश्य करें। (D)/ त्रुटिरहित (E).

58. ग्लोबल वार्मिंग रूपी (A)/ शत्रु पर आक्रमण कर उसे (B)/ परस्त करने में सभी (C)/ का योगदान होना चाहिए। (D)/ त्रुटिरहित (E).

59. पेड़ नहीं सोंचते कि झोंका (A)/ आए तो झूमें या न (B)/ झूमें वे झूमते हैं और अपने (C)/ जड़ों पर यकीन रहते हैं। (D)/ त्रुटिरहित (E).

60. कितने वर्षों की अवधि (A)/ तक खाते में कोई भी लेन-देन न (B)/ होने पर खाते को (C)/ निष्कृत माना जाता है? (D)/ त्रुटिरहित (E).

61. सामाजिक कुरीतियों (A)/ का मुख्य कारण (B)/ अज्ञानता है (C)/ यह बात एकदम सही है। (D)/ त्रुटिरहित (E).

62. उसकी सौन्दर्यता (A)/ देखकर मन मयूर (B)/ नृत्य करने लगा (C)/ दिलीप ने श्याम को बताया। (D)/ त्रुटिरहित (E).

63. नगेन्द्र जी (A)/ हिन्दी के (B)/ लब्धप्रतिष्ठित (C)/ आलोचक एवं लेखक हैं। (D)/ त्रुटिरहित (E).

64. साहित्य (A)/ और जीवन का (B)/ घनघोर (C)/ सम्बन्ध है। (D)/ त्रुटिरहित (E).

65. दिल्ली से (A)/ अनेकों (B)/ पत्र-पत्रिकाओं का (C)/ प्रकाशन होता है। (D)/ त्रुटिरहित (E).

66. गाय को घास (A)/ खिलाने से और पंछी (B)/ को दाना डालने (C)/ से पूण्य मिलता है। (D)/ त्रुटिरहित (E).

67. एक संख्या का पाँच (A)/ बटा-नौ दूसरी संख्या (B)/ के पच्चीस प्रतिशत (C)/ के सम्मान है। (D)/ त्रुटिरहित (E).

68. दिनेश की मासिक (A)/ आय सुरेश की (B)/ मासिक आय से (C)/ चुगना है। (D)/ त्रुटिरहित (E).

69. इस कार की कीमत कम (A)/ होगी और कम्पनी इसमें ज्यादा से ज्यादा (B)/ भारतीय पूर्जे लगाने (C)/ की कोशिश कर रही है। (D)/ त्रुटिरहित (E).

70. कहते हैं कि (A)/ हर दस कोश (B)/ पर बोली (C)/ बदलती है। (D)/ त्रुटिरहित (E).

71. वैश्वीकरण के इस (A)/ युग में हिन्दी भाषा (B)/ नीत नवीन शब्दों से (C)/ समृद्ध हो रही है। (D)/ त्रुटिरहित (E).

72. आज भी कई किसान (A)/ और कमजोर वर्ग के (B)/ लोग साहूकारों के अंगुल (C)/ में फँसे हुए हैं। (D)/ त्रुटिरहित (E).

73. हमें शिक्षा ऋण (A)/ लेने वाले ऋणकर्ताओं (B)/ से इस आश्रय की (C)/ शिकायतें प्राप्त हो रही हैं। (D)/ त्रुटिरहित (E).

74. बचत बैंक खाते में (A)/ एक महीना में अन्य (B)/ बैंक के ATM से (C)/ निःशुल्क 5 आहरणों की छूट हैं। (D)/ त्रुटिरहित (E).

75. कृपया बोधित (A)/ अनुदेश सभी पदाधिकारियों (B)/ को सूचित करने (C)/ की व्यवस्था करें। (D)/ त्रुटिरहित (E).

76. एक मादा सूअर अपनी (A)/ छः बच्चों के साथ जो (B)/ अभी नौ-नौ इंच से बड़े नहीं हुए (C)/ थे, रेलगाड़ी की तरह चलती जा रही थी। (D)/ त्रुटिरहित (E).

77. एक इरावती ही थी जिससे वह टूटी-फूटी (A)/ हिन्दी में बातां कर लेती थी, हालाँकि उसकी (B)/ पंजाबी हिन्दी और इरावती की कोंकणी (C)/ हिन्दी में जमीन-आसमान का फर्क था। (D)/ त्रुटिरहित (E).

78. अपने बेटे की वजह से ही वह (A)/ यहाँ परदेस में पड़ा था, जहाँ (B)/ न कोई उसकी जबान समझता था, न वह (C)/ किसी को जबान समझता था। (D)/ त्रुटिरहित (E).

79. चेचक के दागों और झुर्रियों से भरा (A)/ उसका चेहरा दीमक खाई लकड़ी की (B)/ तरह जाना पड़ता था, जो बदसूरत तो था (C)/ ही जुगुप्सा भी जगा देता था। (D)/ त्रुटिरहित (E).

80. शालिनी नित नेम की भांति दीपक जलाई (A)/ और एक अज्ञात देवता के सामने (B)/ हाथ जोड़ने की प्रक्रिया पूरी करके (C)/ घुटनों पर बाँहें रखे वहीं बैठी रही। (D)/ त्रुटिरहित (E).

वाक्यांश के लिए एक शब्द

1. एक स्थान से दूसरे स्थान पर जाना या ले जाना–
A. खिसका हुआ B. उखड़ा हुआ
C. स्थानंच्युत D. विस्थापित

2. इंद्रियों को जीतने वाला–
A. अजातशत्रु B. इन्द्रस्वामी
C. जितेंद्रिय D. मुमुक्षु

3. एक ही कोख से जन्म लेने वाला–
A. संतति B. जातक
C. आत्मज D. सहोदर

4. अपनी इच्छा से चलने वाला–
A. स्वेच्छाचारी B. स्वच्छंद
C. अराजक D. स्वेच्छक

5. जो हर हाल में हो ही जाए–
A. होनहार B. अवश्यंभावी
C. भाग D. तत्पर

6. जो कठिनाई से समझ में आए–
A. दुर्गम B. दुर्बोध
C. दुर्लभ D. दुर्धर्ष

7. एक पर ही श्रद्धा अथवा आस्था रखने वाला–
A. एकाकी B. अलौकिक
C. अधिकारिक D. एकनिष्ठ

8. बड़ा बनने की इच्छा रखने वाला–
A. पदलोलुप B. चाटुकार
C. विवेकवान D. महत्वाकांक्षी

9. मन का दुर्भाव–
A. दृष्टिवैषम्य B. भेदभाव
C. मनोमालिन्य D. कलुषित

10. पूर्णतः स्वच्छ करना–
A. परिष्कार B. सुधार
C. आविष्कार D. पुनरोद्धार

11. जिसका जन्म उच्च कुल में हुआ हो–
A. सेठ B. अभद्र
C. अमीर D. कुलीन

12. ईश्वर को नहीं मानने वाला–
A. आस्तिक़ B. अधर्मवान
C. बंदा D. नास्तिक

13. उपकार मानने वाला–
A. कृतघ्न B. परोपकारी
C. अनोपचारी D. कृतज्ञ

14. किसी के पास रखी हुई दूसरे की वस्तु–
A. गिरवी B. जमानत
C. धरोहर D. सामान

15. एक स्थान से दूसरे स्थान को हटाया हुआ–
A. आंतरित B. प्रवासी
C. मुसाफिर D. स्थानांतरित

16. जिसे कठिनाई से भेदा जा सके–
A. अभेद्य B. दुर्भेद्य
C. दुर्दम्य D. अगम्य

17. जो सबको समान भाव से देखे–
A. दूरदर्शी B. क्रांतदर्शी
C. सूक्ष्मदर्शी D. समदर्शी

18. परलोक से सम्बन्धित–
A. पारलौकिक B. अलौकिक
C. इहलौकिक D. लौकिक

19. पीछे-पीछे चलने वाला–
A. अनुगामी B. प्रतिगामी
C. पश्चगामी D. अग्रगामी

20. जिसके हृदय में ममता नहीं है–
A. निर्दय B. कठोर
C. क्रूर D. निर्मम

21 जो व्यर्थ की बातें करता हो–
A. बहुभाषी B. कुवक्ता
C. वाचाल D. वाक्पटु

22. जो देखने में प्रिय लगता हो–
A. समदर्शी B. प्रियदर्शी
C. प्रियपात्र D. दर्शनप्रिय

23. अहसान न मानने वाला–
A. कृतज्ञ B. कृतघ्न
C. विश्वासघाती D. परोपजीवी

24. जिसे कठिनाई से जीता जा सके–
A. विजित B. अज्ञेय
C. अजेय D. दुर्जेय

25. बचपन और जवानी के बीच की अवस्था–
A. नवयुवा B. नवोढ़ा
C. वयःसंधि D. वयस्कता

26. पशुओं के समान व्यवहार करने वाला–
A. पाशविक B. पशुसा
C. क्रूर D. दानव

27. वह अग्नि जो जंगल में लग जाती है–
A. वनाग्नि B. दावानल
C. अनल D. प्रचंडाग्नि

28. वह वस्तु जो नाशवान है–
A. नाशक B. नासन्य
C. नासांतिक D. नश्वर

29. परिश्रम के बदले प्राप्त धनराशि–
A. मुद्रा B. करेंसी
C. पारिश्रमिक D. सिक्का

30. अधिक पढ़ी-लिखी महिला–
A. विदूषक B. विज्ञानी
C. अफसर D. विदुषी

31. दोपहर का समय–
A. अपराह्न B. पूर्वाह्न
C. अधपहर D. मध्याह्न

32. जिसके समान कोई दूसरा न हो–
A. असामान्य B. अद्वितीय
C. असाधारण D. महान्

33. जो अधिक व्यय न करता हो–
A. धन्नासेठ B. खर्चीला
C. अव्यय D. मितव्ययी

34. जो पृथ्वी से सम्बन्धित हो–
A. पार्थिव B. पृथ्वी
C. अलौकिक D. जड़

35. जो काटा न जा सके–
A. दो टूक B. तर्कातीत
C. अकाट्य D. निश्चित

36. जिसके पास कुछ भी न हो–
A. अकिंचन B. किंचित्
C. आकुंचन D. अलभ्य

37. अनिश्चित जीविका–
A. आंशिक सेवा B. अस्थायी सेवा
C. अर्द्ध रोजगार D. आकाशवृत्ति

38. जिस पर हमला न किया गया हो–
A. आक्रान्ता B. आक्रामक
C. अयोध्या D. अनाक्रान्त

39. जो बहुत मंद गति से कार्य करता हो–
A. मंथर B. दीर्घसूत्री
C. सत्वर D. मंदाक्रान्ता

40. उचित-अनुचित का ज्ञान रखने वाला–
A. विवेकी B. ज्ञानी
C. चतुर D. दूरदर्शी

41. जो अपने कर्त्तव्य का निश्चय न कर सके–
A. द्वन्द्वग्रस्त B. भ्रमित
C. किंकर्त्तव्यविमूढ़ D. द्विविधाग्रस्त

42. अनेक युगों से चला आने वाला–
A. समीचीन B. प्राचीन
C. कालान्तर D. सनातन

43. ऐसा कवि जो तत्काल रचना करता हो–
A. कविराज B. आशुकवि
C. महाकवि D. कवीश

44. जिस स्त्री का पति जीवित होता है–
A. कामिनी B. सुभगा
C. सधवा D. मधवा

45. अनुचित व्यय करने वाला–
A. अतिव्ययी B. मितव्ययी
C. दुर्व्ययी D. अपव्ययी

46. मुकदमा चलाने वाला–
A. प्रतिवादी B. मुकदमेबाज
C. वादी D. इनमें से कोई नहीं

47. जिस पर अभियोग लगाया गया हो–
A. प्रतिवादी B. अभियोगी
C. अभियुक्त D. याची

48. मोक्ष प्राप्त करने की इच्छा रखने वाला–
A. मोक्षेसु B. ममुक्ष
C. मुमुक्ष D. मुमुक्षु

49. 'वह स्त्री जिसका पति परदेस से आने वाला हो' के लिए एक शब्द है–
A. आगतपतिका B. प्रव्रत्स्यतपतिका
C. प्रेषितपतिका D. आगमिस्यतपतिका

50. 'जिसमें धैर्य न हो' के लिए एक शब्द है–
A. अधर B. धरातल
C. अधीर D. धीरता

51. 'जो पहले कभी न हुआ हो' के लिए एक शब्द है–
A. अद्भुत B. अभूतपूर्व
C. अपूर्व D. अनुपम

52. 'जिसे किसी से लगाव न हो' के लिए उपयुक्त एक शब्द है–
A. नश्वर B. लिप्सु
C. निर्लिप्त D. अलगाववादी

53. 'जो कुछ जानने की इच्छा रखता हो' के लिए एक शब्द है–
A. जिज्ञासु B. जननी
C. जानकी D. नीतिज्ञ

54. 'जो बात लोगों से सुनी गई हो' के लिए एक शब्द है–
A. अश्रुति B. सर्वप्रिय
C. लोकोक्ति D. किंवदन्ती

55. 'सबके समानाधिकार पर विश्वास' के लिए एक शब्द है–
A. अधिकारी B. समाजवाद
C. प्रगतिवाद D. अधिकारवाद

56. 'जिस बीमारी का ठीक होना सम्भव न हो' के लिए एक शब्द है–
A. असाध्य B. विकट
C. भयानक D. घातक

57. जिस पर विजय प्राप्त कर ली गई हो–
A. आक्रान्त B. अजेय
C. विजित D. पराजित

58. सूर्य के उदय होने का स्थान–
A. उदयाचल B. सूर्योदय
C. प्रभात स्थान D. गंधमादन

59. जो कहा न जा सके–
A. अकथित B. अकथनीय
C. अकथ्य D. नामुमकिन

60. जिसे बहुत बातें करनी आती हों–
A. वाचाल B. गम्भीर
C. समालोचक D. मुनि

61. जो स्त्री के वशीभूत हो–
A. स्त्रीदास B. गुलाम
C. स्त्रैण D. प्रेमी

62. जो समान न हो–
A. बराबर B. जटिल
C. अविषम D. विषम

63. जिसे पढ़ना-लिखना आता हो–
A. अल्पज्ञानी B. शिक्षित
C. बुद्धिजीवी D. साक्षर

64. जो खाना मुफ्त में मिलता हो–
A. भण्डार B. लंगर
C. खुराक D. राशन

65. जो अपने कर्त्तव्य को न जानता हो–
A. अनजान B. अज्ञानी
C. किंकर्त्तव्यविमूढ़ D. कर्त्तव्यहीन

66. 'युद्ध में स्थिर रहने वाला' के लिए एक शब्द है–
A. योद्धा B. साहसी
C. युधिष्ठिर D. वीर

67. 'जो ईश्वर में विश्वास रखता है' के लिए एक शब्द है–
A. आस्थावान B. धार्मिक
C. आध्यात्मिक D. आस्तिक

68. आयु में बड़ा व्यक्ति–
A. कनिष्ठ B. पूजनीय
C. ज्येष्ठ D. वरिष्ठ

69. नया उदित होने वाला–
A. नवोदित B. नवजात
C. नवागन्तुक D. इनमें से कोई नहीं

70. बहुत-सी भाषाओं को जानने वाला–
A. तत्वचिन्तक B. बहुज्ञ
C. बहुभाषाविद् D. भाषा-वैज्ञानिक

71. जो किसी की ओर मुँह किए हो–
A. अभिमुख B. अनमुख
C. सुमुख D. इनमें से कोई नहीं

72. 'सात सौ वाली' के लिए निम्नलिखित में से कौन-सा शब्द उपयुक्त है?
A. सतखड़ा B. सतनजा
C. सतमासा D. सतसई

73. 'तेज चलने वाला' के लिए एक शब्द है–
A. गतिशील B. चुस्त
C. कर्मठ D. द्रुतगामी

74. 'बिना स्वार्थ के कार्य करने वाला' के लिए एक शब्द होगा–
A. सहायक B. निस्वार्थी
C. पुण्यात्मा D. हितैषी

75. 'किसी की सहायता करने वाला' के लिए एक शब्द है–
A. सहकार B. सहायक
C. सहृदय D. सहचर

मुहावरा एवं लोकोक्तियाँ

1. 'सब्जबाग दिखाना' मुहावरा का अर्थ है–
A. बाग में घूमने जाना B. साग-सब्जी पैदा करना
C. प्रलोभन देना D. भयभीत करना

2. 'खुदा गंजे को नाखून न दे' लोकोक्ति का अभिप्राय है–
A. छोटे आदमी का प्रेम अस्थिर होता है
B. लज्जित होकर दूसरे पर क्रोध न निकाले
C. एक दोष पहले से था, दूसरा और आ गया
D. अत्याचारी को शक्ति नहीं मिलनी चाहिए

3. 'कभी नाव गाड़ी पर कभी गाड़ी नाव पर' लोकोक्ति का सही आशय है–
A. संघर्ष होना B. जीवन में उतार-चढ़ाव का क्रम
C. भलाई करना D. एक-से स्वभाव वाले होना

4. 'एक हाथ से ताली नहीं बजती' लोकोक्ति का अभिप्राय है–
A. शत्रुता दोनों पक्षों की गलती से होती है
B. संघर्ष बराबरी वाले दो पक्षों में होना चाहिए
C. एक आदमी से काम नहीं चलता
D. सराहना हेतु दोनों हाथ से ताली बजाएँ

5. 'उड़ती चिड़ियों के पंख गिनना' मुहावरा का सही अर्थ होगा–
A. अनुभवी होना B. वाक्चतुर होना
C. प्रतिभाशाली होना D. असंभव कार्य करना

6. 'नक्कारखाने में तूती की आवाज' मुहावरा का अर्थ है–
A. तूती की आवाज सबसे ऊँची होती है
B. नक्कारखाने में तूती नहीं बोलती
C. नकारे लोगों की सर्वत्र तूती बोलती रहती है
D. समर्थ व्यक्ति के सामने असमर्थ व्यक्ति का प्रभाव नहीं पड़ता

7. 'आँख के अंधे नाम नयनसुख' का सही अर्थ है–
A. गुणों के विरुद्ध नाम का होना
B. बुद्धिहीन, किन्तु पर्याप्त धनवान
C. अंधा आदमी प्रायः गुणवान होता है
D. एक आँख के अंधे को भी सभी सुखद आ सकते हैं

8. 'चिकना घड़ा होना' मुहावरा का सही अर्थ है–
A. चिकना चुपड़ा होना B. समृद्ध होना
C. निर्लज्ज होना D. मधुरभाषी होना

9. 'बेटा समय रहते न पढ़े, तो भविष्य में बुरी तरह पछताओगे' – वाक्य में 'बुरी तरह पछताओगे' के स्थान पर यह मुहावरा आ सकता है–
A. अंगारों पर लोटोगे B. आठ-आठ आँसू रोओगे
C. अंचरा पसारोगे D. कुएँ में गिरोगे

10. ''मुहावरे का प्रयोग वाक्य के अन्तर्गत होता है और लोकोक्ति पूर्ण वाक्य में होती है।'' यह कथन–
A. सही है
B. गलत है
C. कथन का प्रथम अंश सही है
D. कथन का अंतिम अंश सही है

11. 'समय के अनुसार काम करना चाहिए' अर्थ की बोधक लोकोक्ति है–
A. झूठ के पैर नहीं होते
B. जाके पांव न फटी बिवाई, सो क्या जाने पीर पराई
C. उँगली पकड़ कर पहुँचा पकड़ना
D. का बरसा जब कृषि सुखाने

12. 'भारत के अतुलित धन वैभव पर अंग्रजों ने दाँत गड़ा दिए'–वाक्य में प्रयुक्त 'दाँत गड़ा दिए' का अर्थ है–
A. किसी वस्तु को गलत ढंग से पाने की गहरी चाह
B. दूसरे की वस्तु देखकर ललचा जाना
C. दूसरे की वस्तु चुराने की चेष्टा करना
D. धोखे से दूसरे की वस्तु लेना

13. 'चाँद पर थूकना' मुहावरे का आशय है–
A. असम्भव काम करना
B. निरर्थक काम करना
C. सौंदर्य का अनादर करना
D. सम्माननीय का अनादर करना

14. 'नियम विरुद्ध कार्य करना' अर्थ के अनुकूल सही मुहावरा है–
A. सूरज को दिया दिखाना
B. उल्टी गंगा बहाना
C. दाई से पेट छिपाना
D. नौ दो ग्यारह हो जाना

15. 'खाला जी का घर' मुहावरे का क्या अर्थ है?
A. आसान कार्य B. मौसी का घर
C. भाई-भतीजावाद D. रिश्तेदार को लाभ पहुँचाना

16. 'सिर चढ़ाना' मुहावरे का अर्थ है–
A. मनमानी करने की छूट देना
B. सिर पर बैठाना
C. सिरदर्द का बहाना करना
D. सिर पर उठा लेना

17. किस लोकोक्ति का अर्थ ''वैभव क्षणिक होता है'' होगा?
A. साँच को आँच नहीं
B. अधजल गगरी छलकत जाए
C. पाँचों उँगलियाँ बराबर नहीं होतीं
D. चार दिन की चाँदनी फिर अँधेरी रात

18. 'आँधी के आम होना' मुहावरे का अर्थ है–
A. मुफ्त उपलब्ध होना
B. संयोगवश बहुत सस्ता उपलब्ध होना
C. वैभवशाली बनना
D. अत्यन्त प्रिय होना

19. 'पाँच सात की लकड़ी, एक जने का बोझ' लोकोक्ति का अर्थ है–
A. बहुत कठिन कार्य होना
B. असम्भव बड़ी शर्त रखना
C. छोटे या कमजोर व्यक्ति की बात को कोई नहीं मानता
D. मिलकर काम करने से कठिन कार्य भी सरल हो जाता है

20. इनमें से कौन एक लोकोक्ति है?
A. अंगूठा दिखाना B. अंधा होना
C. ऊँट के मुँह में जीरा D. इधर-उधर की हाँकना

21. 'कलम तोड़ना' मुहावरे का क्या अर्थ है?
A. सही लिखना
B. अच्छा लिखना
C. ज्यादा लिखना
D. बेकार लिखकर प्रायश्चित करना

22. 'ढाँक के तीन पात' का अर्थ है–
A. अपने स्थान पर अडिग रहना
B. साफ इनकार कर देना
C. बेकार घूमना
D. कभी किसी विशेषता से सम्पन्न न होना

23. 'घड़ों पानी पड़ जाना' मुहावरे का अर्थ है–
A. चिन्ता में डूब जाना B. बर्बाद हो जाना
C. पसीने से भीग जाना D. लज्जा से दब जाना

24. किस लोकोक्ति का अर्थ 'बिना परिश्रम के सफलता नहीं मिलती' होगा?
A. नौ दिन चले अढ़ाई कोस
B. जिन खोजा तिन पाइयाँ गहरे पानी पैठ
C. बालू से तेल निकालना
D. डूबते को तिनके का सहारा

25. 'हाथ कंगन को आरसी क्या' कहावत का अर्थ है–
A. समझदार के लिए उपदेश व्यर्थ है
B. प्रत्यक्ष के लिए प्रमाण की क्या आवश्यकता है
C. मूल्यवान वस्तु के सामने तुच्छ वस्तु का कोई महत्व नहीं
D. हाथ में कंगन ही चाहिए आरसी नहीं

26. 'दाँतों तले अंगुली दबाना' का अर्थ होगा–
A. मुसीबत में पड़ना B. बहुत हैरान होना
C. आश्चर्य करना D. दीनता प्रकट करना

27. 'अनिश्चितता' के भाव को प्रकट करने के लिए उपयुक्त मुहावरे का चयन कीजिए–
A. बंद मुट्ठी में क्या है
B. पर्दे के पीछे कौन है
C. न जाने भाग्य में क्या है
D. न जाने ऊँट किस करवट बैठेगा

28. 'कुपात्र की सहायता करना व्यर्थ है' इस उक्ति को चरितार्थ करने वाली कहावत है–
A. अंधे को न्यौता, दो जने आये
B. कुत्ते को खिलाई खीर, पाप में न पुण्य में
C. गधे की खाई खेती, न पाप में न पुण्य में
D. बन्दर क्या जाने अदरक का स्वाद

29. मूर्ख व्यक्ति के सामने ज्ञान की बातें करने के लिए उपयुक्त मुहावरा क्या होगा?
A. रेत से तेल निकालना B. अंधे के आगे रोना
C. भैंस के आगे बीन बजाना D. आकाश से बातें करना

30. निम्नलिखित मुहावरे का अर्थ बताइए–
'सिर से पानी गुजर जाना'
A. अच्छी चीज का और अच्छा हो जाना
B. अपमान सहन कर लेना
C. सहनशीलता की सीमा टूट जाना
D. बाढ़ आ जाना

31. 'बहती गंगा में हाथ धोना' इस मुहावरे का क्या अर्थ है?
A. अधिकाधिक उन्नति होना
B. अवसर का फायदा उठाना
C. असम्भव काम को सम्भव करना
D. बहुत परिश्रम करना

32. निम्नलिखित वाक्यों में मुहावरे का सही प्रयोग क्या है?
A. धोनी अच्छे क्रिकेट का प्रदर्शन करके राँची वापस पहुँचा तो लोगों ने मैदान मार लिया
B. धोनी अच्छे क्रिकेट का प्रदर्शन करके राँची वापस पहुँचा, तो लोगों के हाथ के तोते उड़ गए
C. धोनी अच्छे क्रिकेट का प्रदर्शन करके राँची वापस पहुँचा, तो लोगों ने तिल का ताड़ बना लिया
D. धोनी अच्छे क्रिकेट का प्रदर्शन करके राँची वापस पहुँचा, तो लोगों ने उसे सिर आँखों पर बिठा लिया

33. निम्नलिखित के लिए उपयुक्त मुहावरा क्या है?
'मुसीबत देखकर घबरा जाना'
A. नाक पर धब्बा लगना B. नौ दो ग्यारह होना
C. दाँतों तले अंगुली दबाना D. नानी याद आना

34. 'काठ की हांडी बार-बार नहीं चढ़ती' लोकोक्ति का अर्थ है–
A. बुरे लोग लाख प्रयत्न के बाद भी अपनी बुराई नहीं छोड़ते
B. कठिन काम अकेले आदमी के वश की बात नहीं है
C. छल कपट का काम एक बार ही होता है
D. दुष्ट व्यक्ति बात से नहीं, बल्कि दण्ड से ही मानता है

35. 'रंगा सियार' मुहावरे का अर्थ क्या है?
A. डरपोक व्यक्ति B. धोखेबाज व्यक्ति
C. झूठ बोलने वाला व्यक्ति D. वीर व्यक्ति

36. 'बेपेंदी का लोटा' मुहावरे का अर्थ क्या है?
A. निर्धन व्यक्ति
B. स्थिर विचारों का न होने वाला व्यक्ति
C. मूर्ख व्यक्ति
D. दुष्ट व्यक्ति

37. 'घी के दिए जलाना' मुहावरा का सही अर्थ है–
A. दीपावली मनाना B. खुशी मनाना
C. रईसी प्रकट करना D. अपने को विशिष्ट समझना

38. 'सोने में सुगन्ध' मुहावरा का सही अर्थ है–
A. सुन्दर वस्तु में और गुण होना
B. सुगन्ध से युक्त आभूषण
C. सुन्दर आभूषण होना
D. सुगन्धित सोना

39. 'आँख का अंधा गाँठ का पूरा' लोकोक्ति का सही अर्थ है–
A. अंधा परन्तु विवेकशील होना
B. मूर्ख धनी
C. अंधे के पास धन होना
D. आँखों का रोग

40. 'गोद में लड़का, शहर भर में ढिंढोरा' मुहावरा का सही अर्थ है–
A. छोटे शिशु को तलाशना
B. अत्यधिक शरारती बालक
C. पास में वस्तु रहते हुए चारों ओर खोजना
D. छोटे बालक की प्रशंसा करना

41. 'पानी का बुलबुला' मुहावरे का क्या अर्थ हैं?
A. शीघ्र नष्ट हो जाने वाला
B. स्वच्छंद हो जाना
C. हार कर भागना
D. कष्ट उठाना

42. 'चाँदी का जूता मारना' मुहावरे का सही अर्थ है–
A. लुभाना B. आदर करना
C. शोभा बढ़ाना D. रुपए के बल पर दबाना

43. 'आगे नाथ न पीछे पगहा' लोकोक्ति का क्या अर्थ है?
A. पूर्ण स्वतन्त्र B. अपने मन की करना
C. बन्धन रहित होना D. इधर-उधर भागना

44. 'अन्धे पीसे कुत्ते खाएं' लोकोक्ति का सही अर्थ क्या है?
A. बेहिसाब काम करना
B. असावधानी से अयोग्य को लाभ
C. लाचारी का अनुचित लाभ
D. अपना माल लुटाना

45. 'अधजल गगरी छलकत जाए' का क्या अर्थ है?
A. गगरी में छेद होना B. बेकायदे काम करना
C. व्यर्थ की बातें करना D. कम ज्ञान का अधिक प्रदर्शन

46. 'जस दूल्हा तसि बनी बराता' लोकोक्ति का क्या अर्थ है?
A. अच्छा दूल्हा और अच्छे साथी
B. अच्छा दूल्हा और खराब बराती
C. सभी लोगों का अच्छा होना
D. जैसा व्यक्ति वैसे साथी

47. 'तीन लोक से मथुरा न्यारी' लोकोक्ति का अर्थ है–
A. बहुत सुन्दर होना
B. दूर की वस्तु सुन्दर लगना
C. जरूरत से ज्यादा बड़ाई करना
D. कृष्ण भक्त होना

48. 'थोथा चना बाजे घना' लोकोक्ति का क्या अर्थ है?
A. बहुत अधिक बोलना
B. ओछे व्यक्ति अधिक दिखावा करते हैं
C. बढ़ा-चढ़ाकर बात करना
D. बहुत शोर करना

49. 'खग जाने खग ही की भाषा' का क्या अर्थ है?
A. पक्षियों की भाषा जानना
B. समान प्रवृत्ति वाले ही एक-दूसरे को समझते हैं
C. पक्षी अपनी भाषा स्वयं समझते हैं
D. पक्षियों की तरह बोलना

50. 'अदृश्य शत्रु' अर्थ के अनुरूप उपयुक्त मुहावरा है–
A. मीठी छुरी B. मुँह में राम बगल में छूरी
C. पेट में दाढ़ी D. आस्तीन का साँप

51. 'पापड़ बेलना' मुहावरे का क्या अर्थ है?
A. पापड़ बनाना B. मुसीबत उठाना
C. खाना बनाना D. पतली रोटी बेलना

52. 'पानी-पानी होना' मुहावरे का क्या अर्थ है?
A. घबड़ा जाना B. बहुत भीग जाना
C. बहुत लज्जित होना D. बाढ़ आ जाना

53. 'गूलर का फूल होना' मुहावरे का क्या अर्थ है?
A. सुगंधित होना B. फूल की तरह खिलना
C. दुर्लभ होना D. अति प्रसन्न होना

54. 'कान का कच्चा होना' मुहावरे का क्या अर्थ है?
A. कम सुनना B. सुनी बात पर विश्वास करना
C. दूसरे की बात न मानना D. कान का कमजोर होना

55. 'उन्नीस-बीस होना' मुहावरे का क्या अर्थ है?
A. बहुत कम अन्तर होना B. बहुत अन्तर होना
C. हिसाब जोड़ना D. भाग जाना

56. 'खून का घूँट पीना' मुहावरे का क्या अर्थ है?
A. गुस्सा करना B. खून की उल्टी करना
C. क्रोध दबाना D. दाँत से होठ कट जाना

57. 'पौ बारह होना' मुहावरे का सही अर्थ है–
A. सब तरह की सुख-सुविधाओं का होना
B. उपद्रव करना
C. पलायन कर जाना
D. प्रयासरत होना

58. 'कागजी घोड़े दौड़ाना' मुहावरे का सही अर्थ है–
A. प्रयास करना B. लिखा-पढ़ी करना
C. कागज़ काला करना D. व्यर्थ का काम करना

59. 'कान भरना' मुहावरे का अर्थ है–
A. धोखा देना B. चाणक होना
C. चुगली करना D. असर न होना

60. 'सिर उठाना' मुहावरे का सही अर्थ है–
A. रंग उतर जाना B. भेद प्रकट करना
C. बहुत पछताना D. विद्रोह करना

61. 'आडम्बर बहुत, किन्तु वास्तविकता कुछ नहीं' के लिए सही लोकोक्ति है–
A. आँख का अंधा नाम नयनसुख
B. ऊँची दुकान, फीका पकवान
C. ऊँट के मुँह में जीरा
D. खोदा पहाड़, निकली चुहिया

62. 'चैन की वंशी बजाना' का अर्थ है–
A. साइकिल की चैन की बांसुरी बनाकर बजाना
B. मौज करना
C. फुर्सत में वंशी बजाना
D. बेरोजगार होना

63. 'आँख की किरकिरी होना' का अर्थ है–
A. अप्रिय लगना B. धोखा देना
C. कष्टदायक होना D. बहुत प्रिय होना

64. 'कीचड़ उछालना' मुहावरा का सही अर्थ है–
A. मल फेंकना B. दूसरे के कपड़े गन्दे करना
C. बदनाम करना D. दलदल में फँसना

65. 'अवांछित संवाद' अर्थ के लिए उपयुक्त मुहावरा है–
A. सिर खपाना B. सिर खाना
C. सिर नीचा होना D. सिर पड़ना

उत्तरमाला

संधि

1	2	3	4	5	6	7	8	9	10
A	A	B	C	D	A	D	B	C	B
11	12	13	14	15	16	17	18	19	20
A	C	A	C	A	A	C	C	A	D
21	22	23	24	25	26	27	28	29	30
A	C	C	A	A	B	D	D	A	B
31	32	33	34	35	36	37	38	39	40
D	C	C	A	A	B	C	C	C	D
41	42	43	44	45	46	47	48	49	50
A	A	B	B	A	B	D	B	A	C
51	52	53	54	55	56	57	58	59	60
C	A	A	A	B	C	A	C	C	C
61	62	63	64	65	66	67	68	69	70
C	A	A	A	A	C	B	A	B	B
71	72	73	74	75					
B	A	A	B	D					

समास

1	2	3	4	5	6	7	8	9	10
C	B	C	A	C	B	A	A	B	A
11	12	13	14	15	16	17	18	19	20
D	A	B	D	B	C	C	D	A	B
21	22	23	24	25	26	27	28	29	30
A	A	C	A	A	C	A	A	A	A
31	32	33	34	35	36	37	38	39	40
B	A	C	C	A	D	B	B	C	A
41	42	43	44	45	46	47	48	49	50
A	A	A	C	A	A	A	D	B	D
51	52	53	54	55	56	57	58	59	60
C	A	A	C	C	A	C	C	B	B
61	62	63	64	65	66	67	68	69	70
B	C	A	C	B	D	A	B	C	A

वर्तनी

1	2	3	4	5	6	7	8	9	10
B	A	D	B	A	A	B	A	D	C
11	12	13	14	15	16	17	18	19	20
D	D	B	B	D	C	C	A	B	B
21	22	23	24	25	26	27	28	29	30
C	A	D	B	D	B	B	B	C	D
31	32	33	34	35	36	37	38	39	40
C	A	C	A	D	C	B	C	A	C
41	42	43	44	45	46	47	48	49	50
C	D	C	C	A	D	C	A	D	B
51	52	53	54	55	56	57	58	59	60
A	C	D	C	C	B	B	A	D	C

61	62	63	64	65	66	67	68	69	70
B	B	B	B	A	C	A	A	D	B
71	72	73	74	75	76	77	78	79	80
B	B	A	C	B	B	A	B	D	A
81	82	83	84	85	86	87	88	89	90
B	C	A	A	D	D	E	B	A	C
91	92	93	94	95	96	97	98	99	100
A	B	D	C	C	A	A	C	A	B
101	102	103	104	105	106	107	108	109	110
E	D	C	B	A	B	A	C	D	E
111	112	113	114	115					
D	E	C	A	C					

पर्यायवाची

1	2	3	4	5	6	7	8	9	10
D	C	D	D	A	D	C	B	D	D
11	12	13	14	15	16	17	18	19	20
A	D	A	A	C	A	D	C	A	B
21	22	23	24	25	26	27	28	29	30
A	C	B	B	A	A	A	D	B	D
31	32	33	34	35	36	37	38	39	40
B	D	C	C	C	A	D	A	D	D
41	42	43	44	45	46	47	48	49	50
C	C	D	C	A	A	C	D	C	A
51	52	53	54	55	56	57	58	59	60
D	C	A	D	A	D	A	D	C	D
61	62	63	64	65	66				
D	D	B	C	B	A				

विलोमार्थी शब्द

1	2	3	4	5	6	7	8	9	10
C	B	A	B	D	A	D	A	A	A
11	12	13	14	15	16	17	18	19	20
C	D	B	A	C	D	C	A	B	C
21	22	23	24	25	26	27	28	29	30
D	B	B	B	D	C	C	C	A	C
31	32	33	34	35	36	37	38	39	40
D	A	C	B	A	D	B	A	B	A
41	42	43	44	45	46	47	48	49	50
C	A	A	C	B	D	B	A	D	C
51	52	53	54	55	56	57	58	59	60
B	C	A	B	D	A	C	C	C	A
61	62	63	64	65	66	67	68	69	70
D	D	A	A	C	B	D	C	B	B
71	72	73	74	75					
A	B	A	D	A					

वाक्यों की शुद्धता

1	2	3	4	5	6	7	8	9	10
A	A	B	C	C	B	D	A	B	A

11	12	13	14	15	16	17	18	19	20
A	B	C	B	C	D	C	C	B	A
21	22	23	24	25	26	27	28	29	30
B	A	C	C	D	A	A	A	C	C
31	32	33	34	35	36	37	38	39	40
D	D	B	B	C	B	C	D	A	C
41	42	43	44	45	46	47	48	49	50
A	E	A	D	A	D	C	B	A	D
51	52	53	54	55	56	57	58	59	60
C	B	C	A	B	D	A	C	C	D
61	62	63	64	65	66	67	68	69	70
C	A	C	C	B	D	D	D	C	B
71	72	73	74	75	76	77	78	79	80
C	C	C	B	A	A	B	D	C	A

वाक्यांश के लिए एक शब्द

1	2	3	4	5	6	7	8	9	10
D	C	D	A	B	B	D	D	C	A
11	12	13	14	15	16	17	18	19	20
D	D	D	C	D	B	D	A	A	D
21	22	23	24	25	26	27	28	29	30
C	B	B	D	C	A	B	D	C	D
31	32	33	34	35	36	37	38	39	40
D	B	D	A	C	A	D	D	A	A
41	42	43	44	45	46	47	48	49	50
C	D	B	C	D	C	C	D	D	C
51	52	53	54	55	56	57	58	59	60
B	C	A	D	B	A	C	A	B	A
61	62	63	64	65	66	67	68	69	70
C	D	D	B	C	C	D	C	A	C
71	72	73	74	75					
A	D	D	B	B					

मुहावरा एवं लोकोक्तियाँ

1	2	3	4	5	6	7	8	9	10
C	D	B	A	A	D	A	C	B	A
11	12	13	14	15	16	17	18	19	20
D	A	D	B	A	A	D	B	D	C
21	22	23	24	25	26	27	28	29	30
B	D	D	B	B	C	D	B	C	C
31	32	33	34	35	36	37	38	39	40
B	D	D	C	B	B	B	A	B	C
41	42	43	44	45	46	47	48	49	50
A	D	C	C	D	D	C	B	B	D
51	52	53	54	55	56	57	58	59	60
B	C	C	B	A	C	A	D	C	D
61	62	63	64	65					
B	B	A	C	B					

●●●

अवतरण (गद्यांश/पद्यांश) पर आधारित प्रश्न

नीचे कुछ विशिष्ट विद्वानों, लेखकों एवं विचारकों की लिखी सुप्रसिद्ध पुस्तकों अथवा परिज्ञान गद्यांश अथवा उनके निबंधों के अवतरण इस उद्देश्य से दिए गए हैं ताकि विद्यार्थी/प्रतियोगी स्वयं श्रेष्ठ लेखकों की रचनाओं को पढ़ने की प्रेरणा प्राप्त कर सकें और जब कभी उनसे ऐसे लेखकों की कृतियों अथवा उनकी विधा के बारे में पूछा जाए तो वे सरलता से उनका उत्तर दे सकें। प्रायः अवतरण पर कई प्रकार के प्रश्न पूछे जाते हैं; जैसे–

(i) अवतरण का आशय अपने शब्दों में लिखिए, *(ii)* अवतरण का अर्थ स्पष्ट कीजिए, *(iii)* अवतरण का उपयुक्त शीर्षक बताइए तथा *(iv)* अवतरण में विशिष्ट शब्दों के अर्थ लिखिए। यदा-कदा अवतरण के लेखक अथवा उस पुस्तक के बारे में भी पूछा जाता है जिससे अवतरण लिया गया होता है।

अवतरण प्रायः गद्य में होते हैं। यदि प्रतियोगी को किसी अवतरण के बारे में सम्यक् ज्ञान नहीं है तो उसे अवतरण के बारे में अनुमान मात्र से लिखने की चेष्टा नहीं करनी चाहिए। बुझौवल अथवा अटकलों से सफलता मिलने की संभावना बहुत कम होती है।

यहाँ जो अवतरण दिए गए हैं वे प्रतियोगी के लिए अपेक्षित बौद्धिक स्तर को ध्यान में रखकर संग्रहित किए गए हैं। ये अवतरण न बहुत क्लिष्ट हैं और न ऐसी अज्ञात पुस्तकों से लिए गए हैं जिनका प्रकाशन अर्द्धशती पूर्व हुआ था। अवतरणों के चयन में चेष्टा यह रही है कि ये ऐसी पुस्तकों से लिए जाएँ जिनको किसी-न-किसी विश्वविद्यालय में पाठ्यक्रम में स्वीकृत किया गया है अथवा जो विषय सहज बोधगम्यता के कारण लोकप्रिय हो चुके हैं।

इस संकलन में साहित्य शिक्षा, मनोविज्ञान, विज्ञान इंजीनियरी, राजनीतिशास्त्र, अर्थशास्त्र जैसे अनेक विषयों से संबंधित अवतरणों को संग्रहित करने का प्रयास किया गया है ताकि प्रतियोगी की बहुआयामी प्रतिभा का सरलता से मूल्यांकन किया जा सके। आशा है कि इन अवतरणों तथा इनसे सम्बन्धित प्रश्नों से विद्यार्थी और प्रतियोगी दोनों लाभान्वित होंगे। परीक्षा में सफलता के साथ-साथ इनका सम्यक् अध्ययन पाठकों का ज्ञानवर्धन भी कर सकेगा, ऐसा दृढ़ विश्वास है।

अभ्यास-1

''अलग-अलग घरों से निकलकर आने वाले बालकों ने बस में एक जीवंत वातावरण बना डाला। ढेर सारे किस्से, तरह-तरह के अनुभव, मार्ग के खेतों, पेड़ों और पक्षियों का अवलोकन, रेत के टीलों का सौंदर्य, मुँह से निकले गीतों के स्वर, और मस्ती से सबका मिल-जुलकर एक साथ गाना - सचमुच पता ही नहीं लगा कि कब भालेरी आ गया। बस-अड्डे पर रुकते ही सामने कुआँ था, जिस पर हवा से चलने वाला पम्प लगा था, काफी ऊँचा। पनचक्की की किस्म का वह संयंत्र बालकों के लिए एक आकर्षण था। हो-हो करते चट से भागते हुए वे लोग कुएँ पर जा पहुँचे। वहाँ के मिस्त्री ने उन्हें सारी प्रक्रिया समझाई कि किस तरह हवा में घूमती चक्की से अपने आप धीरे-धीरे कुएँ से पानी निकलता रहता है और सीमेंट की बनी उन कुंडियों में पहुँचता रहता है, जिन पर शीशे के मोटे-मोटे काँच लगे हैं और तेज धूप की वजह से जिनके भीतर का पानी गरम होता रहता है और भाप उठकर शीशों से टकराती हुई अलग नालियों से होती हुई मीठे पानी के रूप में बाहर एक हौज में जमा होती रहती है।

बात बहुत छोटी थी, पर देखने के साथ ही छात्रों को विज्ञान के एक सिद्धांत का साधारणीकरण हो गया। बच्चों ने वहाँ के मिस्त्री जी से खोद-खोदकर अनेकानेक प्रश्न पूछे, अनेक जानकारियाँ बटोरीं। उन्होंने कुएँ का खारा पानी पीया, हौज में गिरने वाले मीठे पानी को चखा। एक ने पूछा कि कितने घंटों में कितने गैलन पानी कुंडियों में जमा होता है और उसमें से कितनी मात्रा में मीठा पानी प्राप्त होता है? दूसरे ने पूछा कि खारे पानी से दाँत पीले होते हैं और मीठे पानी से? तीसरे की जिज्ञासा थी कि तब तो आप यहाँ सब्जियों की फसल भी ले सकते हैं।

1. 'वे लोग कुएँ तक पहुँच गए' वाक्य में 'वे' सर्वनाम किनके लिए प्रयुक्त हुआ है ?

A. सभी के लिए   B. मिस्त्रियों के लिए
C. बच्चों के लिए   D. अध्यापकों के लिए।

2. ''जिन पर शीशे के मोटे-मोटे काँच लगे हैं'' वाक्य में 'जिन' सर्वनाम किनके लिए प्रयुक्त हुआ है?

A. नालियों के लिए
B. हौज के लिए
C. संयंत्र की पत्तियों के लिए
D. सीमेंट की कुंडियों के लिए।

3. कुएँ का पानी भाप किसके द्वारा बन रहा था ?

A. बिजली द्वारा   B. पनचक्की द्वारा
C. धूप द्वारा   D. हवा द्वारा

4. मीठा पानी कहाँ जमा हो रहा था ?

A. हौज में   B. नालियों में
C. कुएँ में   D. कुंडियों में।

5. 'तेजी से' के अर्थ में कौन-सा शब्द सूचक है ?

A. भागते हुए   B. चट से
C. निकल कर आए   D. ढेर सारे।

6. बच्चे का स्वाभाविक गुण क्या है ?

A. गप्पे मारना   B. इधर-उधर की हांकना
C. किस्से बनाना   D. अनुभव बांटना

7. 'कब भालेरी आ गया' वाक्य किसका सूचक है ?

A. प्रश्न पूछने के भाव का   B. भालेरी पहुँचने का
C. भालेरी उतरने का   D. समय पता न चलने का।

8. बच्चों के आकर्षण का केन्द्र क्या है ?
   A. पक्षियों का अवलोकन
   B. अनुभवों को बाँटना
   C. गीत गाना
   D. कुएँ पर लगा पम्प

9. कुएँ के पानी के मीठा होने का क्या कारण है ?
   A. यंत्र द्वारा पानी को छानना
   B. पानी का भाप बनना
   C. नमक का सोखा जाना
   D. चक्की द्वारा पानी को चलाना।

10. बच्चों द्वारा पूछे गये प्रश्न उनके किस स्वभाव का प्रतीक है?
   A. प्रश्न पूछने की आदत का
   B. जानकारी इकट्ठी करने का
   C. जिज्ञासा का
   D. प्रयोजनात्मक कार्य को पूरा करने का।

अभ्यास-2

मनुष्य बुद्धि तथा हृदय दोनों ही रखता है। वह अपनी बुद्धि की सहायता से विचार-तर्क तथा उपयोगी ज्ञान की सृष्टि तथा प्रसार करता है और हृदय की सहायता से अनुभवों तथा भावनाओं को संजोता और संभालता है। अतः बुद्धि का सम्बन्ध मुख्यतः विचार-तर्क तथा उपयोगी ज्ञान से है और हृदय का अनुभवों और भावनाओं से। मानव-जीवन में बुद्धि तथा हृदय दोनों विशेष महत्त्व रखते हैं, किन्तु इन दोनों का कार्य करने का क्षेत्र अलग-अलग है। किसी कार्य को अच्छी तरह से सफलतापूर्वक करने, अपनी कार्य कुशलता को व्यक्त करने तथा भूगोल, इतिहास, राजनीतिशास्त्र, अर्थशास्त्र, विज्ञान आदि उपयोगी कलाओं का ज्ञान प्राप्त करने के लिए बुद्धि की प्रधानता रहती है। सर्वथा परोपकार भावना के लिए किए जाने वाले कार्यों को करने, सुन्दर तथा आकर्षक प्राकृतिक दृश्यों को देखकर आनन्द और उल्लास का अनुभव करने और दीन तथा दुखियों को दुखावस्था में देखकर दुखी तथा द्रवीभूत होने में हृदय अपनी भूमिका निभाता है। इस प्रकार जहां ज्ञान का सम्बन्ध है, वहां बुद्धि की प्रधानता होती है और जहां अनुभूतियों और भावनाओं का सम्बन्ध है, वहां हृदय पक्ष की प्रधानता होती है। इस प्रकार दोनों के कार्य करने के विषय तथा क्षेत्र भिन्न-भिन्न हो जाते हैं।

1. मनुष्य अपनी बुद्धि की सहायता से–
   A. उपयोगी ज्ञान की सृष्टि तथा प्रसार करता है।
   B. उपयोगी तर्क-वितर्क करता है।
   C. उपयोगी बातों पर विचार करता है।
   D. उपयोगी बातों पर निर्भर करता है।

2. मानव हृदय की सहायता से–
   A. अपने विचारों को संभालता है।
   B. अपने अनुभवों तथा भावनाओं को संजोता है।
   C. अपने भावों को दबाने का प्रयत्न करता है।
   D. स्वयं अपने में ही निहित रहता है।

3. मनुष्य के जीवन में बुद्धि तथा हृदय–
   A. दोनों एक-दूसरे के पूरक हैं
   B. दोनों का अन्योन्याश्रित सम्बन्ध है
   C. दोनों साथ-साथ कार्य करते हैं
   D. दोनों का विशेष महत्त्वपूर्ण स्थान है

4. बुद्धि और हृदय का कार्यक्षेत्र–
   A. एक-दूसरे के पास-पास होता है।
   B. एक-दूसरे से मिलता-जुलता है।
   C. एक-दूसरे से अलग-अलग होता है।
   D. एक दूसरे पर आधारित होता है

5. भूगोल, इतिहास तथा अर्थशास्त्र के ज्ञान को अर्जित करने में–
   A. हृदय सहायता करता है
   B. बुद्धि मदद करती है
   C. बुद्धि तथा हृदय दोनों सहयोग करते हैं
   D. दोनों को सतर्क रहना पड़ता है

6. किसी कार्य को सफलतापूर्वक करने के लिए–
   A. बुद्धि की कम आवश्यकता रहती है
   B. सतत् मेहनत की जरूरत होती है
   C. बुद्धि का प्रधान्य रहता है
   D. चालाकी से कार्य करना पड़ता है

7. सुन्दर तथा आकर्षक प्राकृतिक दृश्य देखकर–
   A. हृदय खिल उठता है
   B. बुद्धि प्रसन्न हो जाती है
   C. हृदय पश्चाताप करने लगता है
   D. बुद्धि विचारशील बनती है

8. गरीब तथा दीन-दुखियों को देखकर–
   A. हृदय पशोपेश में पड़ जाता है
   B. हृदय दुखी तथा द्रवीभूत हो जाता है
   C. बुद्धि तथा हृदय गतिशील हो जाते हैं
   D. दोनों दुखी हो उठते हैं

9. ज्ञानार्जन में प्रायः–
   A. बुद्धि को सचेत रहना पड़ता है
   B. बुद्धि तथा हृदय दोनों सचेत रहते हैं
   C. बुद्धि की प्रधानता रहती है
   D. हृदय तल्लीन रहता है

10. उपर्युक्त अनुच्छेद का सर्वाधिक उपयुक्त शीर्षक होगा–
   A. बुद्धि और हृदय B. ज्ञान की उपयोगिता
   C. परोपकारी भावना D. ज्ञान का सम्बन्ध

अभ्यास-3

राष्ट्रीय भावना के अभ्युदय एवं विकास के लिए भाषा भी एक प्रमुख तत्त्व है। मानव समुदाय अपनी संवेदनाओं, भावनाओं एवं विचारों की अभिव्यक्ति हेतु भाषा का साधन अपरिहार्यतः अपनाता है। इसके अतिरिक्त उसके

पास कोई अन्य विकल्प नहीं है। दिव्य-ईश्वरीय आनन्दानुभूति के सम्बन्ध में भले ही कबीर ने 'गूंगे केरी शर्करा' उक्ति का प्रयोग किया था, पर इससे उनका लक्ष्य शब्द-रूपा भाषा के महत्त्व को नकारना नहीं था। प्रत्युत उन्होंने भाषा को 'बहता नीर' कहकर भाषा की गरिमा प्रतिपादित की थी। विद्वानों की मान्यता है कि भाषा तत्त्व राष्ट्रहित के लिए अत्यावश्यक है। जिस प्रकार किसी एक राष्ट्र के भूभाग की भौगोलिक विविधताएं तथा उसके पर्वत, सागर, सरिताओं आदि की बाधाएं उस राष्ट्र के निवासियों के परस्पर मिलने-जुलने में अवरोध सिद्ध हो सकती हैं, उसी प्रकार भाषागत विभिन्नता से भी उनके पारस्परिक सम्बन्धों में निर्बाधता नहीं रह पाती। आधुनिक विज्ञानयुग में यातायात एवं संचार के साधनों की प्रगति से भौगोलिक बाधाएँ अब पहले की तरह बाधित नहीं करतीं। इसी प्रकार यदि राष्ट्र की एक सम्पर्क भाषा का विकास हो जाए तो पारस्परिक सम्बन्धों के गतिरोध बहुत सीमा तक समाप्त हो सकते हैं।

मानव-समुदाय को एक जीवित-जाग्रत एवं जीवन्त शरीर की संज्ञा दी जा सकती है और उसका अपना एक निश्चित व्यक्तित्व होता है। भाषा अभिव्यक्ति के माध्यम से इस व्यक्तित्व को साकार करती है, उसके अमूर्त मानसिक वैचारिक स्वरूप को मूर्त एवं बिम्बात्मक रूप प्रदान करती है। मनुष्यों के विविध समुदाय हैं, उनकी विविध भावनाएं हैं, विचारधाराएँ हैं, संकल्प एवं आदर्श हैं, उन्हें भाषा ही अभिव्यक्त करने में सक्षम होती है। साहित्य, शास्त्र, गीत-संगीत आदि में मानव-समुदाय अपने आदर्शों, संकल्पनाओं, अवधारणाओं एवं विशिष्टताओं को वाणी देता है, पर क्या भाषा के अभाव में काव्य, साहित्य संगीत आदि का अस्तित्व सम्भव है? वस्तुतः ज्ञानराशि एवं भावराशि का अपार संचित कोश जिसे साहित्य का अभिधान दिया जाता है, शब्द-रूप ही तो है। अतः इस सम्बन्ध में वैमत्य की किंचित् गुंजाइश नहीं है कि भाषा ही एक ऐसा साधन है जिससे मनुष्य एक-दूसरे के निकट आ सकते हैं, उनमें परस्पर घनिष्ठता स्थापित हो सकती है। यही कारण है कि एक भाषा बोलने एवं समझने वाले लोग परस्पर एकानुभूति रखते हैं, उनके विचारों में ऐक्य रहता है। अतः राष्ट्रीय भावना के विकास के लिए भाषा तत्त्व परम आवश्यक है।

1. राष्ट्रीय भावना के विकास के लिए भाषा-तत्त्व आवश्यक है, क्योंकि–
A. वह मानव-समुदाय की विचाराभिव्यक्ति का साधन है
B. वह शब्द रूपा है और उसमें साहित्य सर्जना सम्भव है
C. वह ज्ञानराशि का अपार भण्डार है
D. वह मानव-समुदाय में एकानुभूति और विचार-ऐक्य का साधन है

2. 'गूंगे केरी शर्करा' से कबीर का अभिप्रेत है कि ब्रह्मानन्द की अनुभूति–
A. अत्यन्त मधुर होती है
B. अभिव्यक्ति के लिए कसमसाती है
C. अनिर्वचनीय होती है
D. मौनव्रत से प्राप्त होती है

3. साहित्य की परिभाषा के लिए उपयुक्त पदबन्ध है–
A. आनन्दानुभूति की अभिव्यक्ति
B. ज्ञानराशि एवं भावराशि का संचित कोश
C. मानवीय संवेदनाओं का पुंजीभूत रूप
D. मानवीय मानसिकता का बिम्बात्मक रूप

4. भाषागत वैविध्य के बावजूद राष्ट्रीय भावना का विकास सम्भव है यदि–
A. संचार-साधनों का पर्याप्त विकास किया जाए
B. यातायात के साधनों का पर्याप्त विकास किया जाए
C. मातृभाषाओं को विकसित किया जाए
D. एक सम्पर्क भाषा विकसित की जाए

5. भाव एवं विचार-विनिमय का सक्षम साधन है–
A. ललित कलाएं B. प्रतीक एवं संकेत
C. शब्दरूपा भाषा D. काव्य एवं साहित्य

6. 'भाषा बहता नीर' से आशय है–
A. तत्समनिष्ठ भाषा B. सधुक्कड़ी भाषा
C. सरल-प्रवाहमयी भाषा D. लालित्यपूर्ण भाषा

7. भाषा तत्त्व के अभाव में अस्तित्व सम्भव नहीं है–
A. मानव व्यक्तित्व का B. मानव रचित साहित्य का
C. मानवीय आदर्शों का D. मानवीय संवेदनाओं का

8. इस सम्बन्ध में मतैक्य है कि–
A. भाषा का केवल सरल रूप ही ग्राह्य है।
B. भाषा-वैविध्य राष्ट्रीय भावना के विकास में साधक है।
C. भाषा मनुष्य को मनुष्य के समीप लाती है।
D. भाषा दिव्यानुभूति को अभिव्यक्त करती है।

9. मानव के पास अपने भावों, विचारों आदर्शों आदि को सुरक्षित रखने के सशक्त माध्यम हैं–
A. साहित्य और कला B. भाषा और शैली
C. साहित्यशास्त्र एवं संगीत D. व्यक्तित्व एवं चरित्र

10. उपर्युक्त अनुच्छेद का सर्वाधिक उपयुक्त शीर्षक है–
A. साहित्य और भाषा-तत्त्व
B. राष्ट्रीयता और भाषा-तत्त्व
C. भाषा बहता नीर
D. व्यक्तित्व-विकास और भाषा

अभ्यास-4

यह सर्वविदित है कि मानवता का सबसे घोर शत्रु विज्ञान नहीं वरन् युद्ध है, विज्ञान विद्यमान सामाजिक शक्तियों को प्रतिबिम्बित करता है, स्पष्टतया विज्ञान शान्ति के दौर में रचनात्मक होता है और युद्धकाल में यही विनाश-रूपी भूमिका में परिवर्तित हो जाता है। प्रायः विज्ञान द्वारा प्रदत्त अस्त्र युद्ध के लिए जिम्मेदार नहीं हैं, हालांकि वे युद्ध को अत्यधिक भयावह जरूर बना सकते हैं। अभी तक ये अस्त्र हमें विनाश के कगार तक ले आए हैं। अतः हमारी मुख्य समस्या विज्ञान को प्रतिबन्धित करना न होकर युद्ध रोकना है–बल प्रयोग के स्थान पर तथा विधि एवं राष्ट्रों के पारस्परिक सम्बन्धों में अराजकता के स्थान पर अन्तर्राष्ट्रीय सरकार की स्थापना करना है। ऐसे प्रयास में सभी लोगों की भागीदारी आवश्यक है जिनमें वैज्ञानिक भी शामिल हैं परन्तु हिरोशिमा पर बमबारी ने हमें यह चेतावनी दे दी है कि वास्तव में हमें तत्काल प्रभावी कदम उठाने पड़ेंगे। इसके लिए काफी विलम्ब हो चुका है, क्योंकि इस दिशा में अभी तक कार्य

प्रारम्भ नहीं हो सका है। अब हमारे समक्ष यह प्रश्न मुँह खोले खड़ा है–"क्या शिक्षा एवं सहिष्णुता, सौहार्द एवं रचनात्मक सोच हमारी विनाशकारी क्षमताओं के साथ जारी प्रतिस्पर्द्धा में कभी जीत सकती है?" यह एक ऐसा प्रश्न है जिसका उत्तर किसी भी कीमत पर हमें इस पीढ़ी में अवश्य ही ढूँढ़ना होगा। विज्ञान को हम सभी को समाधान ढूँढ़ने में सहायता करनी होगी परन्तु प्रमुख निर्णय की क्षमता हम सभी को स्वयं विकसित करनी है।

1. लेखक के मतानुसार मानवता का वास्तविक शत्रु विज्ञान नहीं बल्कि युद्ध है, क्योंकि–
A. विज्ञान मात्र अस्त्रों का आविष्कार करता है जिससे युद्ध लड़े जाते हैं
B. विज्ञान युद्धकाल में विनाशकारी हो जाता है
C. विज्ञान द्वारा आविष्कृत अस्त्र ही युद्ध के असली कारण हैं
D. विज्ञान द्वारा आविष्कृत अस्त्र मात्र युद्ध के कारण नहीं हैं, यद्यपि इनके द्वारा घोर विनाश निश्चित है

2. युद्ध रोका जा सकता है यदि–
A. विज्ञान को समूल विनाश की अनुमति न दी जाय तो
B. विधि एवं अन्तर्राष्ट्रीय शासन पद्धति द्वारा हम बल प्रयोग एवं अराजकता के ऊपर नियंत्रण पा सकें
C. विज्ञान की सुविधाओं का प्रयोग मात्र युद्धकाल में ही हो
D. विज्ञान द्वारा आविष्कृत अस्त्र युद्ध घोषित करने के लिए प्रयुक्त न हों

3. लेखक के अनुसार हमारी समस्या है–
A. विज्ञान को सामाजिक शक्तियों का प्रतिबिम्ब बनाने से रोकना
B. वैज्ञानिक गतिविधियों को सर्वत्र प्रतिबन्धित करना
C. युद्ध समाप्ति सुनिश्चित करना
D. वैज्ञानिकों को विनाशकारी गतिविधियों से रोकना

4. विनाशकारी प्रवृत्तियों को नियंत्रित करने हेतु–
A. सामाजिक शक्तियों को प्रोत्साहित करना
B. शिक्षा और व्यापक दृष्टि
C. अन्तर्दृष्टि एवं रचनात्मक-चिन्तन
D. उपर्युक्त (B) एवं (C) को जोड़कर

5. 'विनाश की दहलीज पर खड़ा करना' का तात्पर्य है–
A. मृत्यु और विनाश के समीप ले जाना
B. नए भविष्य की दहलीज पर ले जाना
C. विध्वंसकारी गतिविधि में प्रवृत्त होना
D. रहस्यमय भाग को इंगित करना

6. निम्नलिखित में से कौन गद्यांश में सन्निहित नहीं है?
A. लोग अकारण युद्ध के लिए विज्ञान पर दोषारोपण करते हैं
B. विज्ञान का विध्वंसात्मक उद्देश्यों के लिए प्रयुक्त होना
C. विज्ञान और उसके द्वारा आविष्कृत अस्त्रों दोनों का ही युद्ध की विभीषिका की वृद्धि में कोई योगदान नहीं है
D. विश्व शान्ति की स्थापना हेतु विज्ञान की भूमिका का स्थान मनुष्य के बाद ही होता है

7. निम्नलिखित में से गद्यांश में प्रयुक्त कौनसा शब्द 'अराजकता' का विलोमार्थी है?
A. कानून और व्यवस्था　B. राजनीतिक दबंगपन
C. आर्थिक सम्पन्नता　D. साम्प्रदायिक सौहार्द

8. 'हमारा कार्य कदाचित ही प्रारम्भ हो पाया है' का अभिप्राय है–
A. अभी प्रारम्भ ही नहीं हो पाया है
B. अभी-अभी प्रारम्भ हुआ है
C. आधा रास्ता तय कर लिया है
D. अभी प्रारम्भ हुआ है, परन्तु अभी तक समाप्त नहीं हुआ

9. गद्यांश में वर्णित 'कदम से कदम मिलाना' का क्या अभिप्राय है?
A. दूरी बनाए रखना　B. बराबरी बनाए रखना
C. चुनौती देना　D. पलायन से रोकना

10. निम्नलिखित में से कौन सर्वाधिक उपयुक्त शीर्षक है?
A. विज्ञान और सामाजिक शक्तियाँ
B. विज्ञान एवं युद्ध की विभीषिकाएँ
C. विज्ञान एवं विश्वशांति
D. विज्ञान एवं नई पीढ़ी

अभ्यास-5

कर्त्तव्य एक नैतिक बंधन है। यह एक तरह से ऋणी होने के समान है जिस सामाजिक प्राणी के साथ हम रह रहे होते हैं। हमें अपने साथ रहने वालों के लिए इसकी अनुमति मिलनी चाहिए। हमारे जीवनवृत्ति का अधिकार संकेत देता है कि यह हमारा कर्त्तव्य है कि हम उन साथ रहने वाले प्राणियों को भी अपने समान ही ज़ीवन की परिस्थितियां उपलब्ध कराएं। वास्तव में अधिकार और कर्त्तव्य परस्पर संबद्ध है। किसी एक के संबंध में अधिकार दूसरे का कर्त्तव्य हो सकता है। अधिकार और कर्त्तव्य एक सिक्के के दो पहलू हैं। हमें दूसरे के ओहदों का हमेशा ख्याल रखना चाहिए। नैतिक कर्त्तव्य, वैधानिक अधिकार की अपेक्षा ज्यादा प्रभावी होते हैं। नैतिक कर्त्तव्य वह कर्त्तव्य है जो लोगों को नैतिक स्तर पर बांध कर रखती है। यह हमारा नैतिक कर्त्तव्य है कि हम गरीब की मदद करें, क्योंकि वह एक प्राणी और समाज का अंग है।

हमें उन परिस्थितियों के निर्माण के लिए हमेशा प्रयास करना चाहिए जिनसे मानवता का कल्याण हो सके। यह हमारा अनुकरणीय कर्त्तव्य है कि हम अपने माता-पिता की आज्ञा मानें और उन्हें सम्मान दें। यह कर्त्तव्य जिम्मेवारी की चेतना से पैदा होता है, जो कि प्रत्यक्षतः हमारे अंतःकरण से संबंधित है। इस प्रकार से यह एक नैतिक कर्त्तव्य है जिसमें कोई व्यक्ति बिना वैधानिक बंधन के ही ऋणी है।

कर्त्तव्य की चेतना, सही तरीके से सभ्यता के विकास की सर्वश्रेष्ठता है। पाखंड कर्त्तव्य की चेतना के एकदम विपरीत है। पाखंड में जहां दुरात्मा का समावेश है, वहीं कर्त्तव्य में यथार्थता और विश्वस्तता का समावेश है।

1. गद्यांश के अनुसार, अधिकार और कर्त्तव्य हैं–
A. एक सिक्के के दो पहलू
B. अंतःसंबद्ध

C. (A) और (B) दोनों
D. (A) और (B) में से कोई नहीं

2. गद्यांश के अनुसार वैधानिक कर्त्तव्य है–
A. नैतिक कर्त्तव्य की अपेक्षा अधिक महत्त्वपूर्ण
B. नैतिक कर्त्तव्य की अपेक्षा कम महत्त्वपूर्ण
C. नैतिक कर्त्तव्य की अपेक्षा अधिक प्रभावी
D. नैतिक कर्त्तव्य की अपेक्षा कम प्रभावी

3. कर्त्तव्य आता है–
A. जिम्मेवारी से B. वैधानिक बंधन से
C. पाखंड से D. इनमें से कोई नहीं

4. निम्न में से कौन-सा वाक्य गद्यांश के अनुसार सही नहीं है?
A. पाखंड में दुष्टता का समावेश
B. पाखंड का कर्त्तव्य के विपरीत होना
C. कर्त्तव्य में यथार्थता का समावेश
D. कर्त्तव्य की चेतना का सभ्यता के विकास के लिए महत्त्वपूर्ण न होना

5. निम्न में से किन नैतिक कर्त्तव्यों का उल्लेख गद्यांश में नहीं किया गया है?
A. नैतिक कर्त्तव्य हमारी मातृभूमि से बढ़कर है
B. नैतिक कर्त्तव्य हमारे माता-पिता से बढ़कर है
C. नैतिक कर्त्तव्य गरीब से बढ़कर है
D. नैतिक कर्त्तव्य का मानव-कल्याण में योगदान है

6. निम्न में से कौन नैतिक कर्त्तव्य से संबंधित नहीं है?
A. जिम्मेवारी की चेतना B. अंतरात्मा
C. पाखंड D. यथार्थता

7. गरीबों की मदद करना एक कर्त्तव्य है, क्योंकि–
A. हम गरीब हैं
B. हम अमीर हैं
C. हम उस समाज से संबंध रखते हैं
D. हम उनकी अच्छाई चाहते हैं

8. हमें माता-पिता के प्रति आज्ञाकारी और सम्मानपूर्ण होना चाहिए, क्योंकि–
A. यह जिम्मेवारी की चेतना है
B. यह वैधानिक बाध्यता है
C. यह सभ्यता है
D. यह पाखंड है

9. 'हमें दूसरे के ओहदों का हमेशा ध्यान रखना चाहिए।' यह एक है–
A. साधारण वाक्य B. जटिल वाक्य
C. मिश्रित वाक्य D. मुहावरा

10. 'हमें दूसरे के ओहदों का हमेशा ध्यान रखना चाहिए।' इस वाक्य में प्रयुक्त 'हमेशा' है–
A. क्रिया-विशेषण B. विशेषण
C. संज्ञा D. क्रिया

अभ्यास-6

विकसित देशों के लोगों की अपेक्षा अविकसित देशों के लोगों की सोच ग्राम्यता के उत्प्रेरकों के सम्बन्ध में एकदम भिन्न है। वहाँ यह एक प्रकार से मानव के जीवित रहने की क्रिया के लिए केवल भौतिक आवश्यकता है। तीसरी दुनिया के देशों में, जो मुख्य रूप से ग्रामीण हैं, उनका एकमात्र आधार ग्रामीण विकास ही है, जिसके द्वारा मानव जीवन को इसके वर्तमान अवमानव स्तर से ऊपर उठाया जा सकता है। उन देशों में शताब्दियों से ग्रामीण जीवन जहाँ का तहाँ खड़ा अवरोधित है। उस ग्रामीण जनसंख्या की दशाओं को सुधारने के लिए कुछ नहीं किया गया जो अन्य चार पैर वाले प्रतिरूपों की तुलना में मामूली ढंग से भिन्न है। अविकसित एवं अर्द्धविकसित देशों में अज्ञान, कुस्वास्थ्य तथा गरीबी ग्रामीण जीवन के पर्याय बन गये हैं लेकिन सबसे दुःखद स्थिति यह है कि इस प्रकार की मानव जनसंख्या ने ऐसा स्वीकार कर लिया है कि यह दुरावस्था अपरिवर्तनीय है। यह एक ऐसी स्थिति है जिसकी कोई दवा नहीं है। उनके जीवन से आशा की सभी किरणें दूर हो गयी हैं। इस प्रकार के देशों में, ग्रामीण विकास किसी प्रकार की भौतिक अथवा अभौतिक विकास के लिए अपरिहार्य शर्त है। इसलिए इन सभी देशों का प्रबुद्ध वर्ग ग्रामीण विकास के प्रश्न पर निरन्तर बढ़-चढ़कर रुचि ले रहा है।

उनके स्वतंत्रता संघर्ष की विरासत का यह एक अंग भी था। भारत जैसे देश में, इस बात को सभी जानते हैं कि स्वतंत्रता आन्दोलन में ग्रामीण विकास की कोशिश एक अविभाज्य अंग था। गाँधीजी जैसे नेताओं को भली-भाँति यह एहसास था कि वास्तविक भारत अवरोधग्रस्त ग्रामों में निवास करता है। शहर जो ज्यादातर पश्चिमी उपनिवेशवाद की उपज हैं, केवल दिखावटी दर्शनीय वस्तुएँ हैं। तब भी दो प्रकार की दुनिया थी – वह जहाँ तड़क-भड़क के जीवन वाले जो शाही रुचियों के सुविधासम्पन्न कुछ गिने-चुने सम्भ्रान्त क्षेत्रवासी रहते थे। वे क्षेत्र छोटे-छोटे टापू जैसे थे जिनको धूल-मिट्टी और गंदगी के विशाल समुद्र ने घेर रखा है और बहुसंख्यक लोग उन स्थानों का प्रतिनिधित्व करते थे।

भारत नगरों से किसी भी तरह अपरिचित नहीं रहा। प्राचीन भारत में, नगर देश के अंगभूत भाग थे जो मूलरूप से शेष सारे देश और समग्र समाज से सम्बन्धित थे। वे संस्कृति के सुमन की भाँति तथा राष्ट्र की कलात्मक उत्कृष्टता के परिचायक थे। आधुनिक नगर केवल दूसरों के शिकार करने वाले परजीवीमात्र हैं जो देश को कमजोर बना रहे हैं।

इसीलिए गाँधीजी ने 'गाँवों की ओर लौट चलो' यह ग्राम आन्दोलन प्रारम्भ किया था। उनके मतानुसार यह आन्दोलन ही भारत को स्वतंत्रता दिलवा सकता था और स्वतंत्रता को सुरक्षित रख सकता था। राष्ट्र की स्वतंत्रता के लिए अपनायी गयी उनकी रणनीति में ग्रामीण विकास गर्व का स्थान रखता था। इस प्रकार ग्रामीण विकास का उद्गम स्वतंत्रता संग्राम के मूल में सन्निहित है।

1. लोग ग्रामीण विकास में अत्यधिक रुचि ले रहे हैं क्योंकि–
A. उन्हें इसकी अपरिहार्यता का अनुभव हो चुका है
B. वे घोर स्वास्थ्य-समस्याओं से दुःखी हैं
C. निकट भविष्य में कुछ भी सार्थक करना सम्भव नहीं है
D. अब वे इसके सम्बन्ध में आशावादी हो गए हैं

2. परिच्छेद के अनुसार निम्नलिखित में से कौन-सा 'सहारा' (उत्तोलक का काम करने वाला) है?
A. अभौतिक विकास
B. ग्रामीण जीवन में अवरोधन
C. ग्रामीण जनता के स्तर को ऊँचा उठाना
D. समाज के कुछ खास वर्गों को प्रबुद्ध बनाना

3. निम्नलिखित में से लेखक की दृष्टि से कौन-सी सर्वाधिक दुःखद घटना है?
A. ग्रामों में लोगों की अमानवीय दशा
B. ग्रामीण लोगों में स्व की दुर्दशा की ओर से निराशावाद
C. ग्रामीण विकास के महत्त्व का एहसास होने की कमी
D. नगर निवासियों के द्वारा ग्रामीणजनों का शोषण

4. इस परिच्छेद के सन्दर्भ में निम्नलिखित में से कौन-सा कथन सत्य नहीं है?
A. तीसरी दुनिया के देशों की ग्रामीण जनता की यह सोच है कि उनकी अवमानवीय स्थिति सुधर नहीं सकती।
B. तीसरी दुनिया के देशों के लोगों का जीवन-स्तर केवल ग्रामीण विकास द्वारा उठाया जा सकता है।
C. आधुनिक नगरों में रहने वाले अधिकांश धनाढ्य लोग वास्तव में ग्रामीण विकास के सम्बन्ध में चिन्तित हैं।
D. किसी भी प्रकार की अन्य उन्नति और विकास के लिए ग्रामीण विकास सर्वप्रथम आवश्यक है।

5. ग्रामीण विकास को भारत के स्वातंत्र्य आन्दोलन का एक अंग समझा गया था, क्योंकि–
A. केवल ग्रामों में ही शाही रुचि निवास करती थी
B. देश मुख्य रूप से ग्रामों से बना था
C. गाँधीजी पश्चिमी उपनिवेशवाद के विरुद्ध थे
D. उस समय वास्तविक भारत ब्रिटिश हुकूमत के मातहत था

6. तीसरी दुनिया के देशों में लोगों के रहन-सहन के स्तर–
A. बहुत शीघ्रता से सुधर रहे हैं
B. किसी भी सुधार के लिए निरापद हैं
C. सुधार लाने के बड़े से बड़े उपाय के बावजूद अमानवीय है
D. एक जानवर की स्थिति से किसी भाँति अच्छे नहीं हैं

7. निम्नलिखित में कौन-सा कथन आधुनिक नगरों वाली दो विपरीत दुनिया का सबसे उपयुक्त वर्णन करता है?
A. कुछ धनी लोग और अधिक गरीब लोग
B. चमक-दमक का क्षेत्र और धनाढ्य लोग
C. वाणिज्यिक तथा औद्योगिक शोषण
D. पश्चिमी उत्पादों के संरक्षक तथा शाही रुचियों के पोषक

8. परिच्छेद के सन्दर्भ में निम्नलिखित में से कौन-सा कथन सत्य है?
A. तीसरी दुनिया के अधिकांश देशों का त्वरित गति से नगरीकरण हो रहा है।
B. भारत का स्वतंत्रता आन्दोलन ग्रामीण विकास का अंगभूत समझा जाता है।
C. ग्रामीण जनता अपनी दशा सुधारने के बारे में बहुत आशावादी है।
D. वर्तमान सन्दर्भ में अज्ञान, निर्धनता तथा रुग्ण-स्वास्थ्य ग्रामीण जीवन के अविभाज्य अंग हैं।

9. वह शब्द चुनिए जो परिच्छेद में प्रयुक्त शब्द 'मुख्य रूप से' जैसा हो।
A. रोगी
B. असंदिग्ध रूप से
C. अभाव रूप से
D. स्पष्ट रूप से दिखायी देने वाला

10. परिच्छेद में प्रयुक्त 'सुधारने के लिए' शब्द का विपरीतार्थक शब्द चुनिए।
A. खराब होना B. कम होना
C. शीघ्र पूरा करना D. जल्दी करना

अभ्यास-7

शैक्षिक योजना का उद्देश्य सभी उम्र के वर्ग समूहों की कुल जनसंख्या की शैक्षिक आवश्यकताओं की पूर्ति करना होना चाहिए। निस्संदेह प्राथमिक स्तर से विश्वविद्यालयी स्तर तक शिक्षा का तीन स्तरीय पदानुक्रम परम्परागत शिक्षा की संरचना का सार भाग है तथापि हमें परिधीय शिक्षा जो उतनी ही महत्त्वपूर्ण है, की अवहेलना नहीं करनी चाहिए। आधुनिक अवस्थाओं के अंतर्गत, कार्यकर्त्ताओं को अपने उत्साह को तरोताजा करने की आवश्यकता है अथवा उन्हें एक नई दिशा में बढ़ने या अपने कौशलों को विश्वविद्यालयी प्रोफेसर के स्तर तक बढ़ाने की आवश्यकता है। सेवानिवृत और वृद्धों की भी अपनी आवश्यकताएँ होती हैं। शैक्षिक योजना ऐसी होनी चाहिए जिसमें प्रत्येक की आवश्यकताओं को ध्यान में रखा जाए। शिक्षा की हमारी संरचना इस मान्यता पर आधारित है कि शिक्षा का एक सीमावर्ती बिन्दु होता है। आजकल यह मूलभूत त्रुटि और अधिक हानिकारक बन गई है। एडगर फौरे तथा अन्य सदस्यों द्वारा रचित युनेस्को का 'लर्निंग टू बी' नामक प्रतिवेदन, जो 1973 में प्रकाशित हुआ, यह दावा करता है कि बच्चों की शिक्षा द्वारा स्व-अधिगम के विभिन्न रूपों के लिए भावी प्रौढ़ तैयार होने चाहिए। एक व्यवहार्य भावी शिक्षा पद्धति में ऐसे मोड्यूल होने चाहिए जिसमें विभिन्न प्रकार के प्रकार्य सम्मिलित हों और वह विविध सामाजिक अवयवों के लिए उपयोगी हों और प्रमाण-पत्रों का आधार अध्ययन अवधि न होकर निष्पादन होना चाहिए। इसकी इबारत पहले से ही दीवार पर लिखी हुई है।

इस बात या तथ्य को ध्यान में रखते हुए कि जीवन-पर्यन्त अधिगम या आजन्म शिक्षा के प्रति प्रतिबद्धता के महत्त्व को आजकल शैक्षिक रूप से विकसित देशों में भी विवेचित किया जा रहा है, परंतु इस बात की सम्भाव्यता कि यह विचार शैक्षिक चिंतन का अभिन्न अंग बन जाए बहुत दूर की बात है। क्योंकि इस दिशा में आगे बढ़ने का अर्थ है वर्तमान शैक्षिक संगठनों की पुनर्व्यवस्था से कुछ अधिक करना। कम-से-कम विभिन्न वर्गों के वयस्क अध्येताओं के लिए मुक्त विश्वविद्यालयी प्रोग्राम विकसित करके और परम्परागत महाविद्यालयों और विद्यालयों में प्रसार-सेवाएँ आरंभ

करके इसका शुभारंभ किया जा सकता है। साथ ही इन संस्थाओं को चाहिए कि असंख्य सामुदायिक संगठनों, जैसे पुस्तकालय, संग्रहालय, म्युनिसिपल मनोरंजन कार्यक्रम, स्वास्थ्य सेवाएँ आदि, के साथ सहयोग करते रहें।

1. लेखक का मुख्य बल किस बात पर है?
   A. परम्परागत पद्धतियों को सुदृढ़ किया जाना चाहिए।
   B. औपचारिक शिक्षा, गैर-औपचारिक शिक्षा से अधिक महत्त्वपूर्ण है
   C. व्यक्ति को सीखना कभी बंद नहीं करना चाहिए
   D. मुक्त शिक्षा प्रणाली का कोई विकल्प नहीं है

2. निम्नलिखित में से कौन-सा कथन लेखक के प्रयोजन को वर्णित करता है?
   A. वर्तमान शैक्षिक प्रणाली की आलोचना करना
   B. वर्तमान शैक्षिक प्रणाली को मजबूत बनाना
   C. गैर-परम्परागत शैक्षिक संगठनों का समर्थन करना
   D. इनमें से कोई नहीं

3. परिच्छेद के अनुसार, वर्तमान शैक्षिक संरचनाएँ निम्नलिखित में से किसको मान्यता देती है?
   A. सभी व्यक्तियों को उनकी आवश्यकताओं के अनुसार शिक्षित किया जा सकता है
   B. वर्तमान में शैक्षिक योजना बहुत अधिक व्यवहार्य है
   C. शिक्षा एक निश्चित समय में पूर्ण होने वाली प्रक्रिया है
   D. जीवन-पर्यन्त शिक्षा (अधिगम) पर चर्चाएँ चलती रहनी चाहिए

4. दिए गए परिच्छेद के संदर्भ में निम्नलिखित में से कौन-सा सही नहीं है?
   A. जीवनपर्यन्त शिक्षा एक आधुनिक अवधारणा है
   B. कर्मियों का ज्ञान तथा उनके कौशलों का निरंतर रूप से अद्यतन होते रहना चाहिए
   C. 'लर्निंग टू बी' नामक ग्रंथ इस बात का समर्थन करता है कि शिक्षा का एक सीमांत बिन्दु होता है
   D. विद्यालयों तथा महाविद्यालयों में भी विस्तार सेवाएँ आरंभ की जानी चाहिए

5. लेखक के अनुसार, 'जीवनपर्यन्त शिक्षा' की अवधारणा है
   A. इतनी पुरानी जितनी परम्परागत शिक्षा होती है
   B. जो अभी भी निर्माण अवस्था में हो
   C. जो विकसित देशों में प्रचलित है
   D. जो व्यवहार्य अथवा वांछनीय न हो

6. जीवनपर्यन्त शिक्षा को शैक्षिक संरचना के साथ समेकित करने का अभिप्रेत होगा—
   A. परम्परागत विद्यालयों और महाविद्यालयों को बंद कर देना
   B. सभी औपचारिक पाठ्यक्रमों के लिए अधिक समयावधि
   C. वर्तमान शैक्षिक संगठनों का सामान्य पुनर्व्यवस्थापन
   D. इनमें से कोई नहीं

7. परिच्छेद के संदर्भ में इस वाक्य का क्या अर्थ है "इसकी इबारत पहले से ही दीवार पर लिखी हुई है"?
   A. आजकल सभी कुछ अनिश्चित है
   B. परिवर्तन पहले से ही हो चुके हैं
   C. परिवर्तन के संकेत पहले ही स्पष्ट हैं
   D. आप भविष्य को परिवर्तित नहीं कर सकते

8. निम्नलिखित में से कौन-सा शब्द परिच्छेद में प्रयुक्त 'पूर्ति करना' शब्द के अर्थ के सबसे समीप है?
   A. पहुँच B. संपर्क करना
   C. आरंभ करना D. संतुष्ट करना

9. परिच्छेद में प्रयुक्त 'अभिन्न' शब्द का विपरीतार्थक शब्द निम्नलिखित में से कौन-सा है?
   A. अनिवार्य B. स्वतंत्र
   C. मुख्य या प्रधान D. लघु या अप्रधान

10. परिच्छेद में प्रयुक्त शब्द 'परिधीय' का विपरीतार्थक शब्द निम्नलिखित में से कौन-सा है?
   A. वास्तविकता B. सैद्धांतिक सुझाव
   C. बहुत मजाकिया D. लगभग असंभव

अभ्यास-8

टिकट संकलन एक ऐसा शगल है जिसमें व्यक्ति डाक-टिकटों का संग्रह तथा उनका अध्ययन करता रहता है। यह शौक़ (शगल) वास्तव में संभावनाओं से भरे एक होनहार भविष्य की ओर ले जा सकता है। डाक-टिकट संग्रह कर एक नौसिखिया भी अपने सामान्य ज्ञान, भूगोल संबंधी ज्ञान तथा अपनी प्रेक्षण शक्ति का विकास कर सकता है। वह दूसरे देशों की ओर ध्यान देना, उन्हें देखना आरंभ कर देता है और इस प्रकार जिज्ञासु बन जाता है। अपनी जिज्ञासा को संतुष्ट करने के लिए वह अपने सहपाठियों, अपने अध्यापकों व माता-पिता से उन देशों के विषय में प्रश्न पूछना आरंभ कर देता है। शीघ्र ही वह विश्व-भर के देशों में प्रयुक्त मुद्राओं का पता लगा लेता है और उन कुछ चीजों से, जो डाक-टिकटों पर दृश्यमान होती हैं, अपना मन बहलाता है और खुश हो जाता है।

उदाहरण के लिए, ब्रिटेन की टिकटों पर कभी इस देश का नाम नहीं लिखा जाता है। परंतु कभी-कभी उनके अभिकल्प के आवसरिक भाग के रूप में इंग्लैंड, स्काटलैंड, उत्तरी आयरलैंड, तथा वेल्ज, जिनके मिलने से संयुक्त राज्य ब्रिटेन बना है, के प्रतीक चिह्न सम्मिलित कर लिए जाते हैं। कुछ टिकटों पर ऐसे मानचित्र भी पाए जाते हैं, जिनमें वे भू-भाग सम्मिलित कर लिए जाते हैं, जिनका दावा कुछ अन्य देश या व्यक्ति करते हैं। डाक-टिकट-संग्रही इस बात को भी देखता है कि कुछ देशों के टिकट अन्य देशों के टिकटों की तुलना में अधिक रुचिकर होते हैं। उदाहरण के लिए फ्रांस, ब्राज़ील, वियतनाम तथा भारत के टिकट अधिक सुंदर और ज्ञानवर्द्धक होते हैं। कुछ टिकट संग्रही एक देश या एक महाद्वीप के टिकट संकलन/संग्रहण में विशेषज्ञता प्राप्त करते हैं। कुछ अन्य ऐसे होते हैं जो एक विषय विशेष संबंधी टिकटों का संकलन करते हैं, जैसे फूल, जानवर, प्राकृतिक परिदृश्य या ख्याति प्राप्त व्यक्ति। चाहे आप इस विषय के विशेषज्ञ हों, नौसिखिया हों, या कुछ भी हाथ लग जाए उसे संकलित करने वाले हों; इतना निश्चित है कि इस शगल से बहुत-कुछ सीखने को मिल सकता है।

कई बार ऐसा भी देखा गया कि टिकटों के कुछ फलक (काग़ज़) ग़लत रूप में मुद्रित हो गए और इससे पूर्व कि ग़लती का पता चला उन्हें बेच दिया गया। ऐसी टिकटें बहुधा, विचित्र वस्तुओं की श्रेणी में गिनी जाने लगती हैं और इस कारण अत्यधिक मूल्यवान समझी जाती हैं। यदि भाग्य साथ दे तो ऐसे टिकट संग्रही को अप्रत्याशित लाभ मिल जाता है।

1. प्रथम परिच्छेद में आए शब्द "जिज्ञासु" का निकटतम अर्थ है—

A. कौतुहल B. सतर्क
C. संबद्ध D. संगठित

2. इस पाठ्यांश में निम्नलिखित में से टिकट संकलन के लाभों के रूप में किसका ज़िक्र **नहीं** किया गया है?

A. व्यक्ति की प्रेक्षण शक्ति का विकास हो जाता है
B. यदि भाग्य साथ दे तो व्यक्ति एकदम धनवान बन सकता है
C. व्यक्ति विभिन्न देशों के विषय में जान लेता है
D. कुछ व्यक्ति विचित्रताओं के शौक़ीन बन जाते हैं

3. टिकट संग्रही दूसरे देशों की मुद्राओं के विषय में शीघ्रता से जान लेता है क्योंकि—

A. वह जिज्ञासु है
B. टिकट का मूल्य वर्ग टिकट पर ही मुद्रित होता है
C. वह प्रश्न पूछता रहता है
D. प्रत्येक टिकट पर इसके देश का नाम होता है

4. इस पाठ्यांश के अनुसार नौसिखिया वह व्यक्ति होता है—

A. जिसने हाल में ही टिकट संग्रहण का कार्य आरंभ किया हो
B. जिसे सभी प्रकार की टिकटों के संग्रहण का चाव रहता हो
C. जो टिकटों के संबंध में बहुत सारे प्रश्न पूछता हो
D. जो टिकट संग्रही बनने के विषय में सोच रहा हो

5. कोई टिकट संग्रही कुछ देशों के टिकटों को अधिक रुचिकर पाता है, क्योंकि

A. टिकटों के अभिकल्प (डिज़ाइन) अलग-अलग होते हैं
B. वे अधिक ज्ञानप्रद होती हैं और आकर्षक भी
C. उनकी मुद्रण प्रक्रिया भिन्न होती है
D. वे विचित्र वस्तु का रूप ले सकती हैं

6. निम्नलिखित में से किस देश की डाक-टिकटें अन्य देशों की डाक-टिकटों से सर्वथा भिन्न हैं?

A. भारत B. ब्राज़ील
C. फ्रांस D. ब्रिटेन

7. कुछ टिकटें 'अनोखी' (विचित्र) वस्तुएँ बन जाती हैं क्योंकि

A. सभी लोग उन्हें चाहते हैं
B. उनका मूल्य निर्धारण ग़लत हो जाता है
C. वे दोषपूर्ण होती हैं
D. उनका अभिकल्प विचित्र होता है

8. ब्रिटिश टिकटों पर उनके अभिकल्प के भाग के रूप में.....इंगलैंड, स्काटलैंड, उत्तरी आयरलैंड तथा वेल्ज का प्रतीक चिह्न होता है।

A. सदैव B. बिरले ही
C. अवसरिक रूप में D. कदापि नहीं

9. टिकट संकलनकर्ताओं की दृष्टि में....., ...तथा.....देशों के डाक-टिकट अपेक्षाकृत अधिक लोकप्रिय होते हैं।

A. फ्रांस, मोनाको, ब्राजील B. इंग्लैंड, वियतनाम, भारत
C. भारत, फ्रांस, मोनाको D. फ्रांस, ब्राज़ील, भारत

10. जो टिकट संग्रही विशेषज्ञता प्राप्त करना चाहते हैं, निम्नलिखित में से किस प्रकार की टिकटों का संकलन **नही** करते?

A. एक ही मूल्य वर्ग की टिकट
B. एक ही देश की टिकट
C. एक ही महाद्वीप की टिकट
D. मात्र फूल वाली टिकट

अभ्यास-9

साहस-कर्म वह ओज या जोश है जो व्यक्तियों को संकटमय कार्य करने के लिए प्रेरित करता है, क्योंकि साहस-कर्म का अर्थ है ऐसे कार्य पर आगे बढ़ने की तत्परता जिसमें जोखिम भरा हो। तथापि साहस-कर्म की यह भावना सतर्कतापूर्ण व्यवहार से नियंत्रित की जा सकती है। जब हमारे विचारों में प्रथमतः सुरक्षा की भावना हो तो बहुधा यह सतर्कता हमें संभावित संकटों के प्रति चेतावनी देती है। फिर भी कुछ व्यक्तियों में साहस की यह प्रवृत्ति इतनी शक्तिशाली हो सकती है कि आत्म-परिरक्षण की आद्य मूल प्रवृत्ति को भी पराजित कर देती है और उन्हें असम्भव को प्राप्त करने के लिए प्रेरित करती है।

यह आवश्यक नहीं होता कि साहसिक कार्य सदैव सफल हों। इतना आवश्यक है कि साहसिक कार्य उत्साह से प्रेरित हों। वस्तुतः वीरतापूर्ण कार्य की असफलता भी प्रायः हमारे हृदय को इतने गहन रूप से प्रभावित कर सकती है कि जितनी उसकी सफलता भी नहीं कर पाती। अदम्य रूप से परिश्रम करते हुए, घने कोहरे के बीच माउंट एवरेस्ट के शिखर की ओर बढ़ते हुए मेलोरी तथा इर्विन (जो कभी लौट कर न आ सके) का वह दृश्य हमें उस स्थिति से कहीं अधिक प्रेरित करता है जिसमें वे अपने लक्ष्य को प्राप्त कर पाते। संकट भरे उद्यम में प्राप्त सफलता से प्रायः भौतिक पुरस्कार की प्राप्ति हो जाती है, परन्तु एक तेजस्वी या चमत्कारपूर्ण असफलता उससे कहीं अधिक सम्मान या श्लाघा प्राप्त कराती है।

आज तक कोई भी ऐसा व्यक्ति देखने में नहीं आया है जिसने कभी डर को न जाना हो, परन्तु व्यक्ति का साहस अथवा शौर्य जितना विशुद्ध होगा उतना ही कम उसका जीवन भययुक्त होगा। जब हम उन व्यक्तियों की कल्पना करते हैं जो ख़तरे की ज़रा भी परवाह किए बिना अपने साहस-कर्म में आगे बढ़ते हैं, हमें याद रहे कि उनके शरीर भी प्राण-पीड़ा के प्रति उतने ही संवेदनशील होते हैं, जितने कि हमारे तथा उनके मन भी उन्हीं दुश्चिंताओं से व्यथित रहते हैं जिनसे हम सब। यदि वास्तविक साहस-कर्म की प्राप्ति हमारा लक्ष्य है तो हमें अपने अंदर चल रहे विराट युद्ध को लड़ना पड़ेगा और भूख, जीवन के प्रति अनुराग, घर का आकर्षण तथा अपने प्रियजनों के प्रति लगाव पर विजय प्राप्त करनी होगी।

1. लेखक के अनुसार, साहस-कर्म की मनोवृत्ति निम्नलिखित में से किससे अभिलक्षित होती है?

A. सदैव तत्पर रहना B. जोखिम उठाने की उत्सुकता
C. सुरक्षा का ध्यान D. संभाव्य संकट

2. इस लेखांश के अनुसार–
A. कुछ व्यक्ति अपने जीवन को घोर संकट में डाल कर भी साहस-कर्म की ओर अग्रसर रहते हैं
B. कुछ व्यक्ति अनावश्यक रूप से असंभव का प्रयास करते हैं
C. कुछ व्यक्ति इतने दृढ़ निश्चयी होते हैं कि वे सोचते हैं कि कुछ भी असंभव नहीं है
D. केवल दु:साहसी व्यक्ति ही असंभव का प्रयास करते हैं

3. परिच्छेद 2 में आए *"वीरतापूर्ण कार्य"* का प्रासंगिक अर्थ है
A. एक वीरतापूर्ण परियोजना
B. एक कठिन साहसिक कार्य जिसमें पर्याप्त रूप में साहस या उत्साह की आवश्यकता हो
C. एक शौर्यपूर्ण कार्य जो असफल होना लगभग निश्चित है
D. ऐसा साहस-कर्म जो सही शूरवीरों को आकर्षित कर सके

4. परिच्छेद 2 में आए शब्द "दृश्य" को किस शब्द से प्रतिस्थापित किया जा सकता है?
A. स्वप्न B. प्रतिमा
C. दिव्य-दर्शन D. प्रतिबिंब

5. *अदम्य रूप से परिश्रम करते हुए* ... मेलोरी तथा इर्विन ...। इस वाक्य में रेखांकित शब्दों का निकटतम अर्थ है–
A. निराशाजनक रूप से परिश्रम करते हुए
B. निरंतर रूप से प्रयास करते हुए शिखर पर विजय-प्राप्ति
C. बिना विश्राम किए अथक प्रयास करते हुए
D. बिना हिम्मत हारे बहुत देर तक परिश्रम करते हुए

6. लेखक की इच्छा है कि वाचक समझें कि–
A. मेलोरी तथा इर्विन शिखर पर पहुँच तो गए परंतु केवल साहसी प्रयत्न के बाद
B. मेलोरी तथा इर्विन बहादुर अवश्य थे परन्तु उनके भाग्य में असफलता ही लिखी थी
C. यद्यपि मेलोरी तथा इर्विन मृत्यु को प्राप्त हो गए, परन्तु उनका प्रयास वास्तव में महान था
D. चूंकि मौसम अत्यधिक खराब था अतः मेलोरी तथा इर्विन को अपने प्रयास को त्याग कर बेस कैंप में लौट आना चाहिए था

7. लेखक की मान्यता है कि "तेजस्वी या चमत्कारपूर्ण असफलता उससे कहीं अधिक सम्मान या श्लाघा प्राप्त कराती है" क्योंकि–
A. अत्याधिक कठिनाइयों के होते हुए भी यह मानव उत्साह का निदर्शन है
B. यह बच्चे तथा बड़े दोनों को प्रेरित करती है
C. यह दर्शाती है कि असफलता का भी सफलता के प्रति योगदान होता है
D. यह स्थापित करती है मनुष्य अपने सर्वोत्तम क्षणों में भी असुरक्षित होता है

8. इस पाठ्यांश के अनुसार, वास्तविक रूप से साहसी व्यक्ति–
A. किसी ख़तरे की परवाह नहीं करता
B. सुगमता से भय की अभिव्यक्ति नहीं करता
C. भय अभिव्यक्ति नहीं कर सकता
D. न हुआ है न होता है

9. लेखक के अनुसार, सही रूप में साहसी–
A. अपने शरीर और आत्मा के प्रति संवेदनशील होते हैं
B. किसी अन्य व्यक्ति की भांति ही महसूस करते हैं
C. अतिमानव बन जाते हैं
D. अपने शरीर और मन को नियंत्रित कर लेते हैं

10. लेखक इस बात का समर्थन करता है कि वास्तविक साहस-कर्म की प्राप्ति के लिए हमें पहले–
A. अपने अंदर युद्ध छेड़ना पड़ेगा
B. अपने संवेदनाओं व भावनाओं पर विजय पानी होगी
C. अन्य व्यक्तियों से ऊपर उठना पड़ेगा
D. वास्तविक रूप में वीर बनना पड़ेगा

अभ्यास-10

बारात आगरा पहुँच चुकी थी। बाराती यह सोचकर प्रसन्न थे कि विवाह का आनन्द उठाएंगे। उनके लिए आगरा जाने का एक विशिष्ट आकर्षण था आगरा का ताजमहल, लालकिला तथा अन्य दर्शनीय स्थल देखना, बारात धर्मशाला में ठहराई गई। वहाँ पहुँचते ही उन्हें पता चला कि महंगाई भत्ते में वृद्धि के लिए प्रदर्शन करते हड़ताली श्रमिकों और पुलिस के बीच झड़प हो गई है, और अब शहर में धारा 144 लागू कर दी गई है। अतः अब बारात का जुलूस नहीं निकल सकता था। बाराती मन मारकर रह गए, केवल दूल्हा, उसके पिता और भाई समधी के घर गए। बारातियों के भोजन का प्रबन्ध धर्मशाला में हो गया। चाहते हुए भी बाराती न तो विवाह समारोह में जा सके और न ही धर्मशाला से बाहर निकल सके।

1. बारातियों के सम्मुख विशिष्ट आकर्षण क्या था?
A. आगरा जाना B. बाराती बनकर जाना
C. स्वागत सत्कार करवाना D. पर्यटन स्थल देखना

2. श्रमिक हड़ताल क्यों कर रहे थे?
A. पुलिस उन्हें प्रदर्शन से रोक रही थी
B. महँगाई भत्ते की वृद्धि के लिए
C. पुलिस के अत्याचार के विरोध में
D. वेतन वृद्धि के लिए

3. बारात का जुलूस इसलिए नहीं निकला, क्योंकि
A. बाराती एकत्र नहीं हुए
B. धारा 144 लागू हो गई थी
C. समधियों से झगड़ा हो गया
D. श्रमिकों और पुलिस में झगड़ा हो गया

4. समधियों के घर विवाह के लिए कौन-कौन गए?
A. दूल्हा, उसके पिता और भाई
B. बारात के सभी लोग
C. दूल्हा और उसके परिजन
D. दूल्हा और उसके मित्र

5. समधियों ने बारातियों के लिए खाने की व्यवस्था कहाँ की?
A. होटल में
B. अपने घर में
C. धर्मशाला में
D. बाजार में

अभ्यास-11

केवल जीविका कमाने से अपना दिनभर का काम आसानी से पूरा कर लेने से, कहीं अधिक उच्च वस्तु आपके भीतर आपको संतुष्ट करने के लिए विद्यमान है। यह है, आपके सही काम करने की भावना, आपके पूरी शक्ति से काम करने की आकांक्षा, अपना उच्चतम विकास करने की तथा अपने व्यक्तित्व को पाने की कामना। इस आकांक्षा का स्वर इतना प्रखर होना चाहिए कि केवल जीविका कमाने की समस्या, केवल रुपया कमाने का प्रश्न गौण होना चाहिए। कितने ही व्यक्ति निरुद्देश्य अपने ध्येय में अधूरी निष्ठा करते हुए केवल तब तक अपने धन्धे में व्यस्त रहने की इच्छा करते हैं। मनुष्य को अपने जीवन कार्य के प्रति, चाहे वह कितना ही तुच्छ हो उन उच्च आदर्शों से बढ़ना चाहिए जो किसी महान् कलाकार के आदर्श होते हैं जिनके आधार पर वह अपनी कृति की रचना करता है। इस जीवन के संगमरमर को गढ़ने के लिए प्रगतिशील होना एक पावन उद्देश्य है। हमारे कार्यों की प्रत्येक प्रतिभा हमारी आत्मा की अभिव्यक्ति होनीं चाहिए।

1. ऊपर लिखे गद्यांश का शीर्षक है
A. जीवन में महत्वाकांक्षा का अर्थ
B. जीवन और शक्ति
C. जीवन में जीविका का महत्व
D. जीवन और आदर्श

2. जीविका कमाने से
A. आत्म-संतुष्टि हो जाती है
B. आत्म-संतुष्टि नहीं होती है
C. दिनभर का काम चल जाता है
D. यह जीवन का सर्वस्व है

3. हमारी आकांक्षा का स्वर इतना प्रबल हो कि
A. जीविका कमाने की इच्छा पूरी हो जाए
B. जीविका कमाने में पूरी शक्ति लग जाए
C. जीविका कमाने की इच्छा गौण हो जाए
D. जीविका कमाने की इच्छा सर्वस्व बन जाए

4. प्रायः लोग अधूरी निष्ठा से काम करते रहते हैं जब तक
A. आकस्मिक बाधा न आ जाए
B. जब तक आकस्मिक लाभ न हो जाए
C. पूरी शक्ति काम दे
D. अन्य उद्देश्य सामने न आ जाएं

5. हमारे कार्यों की प्रत्येक प्रतिभा
A. कलाकार के आदर्शों के अनुरूप होनी चाहिए
B. जीवन का उद्देश्य पूरा करने वाली होनी चाहिए
C. कार्य के प्रति प्रेरणा देने वाली होनी चाहिए
D. आत्मा की अभिव्यक्ति होनी चाहिए

अभ्यास-12

लंदन शहर टेम्स नदी के किनारे पर बसा है जिसका पाट चौड़ा है और पानी गहरा। समुद्र तट के निकट होने और टेम्स नदी में काफी पानी रहने के कारण, लंदन एक विशाल बंदरगाह भी हैं। वहां रोज सैकड़ों जहाज आते-जाते हैं और दूर से देखने पर टेम्स नदी के ऊपर मस्तूलों का जंगल मालूम होता है। यहाँ से पृथ्वी की सभी दिशाओं को माल जाता है और वहाँ से आता है। लंदन तथा इंगलिस्तान की भोजन सामग्री का बहुत बड़ा भाग इसी बंदरगाह पर पहुँचता है। यदि एक सप्ताह के लिए जहाजों का आना-जाना बंद हो जाए, तो इस देश में त्राहि-त्राहि मच जाए। इसलिए ब्रिटिश साम्राज्य ने अपनी नाविक शक्ति इतनी प्रबल कर ली है कि उससे दुनिया में कोई भी राजशक्ति समुद्री युद्ध में टक्कर नहीं ले सकती।

1. ब्रिटिश साम्राज्य ने अपनी नाविक शक्ति क्यों इतनी प्रबल बना ली?
A. कोई शत्रु इसे हरा न सके
B. कोई लंदन पर आक्रमण न कर सके
C. कोई इसके जहाजों का आना-जाना न रोक सके
D. लंदन शहर को कोई क्षति न पहुँचा सके

2. 'मस्तूलों का जंगल' कहने से लेखक का क्या अभिप्राय है?
A. मस्तूलों की पत्तियाँ
B. असंख्य मस्तूल
C. मस्तूलों का आकर्षण दृश्य
D. मस्तूलों की बहार

3. 'त्राहि-त्राहि मच जाने' का क्या अर्थ है?
A. हल्ला मच जाना
B. हल्ला-गुल्ला आरम्भ होना
C. शोर-शराबा होना
D. हाहाकार मच जाना

4. 'टक्कर लेने' का अर्थ है
A. तुलना करना
B. मुकाबला करना
C. टकराना
D. लोहा मानना

5. लंदन बंदरगाह कहाँ पर स्थित है?
A. समुद्र तट पर
B. काफी गहरे पानी पर
C. जहाजों के जंगल में
D. नदी के तट पर

अभ्यास-13

कबीर ने समाज में रहकर समाज का बड़े समीप से निरीक्षण किया। समाज में फैले बाह्याडम्बर, भेदभाव, साम्प्रदायिकता आदि का उन्होंने पुष्ट प्रमाण लेकर ऐसा दृढ़ विरोध किया कि किसी की हिम्मत नहीं हुई जो उनके अकाट्य तर्कों को काट सके। कबीर का व्यक्तित्व इतना ऊँचा था कि उनके सामने टिक सकने की हिम्मत किसी में नहीं थी। इस प्रकार उन्होंने समाज तथा धर्म की बुराइयों को निकाल-निकाल कर सबके सामने रखा। ऊँचा नाम रखकर संसार को ठगने वालों के नकली चेहरों को सबको दिखाया और दीन-दलितों को ऊपर उठने का उपदेश देकर अपने व्यक्तित्व को सुधारकर सबके सामने एक महान आदर्श प्रस्तुत कर सिद्धान्तों का निरूपण किया। कर्म, सेवा, अहिंसा तथा निर्गुण, मार्ग का प्रसार किया। कर्मकाण्ड तथा मूर्तिपूजा का विरोध किया। अपनी साखियों, रमैनियों तथा शब्दों को बोलचाल की भाषा में रचकर सबके सामने एक विशाल ज्ञानमार्ग

खोला। इस प्रकार कबीर ने समन्वयवादी दृष्टिकोण अपनाया और कथनी-करनी की एकता पर बल दिया। वे महान् युगद्रष्टा, समाज-सुधारक तथा महान कवि थे। उन्होंने हिन्दू-मुस्लिम के बीच समन्वय की धारा प्रवाहित कर दोनों को ही शीतलता प्रदान की।

1. कबीर के सामने कोई नहीं टिक पाता था, क्योंकि कबीर
A. उच्च शिक्षा प्राप्त विद्वान् और बहुश्रुत थे
B. शास्त्रार्थ में अत्यन्त प्रवीण थे
C. का व्यक्तित्व बहुत ऊँचा था
D. का सामाजिक निरीक्षण तथ्यात्मक था

2. कबीर ने विरोध किया
A. आचरणहीन ढोंगियों का B. शोषकों और दलितों का
C. साम्प्रदायिक सामंजस्य का D. शोषितों और पीड़ितों का

3. सन्त कबीर ने प्रशस्त किया
A. ज्ञानमार्ग
B. भक्तिमार्ग
C. वेद-मार्ग
D. सत्य और अहिंसा का मार्ग

4. कबीर की रचनाओं की भाषा बोलचाल की भाषा थी, क्योंकि उनके उपदेश थे
A. असाधारण और असामान्य लोगों के लिए
B. सम्पन्न एवं समृद्ध लोगों के लिए
C. कवियों एवं लेखकों के लिए
D. सर्वसाधारण के लिए

5. कबीर के साम्प्रदायिकता विरोधी तर्क अकाट्य थे, क्योंकि
A. कबीर ने समाज का निरीक्षण बड़े समीप से किया था
B. उनके तर्क पुष्ट प्रमाणों पर आधारित थे
C. वे इनसे व्यक्तिगत लाभ उठाना चाहते थे
D. वे इनसे यशोपार्जन करना चाहते थे

अभ्यास-14

महासागर का पानी मानव जीवन में अति आवश्यक भूमिका निभाता है। बड़े महासागर के संग्रहण क्षेत्र में लगभग 30 करोड़ घन मील पानी होता है। इस बड़ी मात्रा के पानी में से लगभग 80,000 घन मील पानी प्रति वर्ष वातावरण में वाष्पित होकर सोख लिया जाता है और वर्षा के रूप में नालों द्वारा सागर में वापस मिल जाता है। प्रति वर्ष 24,000 घन मील से अधिक वर्षा का पानी महाद्वीप पर गिरता है। पानी का यह बड़ा हिस्सा झील और झरनों, जल-स्रोत के पानी का स्तर भरने में लग जाता है जिन पर वनस्पति और प्राणी-जगत का जीवन टिका है। अतः जल संग्रह पर जैव-जीवन निर्भर करता है।

जलमण्डल के विशेष लक्षण होते हैं, क्योंकि अन्य द्रव्यों की तुलना में पानी में विशेष गुण पाए जाते हैं। पानी का एक अद्‌भुत गुण यह है कि जमने पर उसकी सतह में 9% की बढ़त होती है, जबकि अन्य द्रव्य ठण्डे होने पर सिकुड़ जाते हैं। इसी कारण बर्फ डूबने के बजाय पानी की सतह पर तैरती है। यदि बर्फ पानी में डूब जाए, तो जलमण्डल जल्दी ही ठोस बन जाएगा। गर्मी की ऋतु में केवल एक पतली परत पिघल कर पानी हो जाएगा, इस तरह पूर्ण जल जीवन नष्ट हो जाएगा तथा गर्म और ठण्डे पानी के प्रवाहों का आपस में बदलकर वातावरण को सामान्य बनाए रखना सम्भव न होगा।

जल का एक और विशेष गुण यह है कि पानी की ऊष्मा क्षमता, जो सभी द्रव्यों और ठोस पदार्थ (केवल अमोनिया को छोड़कर) से अधिक होती है। जल के इस गुण के कारण महासागर, ऊष्मा की ज्यादा मात्रा को शोषित कर पाता है और वातावरण के तीव्र परिवर्तन को रोकता है। इसके अतिरिक्त पानी दूसरे द्रव्यों की तुलना में अधिक पदार्थों को अपने में घोल लेता है। इसी कारण महासागर बहुत से लवणों का संग्रह घर है, जो महाद्वीपों से बहकर महासागर में मिल जाते हैं। विश्व के बहुत से हिस्सों में इन लवणों का व्यापारिक दृष्टि से शोषण होता है। सौर अवशोषण द्वारा समुद्री जल से नमक का उत्पादन बहुत अधिक मात्रा में होता है। मृत समुद्र से पोटाश निकाला जाता है और अमरीकन गल्फ के किनारों पर समुद्री पानी से मैग्नीशियम का उत्पादन किया जाता है।

1. निम्नलिखित में से कौन-से कथन से ऊपरी अवतरण के तुरन्त आगे आने वाले परिच्छेद का आरम्भ अधिक उचित हो सकता है?
A. मैग्नीशियम का उपयोग बड़े पैमाने पर धातुकर्मीय के निर्माण में होता है
B. अब बड़े भू-खण्ड पर विचार किया जाए
C. पानी में भूमि को क्षय करने की क्षमता होती है
D. अकाल तथा बाढ़ दो प्रकार के विनाश जल से सम्बन्धित हैं।

2. अवतरण में लेखक ने पानी के निम्नलिखित में से कौन-से लक्षण बताए हैं?
I. पानी जमने पर फैलता है
II. पानी एक उत्तम विलायक है
III. पानी ऊष्मा शोषित करता है
A. केवल I B. केवल I और II
C. केवल II और III D. I, II और III

3. लेखक का इस अवतरण में मुख्य उद्देश्य है
A. पानी के गुण और उपयोग बताना
B. पानी की बचत के महत्व को दर्शाना
C. पानी के व्यापारिक और औद्योगिक उपयोग को स्पष्ट करना
D. भूमि पर महासागर का फैलाव दर्शाना

4. अवतरण के अनुसार जलमण्डल (हाइड्रोस्फीयर) ....नहीं है
A. सभी प्रकार के जीवन के लिए जिम्मेदार
B. वातावरण में सुधार कर सकता
C. प्राकृतिक साधनों का स्रोत
D. जम जाने के खतरे में

5. अवतरण के अनुसार मछली महासागर में जीवित रहती है, क्योंकि
A. उन्हें ऑक्सीजन की जरूरत नहीं होती
B. बर्फ पानी पर तैरती है
C. वाष्पीकरण और जमने द्वारा जल-चक्र का निर्माण होता है
D. महासागर में पानी के प्रवाह होते हैं

अभ्यास-15

व्यक्ति समाज की इकाई है और शिक्षा व्यक्ति को सत्, चित् और आनन्द की अनुभूति करने योग्य बनाती है, शिक्षा का अर्थ है जीना सीखने की कला। हम जीते हैं समाज में। अतः शिक्षा का मूल स्रोत है समाज। इस प्रकार शिक्षा और समाज का परस्पर घनिष्ठ सम्बन्ध है। शिक्षा व शिक्षण संस्थाओं का समाज में विशेष महत्वपूर्ण स्थान है, क्योंकि यहीं से भावी नागरिक ढल कर निकलते हैं। आज समाज के मूलरूप को परिष्कृत करने हेतु नैतिक शिक्षा के प्रश्न पर विशेष बल दिया जाने लगा है। यह आवश्यकता अनुभव की गई है कि हमारी मान्यताओं का स्खलन हो रहा है, सामाजिक जीवन में जो अनैतिकता दिनों-दिन बढ़ती जा रही है उसका मूल कारण नैतिक शिक्षा का अभाव है। आज हमने भौतिक उन्नति को एकमात्र उद्देश्य बना लिया है। हम भौतिकवादी से अतिभौतिकवादी होते जा रहे हैं और यही कारण है कि विफलताएँ हमारे मार्ग को अवरुद्ध करती जा रही हैं। आज शिक्षा का महत्त्व केवल पुस्तकीय ज्ञान मात्र है जो पुस्तकों में ढलता जा रहा है। यह शैक्षिक-प्रक्रिया केवल मशीनीकरण का पर्याय न बने और व्यावहारिक सद्शिक्षा का स्वरूप विकसित हो इसके लिए अपेक्षित है कि नैतिक मूल्यों की शिक्षा दी जाए अन्यथा समाज में अपराध प्रवृत्ति निरन्तर बढ़ती रहेगी। यदि हम जीवन में सामंजस्य स्थापित करना चाहते हैं तो भौतिक प्रगति के साथ-साथ आध्यात्मिक प्रगति को भी जागरुक बनाए रखना आवश्यक है।

आज विद्यार्थियों में व्याप्त अनुशासनहीनता, निराशा एवं हतोत्साह का प्रमुख कारण मानसिक एवं आध्यात्मिक अनुशासन का अभाव है। अतएव विद्यार्थियों में प्रारम्भ से ही चरित्र-निर्माण और देशभक्ति की भावना जाग्रत करने के लिए, उनमें दृढ़ संस्कारों का निर्माण करने के लिए नैतिक शिक्षा देना अतिआवश्यक है। नैतिक शिक्षा के बिना स्वस्थ समाज की कल्पना असम्भव है।

1. समाज में शिक्षण-संस्थाएँ इसलिए महत्व रखती हैं, क्योंकि शिक्षण
   A. संस्थाओं से ही शिक्षा की गुणात्मकता का बोध होता है
   B. संस्थाएँ शिक्षार्थियों को उपाधि-पत्र प्रदान करती हैं
   C. संस्थाओं में ही शिक्षार्थी पढ़-लिख कर होनहार बनते हैं
   D. संस्थाओं से ही भावी नागरिक ढलकर निकलते हैं

2. हमारी सामाजिक मान्यताओं के विघटन का प्रमुख कारण है
   A. नैतिक शिक्षा का अभाव
   B. वैज्ञानिक शिक्षा का अभाव
   C. आध्यात्मिक शिक्षा का अभाव
   D. सांस्कृतिक कार्यक्रमों का अभाव

3. नैतिक शिक्षा से समाज को लाभ होगा
   A. छात्रों के चरित्र-संस्कार के अभाव का
   B. छात्रों के समन्वित चरित्र के निर्माण का
   C. छात्रों में धार्मिक जानकारी का
   D. संघर्ष की प्रवृत्ति के विकास का

4. उपर्युक्त अवतरण का उपयुक्त शीर्षक है
   A. जीने की कला
   B. शिक्षा का अर्थ
   C. शिक्षा और शिक्षण-संस्थाएँ
   D. नैतिक शिक्षा की उपयोगिता

5. शिक्षा का अभिप्राय है
   A. जिन्दगी में कुछ बनने की कला
   B. धनार्जन की कला
   C. जीना सीखने की कला
   D. सभ्य समाज की कला

अभ्यास-16

विचार-विनिमय के लिए केवल मनुष्य को ही वाणी का वरदान प्राप्त है। पशु-पक्षी अपने भाव और विचार शारीरिक मुद्राओं और संकेतों द्वारा प्रकट करते हैं। वाणी के अनेक रूप हैं जो भाषा या बोली कहलाते हैं। प्रायः सभी स्वतंत्र देशों की अपनी-अपनी भाषाएँ हैं। उनके साथ स्थानीय बोलियाँ भी हैं जो भाषा का ही प्रादेशिक रूप हैं। सबसे अधिक सुगम, सरल और स्वाभाविक भाषा मातृभाषा कहलाती है। यह बालक को जन्मजात संस्कार से मिलती है। अन्य भाषाएँ अर्जित भाषाएँ होती हैं जो अभ्यास द्वारा सीखी जाती हैं। अपने घर-परिवार, वर्ग, जाति और देश के मध्य विचार-विनिमय के लिए सबसे सरल भाषा मातृभाषा ही है। अपनी मातृभाषा द्वारा जितनी सहजता से भाव व्यक्त किया जा सकता है वैसा सहज-सामर्थ्य किसी अन्य अर्जित भाषा में नहीं होता। राष्ट्र की एकता और पारस्परिक विचार-विनिमय की सुविधा के लिए राष्ट्रभाषा की आवश्यकता में किसी को भी संदेह नहीं हो सकता। सभी राष्ट्र अपनी राष्ट्रभाषा को सम्मान देते और व्यवहार में लाते हैं। स्वतंत्र भारत में भी हमें अपने राष्ट्र की भाषाओं को अपनाना चाहिए। राष्ट्रीय गौरव और स्वाभिमान के लिए यह आवश्यक है।

1. राष्ट्रभाषा का महत्व इस तथ्य में निहित है कि वह
   A. राष्ट्र को खंडित करने में सहायक होती है
   B. राष्ट्रीय एकता की द्योतक है
   C. राष्ट्रीय शक्तियों को दृढ़ करती है
   D. जातीय विकास में सहायक है

2. राष्ट्र का गौरव सुरक्षित रह सकता है
   A. भाषायी विवादों को प्रश्रय देने से
   B. विदेशी भाषाओं को अपनाने से
   C. स्व-भाषाओं को ग्रहण करने से
   D. राष्ट्रभाषा का विरोध करने से

3. भाषा द्वारा भावाभिव्यक्ति करने में समर्थ होते हैं
   A. चहचहाते पक्षी
   B. वाणी का वरदान प्राप्त मनुष्य
   C. कलकल बहता पानी
   D. विभिन्न प्रकार के पशु

4. मातृभाषा वह भाषा रूप है जो
   A. सर्वाधिक ग्राह्य, लचीला और स्वाभाविक है
   B. कठोर, निरर्थक और दुरूह है
   C. मस्तिष्क का विकास अवरुद्ध करता है
   D. ज्ञान-क्षेत्र को सीमित करता है

5. मातृभाषा की हमें आवश्यकता होती है क्योंकि वह
   A. धनोपार्जन में सहायक होती है
   B. भावाभिव्यक्ति का सहज साधन है
   C. शारीरिक मुद्राओं और संकेतों का दर्पण है
   D. ज्ञान-क्षेत्र का संकुचन करती है

अभ्यास-17

स्वामी विवेकानन्द ने भारत के पुनर्निर्माण में कार्यरत् मनुष्य के लिए जिन मुख्य बातों पर बल दिया था, वे हैं–चरित्र, आध्यात्मिकता, आत्मविश्वास और अन्ततः सबके प्रति प्रेम, विशेषतः दरिद्र, अशिक्षित तथा पद-दलितों के लिए। यह कार्य वास्तव में महान है, किन्तु दृढ़ इच्छा के सामने कुछ नहीं टिक सकता।

भारतीयों में भारत माता के प्रति देशभक्ति की भावना जाग्रत करने के लिए स्वामी विवेकानन्द ने कहा था, ''तुम मत भूलना कि तुम्हारी स्त्रियों का आदर्श सीता, सावित्री, दमयन्ती है ... मत भूलना कि तुम्हारा जीवन अपने व्यक्तिगत सुख के लिए नहीं है–मत भूलना कि नीच, अज्ञानी, दरिद्र तुम्हारा रक्त और तुम्हारे भाई हैं।''

पं. जवाहरलाल नेहरू का कथन स्मरणीय है, जो उन्होंने एक बार स्वामी विवेकानन्द को श्रद्धांजलि देते हुए कहा था–''अतीत में संलग्न तथा भारतीय धरोहर के प्रति गर्व से परिपूर्ण होते हुए भी विवेकानन्द जीवन की समस्याओं के प्रति आधुनिक धारणा रखते थे तथा भारत के अतीत एवं वर्तमान के मध्य सेतु की भाँति थे।'' ''प्रत्यक्ष अथवा परोक्ष रूप से उन्होंने आज के भारत को अत्यन्त प्रभावित किया है। हमारी युवा पीढ़ी स्वामीजी से लाभान्वित होगी, जिनकी वाणी प्रज्ञा एवं शक्ति से ओतप्रोत है।''

स्वामीजी ने एक अधैर्यवान शिष्य को समझाया कि ''श्रद्धावान बन, वीर्यवान बन, आत्मज्ञान प्राप्त कर। यही मेरी इच्छा एवं आशीर्वाद है।'' श्रद्धा का अभिप्राय कई बातों से है। पहली है आत्मश्रद्धा (आत्मविश्वास)। दूसरी है हमारी सांस्कृतिक धरोहर के प्रति श्रद्धा। ''हमारी मातृभूमि का केन्द्र, प्राण-पखेरू धर्म में तथा केवल धर्म में ही है। मातृ देवो भव, पितृ देवो भव, आचार्य देवो भव–इन पर श्रद्धा, वीर्यवान भव''–''तुम्हारे अन्दर पूर्ण शक्ति निहित है। तुम सब कुछ करने में समर्थ हो। इस शक्ति को पहचानो। उठो और अपना अन्तस्थ ब्रह्मभाव अभिव्यक्त करो .... वीर बनो। वीर बनो मानव केवल एक बार ही मरता है। सारी शक्ति तुम्हारे अन्दर है। बल ही जीवन है, दुर्बलता मृत्यु .... शैशव से ही तुम्हारे मस्तिष्क में सकारात्मक, सशक्त एवं परोपकारी विचार प्रविष्ट होने चाहिए।''

1. जीवन अपने 'व्यक्तिगत सुख के लिए न होने' से स्वामीजी का क्या अभिप्राय है?
   A. दूसरों का सुखी जीवन बनाना
   B. अपने सुख की अपेक्षा निर्बल एवं दरिद्र देशवासियों को सुखी रखने का प्रयास करना
   C. देशभक्त का जीवन दुःखदायी होना
   D. देशभक्त का सुखी न होना

2. विवेकानन्द अतीत एवं वर्तमान के मध्य सेतु की भाँति थे, क्योंकि वे
   A. भारतीय संस्कृति पर गर्व करते हुए भी आधुनिक विचारधारा का यथावश्यक लाभ उठाने में तत्पर रहते थे
   B. पुरातन एवं आधुनिक विचार-धारा का सहअस्तित्व चाहते थे
   C. बीते हुए समय की तथा वर्तमान समस्याओं को एक नजर से देखते थे
   D. चाहते थे कि हम आज की समस्याओं तथा पिछली बातों में समन्वय करें

3. 'अन्तस्थ ब्रह्मभाव की अभिव्यक्ति है' से अभिप्रेत है
   A. मन में ब्रह्म के विषय में विचार लाना
   B. परमात्मा को बाहर खोजने की अपेक्षा अपने ही अन्दर उस सर्वशक्तिमान का अनुभव करना
   C. भगवान को अपना सहयोगी समझना
   D. भगवान को पूरे मन से पुकारना

4. स्वामीजी ने पुनर्निर्माण कार्य हेतु कार्यकर्ताओं के गुणों पर ध्यान दिया, क्योंकि वे
   A. ऐसे कार्यकर्ताओं से परिचित थे
   B. पुनर्निर्माण के कार्य में सफलता हेतु कार्यरत व्यक्ति में इन गुणों का होना परम आवश्यक समझते थे
   C. स्वयं ऐसे गुणवान थे
   D. अपने सहयोगियों पर विशेष ध्यान रखते थे

5. स्वामीजी पुनर्निर्माण में कार्यरत् व्यक्ति में किस गुण का होना परम आवश्यक मानते थे?
   A. चरित्र-निर्माण
   B. शिक्षा-प्रसार में रुचि
   C. सबके प्रति प्रेम
   D. दृढ़ इच्छा

अभ्यास-18

इसमें आश्चर्य नहीं कि ताज शाश्वत प्रेम के प्रतीक के रूप में देखा जाता है। इसमें भारत और इस्लाम की वास्तुकला का सम्मिश्रण है। ऐसा विश्वास है कि इस स्मारक को पूरा होने में लगभग बाईस वर्ष लगे और नौ करोड़ रुपए के लगभग धन राशि खर्च हुई। लगभग 20,000 लोगों को इसमें रोजगार मिला।

ताजमहल के निर्माण का कार्य 1632 ई. में आरम्भ होकर 1653 ई. में पूर्ण हुआ। यह 'आदर्श स्मारक' मुगल काल की सबसे सुन्दर इमारत मानी जाती है। पूर्णता के शीर्ष बिन्दु की प्रतिच्छवि के रूप में इसे माना जाता है। जिसे मुगल शिल्पियों ने वास्तुकला और प्रस्तरकला में प्राप्त किया। ताज का सूक्ष्म निरीक्षण करने पर ज्ञात होता है, इसमें मकबरे के प्रत्येक पक्ष को पूरी जागरूकता के साथ प्रकल्पित और निर्मित किया गया है। प्रत्येक छोटे-से-छोटे भाग का शेष भागों के साथ पूर्ण सामंजस्य है।

इसका प्रवेश द्वार ऊँची तीन आर्च का बना हुआ है। मकबरे पर पहली दृष्टि ही चकित कर देती है। सुसज्जित लम्बे बगीचे के अन्त में मोती जैसा सफेद संगमरमर का मकबरा बना हुआ है। मकबरे के दोनों ओर एक जैसी समान संरचनाएं बनी हुई हैं। जबकि पूर्वी ओर इसी मस्जिद की

आभासी आकृति स्थित है। इस इमारत को 'जवाब' भी कहा जाता है। इसका कोई धार्मिक महत्व नहीं है। इसे मात्र परिसर में एकरूपता स्थापित करने के लिए बनाया गया है।

ताजमहल भारत का गौरव है। आज 350 वर्ष बाद भी विश्व भर के सभी कोनों से लोग आकर ताज के सौंदर्य को निहारते हैं और उससे प्रभावित हुए बिना नहीं रह पाते।

1. ताजमहल किस पूर्णता का द्योतक है?
A. भारत और इस्लाम की वास्तुकला का सम्मिश्रण
B. मुगल शिल्पियों की वास्तुकला और प्रस्तरकला में दक्षता
C. प्रत्येक छोटे से छोटे भाग का शेष भागों के साथ सामंजस्य
D. इमारत का अपना सौंदर्य और वैभव

2. 'जवाब' किस इमारत के लिए प्रयुक्त हुआ है?
A. मकबरा B. ताजमहल
C. प्रवेश द्वार D. मकबरे की आभासी आकृति

3. ताजमहल के निर्माण में पूर्ण जागरुकता किस पक्ष से दृष्टिगत होती है?
A. ताजमहल के निर्माण में लगे कारीगरों की बड़ी संख्या तथा लम्बा समय
B. ताजमहल के निर्माण में व्यय धनराशि
C. इमारत के छोटे से छोटे भाग का शेष भागों के साथ पूर्ण सामंजस्य
D. परिसर में एकरूपता स्थापित करने के लिए किए गए आवश्यक निर्माण

4. मस्जिद के परिसर में एकरूपता स्थापित करने के लिए कौन-से निर्माण किए गए हैं?
A. मकबरे से पूर्व सुसज्जित लम्बा बगीचा
B. मकबरे के दोनों ओर की समान संरचनाएं
C. मकबरे के पूर्वी ओर मस्जिद की आभासी आकृति
D. उपर्युक्त सभी

5. ताजमहल किसका प्रतीक है?
A. स्थायी प्रेम का
B. मुगल वास्तुकला की श्रेष्ठता का
C. भारत और इस्लाम की वास्तुकला के सम्मिश्रण का
D. मुगल कारीगरों के जागरुक निर्माण का

अभ्यास-19

बहुआयामी भारतीय समाज की स्वतन्त्र चिंतनधाराओं के अनुरूप जिस सामाजिक, धार्मिक या आर्थिक चक्र का उद्‌भव हुआ वह मूल रूप से न केवल दार्शनिक वरन् वैज्ञानिक कसौटी पर खरा था। सामाजिक क्रान्ति का यह इतिहास चिरकाल से महिलाओं से सम्बद्ध रहा है। रूढ़ियों के उन्मूलन या किसी नवीन संस्कृति के उदभूव और विकास में महिला-वर्ग ने जो योगदान प्रस्तुत किया, वह न केवल इन आंदोलनों को व्यापक बनाने में समर्थ हुआ वरन् इसके द्वारा समाज में क्रांतिकारी विचारधारा को स्थायित्व प्राप्त हुआ। धीरे-धीरे समय के साथ उनमें विसंगतियाँ पनपीं और दया, प्यार, परोपकार की साक्षात् मूर्ति मैत्रेयी, गार्गी, सीता, सावित्री जैसी नारियों का देश रूढ़ियों, जाति-पाँति, छुआछूत जैसी सामाजिक कुरीतियों का पोषक बन गया। स्वतन्त्रता प्राप्ति के पश्चात् विभिन्न संगठनों एवं संस्थाओं के माध्यम से शिक्षा के प्रचार-प्रसार के साथ ही उनकी सक्रिय भागीदारी का प्रत्येक क्षेत्र में प्रयास किया गया।

1. "धीरे-धीरे समय के साथ उनमें विसंगतियाँ पनपीं" वाक्य में 'विसंगतियाँ' किससे सम्बद्ध है?
A. राजनैतिक क्रान्ति से B. आर्थिक असमानता से
C. धार्मिक अंधविश्वासों से D. सामाजिक कुरीतियों से

2. मैत्रेयी, गार्गी, सीता और सावित्री अपने किस गुण के कारण सर्वाधिक प्रसिद्ध हैं?
A. क्रान्तिकारी विचारधारा B. प्रेम और परमार्थ भावना
C. शिक्षा का प्रचार-प्रसार D. स्वतन्त्र चिन्तनधारा

3. भारतीय महिलाओं का सर्वश्रेष्ठ योगदान क्या है?
A. स्वतन्त्र चिन्तनधारा का विकास
B. रूढ़ियों का उन्मूलन और सांस्कृतिक विकास
C. शिक्षा के प्रचार-प्रसार में सक्रिय भागीदारी
D. सामाजिक, धार्मिक तथा आर्थिक विकास

4. स्वतन्त्रता-प्राप्ति के पश्चात् महिलाओं के सर्वाधिक सहयोग की अपेक्षा किस क्षेत्र में की गई?
A. राजनीति में B. धर्म में
C. प्रत्येक क्षेत्र में D. संस्कृति में

5. इस गद्यांश का सर्वाधिक उपयुक्त शीर्षक क्या है?
A. प्राचीन भारत की नारी B. आधुनिक नारी
C. भारतीय नारी D. शिक्षित नारी

अभ्यास-20

आधुनिक युग में समाज और राष्ट्र के जीवन में समाचार-पत्रों का बहुत ही विशिष्ट और ऊँचा स्थान है। समाचार-पत्र मानों अपने देश की सभ्यता, संस्कृति और शक्ति के मानदण्ड बन गए हैं। जिस देश में जितने अच्छे और जितने अधिक समाचार-पत्र होते हैं वह देश उतना ही उन्नत और प्रभावशाली समझा जाता है। बहुत से क्षेत्रों में जो काम समाचार-पत्र कर जाते हैं, उन्हें बड़ी-बड़ी सेनाएँ और बड़े-बड़े राजनीतिज्ञ भी नहीं कर पाते। समाचार-पत्र एक ओर तो जनता का मत सरकार और संसद पर प्रकट करते हैं, दूसरी ओर देश में सुदृढ़ और सम्पुष्ट लोकमत तैयार करते हैं। देश को सब प्रकार से जाग्रत और सजीव रखने में जितनी अधिक सहायता समाचार-पत्रों से मिलती है उतनी शायद किसी और चीज से नहीं। इसलिए आजकल समाचार-पत्रों का बहुत महत्व है।

1. 'समाचार-पत्रों का मुख्य उद्देश्य है
A. नागरिकों का मनोरंजन करना
B. मानव-हित की भावना का प्रचार करना
C. लोगों को समाज और राष्ट्र की गतिविधियों की जानकारी देना
D. क्रान्तिसम्मत उपदेश देना

2. किसी देश की महानता और शक्ति का आधार है
A. समाचार-पत्रों की संख्या में वृद्धि
B. समाचार-पत्रों का बृहदाकार
C. समाचार-पत्रों की स्वतंत्रता
D. प्रकाशित समाचारों की सरल भाषा

3. प्रस्तुत अवतरण का सर्वाधिक उपयुक्त शीर्षक है
A. समाचार-पत्र और भारतीय राजनीति
B. आधुनिक युग में समाचार-पत्रों का महत्व
C. समाचार-पत्र और लोकमत
D. समसामयिक समाचार-पत्र

4. समाचार-पत्र बड़ी-बड़ी सेनाओं और बड़े-बड़े राजनीतिज्ञों को भी मात दे देते हैं। क्योंकि
A. वे विभिन्न शस्त्रों से सज्जित होते हैं
B. उनकी मारक शक्ति अचूक होती है
C. वे जन-जागरण में अद्वितीय भूमिका निभाते हैं
D. वे चटपटी खबरें देते हैं

5. समाचार-पत्रों का महत्व मुख्यतः
A. चिरकालिक है B. अल्पकालिक है
C. सामयिक है D. शाश्वत है

अभ्यास-21

घूमने-फिरने का शौक मुझे बचपन से है। मेरे पिताजी की भी यही आदत थी। पर मुझमें और उनमें थोड़ा-सा अन्तर है। वे जब भी घूमने-फिरने जाते घर के प्रत्येक सदस्य के लिए कोई-न-कोई उपहार की वस्तु आ जाती जो हमें उनकी याद दिलाती रहे। पर, मैं अक्सर ऐसी चीजें लाता हूँ जो स्थूल नहीं होतीं। भला स्मृतियों से बड़ा कोई खजाना हो सकता है क्या?

हाँ, तो बात घूमने-फिरने की हो रही थी, मैं अब तक भारत के एक बड़े हिस्से को अपने पैरों तले नाप चुका हूँ, कुछ तो दुर्गम पहाड़ी स्थल हैं, जहाँ शायद ही कोई जाने की हिम्मत करे। आगरा, बनारस, जयपुर, हैदराबाद, अहमदाबाद और कश्मीर तो बहुतों ने देखा होगा। वे गए होंगे और ताजमहल, विश्वनाथ मन्दिर, हवामहल, चारमीनार, साबरमती आश्रम और डलझील देखकर उलट पड़े होंगे। मैं ऐसा नहीं करता हूँ मेरी रुचि गाँवों में है और उनसे परिचित भी हूँ। भोर होते ही उठकर खेतों की जुताई करने जाते किसानों को मैंने देखा है। उनके गीत सुने हैं, मैंने पूस की थरथराती सर्दी में अलाव जलाकर खेतों की रखवाली करते किसानों के साथ रातें भी काटी हैं। मैं जब अपनी यात्राओं से फिरता हूँ तो अनुभवों की एक श्रृंखला मेरे साथ होती है।

यूँ ही एक घटना याद आ गई। हम लोग इलाहाबाद के पास जिगना गाँव गए थे। हम लोग यानी मैं, मेरा मित्र श्रीधरन और मेरे अधिकारी श्री मनोहर दास इलाहाबाद से जिगना तक साथ गए, मुझे वहीं रहना था, जबकि शेष दोनों को अलग-अलग दिशाओं में बिखर जाना था। तय हुआ कि काम होने पर हम लोग वापस दो दिन बाद इलाहाबाद में ही 'प्रयाग' होटल में मिलेंगे, यही हमारा हमेशा का निवास स्थल था। व्यवसाय से कृषि उत्पादनों के विक्रय प्रतिनिधि हम तीनों इस बार अपनी बिक्री यात्रा पर आए थे। मैं जैसा सोचकर गया था दो दिनों में काम सिमटाकर लौट आया। आकर पाया कि श्रीधरन पिछली रात ही आ गया था। मनोहर दासजी को अभी आना था। अब वक्त हमारे हाथ में था और साथ था श्रीधरन पहले दर्जे का बातूनी और हँसमुख। हमने तय किया कि फलों का रस पिया जाए और निकल पड़े चौक की तरफ।

'मेरे लिए एक गिलास अनानास का रस और ...' 'मेरे लिए भी यही'—'श्रीधरन ने मेरे मुँह से बात छीन ली।' पर सुनो, मैं ठंडा, नहीं लूँगा बिना बर्फ का लाना। श्रीधरन बोला।

'जी अच्छा'—कहकर वह लड़का चला गया।

'यह रस तो बहुत गर्म है भाई, ऐसा करो थोड़ी बर्फ लाकर इसमें डालो। श्रीधरन बोला। लड़का बर्फ ले आया और गिलास में मिला दी। हाँ! मजा तो आया—श्रीधरन कश खींचता हुआ बोला। 'पर अब यह रस का गिलास दो रुपए का हो गया है न! नहीं बाबूजी बिना बर्फ का रस का गिलास तीन रुपए का होता है और बर्फ वाला दो रुपए का।

ठीक है, लेकिन इसमें बर्फ डाली है न अभी तुमने ही लाकर डाली है। फिर यह तो दो रुपए का हो गया है न! 'यह कह हम दोनों जोर से हँस पड़े'। लड़का दूसरे ग्राहकों में लग गया। वह काम में लगा तो था पर उसका मन भटक रहा था। जब तक उसे दोनों गिलासों के पैसे नहीं मिल गए उसकी जान अटकी रही। कहीं ऐसा न हो कि ये ग्राहक दोनों गिलासों के दो रुपए के हिसाब से ही पैसा दें। धन्यवाद ईश्वर का कि श्रीधरन को और मजाक न सूझा वरना वह शायद ऐसा ही करता।

1. गद्यांश के अनुसार श्रीधरन
A. इलाहाबाद का ही रहने वाला था
B. लेखक से फलों की दूकान पर मिल गया था
C. अन्य दो मित्रों से पहले प्रयाग होटल वापस आ गया था
D. लेखक से कुछ कृषि-उत्पादन खरीदने आया था

2. गद्यांश के आधार पर इस लेख के बारे में कौन-सा कथन सत्य है?
A. वह आगरा और बनारस शहरों से अच्छी तरह परिचित है
B. अपनी नौकरी के कारण उसे ज्यादातर किसानों के सम्पर्क में रहना पड़ता है
C. लेखक का बचपन पहाड़ी स्थलों में बीता है
D. मनोहर दास से उसका परिचय इलाहाबाद में हुआ था

3. गद्यांश के अनुसार लेखक की जिगना यात्रा का क्या उद्देश्य था?
A. वह अपनी कम्पनी के उत्पादनों की बिक्री करने गया था
B. वह अपने मित्र श्रीधरन से मिलने गया था
C. उसके अधिकारी ने उसे वहाँ बुलाया था
D. वह स्वभाव के अनुसार घूमने-फिरने गया था

4. 'पैरों तले नाप चुका हूँ'—गद्यांश के सन्दर्भ में इस वाक्यांश का अर्थ क्या है?
A. चलते-चलते मैं अक्सर चीजों को पैरों से ठोकर मार देता हूँ
B. मुझे पैदल यात्रा में बड़ा आनंद मिलता है
C. मैं जहाँ भी गया हूँ पैदल ही गया हूँ
D. मैं भारत के कई हिस्सों में गया हूँ

5. 'वह शायद ऐसा ही करता'—गद्यांश के सन्दर्भ में इस कथन का क्या अभिप्राय है?
   A. वह अक्सर दुकानदार को पैसा देना भूल जाता है
   B. श्रीधरन दुकानदारों से मजाक करता है
   C. वह यदि चाहता तो अपने रस के गिलास के दो ही रुपए देता
   D. यदि श्रीधरन चाहता तो जिगना में ही कई दिन बना रहता

अभ्यास-22

कुछ लाख वर्षों की ही बात है जब मनुष्य जंगली था। वनमानुष जैसा, उसे नाखून की जरूरत थी। उसकी जीवन-रक्षा के लिए नाखून बहुत जरूरी थे। असल में वही उसके अस्त्र थे। दाँत भी थे, पर नाखून के बाद ही उनका स्थान था। उन दिनों उसे जूझना पड़ता था, प्रतिद्वन्द्वियों को पछाड़ना पड़ता था। नाखून उसके लिए आवश्यक अंग था। फिर धीरे-धीरे वह अपने अंग से बाहर की वस्तुओं का सहारा लेने लगा। पत्थर के ढेले और पेड़ की डालें काम में लाने लगे (रामचन्द्र जी की वानरी सेना के पास ऐसे ही अस्त्र थे)। उसने हड्डी के भी हथियार बनाए। हड्डी के इन हथियारों में सबसे मजबूत और सबसे ऐतिहासिक था देवताओं के राजा का वज्र जो दधीचि मुनि की हड्डियों से बना था। मनुष्य और आगे बढ़ा उसने धातु के हथियार बनाए। जिसके पास लोहे के शस्त्र और अस्त्र थे, वे विजयी हुए। देवताओं के राजा तक को मनुष्यों के राजा से इसलिए सहायता लेनी पड़ती थी कि मनुष्यों के राजा के पास लोहे के अस्त्र थे, असुरों के पास अनेक विद्याएं थीं, पर लोहे के अस्त्र नहीं थे, शायद घोड़े भी नहीं थे, आर्यो के पास ये दोनों चीजें थीं। आर्य विजयी हुए। फिर इतिहास अपनी गति से बढ़ता गया। नाग हारे, सुवर्ण हारे, यक्ष हारे, गंधर्व हारे, असुर हारे, राक्षस हारे, लोहे के अस्त्रों ने बाजी मार ली। इतिहास आगे बढ़ा पलीते वाली बंदूकों ने, कारतूसों ने, तोपों ने, बमों ने, बमवर्षक वायुयानों ने इतिहास को किस कीचड़ भरे घाट पर घसीटा है यह सबको मालूम है। नख-धर मनुष्य अब एटम बम पर भरोसा करके आगे की ओर चल पड़ा है।

1. लाखों वर्ष मनुष्य को नाखूनों की आवश्यकता इसलिए थी, क्योंकि वह इनसे
   A. अपने शरीर को खुजला सकता था
   B. फलों को छील या काट सकता था
   C. जमीन को खोद सकता था
   D. अपने विरोधियों को पछाड़ सकता था

2. आरम्भ में मनुष्य के अस्त्र थे, उसके
   A. नाखून
   B. दाँत
   C. पर
   D. भुजाएँ

3. रामचन्द्र जी की वानरी सेना के अस्त्र थे
   A. लोहे के बने बाण, भाले आदि
   B. पत्थरों के ढेले और वृक्षों की डालें
   C. हड्डियों से बने वज्र आदि
   D. बारूद के बने गोले, बम आदि

4. असुरों से देवता इसलिए जीते, क्योंकि उनके पास
   A. अनेक विद्याएं थीं
   B. अश्व थे
   C. वज्र थे
   D. अश्व और लोहे के अस्त्र दोनों थे

5. नख-धर मनुष्य को आज सबसे अधिक विश्वास है
   A. पलीते वाले कारतूसों और बमों पर
   B. लोहे से बने अस्त्रों पर
   C. अपनी विद्याओं पर
   D. अपने अश्वों पर

अभ्यास-23

अनुशासन जीवन-निर्माण का मूल-मंत्र है। अभ्युदय एवं निःश्रेयस की प्राप्ति बिना अनुशासन के सम्भव ही नहीं। रणभूमि में युद्ध लड़ने वाले सैनिकों के लिए अनुशासन आवश्यक ही नहीं प्रत्युत जीवन के प्रत्येक क्षेत्र में इसकी आवश्यकता है। चाहे व्यक्ति का जीवन हो, समाज या राष्ट्र का जीवन हो। फिर जीवन भी तो कुरुक्षेत्र है, जिसमें निरन्तर युद्ध एवं संघर्ष चलता ही रहता है। जीवन के कुरुक्षेत्र में अनुशासनविहीन होकर जीना किसी भी प्रकार से श्रेयस्कर नहीं हो सकता। मानव जीवन जिस प्रकृति का अंग है, जिसके आंचल में वह पोषण और विकास पाता है जिसके चक्रवात से घिरा वह तिमिर आलोक प्राप्त करता है वह प्रकृति भी एक अनुशासन में चलती है और एक शिक्षिका की भाँति मानव को भी अनुशासन की शिक्षा देती है। ऋतु चक्र एक निश्चित अनुशासन का अनुवर्तन करता है। 'हुकुम बिना न झूले पाता' उक्त पंक्ति इसी अनुशासनबद्धता की ओर संकेत करती है। अनुशासन शब्द का अर्थ है किसी एक शासन, आज्ञा, नियम अथवा नियंत्रण का अनिवार्य रूप से पालन। यदि व्यक्ति अपने जीवन में कतिपय निश्चित नियमों का अनुसरण नहीं करता जीवन में किसी उच्च लक्ष्य या ध्येय की प्राप्ति नहीं कर सकता, तो वह जीवन निर्माण में सफल नहीं हो सकता। अनुशासन के लिए यह जरूरी नहीं कि कोई दूसरा व्यक्ति शासन करने वाला हो और हम उसके द्वारा निर्धारित नियमों का पालन करें। ऐसा अनुशासन तो आरोपित अनुशासन होता है जो किसी व्यक्ति या देश की गुलामी का संकेत करता है। स्वाधीन देश में सच्चा अनुशासन वह है जो नागरिकों के हित के लिए होता है और नागरिक भी स्वेच्छा से उसका पालन करते हैं।

1. मानव लक्ष्य की प्राप्ति में असफलता का प्रमुख कारण है, उसका
   A. लक्ष्य निर्धारण में असमंजस
   B. व्यवहार कुशल न होना
   C. निश्चित नियमों का अनुसरण न करना
   D. निश्चित नियमों का निर्धारण न करना

2. अनुशासनबद्धता की सर्वप्रथम शर्त है
   A. नियमों का अनिवार्यतः पालन
   B. दूसरों द्वारा निर्धारित नियमों का पालन
   C. जीवन निर्माण के लक्ष्य की ओर उन्मुखता
   D. राष्ट्र एवं समाज के हित का अनुचिन्तन

3. जीवन को कुरुक्षेत्र कहने से लेखक का आशय है, जीवन
   A. युद्ध प्रधान है
   B. हिंसा प्रधान है
   C. संघर्ष प्रधान है
   D. कर्म प्रधान है

4. मनुष्य के लिए प्रकृति को शिक्षिका इसलिए कहा गया है, क्योंकि
A. स्वयं अनुशासन का अनुवर्तन करती है
B. मानव की हितैषिणी और पोषक है
C. मानव को अनुशासन सिखाती है
D. ऋतुचक्र को अनुशासन में रखती है

5. आरोपित अनुशासन मनुष्य के लिए अस्वीकार्य है, क्योंकि
A. वह दूसरों द्वारा निर्धारित होता है
B. वह मनुष्य की पराधीनता का प्रतीक है
C. वह सुविचारित नहीं होता
D. उसमें मनुष्य के हित का ध्यान नहीं होता

अभ्यास-24

मानव-जीवन के आदिकाल में अनुशासन की कोई संकल्पना नहीं थी और न आज की भाँति बड़े-बड़े नगर या राज्य ही थे। मानव जंगल में रहता था। 'जिसकी लाठी उसकी भैंस' वाली कहावत उसके जीवन पर पूर्णतः चरितार्थ होती थी। व्यक्ति पर किसी भी नियम का बन्धन या किसी प्रकार के कर्तव्यों का दायित्व नहीं था, किन्तु इतना स्वतंत्र और **निरंकुश** होते हुए भी मानव प्रसन्न नहीं था। आपसी टकराव होते थे, अधिकारों-कर्तव्यों में संघर्ष होता था और नियमों की कमी उसे खलती थी। धीरे-धीरे उसकी अपनी ही आवश्यकताओं की पूर्ति के लिए समाज और राज्य का उद्भव और विकास हुआ। अपने उद्देश्य की सिद्धि एवं आवश्यकताओं की पूर्ति के लिए मानव ने अन्ततः कुछ नियमों का निर्माण किया, उनमें से कुछ नियमों के पालन करवाने का अधिकार राज्य को और कुछ का अधिकार समाज को दे दिया गया। व्यक्ति के बहुमुखी विकास में सहायक होने वाले इन नियमों का पालन ही अनुशासन कहलाता है। अनुभव सबसे बड़ा शिक्षक होता है। समाज ने प्रारम्भ में अपने अनुभवों से ही अनुशासन के इन नियमों को सीखा, विकसित किया और सुव्यवस्थित किया होगा।

1. गद्यांश में गहरे काले शब्द से आशय ऐसे व्यक्ति से है
A. जो किसी व्यवस्था को न माने
B. जिसका व्यवहार कुश जैसा न हो
C. जो अहं भावना से ग्रस्त हो
D. जो निरपराध एवं निरभिमान हो

2. 'अनुशासन' से अभिप्रेत है
A. शासन द्वारा निर्धारित नियमों की पहचान और परख
B. व्यक्ति द्वारा अपने बहुमुखी विकास के लिए बनाए गए सामाजिक नियमों का पालन
C. प्रज्ञा पर शासक का पूर्णरूप से नियंत्रण जिससे राजव्यवस्था सुचारू बन सके
D. शासित द्वारा शासक के आदेशों का सम्यक् रूप मे पालन

3. इस गद्यांश का सर्वाधिक उपयुक्त शीर्षक हो सकता है
A. जीवन का उद्देश्य
B. अनुशासन की संकल्पना
C. जिसकी लाठी उसकी भैंस
D. आवश्यकता आविष्कार की जननी है

4. आदिकाल में मानव प्रसन्न नहीं था, क्योंकि
A. उस काल में सामाजिक नियमों का निर्धारण नहीं हुआ था
B. वह नगरों में न रहकर जंगलों में रहता था
C. उसकी जीवन-आवश्यकताओं की पूर्ति नहीं हो पाती थी
D. उसका जीवन और रहन-सहन सरल न था

5. इस गद्यांश का प्रतिपाद्य है कि मनुष्य को
A. आवश्यकताओं की पूर्ति के लिए पशु बल का प्रयोग करना चाहिए
B. अधिकारों के लिए संघर्ष करना चाहिए
C. सामाजिक नियमों का पालन करना चाहिए
D. स्वतंत्र और निरंकुश होना चाहिए

अभ्यास-25

वास्तव में हृदय वही है जो कोमल भावों और स्वदेश प्रेम से ओतप्रोत हो। प्रत्येक देशवासी को अपने वतन से प्रेम होता है। चाहे उसका देश सूखा, गर्म या दलदलों से युक्त हो। देश-प्रेम के लिए किसी आकर्षण की आवश्यकता नहीं होती। बल्कि वह तो अपनी भूमि के प्रति मनुष्य मात्र की स्वाभाविक ममता है। मानव ही नहीं पशु-पक्षियों तक को अपना देश प्यारा होता है। संध्या-समय पक्षी अपने नीड़ की ओर उड़े चले जाते हैं। देश-प्रेम का अंकुर सभी में विद्यमान है। कुछ लोग समझते हैं कि मातृभूमि के नारे लगाने से ही देश-प्रेम व्यक्त होता है। दिन-भर वे त्याग, बलिदान और वीरता की कथा सुनाते नहीं थकते, लेकिन परीक्षा की घड़ी आने पर भाग खड़े होते हैं। ऐसे लोग स्वार्थ त्यागकर, जान जोखिम में डालकर देश की सेवा क्या करेंगे? आज ऐसे लोगों की आवश्यकता नहीं है।

1. देश-प्रेम का अंकुर विद्यमान है
A. सभी मानवों में
B. सभी प्राणियों में
C. सभी पक्षियों में
D. सभी पशुओं में

2. सच्चा देश-प्रेमी
A. वीर सपूतों की कहानियाँ सुनाता है
B. मातृभूमि का जयघोष करता है
C. परीक्षा की कसौटी पर खरा उतरता है
D. अपनी भूमि देश के लिए दान कर देता है

3. देश-प्रेम का अभिप्राय है
A. देश के प्रति कोमल भावों का उदय
B. अनथक प्रयत्न करके देश का उदय
C. देशहित के लिए शत्रु से संघर्ष करना
D. देश के प्रति व्यक्ति का स्वाभाविक ममत्व

4. संध्या समय पक्षी अपने घोंसलों में वापस चले जाते हैं, क्योंकि
A. दिनभर घूमकर वे थक जाते हैं
B. उन्हें रात को आराम करना है
C. जानवर भी अपने निवास-स्थान को चले जाते हैं
D. उन्हें अपना नीड़ प्यारा होता है

5. वही देश महान् है जहाँ के लोग
   A. शिक्षित और प्रशिक्षित हैं
   B. बेरोजगार तथा निरुद्यमी नहीं हैं
   C. कृषि और व्यापार से धनार्जन करते हैं
   D. त्याग और उत्सर्ग में सदा आगे रहते हैं

अभ्यास-26

समस्त संसार के भिन्न-भिन्न राष्ट्रों और जातियों के इतिहास को देखने से मालूम हो जाता है कि राष्ट्रीयता का भाषा और साहित्य के साथ बहुत ही घनिष्ठ और गहरा सम्बन्ध है, ऐसा होना स्वाभाविक ही है, क्योंकि राष्ट्रीयता और जातीयता के अंगों में सबसे अधिक आवश्यक अंग एकता है और वह एकता किसी विषय विशेष में हो वह एकता जितनी व्यापक होगी, उतनी राष्ट्रीयता में स्थिरता होगी और वह शक्तिशाली होगी। भावों की एकता अन्य सब प्रकार की एकताओं का मूल है और यह भावों की एकता तभी हो सकती है जब वे विभिन्न व्यक्ति, जिनके द्वारा राष्ट्रीयता का निर्माण होता है, अपने भावों को एक-दूसरे पर व्यक्त न कर सकें। इस महान कार्य के लिए एक भाषा की अत्यन्त आवश्यकता है। साहित्य क्या है? साहित्य मानव जाति के उच्च-से-उच्च और सुन्दर-से-सुन्दर विचारों तथा भावों का वह गुच्छा है जिसकी बाहरी सुन्दरता और भीतरी सुगन्ध दोनों ही मन को मोह लेते हैं।

कोई जाति तब तक बड़ी नहीं हो सकती, जब तक कि उसके भाव और विचार उन्नत न होंगे, तब उनका विकास उस जाति के साहित्य के रूप में हो सकता है। इसलिए जाति या राष्ट्र के साहित्य के उत्थान के साथ-साथ उस जाति या राष्ट्र की भी उन्नति और उत्थान का होना स्वाभाविक है। इस प्रकार साहित्य की अवनति उस जाति के पतन का अटल और अटूट प्रमाण है।

भारत के इतिहास को लीजिए, महाभारत, रामायण और उपनिषद् अवश्य ऐसे समय में लिखे गए थे, जब यह देश बहुत उन्नत था। यह कल्पना असम्भव नहीं, तो दुष्कर अवश्य है कि ऐसे ग्रन्थरत्न किसी असभ्य बर्बर जाति के आचार्यों द्वारा लिखे गए हों। जब बौद्धों का राज्य भारत में एक छोर से दूसरे छोर तक फैल गया और उनका प्रभुत्व तथा गौरव भारतवर्ष के बाहर भी पहुँच गया, तो पाली साहित्य की उन्नति भी उस साहित्य के साथ-ही-साथ बढ़ती गई।

1. राष्ट्रीयता और भाषा एवं साहित्य का गहरा सम्बन्ध है, क्योंकि
   A. राष्ट्रों और जातियों के इतिहास यही बताते हैं
   B. राष्ट्रीयता और जातीयता के अंगों में सबसे अधिक आवश्यक अंग एकता है
   C. राष्ट्रीयता साहित्य और भाषा का निर्माण करती है
   D. भाषा और साहित्य राष्ट्रीयता के दर्पण होते हैं

2. राष्ट्रीयता का शक्तिशाली होना निर्भर है
   A. एकता की व्यापकता पर
   B. भाषा और साहित्य की शक्ति पर
   C. राष्ट्रवासियों के देशप्रेम पर
   D. राष्ट्र के इतिहास पर

3. सब प्रकार की एकताओं का मूल है
   A. राष्ट्रीय भावना
   B. साहित्य और भाषा की शक्ति
   C. भावों की एकता
   D. साहित्य और राष्ट्रीयता का सम्बन्ध

4. किसी जाति के उन्नत होने के लिए अनिवार्य है
   A. राष्ट्रीय भावना
   B. साहित्य श्रेष्ठता
   C. साहित्य में राष्ट्रीयता की अभिव्यक्ति
   D. भाव और विचारों का उन्नत होना

5. साहित्य की अवनति प्रमाण है
   A. राष्ट्रीयता के पतन का
   B. जातीय एकता के अभाव का
   C. जाति के पतन का
   D. राष्ट्र के प्रति निष्ठा का

अभ्यास-27

साहित्यकार की भूमिका जीवन और अमृत से जुड़ी है, संहार और गरल से नहीं। संहार और गरल तो राजनीतिज्ञ के जिम्मे हैं और वह बखूबी बड़े इत्मीनान से यह काम कर ही रहा है, तो आप भी उस भीड़ में क्यों जाकर जुड़ें! आप गरल में ही रुचि रखते हैं, तो आपका तरीका उससे भिन्न है। आप गरल का रसायन के रूप में व्यवहार करें, उसे रस रूप में दें, तो हमें कोई एतराज नहीं। रस रूप में गरल औषधि बन जाता है। अतः इस रूप में गरल साहित्य में स्वीकृत है। परन्तु औषधि औषधि है। वह मात्रा में दी जाती है। औषधि सम्पूर्ण भोजन नहीं बनाई जा सकती। वह तुष्टि-पुष्टि का स्रोत बन सकती है।

1. जीवन और अमृत से किसकी भूमिका जुड़ी है?
   A. ईश्वर की B. रासायनिक की
   C. राजनीतिज्ञ की D. साहित्यकार की

2. संहार से तात्पर्य है
   A. यातना B. विनाश
   C. विभीषिका D. विपत्ति

3. गरल साहित्य में किस रूप में स्वीकृत है?
   A. विष B. रसायन
   C. औषधि D. रस

4. औषधि सम्पूर्ण भोजन नहीं बनाई जा सकती, क्योंकि
   A. उससे पेट नहीं भरता
   B. महँगी होती है
   C. अप्राप्य हो सकती है
   D. उसकी मात्रा निश्चित होती है

5. अनुच्छेद का उपयुक्त शीर्षक है
   A. जीवन और अमृत B. साहित्यकार की भूमिका
   C. संहार और गरल D. राजनीतिज्ञ की भूमिका

अभ्यास-28

मनुष्य की बुद्धि ने जीवन और जगत के रहस्य को जानने और उसकी अंतर्निहित शक्तियों का उपयोग करने का अनेक सदियों पहले से जो उपक्रम किया है, उसके परिणामस्वरूप विविध ज्ञान शाखाओं के द्वार खुल गए हैं। दर्शन, गणित, ज्योतिष, आयुर्वेद, कला, शिल्प तथा खगोलशास्त्र आदि अनेक विद्या-शाखाओं तक मानव की ज्ञान-सीमा हजारों वर्ष पहले ही पहुँच चुकी थी। समय बीतने के साथ ज्यों-ज्यों मनुष्य के रागात्मक संबंध बनते-बिगड़ते गए उसके जीवन की संकुलता बढ़ती गई। प्रकृति तथा मानव-जीवन को लेकर मनुष्य स्वयं नए रहस्यों में उलझता और नए आविष्कार करता चला गया। यंत्र-युग ने हमारी अवधारणाओं को बदल डाला और उनका स्थान नई विद्याओं तथा नई तकनीकों ने ले लिया। एक विद्या शाखा के अंतर्गत गृहीत विचारों में से कुछ स्वतंत्र विद्या शाखा के रूप में विकसित होते गए। कालांतर में इन विद्या शाखाओं का पारस्परिक अंतरावलम्बन भी अधिकाधिक बढ़ता गया। आज ज्ञान के नित-नूतन अनंत विस्तार को वाणी देने का काम सरल नहीं रह गया है। आज प्रत्येक भाषा को विकासशील बनके संपूर्ण नए ज्ञान को समेटते हुए चलना है। इस दिशा में हिंदी भाषा में अनेक वैज्ञानिक एवं तकनीकी शब्द गढ़ने होंगे।

1. उपर्युक्त गद्यांश का सही शीर्षक है
A. जीवन और जगत के रहस्य
B. ज्ञान शाखाओं के द्वार
C. विद्या-शाखाओं में अंतरावलम्बन
D. विकास हेतु हिन्दी

2. मानव द्वारा जीव और जगत के रहस्य जानने के उपक्रम कब शुरू हुए?
A. आधुनिक युग में B. अनेक सदियों पूर्व
C. वैदिक काल में D. यंत्र युग में

3. निम्नोक्त में से कौन-सा ज्ञान हजारों वर्ष पूर्व मनुष्य की ज्ञान-सीमा में नहीं आया था?
A. शिल्प शास्त्र B. ज्योतिष शास्त्र
C. वैमानिकी शास्त्र D. खगोल शास्त्र

4. नई विधाओं और नई तकनीकों का विकास तेजी से शुरू होने का काल था...........।
A. यंत्र युग B. आधुनिक काल
C. सैकड़ों वर्ष पहले D. जब मानव का जन्म हुआ

5. नए ज्ञान को समेटते रहने के लिए हिन्दी भाषा को.......
A. राष्ट्र भाषा घोषित किया जाए
B. नई ज्ञान शाखाओं में प्रवेश दिया जाए
C. निरंतर नई शब्दावली से सुसज्जित किया जाए
D. ही शिक्षा का एकमात्र माध्यमं बनाया जाए

अभ्यास-29

इस किस्से का, या इतिहास के इस प्रसंग का सार क्या है? थोड़ा रूमानी और छायावादी रूप संदर्भ को अपराध शास्त्र के खून भरे परिभाषा शास्त्र में डालने की इजाजत दी जाय तो यह बात बिना किसी अकादमिक संकोच के कही जा सकती है कि कम से कम हत्या की हिंसा का मामला ऐसा है जहां हत्यारे और उसके शिकार के बीच कभी न कभी प्रेम, आसक्ति और सहमति का रिश्ता रहा होता है। मोहभंग से बड़ा और कोई विष नहीं होता और इसमें कहने की जरूरत नहीं कि पहली हत्या तो मोह की ही होती है और मोह मर गया तो फिर बचा ही क्या?

पढ़ने में शायद अजीब लगेगा पर हत्या के मामले में, अपवादों को छोड़ दिया जाए तो जो मारे जाते हैं उनकी भी काफी सक्रिय भूमिका अपने ही हनन में रहती है। अपराध शास्त्र के आदि सिद्धांतों में कहा ही गया है कि मरने वाला, मारने वाले के मन में असीम और कभी न पलट सकने वाली हिंसा का ज्वार जगाता है और कम से कम चालीस फीसदी मामलों में ऐसा होता है कि निर्णायक संघर्ष या षड्यंत्र शुरू होने तक यह तय नहीं होता कि असल में करने वाला कौन होगा और प्राण लेने वाली हिंसा का रूप क्या होगा? असम में एक मामला ऐसा भी पकड़ में आया था कि दो लोग एक-दूसरे को शराब में जहर मिलाकर मारने आए थे और एक-दूसरे से अपरिचित थे। दोनों ने एक-दूसरे के जाम में जहर मिलाया और सवेरे दोनों की लाशें एक साथ एक ही कमरे में पड़ी मिली।

1. उपर्युक्त गद्यांश का सही शीर्षक है
A. प्रेम और शत्रुता B. हत्या का समाज शास्त्र
C. अपराध जगत् D. हत्या के कारण

2. मृतक और हत्यारे के बीच पहले कौन-सा सम्बन्ध रहता है?
A. प्रेम का B. मोह का
C. भाई चारे का D. आसक्ति का

3. हत्या के मामले में मृतक की क्या मानसिकता होती है?
A. संघर्ष की B. हिंसा की
C. धोखाधड़ी की D. अज्ञान की

4. हत्या का क्या कारण है
A. बदले की भावना B. षड्यंत्र
C. मोह भंग D. धन

5. हत्यारा पहले किसे मारता है
A. दुश्मन को B. अपने धर्म को
C. मोह को D. अपने को

अभ्यास-30

आज क्यों तेरी वीणा मौन
शिथिल शिथिल तन थकित हुए कर
स्पन्दन भी भुला जाता डर
मधुर कसक सा आज हृदय में
आन समाया कौन?

झुकती आती पलकें निश्चल
चित्रित निद्रित से तारक चल
सोता पाराबार दृगों में
भर-भर लाया कौन?
आज क्यों तेरी वीणा मौन?

1. इस कविता के रचयिता हैं
A. सुमित्रा नंदन पन्त B. सुभद्रा कुमारी चौहान
C. महादेवी वर्मा D. मीराबाई

2. नीरजा से उद्धृत इस कविता का आशय है
A. न जाने आज क्यों उनकी हृदयतंत्री बज नहीं रही
B. दुःखों से आपूरित हृदय तथा नेत्रों के अश्रुमय होने के बावजूद वीणा मौन क्यों है?
C. विरह व्यथा की कसक तन-मन को व्याकुल बना रही है, फिर भी आहें नहीं भरी जाती। रहस्य प्रकट करने में न जाने मैं क्यों असमर्थ हूँ
D. विरह व्यथा की कथा अकथनीय है

3. इस कविता का उपयुक्त शीर्षक होगा
A. सुधि बन छाया कौन
B. आज क्यों तेरी वीणा मौन
C. हृदय में आन समाया कौन
D. मौन वीणा का रहस्य

4. कवयित्री के बारे में यह निर्विवाद सत्य है कि वह
A. सर्वोत्कृष्ट कवयित्री थी
B. साधना में दूसरी मीरा थी
C. छायावादी भीड़ में न होकर अपनी विशिष्ट पहचान रखती थी
D. सुप्रसिद्ध छायावादी कवयित्री थी

5. भाव व्यंजना की दृष्टि से यह कविता
A. दुर्बोध रचना है
B. श्रेष्ठ रचनाओं में से एक है
C. आरम्भिक रचना है
D. प्रकृति चित्रण की दृष्टि से बेजोड़ है

अभ्यास-31

सामान्यतः दुष्टों की वन्दना में या तो भय रहता है या व्यंग्य, परन्तु जहाँ हम हानि होने के पहले ही हानि के कारण की वन्दना करने लगते हैं वहाँ हमारी वन्दना के मूल में भय नहीं, बल्कि उसकी स्थायी दशा की आशंका है। इस वन्दना में दुष्टों को थपकी देकर सुलाने की चाल है। जिससे विघ्न बाधाओं से जान बच सके। आशंका से उत्पन्न यह नम्रता गोस्वामी जी को आश्रय से आलंबन बना देती है। जब स्फुट अंशों के संचारी भावों तथा अनुभवों को छोड़कर वन्दना के पीछे निहित भावना की दृष्टि से देखते हैं, तो यह आश्रय से संक्रमित आलंबन का उदाहरण बन जाता है। संतों, देवताओं तथा राम की वन्दना पर्याप्त नहीं इसलिए दुष्टों की भी वन्दना की जाती है। इससे दुष्टों के महत्व की भायिक सृष्टि होती है और वह उन्हें और भी उपहास्य बना देती है।

1. दुष्ट वन्दना के पीछे लेखक का उद्देश्य है
A. दुष्टों को लज्जित करना
B. दुष्टों को थपकी देकर सुलाना
C. दुष्टों से अपना बचाव करना
D. दुष्टों का सहयोग प्राप्त करना

2. रामचरितमानस एक भक्ति काव्य है। इसमें दुष्ट वन्दना का रहस्य है
A. तुलसी की व्यापक दृष्टि
B. तुलसी का सभी को राममय देखना
C. तुलसी की उदारता
D. तुलसी का शील-सौजन्य

3. उपर्युक्त गद्यांश का शीर्षक हो सकता है
A. तुलसी की दुष्ट वन्दना
B. तुलसी की उदारता
C. तुलसी का मानवीय दृष्टिकोण
D. उपर्युक्त तीनों

4. देवताओं, महापुरुषों, सज्जनों के साथ दुष्टों की वन्दना इसलिए सार्थक कही जाएगी कि महाकवि तुलसी दास
A. संत कवि थे
B. उदारचेता थे
C. हित-अनहित और अपने-पराए की भावना से ऊपर उठ चुके थे
D. निर्वरता चाहते थे

5. जीवन में हास्य का महत्व इसलिए है कि वह जीवन को
A. प्रेरणा देता है B. आनन्दित करता है
C. आगे बढ़ाता है D. सरस बनाता है

अभ्यास-32

लक्ष्मी थी या दुर्गा थी वह स्वयं वीरता की अवतार
देख मराठे पुलकित होते उसके तलवारों के वार
नकली युद्ध व्यूह की रचना और खेलना खूब शिकार
सैन्य घेरना, दुर्ग तोड़ना ये थे उसके प्रिय खेलवार
महाराष्ट्र कुल देवी उसकी भी आराध्य भवानी थी
बुन्देले हर बोलों के मुँह हमने सुनी कहानी थी
खूब लड़ी मरदानी वह तो झाँसी वाली रानी थी

23. उक्त पद्यांश का सही शीर्षक हो सकता है
A. झाँसी की रानी B. 1857 का गदर
C. अंग्रेजों का आक्रमण D. महाराष्ट्र की कुल देवी

24. इस कविता के कवयित्री का नाम है
A. महादेवी वर्मा B. सुभद्रा कुमारी चौहान
C. तारा पाण्डेय D. मीराबाई

3. इस कविता में प्रयोग किया गया रस है
A. भक्ति B. करुण
C. शृंगार D. वीर

4. कवयित्री की अधिकांश रचनाएँ
A. सामाजिक हैं B. वात्सल्य पूर्ण हैं
C. देशभक्ति पूर्ण हैं D. धार्मिक हैं

5. 'खूब लड़ी मरदानी वह तो झाँसी वाली रानी थी' में 'मरदानी' शब्द का अर्थ है
A. वीरांगना B. पुरुषों जैसी
C. पुरुषत्व वान D. लड़ाकू

अभ्यास-33

सच्चे वीर अपने प्रेम के जोर से लोगों को सदा के लिए बाँध देते हैं। वीरता की अभिव्यक्ति कई प्रकार से होती है। कभी लड़ने-मरने से, खून बहाने से, तोप तलवार के सामने बलिदान करने से होती है, तो कभी जीवन के गूढ़ तत्त्व और सत्य की तलाश में बुद्ध जैसे राजा विरक्त होकर वीर हो जाते हैं। वीरता एक प्रकार की अन्तःप्रेरणा है। जब कभी उसका विकास हुआ तभी एक रौनक, एक रंग, एक बहार संसार में छा गई। वीरता हमेशा निराली और नई होती है। वीरों को बनाने के कारखाने नहीं होते। वे तो देवदार के वृक्ष की भाँति जीवन रूपी वन में स्वयं पैदा होते हैं और बिना किसी के पानी दिए, बिना किसी के दूध पिलाए बढ़ते हैं। ''जीवन के केन्द्र में निवास करो और सत्य की चट्टान पर दृढ़ता से खड़े हो जाओ। बाहर की सतह छोड़कर जीवन के अन्दर की तहों में पहुँचो तब नए रंग खिलेंगे।'' यही वीरता का संदेश है।

1. इस गद्यांश के लिए उपयुक्त शीर्षक होगा
A. वीरता संस्मरण B. सच्ची वीरता
C. वीरों का उत्पन्न होना D. देवदार और वीर

2. वीरता का संदेश क्या है
A. यह संकल्प कि किसी भी हालत में युद्ध जीतना है
B. बुद्ध जैसे राजा की भाँति विरक्त होना
C. उद्देश्य के लिए सच्चाई पर चट्टान की तरह अटल रहना
D. हमेशा नया और निराला रहना

3. वीरों की देवदार वृक्ष से तुलना की गई, क्योंकि दोनों
A. खाना-पीना मिलने पर ही बढ़ते हैं
B. का दिल उदार होता है
C. सत्य का हमेशा पालन करते हैं
D. स्वयं पैदा होते हैं और बिना किसी के दूध पिलाए बढ़ते हैं

4. निम्नलिखित में से कौन-सा रूप वीरता का नहीं है?
A. क्रोध B. युद्ध
C. त्याग D. दान

5. वीरता का एक विशेष लक्षण है
A. नयापन B. नकल
C. हास्य D. करुणा

अभ्यास-34

अस्ताचल रवि, जल छल-छल छवि
स्तब्ध विश्वकवि, जीवन उन्मन
मन्द पवन बहती सुधि रह रह
परिमल की कह कथा पुरातन
दूर नदी पर नौका सुन्दर
दीखी मृदु तर बहती जयों स्वर
वहाँ स्नेह की प्रतनु देह की
बिना गेह की बैठी नूतन

ऊपर शोभित मेघ सत्र सित
नीचे अमित नील जल दोलित
ध्यान-नयन मन चिन्त्य-प्राण-धन
किया शेष रवि ने कर अर्पण

1. इस कविता का सार्थक शीर्षक हो सकता है
A. दिवस का अवसान
B. दिवा-गमन
C. अस्ताचल रवि
D. रवि का अर्पण

2. इस कविता में छायावादी कवि निराला ने
A. प्रकृति का मनोरम चित्रण किया है
B. अस्तगत सूर्य और उसकी प्रतीक्षा में रत् संध्या का वर्णन किया है
C. मादक भावनाओं की अभिव्यक्ति की है
D. सूर्यास्त का चित्रण किया है

3. इस पद्यांश में प्रयोग किया गया शब्द 'प्रतनु' अर्थ रखता है
A. प्रमुदित B. क्षीण
C. मृत D. प्रेत

4. पण्डित निराला हिन्दी के
A. श्रेष्ठ साहित्यकार थे
B. लेखक तथा कवि दोनों थे
C. समाजवादी कवि थे
D. प्रख्यात तथा सर्वोत्कृष्ट छायावादी कवि थे

5. उपर्युक्त पद्य में प्रयुक्त 'गेह' शब्द का प्रयोग अर्थ रखता है
A. गेहूँ B. एक जीव
C. घर D. द्वार

अभ्यास-35

प्रकृति व्यापार की भाँति है। व्यापारिक समझ यह निर्धारित करती है कि हम अपनी पूँजी की सुरक्षा करते हैं और ब्याज पर जीवनयापन करते हैं। सजीव वस्तुओं की प्रचुर विविधता से प्राकृतिक सम्पदा परिपूर्ण है। इसके बिना, न तो हम स्वयं को खिला सकते हैं, न स्वयं बीमारी का इलाज कर सकते हैं और न ही सम्पत्ति निर्माण के लिए उद्योग को कच्चा माल उपलब्ध करा सकते हैं। हार्वर्ड विश्वविद्यालय के प्रोफेसर एडवर्ड विल्सन के अनुसार ''आनुवंशिक और प्रजातिगत विविधता के हो रहे ह्रास के लिए हमारे पूर्वज शायद ही हमें क्षमा कर पाएँ। इसमें सुधार करने में लाखों वर्ष लग सकते हैं।''

पौधों की केवल 150 प्रजातियाँ ही व्यापक रूप से उगाई जाती हैं। यद्यपि 75,000 से अधिक जंगली पौधों की प्रजातियाँ खाने-योग्य हैं। एक भुखमरी से ग्रस्त दुनिया, जिसमें प्रति वर्ष 90 मिलियन आबादी बढ़ जाती है, इतनी अधिक क्षमता का ह्रास दुखद है। जंगल से एक वर्ष में लगभग 40 बिलियन डॉलर मूल्य की दवाएँ प्राप्त होती हैं। 5000 से अधिक प्रजातियों को ऐसे रसायन उत्पन्न करने के लिए जाना जाता है, जो कैंसर से लड़ने की क्षमता रखती हैं। वैज्ञानिकों का अनुमान है कि वर्तमान में दुनिया में लगभग 10-30 मिलियन प्रजातियाँ हैं, जिनमें से केवल 1.4 मिलियन की ही पहचान हुई है।

जीवन-तंत्र तब बिखर जाता है, जब मनुष्य तात्कालिक लाभ के लिए प्राकृतिक संसाधनों का दोहन करता है। कुछ वाणिज्यिक वस्तुओं को प्राप्त करने के लिए उष्णकटिबंधीय कठोर लकड़ियों का व्यापार, सम्पूर्ण जंगल को नष्ट कर सकता है। अवैज्ञानिक कृषि पद्धतियों से प्रति वर्ष लगभग 24 बिलियन टन मिट्टी की ऊपरी परत का क्षरण हो जाता है, जिससे प्रति वर्ष 9 मिलियन टन अनाज प्राप्त हो सकता था। इस प्रकार के अनुपयुक्त दोहन को रोककर और ''सतत उपयोगिता'' को स्थापित करके पर्यावरणीय संकट को हर प्रकार से कम करने में सहायता मिलेगी।

1. लेखक ने 'प्रकृति' की तुलना 'व्यवसाय' से क्यों की है?
A. प्रकृति एवं व्यापार में पूँजी की कमी के कारण
B. उस समानता के कारण, जिसके साथ दोनों का उपयोग कर सकते हैं
C. समान ब्याज स्तर की उपज के कारण
D. विविध पूँजीगत लागतों में विविधता के कारण

2. ''ह्रास के लिए हमारे पूर्वज शायद ही हमें क्षमा कर पाएँ'' में लेखक किस व्यापार के ह्रास के बारे में कह रहा है?
A. लाभ सीमा को कम करना
B. लाभ में से कुछ पूँजी को व्यापार में न लगाना
C. व्यापार के लिए पूँजी आधार को समाप्त करना
D. पूँजी के ब्याज को पुनः व्यापार में लगाना

3. गद्यांश के सन्दर्भ में निम्नलिखित में से कौन-सा कथन **असत्य** है?
A. मानव अस्तित्व के लिए पादप विविधता आवश्यक है।
B. वैज्ञानिक अधिकांश पादप प्रजातियों की उपयोगिता जानते हैं।
C. कैंसर के उपचार के लिए, रसायन पौधों से प्राप्त होते हैं।
D. खोजे गए पौधों की तुलना में दस गुनी ज्यादा पादप प्रजातियाँ अज्ञात हैं।

4. दुनिया की भुखमरी की चिंता करने हेतु, निम्नलिखित में से क्या सही तरीके से लेखक के विचार को प्रदर्शित करता है?
A. खाद्य-योग्य पौधों की प्रजातियों के उत्पादन की संख्या बढ़ाना
B. वर्तमान में उगायी जा रही 150 प्रजातियों का उत्पादन बढ़ाना
C. चिकित्सा उपयोग वाले पौधों का उत्पादन बढ़ाना
D. उत्पादित नहीं किए जा रहे खाद्य-योग्य पौधों की क्षमता बढ़ाना

5. निम्नलिखित में से कौन-सा जंगल के विनाश का तात्कालिक कारण है?
A. मृदा क्षरण
B. निवास स्थानों का विनाश
C. पेड़ों को काटना
D. अवैज्ञानिक कृषि पद्धतियाँ

6. लेखक ने 'अनुपयुक्त दोहन' के दो उदाहरण दिए हैं। वे हैं :
A. अवैज्ञानिक कृषि पद्धतियाँ और मृदा क्षरण
B. अवैज्ञानिक कृषि पद्धतियाँ और उष्णकटिबंधीय कठोर लकड़ी का व्यापार
C. उष्णकटिबंधीय कठोर लकड़ी का व्यापार और मृदा क्षरण
D. उष्णकटिबंधीय कठोर लकड़ी का व्यापार और टनों अनाज का उत्पादन खो देना

7. गद्यांश किसके बारे में है?
A. व्यापार
B. प्रकृति
C. पर्यावरणीय संकट
D. कृषि पद्धतियाँ

8. लेखक के अनुसार 'पर्यावरणीय संकट' क्या है?
A. उष्णकटिबंधीय कठोर लकड़ी का व्यापार
B. अवैज्ञानिक कृषि पद्धतियाँ
C. मृदा क्षरण
D. आनुवंशिक और प्रजातिगत विविधता का हो रहा ह्रास

9. गद्यांश में प्रयुक्त हुए 'ह्रास' शब्द के लगभग समान अर्थ वाला शब्द निम्नलिखित में से कौन-सा है?
A. उपभुक्त
B. उड़ाया गया
C. अप्रयुक्त (अनुपयोगी)
D. लाभहीन

10. गद्यांश में प्रयुक्त हुआ शब्द 'कम करने' का लगभग विपरीतार्थक शब्द कौन-सा है?
A. एकजुट करना
B. अनदेखा करना
C. जोड़ना
D. संयोजन करना

अभ्यास-36

यह 1998 में एक चलचित्र में दिया गया एकालाप है। वक्ता अपने मित्र के अवशेष विसर्जित करने ही वाला है।

''डोनी एक अच्छा गेंदबाज और अच्छा इंसान था। वह हम में से ही एक था। वह एक ऐसा इन्सान था जिसे बाहर घूमना....और गेंदबाजी से प्रेम था और एक सर्फर के रूप में उसने दक्षिण कैलीफोर्निया के लॉ जोला से लॉ कैरिलो और .... पिसमों तक सभी बीच का भ्रमण किया था। वह अपनी पीढ़ी के बहुत से युवा नौजवानों की तरह मर गया, वह अपने समय से पहले मर गया। अपनी इच्छा से ईश्वर आपने उसे ले लिया जैसे कि आपने खेशंग, लांगदोह की पहाड़ी 364 (वियतनाम युद्ध की लड़ाई) में बहुत से तेज, खिल रहे युवाओं को ले लिया।

उन नौजवानों ने अपनी जिन्दगी दे दी और डोनी ने भी। डोनी को गेंदबाजी से प्यार था और साथ ही थोडोर डोनाल्ड कराबोट्टस से भी। और इसलिए हम सोचते थे कि यही तुम्हारी अन्तिम इच्छा रही होगी, हम तुम्हारे अवशेष उसी प्रशान्त महासागर की गोद में सौंपते हैं जिससे तुम्हें बहुत अधिक प्यार था, शुभरात्रि प्यारे राजकुमार।''

1. अनुच्छेद का प्रथम वाक्य ''डोनी एक अच्छा गेंदबाज और अच्छा इन्सान था।'' है एक :
A. सरल वाक्य
B. जटिल वाक्य
C. संयुक्त वाक्य
D. जटिल-संयुक्त वाक्य

2. वक्ता की 'गेंदबाजी' के प्रति अभिवृत्ति को बेहतर रूप से परिभाषित करता है :

A. अनादर B. श्रद्धा
C. अवज्ञा D. उदासीन

3. इस परिप्रेक्ष्य में, अन्तिम वाक्य में शब्द 'गोद में' का निकटस्थ समानार्थी होगा :

A. छाती B. आराम
C. पानी D. झाग

4. वाक्य "नौजवानों की तरह मर गया" प्रदर्शित करता है कि :

A. उन्होंने अपने देश के लिए लड़ते हुए अपनी जान दे दी।
B. उन्होंने आत्महत्या की।
C. वे युवावस्था में मर गए।
D. उनकी हत्या की गई।

5. अन्तिम दो वाक्यों में वक्ता के भाव को बेहतर रूप से माना जा सकता है :

A. कुपित B. भ्रमित
C. प्रोत्साहित D. औपचारिक

6. उपर्युक्त अनुच्छेद में डोनी के प्रति वक्ता की अभिवृत्ति मुख्यतः एक :

A. दुखी साहचर्यता की है।
B. पक्षपात रहित विच्छेद की है।
C. स्पष्ट विद्वेष की है।
D. गर्वित विरह की है।

7. वाक्य "अपनी इच्छा से, ईश्वर....", में खेशंग, लाँगदोह तथा पहाड़ी 364 का सन्दर्भ सुझाता है कि :

A. डोनी युद्ध में मारा गया।
B. डोनी को पहाड़ी 364 पर दफन किया गया।
C. वक्ता ने इन स्थानों पर भी अपने मित्र खोए।
D. वक्ता इस स्थानों को याद कर रहा है।

8. इस परिप्रेक्ष्य में, एक पंक्ति का भाव "अपनी इच्छा से, ईश्वर.. ..युवाओं को ले लिया" अच्छे ढंग से व्याख्यायित होता है :

A. उत्तेज़ना
B. व्याकुल
C. संतोषी
D. उभयभावी

9. कथन "अपनी इच्छा से, ईश्वर...." में शब्द 'तेज' का सबसे निकटस्थ समानार्थी होगा :

A. बुद्धिमान B. प्रकाश
C. जीवंत D. चमकीला

10. कथन "वह एक ऐसा इन्सान था जिसे बाहर घूमना...." में शब्द 'गेंदबाजी' है एक :

A. क्रिया B. विशेषण
C. क्रियावाचक D. संज्ञा

अभ्यास-37

"मैं तारीफ ही करूँगा अश्क जी के होशो-हवास की। उन्होंने ममदू के हाथ से एक टार्च ले ली और उसे इधर-उधर घुमाकर वे कुछ देख रहे थे। टार्चों के सैल जवाब दे रहे थे, पर वे इधर-उधर बजरी पर बार-बार रोशनी डालते और कुछ उठाकर अपने ओवरकोट में डाल लेते। बजरी दिखाई देने लगी थी, यह इस बात का सबूत था कि हम ग्लेशियर के पास आ गए थे। हमारी समझ में कुछ नहीं आया था। राकेश अपनी टार्च बुझाकर धीरे-धीरे हँस रहा था। वह शायद बात समझ गया था। तभी ममदू बोला, "साब, रोशनी बचाकर रखना है। अभी बहुत लम्बा रास्ता है। बीच-बीच में दलदल भी पड़ सकता है...।"

"सर्दियों में जमी बर्फ में दबकर कुछ पत्थर बहुत कीमती बन जाते हैं।" अश्क जी ने कहा था। राकेश यह सुनकर बेसाख्ता हँस पड़ा था।

हमारे पैर दो-दो मन के हो गए थे। अब उनसे शरीर और कपड़ों का बोझ उठ नहीं पा रहा था। दलदल पार करके हम सुस्ताने लगे थे। मौत की बर्फीली वादी से हम जरूर निकल आए थे पर अंधेरी घाटियों, सतलंजन के मैदान, पानी से भरे खतरनाक कुंडों में जंगली जानवरों के खतरों से अभी हम पार नहीं हुए थे। जैसे-तैसे हम उस जगह पहुँच गए जहाँ घोड़ेवाले को छोड़कर गए थे। आधी रात हो चुकी थी। हमें खत्म हो गया समझकर वे लौट गए थे। रुकने के लिए कोई जगह नहीं थी। ऊपर से बारिश आ गई थी। गनीमत थी कि हम सतलंजन का मैदान पार कर आए थे....अब ऊबड़-खाबड़ रास्ता आ गया था, जिसके नीचे जगह-जगह पानी के कुंड थे। अंधों की तरह सँभल-सँभलकर चलने के अलावा कोई चारा नहीं था। ममदू सब खतरे उठाता हुआ आगे-आगे चल रहा था। उसकी आवाज आ रही थी, 'हिम्मत कर, साहबा! होश साहबा! सँभल के साहबा!' इसी आवाज के सहारे हम चल रहे थे...कहीं कोई रोशनी नहीं, कहीं कोई पगडंडी नहीं, कोई रास्ता नहीं, कोई सहारा नहीं...बस ममदू की आवाज गूँजती। उसी का सिरा पकड़कर हम चलते जा रहे थे। रोशनी की एक झलक के लिए हम तरस रहे थे।

1. गद्य में 'टार्च के सैल जवाब देने' का क्या अर्थ है?

A. टार्च टूटने वाली थी
B. टार्च हाथ से गिरने वाली थी
C. ठण्ड से सैल लगभग जम गए थे
D. टार्च के सैल समाप्त होना

2. प्रस्तुत गद्य में किस प्रहर की चर्चा की गई है?

A. सुबह B. रात्रि
C. संध्या D. आधी रात

3. पैर दो-दो मन के होने का आशय स्पष्ट कीजिए।

A. हार मानना B. बहुत थकना
C. बोझ मानना D. निराश होना

4. इस गद्य में किस मैदान की चर्चा की है?

A. दलदल B. ग्लेशियर
C. अंधेरी घाटी D. सतलंजन का मैदान

5. रात के अंधेरे में लेखक किसके सहारे चल रहा था?
A. पगडंडी के सहारे
B. ममदू के आवाज के सहारे
C. टार्च के सहारे
D. भगवान भरोसे

अभ्यास-38

डिज्नी चलचित्र 'नन्हीं जलपरी' के सबसे महत्वपूर्ण प्रकरण वे हैं जो परम्परागत सोच पर प्रश्न उठाते हैं तथा एक स्वप्न में चलते हैं। एरियल, जो एक नन्हीं जलपरी है, न केवल वास्तविक विचारों (कभी-कभी इसका अर्थ है वे विचार, जो शायद वह सोच नहीं पाती) को व्यक्त करती है वरन् अपने प्रजातिवादी पिता के प्रति विद्रोही है। जब एरियल का प्रेम एक मानव राजकुमार के साथ बढ़ता है, राजा ट्राइडेन्ट क्रोधित होता है। जब एरियल विरोध में स्वर उठाती है और कहती है कि वे उसे नहीं समझते, न उस मनुष्य को जानते हैं, जिसे वह प्यार करती है, ट्राइडेन्ट प्रत्युत्तर देते हैं—"उसे जानना! मुझे उसे जानने की जरूरत नहीं, वह एक मनुष्य है।" सत्य अर्थों में डिज्नी बच्चों को उन पूर्वनिर्धारित विचारों पर प्रश्न उठाने को प्रोत्साहित कर रहा है जो किसी एक समूह के विरुद्ध भी हमें लग सकते हैं।

डिज्नी बच्चों को यह भी सिखाता है कि जिसे वे प्रेम करते हैं, उसे जारी रखो। हम देखते हैं कि एरियल का राजकुमार एरीक से प्रेम अन्य सबसे अधिक महत्वपूर्ण है। मदद के लिए समुद्री जादूगरनी ऊर्सुला के पास जाकर एरियल एक गलती करती है लेकिन कोई भी सच्चा नायक या नायिका कमियों से परे नहीं होते। एरियल स्वयं को, परिवार को तथा पूरे परीलोक को खतरे में डाल देती है, पर हम देखते हैं कि अपने राजकुमार की मदद से वह सबकुछ ठीक करने में कामयाब होती है।

फिल्म के अन्त में जब ऊर्सुला, राजा ट्राइडेन्ट को अपनी बेटी की आत्मा के बदले अपने राज्य का परित्याग करने को विवश करती है, समुद्री जादूगरनी पानी के बाहर विशालकाय और डरावने तरीके में राजा का मुकुट पहनकर और उसके जादुई ट्राइडेन्ट को पकड़कर अमंगलपूर्ण अट्टाहास करती है और घोषणा करती है कि आज से वह सभी जल पुरुषों और महिलाओं की शासक है। वह विजयीपूर्ण मुद्रा में बुदबुदाती है "सच्चे प्रेम के लिए बहुत कुछ!" यद्यपि एरीक अपने जहाजों का कोना सफलतापूर्वक उसकी नाभि से टकरा देता है और उसे परास्त कर देता है। यह नैतिकता इसमें है कि जब हम सब गलतियां करते हैं तो ज्यादा महत्वपूर्ण यह है कि हम उन गलतियों को ठीक कैसे करते हैं, जो हमने दूसरों के साथ की हैं।"

1. लेखक "वे विचार जो शायद वह सोच नहीं पाती।" कथन में कोष्ठक लगाकर क्या दर्शाना चाहता है?
A. पाठक को एक अतिरिक्त कथन का इशारा देता है।
B. दर्शाता है कि यह महत्वपूर्ण नहीं है।
C. एक मजाकिया व्यंग्य शैली प्रदर्शित करता है।
D. अर्थ में बदलाव को इंगित करता है।

2. एरियल के पिता को 'प्रजातिवादी' कहा गया है क्योंकि वह :
A. एरीक को नहीं समझता।
B. एरीक के मनुष्य होने के कारण एरियल के प्रेम का विरोध करता है।
C. क्रोधित है।
D. पूर्व नियोजित विचारों के प्रति विद्रोही है।

3. "डिज्नी बच्चों को उन पूर्वनिर्धारित विचारों पर प्रश्न उठाने को प्रोत्साहित कर रहा है जो किसी एक समूह के विरुद्ध हमें लग सकते हैं" इस बात को कौन-सी कल्पित पटकथा सर्वश्रेष्ठ ढंग से प्रदर्शित करती है?
A. टेलीविजन के विकास पर एक फिल्म
B. एक फिल्म जो युद्ध का गौरव वर्णित करती है।
C. एक लड़की पर फिल्म जो सर्प के डर से मुक्त होती है।
D. एक रॉक बैंड की यात्राओं को अभिलेखित करती फिल्म।

4. जब ऊर्सुला कहती है "सच्चे प्रेम के लिए बहुत कुछ", यह क्या प्रदर्शित करता है?
A. वह विशेषज्ञ है।
B. वह एक पूर्व प्रेम प्रसंग में टूट चुकी है।
C. उसे विवाह स्वीकार नहीं है।
D. वह सच्चे प्रेम का मजाक उड़ा रही है।

5. कथन "एरीक अपने जहाजों का कोना सफलतापूर्वक उसकी नाभि से टकरा देता है और उसे परास्त कर देता है" में परास्त करने का अर्थ है :
A. मारना
B. प्रेम करना
C. गायब कर देना
D. दमन करना

6. लेखक की "नन्हीं जलपरी" के प्रति अभिवृत्ति मुख्यतः .... है :
A. कुंठित
B. वैरागी
C. आदरपूर्ण
D. आश्चर्यपूर्ण

7. लेखक का अनुच्छेद में मुख्य बिन्दु है कि :
A. एरियल को एरीक से विवाह की अनुमति नहीं देनी चाहिए।
B. 'नन्हीं जलपरी' (फिल्म) बच्चों को सिखाती है कि दिल की सुनो।
C. डिज्नी की फिल्में सिखाती हैं कि प्रेम, घृणा से बड़ा है।
D. केवल राजकुमार एरीक ही एरियल को सही प्रकार समझता है।

8. एक जहाज का 'कोना' होता है :
A. पीछे
B. मध्य में
C. सामने
D. शीर्ष पर

9. एरियल से क्या गलती हुई?
A. एरीक से प्रेम
B. पिता से विद्रोह
C. ऊर्सुला से मदद लेना
D. ऊर्सुला को एरीक की सहायता से मार देना

10. कथन ".....समुद्री जादूगरनी, पानी से बाहर निकलती है, विशालकाय और डरावने ...." में 'डरावना' है एक :
A. क्रियावाचक संज्ञा
B. कृदन्त
C. विशेषण
D. क्रिया-विशेषण

अभ्यास-39

''एक ही काम अब शेष था। पर्ण कुटी कैसी बनी है, देर से जानने की इच्छा मुझे हो रही थी। सो बट-दादा के केश पकड़कर फिर नीचे उतरा और पास की एक शिला पर बैठकर निश्चिंत हृदय से अपनी इच्छा तृप्त करने लगा। अपनी वस्तु चाहे कितनी ही साधारण क्यों न हो, पर हमारी आँखें उसे बहुत सुंदर रूप में देखती हैं। यही हाल मेरा था। वास्तव में पर्ण-कुटी चाहे कैसी ही रही हो, मुझे वह सुंदर जान पड़ रही थी। इस पर भी कुशा घास एवं वट वृक्ष के सहयोग से वह पर्णशाला मुझे किसी योगाश्रम की पवित्र कुटी-सी मालूम पड़ी। भयंकर जंगल के बीच सिंह-व्याघ्र आदि से रक्षा करने वाली धरती से पंद्रह फीट की ऊँचाई पर बनी पर्ण-कुटी को देखकर मेरा हृदय पुलकित हो उठा। बट-दादा की अनेक भुजाओं ने उसे चारों तरफ से घेरकर अपनी गोद में सुरक्षित बैठाया हुआ था।

1. पर्ण-कुटी किससे बनी थी?

A. बट-दादा के केश से B. कुशा घास से
C. पत्ते से D. बट-दादा की भुजाओं से

2. पर्ण-कुटी कहाँ पर बनाई गई थी?

A. आंगन में B. बाग में
C. घर में D. जंगल में

3. लेखक को पर्ण-कुटी सुरक्षित क्यों लगी?

A. क्योंकि यह जंगल में थी।
B. क्योंकि इसे वट वृक्ष की भुजाओं ने चारों ओर से घेर रखा था।
C. क्योंकि यह धरती से पन्द्रह फीट ऊँचाई पर थी।
D. क्योंकि यह कुटी पवित्र-सी मालूम होती थी।

4. लेखक अपनी इच्छा कैसे तृप्त करने लगा?

A. जंगल में घूमकर
B. वट वृक्ष पर बैठकर
C. शिला पर बैठकर पर्णकुटी देखकर
D. झूला-झूल कर

5. ''एक ही काम अब शेष था'' से लेखक का क्या तात्पर्य है?

A. यह जानना कि पर्णकुटी कैसी बनी थी।
B. यह जानना कि पर्णकुटी किससे बनी थी।
C. यह जानना कि पर्णकुटी कैसे बनी थी।
D. यह जानना कि पर्णकुटी कहाँ बनी है।

अभ्यास-40

भवन निर्माण में अत्यधिक प्रयोग होने वाली सीमेंट-टाइलों और सीमेंट-पेंट के निर्माण के लिए सफेद सीमेंट आधारभूत कच्ची सामग्री है। इसलिए सफेद सीमेंट के मुख्य उपभोक्ता सीमेंट टाइल और सीमेंट पेंट की विनिर्माण इकाइयाँ हैं। ये उपभोक्ता जो अधिकांशतः छोटे पैमाने के क्षेत्रों से हैं, अल्पकाल में ही सीमेंट की कीमतों में अत्यधिक वृद्धि के कारण संकट का सामना कर रहे हैं। देश में सफेद और सलेटी सीमेंट का वर्तमान वार्षिक लाइसेंस-प्राप्त उत्पादन लगभग 3.5 लाख टन है और इसकी औसत माँग 2–2.5 टन है। इसका मतलब एक लाख टन या उससे अधिक उत्पादन अतिरिक्त क्षमता है। अतः कीमत में वृद्धि अपर्याप्त उत्पादन क्षमता के कारण उत्पन्न होने वाली समस्या नहीं बल्कि विनिर्माता द्वारा अपने हित में सृजित की गई दिखावटी कमी है।

सीमेंट की कीमत में निरंतर तीव्र वृद्धि का मुख्य कारण इसका विनियंत्रण है। सीमेंट-टाइल और सीमेंट-पेंट विनिर्माण व्यवसाय में कड़ी प्रतिस्पर्धा भी है। इस स्थिति में आगे कीमतों को संशोधित करने से बाजार-स्थितियों पर गंभीर प्रतिकूल प्रभाव पड़ सकते हैं। सरकार को उपयुक्त नियंत्रण सुनिश्चित करने के लिए पर्याप्त कदम उठाने चाहिए। अन्यथा इसे सीमेंट के आयात की अनुमति देनी चाहिए।

1. सफेद सीमेंट की कीमतें क्यों बढ़ रही हैं?

A. क्योंकि सरकार सीमेंट के कोटे (नियतांश) को नियंत्रित कर रही है।
B. सफेद सीमेंट के निर्यात के कारण।
C. सफेद सीमेंट का बहुतायत में प्रयोग होने के कारण।
D. उपर्युक्त में से कोई नहीं

2. गद्यांश के अनुसार निम्नलिखित में से कौन-सा कथन सही नहीं है?

A. सफेद सीमेंट की कीमतों में बढ़ोतरी से सीमेंट पेंट की कीमत में वृद्धि होगी।
B. सफेद सीमेंट नियंत्रित उत्पाद है।
C. सफेद सीमेंट की कीमत में वृद्धि उत्पादन समस्या के कारण नहीं है।
D. सफेद सीमेंट की कीमत बढ़ाने से सीमेंट टाइल का बाजार गड़बड़ा जाएगा।

3. गद्यांश में वर्णित के अनुसार सीमेंट टाइल विनिर्माता किस संकट का सामना कर रहे हैं?

A. सफेद सीमेंट की कीमत बहुत कम है।
B. सफेद सीमेंट अच्छी क्वालिटी का नहीं है।
C. सफेद सीमेंट का उपयोग बहुत अधिक है।
D. सफेद सीमेंट की कीमतें बहुत ज्यादा हैं।

4. निम्नलिखित में से कौन-सा शब्द गद्यांश में प्रयुक्त 'अतिरिक्त' शब्द का समानार्थी है?

A. आलसी B. सुस्त
C. बड़ा D. अत्यधिक

5. गद्यांश के अनुसार निम्नलिखित में से कौन-सा सही है?

A. पेंट के विनिर्माण में सफेद सीमेंट का प्रयोग नहीं होता।
B. सफेद सीमेंट टाइल विनिर्माण का गौण भाग है।
C. टाइल निर्माण के लिए सफेद सीमेंट अत्यंत महत्वपूर्ण है।
D. सफेद सीमेंट का इस्तेमाल केवल पेंट बनाने के लिए होता है।

6. निम्नलिखित में से कौन-सा शब्द गद्यांश में प्रयुक्त 'दिखावटी' शब्द का समानार्थी है?

A. अप्राकृतिक B. दीर्घकालीन
C. जानबूझकर D. व्यावहारिक

7. कीमतें कम करने के लिए लेखक का क्या सुझाव है?
A. सरकार का सफेद सीमेंट बाजार पर नियंत्रण होना चाहिए।
B. उत्पादन क्षमता को बढ़ाया जाना चाहिए।
C. अन्य क्षेत्रों में सफेद सीमेंट के प्रयोग को घटा देना चाहिए।
D. सीमेंट पेंट और टाइलों के विनिर्माताओं के बीच की प्रतियोगिता को कम करना चाहिए।

8. निम्नलिखित में से कौन-सा शब्द गद्यांश में वर्णित 'आधारभूत' शब्द का विपरीतार्थक है?
A. सजीव B. अमहत्वपूर्ण
C. अम्लीय D. अंतिम

9. गद्यांश के अनुसार निम्नलिखित में से कौन-सा सही है?
A. सीमेंट उत्पादन क्षमता उसके उपयोग की तुलना में ज्यादा है।
B. सीमेंट उत्पादन क्षमता उसके उपयोग की तुलना में कम है।
C. सीमेंट उत्पादन क्षमता उसके उपयोग के बराबर है।
D. सीमेंट उत्पादन क्षमता उसके उपयोग की तुलना में दुगुनी है।

10. सीमेंट के विदेशों में व्यापार के संबंध में गद्यांश से क्या अनुमान लगाया जा सकता है?
A. वर्तमान में देश सीमेंट का निर्यात कर रहा है।
B. वर्तमान में देश सीमेंट का आयात कर रहा है।
C. वर्तमान में देश सीमेंट का आयात व निर्यात दोनों कर रहा है।
D. वर्तमान में देश सीमेंट का न आयात क़र रहा है और न निर्यात।

अभ्यास-41

''सुधार जिस अवस्था में हो, उससे अच्छी अवस्था आने की प्रेरणा हर आदमी में मौजूद रहती है। हममें जो कमजोरियाँ हैं, वह मर्ज की तरह हमसे चिपटी हुई हैं जैसे शारीरिक स्वास्थ्य एक प्राकृतिक बात है और रोग उसका उल्टा, उसी तरह नैतिक और मानसिक स्वास्थ्य भी प्राकृतिक बात है और हम मानसिक तथा नैतिक गिरावट से उसी तरह संतुष्ट नहीं रहते, जैसे कोई रोगी अपने रोग से संतुष्ट नहीं रहता'' जैसे वह किसी चिकित्सक की तलाश में रहता है। उसी तरह हम भी इस फिक्र में रहते हैं कि किसी तरह अपनी कमजोरियों को दूर फेंककर अधिक अच्छे मनुष्य बनें। इसीलिए हम साधु-फकीरों की खोज में रहते हैं। पूजा-पाठ करते हैं, बड़े-बूढ़ों के पास बैठते हैं, विद्वानों के व्याख्यान सुनते हैं और साहित्य का अध्ययन करते हैं।

हमारी सारी कमजोरियों की जिम्मेदारी हमारी कुरुचि और प्रेम भाव से वंचित होने पर है। जहाँ सच्चा सौन्दर्य-प्रेम है, जहाँ प्रेम की विस्तृति है, वहाँ कमजोरियाँ कहाँ रह सकती हैं? प्रेम ही तो आध्यात्मिक भोजन है और सारी कमजोरियाँ इसी भोजन के न मिलने अथवा दूषित भोजन के मिलने से पैदा होती हैं। कलाकार हममें सौन्दर्य की अनुभूति उत्पन्न करता है और प्रेम की उष्णता। उसका एक वाक्य, एक शब्द, एक संकेत इस तरह हमारे अन्दर जा बैठता है कि हमारा अंतःकरण प्रकाशित हो जाता है। पर जब तक कलाकार खुद सौन्दर्य-प्रेम से छककर मस्त न हो और उसकी आत्मा स्वयं इस ज्योति से प्रकाशित न हो, वह हमें प्रकाश कैसे दे सकता है?

1. उपर्युक्त गद्यांश के माध्यम से लेखक ने पाठकों को क्या बताया है?
A. प्रत्येक मनुष्य की कमजोरियाँ
B. प्रत्येक मनुष्य की अच्छाइयाँ
C. शारीरिक स्वास्थ्य
D. जीवन में प्रेम का महत्व

2. लेखक के अनुसार सत्संग, पूजा-पाठ करने, व्याख्यान सुनने और साहित्य का अध्ययन करने का प्रमुख उद्देश्य क्या है?
A. निर्वाण प्राप्ति
B. अपनी कमजोरियों को दूर कर अच्छा मनुष्य बनना
C. मनोकामनाएँ पूरी करना
D. धनवान बनना

3. गद्यांश के अनुसार हमारी सारी कमजोरियों का कारण क्या है?
A. काम और क्रोध
B. लोभ और मोह
C. कुरुचि और प्रेमभाव से वंचित होना
D. उपर्युक्त में से कोई नहीं

4. लेखक के अनुसार आध्यात्मिक भोजन क्या है?
A. प्रेम B. पूजा और उपवास
C. कठोर तप D. प्रवचन सुनना व नाचना

5. लेखक के अनुसार हमें कलाकार से क्या प्राप्त होता है?
A. मनोरंजन
B. उमंग और आनन्द
C. अभिनय कला
D. सौन्दर्य की अनुभूति और प्रेम की उष्णता

अभ्यास-42

''आज हम इस असमंजस में पड़े हैं और यह निश्चय नहीं कर पाए हैं कि हम किस ओर चलेंगे और हमारा ध्येय क्या है? स्वभावतः ऐसी अवस्था में हमारे पैर लड़खड़ाते हैं। हमारे विचार में भारत के लिए और सारे संसार के लिए सुख और शांति का एक ही रास्ता है और वह है अहिंसा और आत्मवाद का। अपनी दुर्बलता के कारण हम उसे ग्रहण न कर सके, पर उसके सिद्धांतों को तो हमें स्वीकार कर ही लेना चाहिए और उसके प्रवर्तन का इंतजाम करना चाहिए। यदि हम सिद्धांत ही न मानेंगे तो उसके प्रवर्तन की आशा कैसे की जा सकती है? जहाँ तक मैंने महात्मा गाँधी के सिद्धांत को समझा है, वह इसी आत्मवाद और अहिंसा के, जिसे वे सत्य भी कहा करते थे, मानने वाले और प्रवर्तक थे। उसे ही कुछ लोग आज गाँधीवाद का नाम भी दे रहे हैं। यद्यपि महात्मा गाँधी ने बार-बार यह कहा था कि 'वे किसी नए सिद्धांत या वाद के प्रवर्तक नहीं हैं और उन्होंने अपने जीवन में प्राचीन सिद्धांतों का अमल कर दिखाने का यत्न किया है।' विचार कर देखा जाए तो जितने सिद्धांत अन्य देशों, अन्य-अन्य कालों और स्थितियों में भिन्न-भिन्न नामों और धर्मों से प्रचलित हुए हैं, सभी अन्तिम और मार्मिक अन्वेषण के बाद इसी तत्त्व या सिद्धांत में समाविष्ट पाए जाते हैं। केवल भौतिकवाद इनसे अलग है। हमें असमंजस

की स्थिति से बाहर निकलकर निश्चय कर लेना है कि हम अहिंसावाद, आत्मवाद और गाँधीवाद के अनुयायी और समर्थक हैं न कि भौतिकवाद के। प्रेय और श्रेय में से हमें श्रेय को चुनना है। श्रेय ही हितकर है, भले ही वह कठिन और श्रमसाध्य हो। इसके विपरीत प्रेय आरंभ में भले ही आकर्षक दिखाई दे, उसका अन्तिम परिणाम अहितकर होता है।''

1. हमारे पैर लड़खड़ाते हैं, क्योंकि हम
A. लक्ष्य से अनजान और दिशाहीन हैं
B. अशक्त और दुर्बल हैं
C. भौतिकवाद में आस्था रखते हैं
D. अकर्मण्य हैं

2. लेखक के विचार में विश्व में सुख-समृद्धि और शांति स्थापित हो सकती है, केवल
A. अहिंसा और अनात्मवाद द्वारा
B. अनिश्चय और असमंजस की स्थिति से उबरकर
C. भौतिकवाद और अनात्मवाद को समन्वित करके
D. अहिंसा और आत्मवाद को अपनाकर

3. अहिंसा एवं सत्य के मार्ग में सबसे बड़ी बाधा है
A. असत्य मार्ग का सरल होना
B. सत्य के मार्ग की दुर्गमता
C. हिंसा के प्रति सहज आकर्षण
D. मनुष्य की अपनी दुर्बलता

4. हमें स्वयं को किस दुविधा से मुक्त करना चाहिए?
A. लक्ष्य और दिशा की
B. श्रेय और प्रेय की
C. गाँधीवाद और भौतिकवाद की
D. सिद्धांत और व्यवहार की

5. विश्व की विभिन्न विचारधाराएँ और प्रमुख वाद अंततः किस तत्त्व में समाविष्ट पाए जाते हैं?
A. सत्य में
B. सुख-साधना में
C. धार्मिक-आस्था में
D. शांति-अन्वेषण में

अभ्यास-43

''द टावर'' यीट्स के द्वारा लिखी गई कविता है। इसके तीन भाग हैं जो जीवन के तीन पड़ावों अथवा संसार से जुड़े होने के तीन माध्यमों से सम्बन्धित हैं परन्तु यह इतने सरल क्रम में नहीं हैं जितने कि किशोरावस्था, युवावस्था और वृद्धावस्था, अपितु तीन कविताओं के अनुक्रम में पहले और तीसरे भाग में अथवा पहली और तीसरी कविताएँ मृत प्राय शरीर में तेज होते मस्तिष्क के आंतरिक अनुभवों को व्यक्त करती हैं। इसका दूसरा भाग अधिक मूर्त संस्मरण है, जो जमीन के एक पट्टे पर मरसिया गाते हुए मृत्यु की ओर गुज़रना हैं। मरणासन्न कवि इन कार्यों के अतीत ग्रस्त सर्वेक्षण के बारे में बात कर रहा है। पहला और तीसरा पड़ाव इस प्रकार आता है जैसे स्वप्न में डूबे मस्तिष्क, जबकि दूसरा पड़ाव स्वप्न में गुजरता है।

यदि हम इस कविता को अनुष्ठान के रूप में देखें तो पहले पड़ाव से महसूस होता है कि अन्त निकट है परन्तु इतना निकट नहीं कि तुरन्त सामना हो जाए। दूसरा पड़ाव अनुष्ठान की तैयारी है, और तीसरा पड़ाव तैयारी पूर्ण होने पर आता है और शून्य में विलीन हो जाता है। यदि इस मृत्यु का कोई अर्थ है तो कवि को गिरने, कुम्हलाने, सड़ने की बजाय स्वयं ही अपने आपको उत्साहपूर्वक इस संसार से दूर अन्य दुनिया में ले जाना चाहिए। ऐसा करने के लिए उसे उन यादगार क्षणों को याद करना चाहिए जिनमें उसने स्वयं को अधिकतम जीया, जो सम्भवतः एक ही बार हुआ और जो अब भी बहुतों को चिढ़ाता है। ये ही क्षण वास्तव में उसके हैं क्योंकि इन्हीं क्षणों को वह पीछे छोड़कर जाएगा।

1. ''जीवन के तीन पड़ाव'' सम्बन्धित हैं–
A. युवा, युवावस्था और वृद्धावस्था से
B. शिशु, किशोर, युवा से
C. कविता के जीवन चक्र से
D. विश्व में उपस्थिति के तीन मार्गों से

2. ''पहली और तीसरी कविताएँ'' दूसरी कविता से भिन्न हैं क्योंकि वे–
A. अतीत ग्रस्त हैं
B. कवि के आन्तरिक अनुभव का विवरण देती हैं
C. शवदाह के हिस्से हैं
D. उत्साही हैं

3. वाक्यांश ''जमीन के एक टुकड़े पर मरसिया गाते हुए मृत्यु की ओर गुजरना'' दर्शाता है कि कवि–
A. धीमा दौड़ने वाला था
B. दाह संस्कार के समय बोल रहा था
C. प्राचीन कहानियाँ सुना रहा था
D. अपने जीवन के कार्यों का जायजा ले रहा था

4. कवि को ''उन यादों को अवश्य खोजना चाहिए जिनमें वह अधिकतम जीया'' जिससे कि वह–
A. मृत्यु से दूर रह सके
B. एक कवि बन जाए
C. यादें दोबारा ताजा कर सके
D. इस संसार को छोड़ना सार्थक बना सके

5. कवि सम्पूर्णता में इस कविता की तुलना करता है–
A. पौराणिक कथा से   B. एक मृत प्राय व्यक्ति से
C. एक अनुष्ठान से   D. एक संस्मरण से

6. ''द टावर'' यीट्स के द्वारा लिखी गई कविता है। यह है एक–
A. साधारण वाक्य   B. संयुक्त वाक्य
C. मिश्र वाक्य   D. संयुक्त-मिश्र वाक्य

7. ''दूसरा भाग अधिक मूर्त संस्मरण है, जो जमीन के एक पट्टे पर मरसिया गाते हुए मृत्यु की ओर गुजरना है। यह है एक–
A. संयुक्त वाक्य   B. मिश्र वाक्य
C. संयुक्त-मिश्र वाक्य   D. साधारण वाक्य

8. प्रश्न 7 में ''गुजरना'' है एक–
A. Gerund (क्रियार्थक संज्ञा)
B. Present participle (वर्तमान कालिक कृदंत)
C. Past participle (भूत कालिक कृदंत)
D. उपरोक्त में से कोई नहीं

9. ''यदि इस मृत्यु का कोई अर्थ है'' में 'मृत्यु' है–
A. संज्ञा | B. क्रिया-विधेय
C. अविधेय क्रिया | D. उपरोक्त में से कोई नहीं

10. ''अन्य दुनिया'' सम्बन्धित है–
A. युवाओं की दुनिया से | B. युवावस्था के संसार से
C. वृद्धावस्था के संसार से | D. मृत्यु के संसार से

अभ्यास-44

हमारा मन हजारों निरुद्देश्य प्रश्न लिए वैज्ञानिक खोजों में उलझकर अशान्त बन रहा है। मन की दुनिया में प्रश्नों के सिवाय और क्या है? हृदय के संसार में केवल उत्तर-ही-उत्तर है। प्रेम है, करुणा है, विश्वास है, प्रतीक्षा है, समर्पण है और जिज्ञासा की शान्ति है, व्याकुलता की इतिश्री है। मन बहुरूपिया है। गिरगिट की तरह रंग बदलता रहता है। कभी वह दार्शनिक, कभी तार्किक, कभी वैज्ञानिक, राजनेता, तो कभी चिन्तक बनकर स्वयं को धोखे में डाल देता है। मन में प्रश्नों का उत्पन्न होना वैसा ही है, जैसाकि वृक्ष की शाखाओं पर नूतन पल्लवों का अंकुरण।

मन की तुलना एक मरुस्थल से की जा सकती है जहाँ रेत और मृगमरीचिका के सिवाय ऐसा कुछ भी नहीं होता जिससे जीवन में सुख-शान्ति, आनन्द और विश्राम का एहसास हो सके, परन्तु फिर भी ऐसा लगता है कि मन ही सब कुछ कर रहा है। मन ने आपको अपना गुलाम बना लिया है। आपके व्यक्तित्व का वह मालिक बन बैठा है।

मन ने हमारे हृदय के प्रेम और करुणा को भी पादाक्रान्त कर दिया है। पश्चिमी दर्शन और बुद्धिजीवी मन को ही बुद्धि का स्वामी मानकर मन को रिझाने के उपायों की वकालत करते देखे जाते हैं।

हृदय सबकुछ सुन लेता है, समझ लेता है और सारी जिज्ञासाओं का समाधान करने की क्षमता भी रखता है तथा जिसका सीधा सम्बन्ध उस दिव्य चेतना से है जिसे आत्मा कहा जाता है, उसे मन की तानाशाही ने इतना अशान्त बना दिया है कि वह दर-दर का भिखारी बना नजर आता है। हृदय में परमशान्ति का अक्षय कोश है, दिव्यता का भण्डार है, प्रेम और करुणा का अजस्र-निर्झर है। वही आज संवेदनाहीन, निष्करुण और निष्ठुर होता जा रहा है। मानवता मरती जा रही है; मनमानापन फल-फूल रहा है।

हृदय ही आत्मा-परमात्मा का सेतु है। वही संसार में प्रेम से रहना और किसी के काम आना तथा मधुर संगीत निकालना सिखाता है। हृदय से ही आनन्द की वर्षा होती है। ध्यान भी हृदय गुफा की ही देन है। हमें हृदय का साथ करना होगा। मन को वश में करने का झंझट क्यों पाला जाए? वश में करने के चक्कर में पड़कर जीवन में संघर्ष क्यों करना? मन को अपने अनुकूल बना सको तो ठीक, नहीं तो उसकी उपेक्षा कर दो। मन को दृष्टा बनकर देखो। उसे महत्व देना छोड़कर भावजगत का आश्रय लेकर हृदय में आनन्द, शान्ति, विश्वास और प्रेम का सदा अनुभव करो। यही अपना वास्तविक स्वरूप है।

1. इस गद्यांश का उपयुक्त शीर्षक क्या होगा?
A. मन की तानाशाही | B. विज्ञान की भूल
C. शान्ति का उपाय | D. हृदय की सुरक्षा

2. 'व्याकुलता' की इतिश्री'–का क्या तात्पर्य होगा?
A. मन के अनुसार कार्य करना
B. प्रश्नों का समाधान हृदय की अनुभूति से स्वतः होना
C. वैज्ञानिक खोज में सफलता मिलना
D. आत्मशान्ति की अनुभूति

3. मन में उठने वाले निरुद्देश्य प्रश्नों की तुलना किससे की गई है?
A. वैज्ञानिक खोजों से
B. मृगमरीचिका से
C. मरुस्थल के वृक्षों की हरियाली से
D. तानाशाही से

4. हृदय में निम्नलिखित गुणों में से कौन-सा गुण नहीं है?
A. करुणा | B. प्रेम
C. तर्क | D. आनन्द

5. हमारा वास्तविक स्वरूप क्या है?
A. संघर्षमय जीवन | B. मन की प्रसन्नता
C. भावजगत का सुख | D. संवेदन हीनता

अभ्यास-45

शैक्षिक नियोजन का उद्देश्य संपूर्ण जनसंख्या के सभी आयु वर्गों की शैक्षिक आवश्यकताओं की पूर्ति करना होना चाहिए। हालाँकि शिक्षा के पारंपरिक ढाँचे का प्राथमिक स्तर से विश्वविद्यालय स्तर तक तीन-सतही पदानुक्रम इसके आंतरिक मूल का प्रतिनिधित्व करते हैं, हमें इसकी बाह्य परिधि की उपेक्षा नहीं करनी चाहिए जो कि उतनी ही महत्वपूर्ण है। आधुनिक परिस्थितियों में, एक श्रमिक को भी उसके उत्साह को पुनर्जीवित अथवा पुनर्स्थापित करने अथवा एक नई दिशा में बढ़ने अथवा अपने कौशल में सुधार करने की उतनी ही आवश्यकता है जितनी कि एक विश्वविद्यालय के प्राध्यापक को। सेवानिवृत्त तथा वृद्धों की भी अपनी आवश्यकताएं हैं। दूसरे शब्दों में, शैक्षिक नियोजन को प्रत्येक की आवश्यकताओं को ध्यान रखना चाहिए।

हमारी शैक्षिक संरचना इस अवधारणा पर निर्मित है कि शिक्षा का एक अंतिम बिंदु होता है। यह आधारभूत दोष ही आज अति-हानिकारक बन गया है। एडगर फाउर द्वारा 1973 में तैयार की गई यूनेस्को की एक रिपोर्ट 'लर्निंग टु बी' इस बात पर बल देती है कि बच्चों की शिक्षा को विभिन्न प्रकार की स्वयं सीखने वाले रूपों द्वारा भावी वयस्क तैयार करने वाला होना चाहिए। भविष्य की एक व्यावहारिक शिक्षा प्रणाली में विभिन्न प्रकार के कार्यों के मॉड्यूल होने चाहिए जिसमें विविध घटकों को प्रयुक्त किया जा सके और, अध्ययन की अवधि के स्थान पर प्रदर्शन को विश्वसनीयता का आधार होना चाहिए।

आजीवन सीखने और जीवनपर्यंत शिक्षा के लिए प्रतिबद्धता के महत्व की, शैक्षिक रूप से अग्रणी देशों में भी जहाँ हाल ही के वर्षों में चर्चा की गई है, वहाँ इस विचार के शिक्षा के अभिन्न अंग होने की संभावना दूर की बात लगती है। इस दिशा में बढ़ने का अर्थ है शिक्षा की वर्तमान संरचना में कुछ सरल बदलावों से कहीं अधिक करना। किंतु विभिन्न श्रेणियों के पुराने शिक्षार्थियों के लिए खुले विश्वविद्यालय कार्यक्रमों को विकसित कर तथा परंपरागत महाविद्यालयों व विद्यालयों में विस्तार सेवाएँ आरंभ कर एक अच्छी शुरुआत की जा सकती है। इन संस्थानों को सामुदायिक संगठनों जैसे, पुस्तकालयों व स्वास्थ्य सेवाओं से सहयोग करना सीखना चाहिए।

1. शैक्षिक नियोजन का उद्देश्य किसकी शैक्षिक आवश्यकताओं की पूर्ति होना चाहिए?
A. पूर्व-शैशव आयु वर्ग B. किशोर वर्ग
C. सभी आयु वर्ग D. इनमें से कोई नहीं

2. शिक्षा की पारंपरिक संरचना में हैं–
A. दो-सतही पदानुक्रम B. तीन-सतही पदानुक्रम
C. चार-स्तरीय प्रणाली D. उपरोक्त सभी

3. अनुच्छेद के अनुसार, शिक्षा की वर्तमान संरचना मानती है कि–
A. आवश्यकता के अनुसार सभी लोगों को शिक्षित किया जा सकता है
B. वर्तमान शिक्षा नियोजन व्यावहारिक है
C. शिक्षा एक बार होने वाली प्रक्रिया है
D. इनमें से कोई नहीं

4. व्यावहारिक शिक्षा प्रणाली के लिए विश्वसनीयता का आधार होना चाहिए–
A. प्रदर्शन B. अध्ययन की अवधि
C. अध्ययन के घंटे D. उपरोक्त सभी

5. हमारी शिक्षा का ढाँचा इस अवधारणा पर निर्मित है कि–
A. शिक्षा के कई रूप होते हैं
B. शिक्षा की कोई प्रणाली नहीं होती
C. शिक्षा का एक अंतिम बिंदु होता है
D. इनमें से कोई नहीं

6. अनुच्छेद के संदर्भ में "दूर की बात है" का अर्थ है–
A. दूर खड़े होकर बात करना
B. दूर जाकर बात करना
C. बातों में दूरी रखना
D. संभावना कम लगना

7. निम्न में से कौन अनुच्छेद में प्रयुक्त शब्द "पूर्ति" का समानार्थक है?
A. संपर्क B. आगम
C. पश्चिम D. संतुष्ट

8. अनुच्छेद में प्रयुक्त निम्न में से कौन-सा, शब्द "अभिन्न" का विपरीतार्थक है?
A. आवश्यक B. स्वतंत्र
C. प्रमुख D. अमुख

9. शैक्षिक संरचना के साथ जीवनपर्यंत शिक्षा की अवधारणा को समाहित करने का अर्थ होगा–
A. परंपरागत विद्यालयों/महाविद्यालयों को बंद करना
B. औपचारिक पाठ्यक्रमों की दीर्घ अवधि
C. वर्तमान शैक्षिक संरचना में सरल बदलाव
D. उपरोक्त में से कोई नहीं

10. अनुच्छेद के संदर्भ में निम्न में से कौन-सा कथन सत्य नहीं है?
A. जीवनपर्यंत सीखना एक नई अवधारणा है
B. श्रमिक का ज्ञान तथा कौशल भी निरंतर बढ़ना चाहिए
C. 'लर्निंग टु बी' इस बात से सहमत है कि शिक्षा का एक अंतिम बिंदु होता है
D. विद्यालयों तथा महाविद्यालयों को विस्तार सेवाएँ भी आरंभ करनी चाहिए।

अभ्यास-46

भारत की नारियों ने स्वतंत्रता संग्राम के समय अपनी शक्ति, त्याग और बलिदान का परिचय दिया। उन्होंने शिक्षा, विज्ञान और राजनीति के क्षेत्र में भी अपना अमूल्य योगदान देकर यह सिद्ध कर दिखाया है कि नारी में भवानी जैसी शक्ति भी विद्यमान है। समाज में नारी के अनेक रूप देखने को मिलते हैं। वह जहाँ माता का दायित्व निभाती है, वहीं वह पत्नी, बहन और बेटी के कर्त्तव्य का भी निर्वाह करती है। नारी गृहिणी के रूप में सम्पूर्ण परिवार की व्यवस्था को देखती है और पूरे घर का संचालन भी करती है। नारी विवेक सम्पन्न होती है, तभी तो उसका परिवार सुखमय और शान्तिपूर्वक जीवन व्यतीत करता है। नारी पत्नी के रूप में पति की मार्गदर्शिका, जीवन संगिनी, सहधर्मिणी मानी गई है। शिक्षित नारी अन्धविश्वासों और कुप्रथाओं के जाल में नहीं फँसती। यदि आज के वातावरण में देखा जाए, तो समाज का गौरव और स्वाभिमान नारी के बल पर ही टिका है। हमारा प्रयास नारी को प्रत्येक क्षेत्र में अग्रणी बनाने का होना चाहिए।

1. नारी देश और समाज के लिए क्या करती है?
A. नारी समाज में शिक्षिका बनती है।
B. नारी देश और समाज में अनेक कर्त्तव्यों का पालन करती है।
C. नारी का समाज में योगदान नगण्य है।
D. नारी समाज का एक हिस्सा बनती है।

2. स्वतंत्रता संग्राम के समय नारी ने अपनी किन-किन शक्तियों का परिचय दिया?
A. अपने ज्ञान एवं कुशल व्यवहार का।
B. अपने विवेक एवं बुद्धि का।
C. अपनी संचालन शक्ति का।
D. अपनी शक्ति, त्याग और बलिदान का।

3. नारी विवेक सम्पन्न होती है, तभी तो उसका परिवार ....।
A. सम्पन्न होता है
B. सभ्य कहलाता है
C. ज्ञानवान बनता है
D. सुखमय और शांतिपूर्वक जीवन व्यतीत करता है।

4. समाज में नारी कितने रूपों में जानी जाती है?

A. माँ एवं बहन B. पत्नी एवं प्रेयसी

C. मार्गदर्शिका D. माता, पत्नी, बहन एवं बेटी

5. हमारा प्रयास नारी को प्रत्येक क्षेत्र में .... बनाने का होना चाहिए।

A. सम्पन्न B. सुदृढ़

C. शक्तिशाली D. अग्रणी

अभ्यास-47

तथागत के अंतिम दिनों का वर्णन 'महापरिनिर्वाण सूत्र' में हुआ है। एक दिन उनके प्रमुख शिष्य आनन्द ने उन्हें, भिक्षु संघ को अन्तिम उपदेश देने की बात कही। यह 'उपदेश' शब्द तथागत को चुभा क्योंकि बुद्ध ने कभी भी संघ का नेता बनने की कोशिश नहीं की। उन्होंने अपने शिष्यों से कभी भी कुछ नहीं छिपाया। उन्होंने आनन्द को बताया कि वे अपने शरीर को अधिक चलाने के पक्ष में नहीं हैं। शोकाकुल स्वर में आनन्द ने पूछा कि अब संघ के लिए क्या उचित है। गौतमबुद्ध ने आनन्द को समझाया कि अपना रास्ता स्वयं खोजो! अपना दीपक स्वयं बनो। अपनी आत्मा की शरण में जाओ, धर्म की शरण में जाओ। धर्म और विनय का उपदेश ही भक्तों का पथ-प्रदर्शन करेंगे।

वर्षाकाल की समाप्ति पर तथागत वैशाली लौट आए। लिच्छिवियों के प्रति तथागत का स्नेहभाव था; इसलिए उन्हें अपना भिक्षा-पात्र स्मृति स्वरूप दिया था। आनन्द के अनुरोध पर माँ गौतमी को तथागत ने वैशाली में भिक्षुणी संघ की स्थापना की अनुमति दी थी। विनय पिटक के कई महत्वपूर्ण सूत्र वैशाली में ही रचे गये हैं।

पावा नगरी के निकट पहुँच भिक्षु संघ को संबोधित कर बुद्ध ने समझाया कि ठीक अर्थ जानने से ही किसी महापुरुष के नीति कथन, उपदेश आदि को भली-भाँति समझा तथा ग्रहण किया जा सकता है। धर्मग्रन्थ में लिखी सूक्तियों का गलत अर्थ निकालने और उनके अनुसार चलने का मतलब है अपने पैरों पर आप कुल्हाड़ी मारना। इससे धर्म का उत्थान नहीं पतन होता है। इसलिए धर्म का ठीक-ठाक अर्थ निकालना चाहिए। तथागत के अनुसार इस संसार में विवेकशील प्राणी वही है जो सार ग्रहण करता है। जो व्यक्ति महापुरुषों द्वारा कही बातों की गहराई तक पहुँचकर उनके द्वारा-दिखाये गये रास्ते पर चलता है वही सबसे बड़ा बुद्धिमान है। शुद्ध हृदय वाले व्यक्ति के मुख से निकले वचन सत्य और प्रामाणिक होते हैं। उनके अनुसार चलने से जीवन सफल होता है। ऐसे प्राणी के मुख से निकले वचन धर्म का रूप होते हैं। उन्हीं वचनों में विनयभाव होता है तथा उन वचनों को ही ज्ञान की संज्ञा दी जा सकती है। वही वचन गौतम बुद्ध के भी हैं।

1. तथागत को 'उपदेश' शब्द क्यों चुभा?

A. वे उपदेश देने में विश्वास नहीं रखते थे।

B. पर उपदेश में सभी कुशल बन जाते हैं पर स्वयं में कुछनहीं होते।

C. शरीरक्षीण होने से वे बोलने में कष्ट का अनुभव कर रहे थे।

D. मनुष्य के जीवन के लिए उपदेश से बढ़कर स्वानुभूति महत्त्वपूर्ण है।

2. 'अपना दीपक स्वयं बनो' का क्या अभिप्राय है?

A. अपना मार्ग स्वयं अपनी साधना से खोजना होगा।

B. स्वयं पर भरोसा करो।

C. आत्मा रूपी दीपक के प्रकाश में कर्त्तव्य का बोध होगा।

D. बैसाखी के सहारे चलने से व्यक्ति अधिक दूर तक नहीं जा सकता।

3. वैशाली में गौतमबुद्ध के जीवन की कौन-सी घटना नहीं हुई?

A. विनय पिटक की रचना हुई।

B. लिच्छिवियों को अपना-भिक्षा-पात्र दिया।

C. आनन्द को अन्तिम उपदेश यहीं दिया गया।

D. भिक्षुणी संघ की स्थापना की अनुमति दी।

4. स्वयं अपना पथ प्रदर्शक कैसे हुआ जा सकता है?

A. धर्मानुसार जीवन यापन करने से।

B. विनय भाव से जीवन चर्या चलाने से।

C. गौतमबुद्ध की शिक्षाओं का अनुसरण करने से।

D. महापुरुषों के उपदिष्ट मार्ग का अनुशीलन करने से।

5. सच्चा ज्ञान कौन-सा है?

A. जिससे जीवन सफल बन सके।

B. जो सत्य को प्रमाणित कर सके।

C. धर्मग्रन्थ की सूक्तियाँ।

D. शुद्ध हृदय से उद्भूत वचन।

6. इस संसार में विवेकशील प्राणी कौन है?

A. जो अपने से बड़ा किसी को नहीं मानता।

B. जिसकी बुद्धि सारग्राही है।

C. जो प्रामाणिक महापुरुषों का अनुकरण करती है।

D. जो हर बात की गहराई तक जाता है।

7. 'अपने हाथ अपने पैरों पर कुल्हाड़ी मारना' का क्या तात्पर्य है?

A. अविवेकता से कुछ का कुछ समझकर आचरण करना।

B. अनाड़ीपने से कार्य करना।

C. जानबूझकर अक्लमंद बनने की चेष्टा करना।

D. अपनी बात के आगे किसी की न मानना।

8. 'प्रामाणिक' की तरह 'व्यवहार' से कौन-सा विशेषण शब्द ठीक है?

A. व्यावहारिक B. व्यवहारिक

C. व्यावाहारिक D. व्यवहारिकता

9. गौतमबुद्ध के वचन धर्म संगत क्यों हैं?

A. ये वचन धर्म पिटक से उद्धृत हैं।

B. ये वचन उनके उपदेश हैं।

C. ये शुद्ध हृदय से निकले हैं तथा सत्य युक्त हैं।

D. ये बुद्धिमत्तापूर्ण हैं।

10. निम्नलिखित में बुद्ध के जीवन से सम्बन्धित कौन-सा शब्द नहीं है?

A. तथागत B. गौतम

C. महापरिनिर्वाण सूत्र D. विनय पिटक

अभ्यास-48

जिसके अन्दर जितनी पवित्र भावनाएं प्रवाहित होती हैं उतना ही आत्मा का तेज बढ़ता जाता है, आभामण्डल-विस्तृत होता जाता है। जहाँ अहंकार है, अशुद्ध भावनाएं हैं, उन सम्बन्धों में कभी भी निःस्वार्थ प्रेम पनप नहीं सकता है। आज हर एक प्राणी क्या चाहता है – प्रेम चाहिए। एक शिशु को भी प्यार चाहिए तो वयोवृद्ध भी प्रत्येक से प्रेमपूर्ण और आदरपूर्वक व्यवहार की अपेक्षा रखता है। ऐसा नहीं है कि बुजुर्ग ने सारे जीवन प्रेम और सम्मान पाया है तो अब बुढ़ापे में उसे प्यार और सम्मान न भी मिले तो चलेगा। नहीं। हर इंसान को प्यार चाहिए और वह भी निःस्वार्थ, सहज और आत्मीय भाव से भरा हुआ। यह तभी सम्भव है जब परस्पर पवित्र भावनायें हों सामन्जस्यपूर्ण व्यवहार हो और निःस्वार्थ प्रेम प्रवाहित होता हो।

आज के तनावपूर्ण वातावरण में हर व्यक्ति सहानुभूति, सद्भाव और सौहार्द तो चाहता है किन्तु कैसी विडम्बना है कि यदि कोई प्यार से बात करता है तो व्यक्ति संशयग्रस्त होने लगता है कि यह व्यक्ति मुझसे इतने प्यार से क्यों व्यवहार कर रहा है? मुझसे इसकी क्या अपेक्षा है? लेकिन जहाँ समझदारी है वहाँ व्यक्ति प्रेमपूर्ण व्यवहार पाकर कृतज्ञता का अनुभव कर तनाव मुक्त हो जाता है। उसे मन में शान्ति और जीवन में सच्चे सुख की तत्काल अनुभूति होने लगती है।

प्रत्येक व्यक्ति जीवन में आनन्द की उपलब्धि चाहता है पर उसके जीवन में आनन्द और खुशी नहीं है। क्योंकि वह आत्मशक्ति जाग्रत करने के बारे में बेखबर है। आत्मा का निज गुण शान्ति और आनन्द है और यही उसकी शक्ति है। दूसरे शब्दों में यही आत्मा का स्वधर्म है। आत्मा में ज्ञान की शक्ति, पवित्रता, प्रेम और शान्ति की शक्ति है। प्रत्येक वस्तु का अपना गुणधर्म होता है। जैसे पानी का गुणधर्म है– शीतलता, अग्नि का गुणधर्म है– उष्णता। पानी को कितना ही उबालो किन्तु वह पुनः अपने शीतल स्वरूप में लौट आता है।

हम प्रार्थना के माध्यम से ईश्वर से सुख-शान्ति, शक्ति, ज्ञान और सद्भाव की ही तो मांग करते हैं। हम कहते हैं –'असतो मा सद् गमय।' 'तमसो मा ज्योतिर्गमय।' ऐसी प्रार्थना इसीलिए करते हैं कि हमारा स्वभाव 'असत' नहीं सत है, 'अन्धकार' नहीं ज्योतिर्मय है। हमें अपने स्वधर्म में स्थित होने पर ही सुख और शान्ति मिल सकती है। स्वधर्म में ही हमारे अन्दर पवित्र भाव जागते हैं। गीता में भी भगवान श्री कृष्ण अर्जुन को यही प्रेरणा देते हैं कि स्वधर्म को जाग्रत कर उसमें स्थित होकर युद्ध कर। मनुष्य अपने स्वधर्म से दूर हो गया है और परधर्म के अधीन हो गया है। ज्ञान के विपरीत अज्ञान और प्रेम के विपरीत अहंकार के वश में हो गया है। अहंकार और अज्ञान तो परधर्म है। मन में पवित्रता और शुद्धि के स्थान पर दुर्भावना और अपवित्रता आ गयी है। अपवित्रता तो परधर्म है। प्रेम के बदले नफरत आ गई है। ये नफरत परधर्म है। शान्ति के बदले जीवन में क्रोध आ गया है। ये क्रोध परधर्म है। परधर्म के अधीन होने पर ही व्यक्ति स्वयं में सहजता अनुभव नहीं करता है। गुणों के स्थान पर व्यक्ति के जीवन में काम, क्रोध, लोभ, मोह, ईर्ष्या, अहंकार और द्वेष का दबदबा है।

1. इस गद्यांश का उपयुक्त शीर्षक क्या होगा?
A. आभामण्डल
B. निःस्वार्थ प्रेम
C. आत्मा का स्वधर्म
D. शान्ति की प्राप्ति

2. किस प्रकार के प्रेम से जीवन में सहजता आती है?
A. अपेक्षापूर्ण
B. उपेक्षापूर्ण
C. निःस्वार्थपूर्ण
D. अपवित्रता रहित

3. गीता का प्रेरक संदेश क्या है?
A. परधर्म के अधीन न हों।
B. कर्म निःस्वार्थ भाव से करें।
C. आत्मस्थ होकर शान्तिलाभ करें।
D. युद्ध के बिना शान्ति और सुख नहीं मिलता।

4. व्यक्ति के आभामण्डल का विकास कब होता है?
A. अहंकार और अधिकार भावना से।
B. तनावमुक्त जीवन जीने की कला से।
C. आत्मशक्ति के विकास से।
D. निःस्वार्थ सेवा करने से।

5. स्वधर्म में स्थित होने का क्या तात्पर्य है?
A. अपने धर्म के अनुसार ही पूजा पाठ करें।
B. आत्मा के आध्यात्मिक गुणों का विकास करना।
C. ईर्ष्या, द्वेष, अहंकार और पाखण्ड छोड़ देना।
D. शान्ति और आनन्द का अनुभव करना।

अभ्यास-49

राजनीति और विद्या सगी बहने हैं। दोनों का अलग रहना कठिन हैं। दोनों के स्वभाव भिन्न हैं, किन्तु लक्ष्य एक है। दोनों का लक्ष्य है कि व्यक्ति और समाज को अधिक सुख पहुँचे। इतिहास इस बात का साक्षी है कि जब भी किसी राष्ट्र में क्रान्ति का बिगुल बजा तो वहाँ के छात्र मात्र दृष्टा नहीं रहे अपितु उन्होंने क्रान्ति की बागडोर संभाली। परतन्त्रता काल में स्वतंत्रता के लिये और वर्तमान काल में भ्रष्टाचारी सरकारों के उन्मूलन के लिये भारत में छात्रशक्ति ने अग्रसर होकर क्रान्ति का आहवान किया। इंडोनेशिया और ईरान में छात्रों ने सरकार का तख्ता ही पलट दिया। बांग्लादेश को अस्तित्व में लाने में ढाका विश्वविद्यालय के छात्रों के बलिदान को भुलाया नहीं जा सकता।

1. निम्नलिखित में कौन-सा कथन सही नहीं है?
A. विद्या और राजनीति सहोदरा है।
B. दोनों की प्रकृति समान है।
C. दोनों का उद्देश्य एक है।
D. दोनों परस्पर सहयोगी हैं।

2. संसार का इतिहास साक्षी है कि छात्र—
A. राष्ट्र में क्रान्ति के दर्शक रहे हैं।
B. क्रान्ति के कारण बनें।
C. क्रान्ति में खड़े हो गये।
D. क्रान्ति में अग्रणी रहे।

3. छात्रों के संघर्ष के उद्देश्यों में क्या शामिल नहीं था?
A. परतन्त्रता के लिये B. स्वतन्त्रता के लिये
C. भ्रष्टाचार मिटाने के लिये D. सरकार गिराने के लिये

4. कई देशों में क्रान्ति का श्रेय किसको जाता है?
A. विद्यार्थियों को B. सामान्य जनता को
C. उद्योगपतियों को D. राजनीतिज्ञों को

5. छात्रों ने आहवान किया—
A. शान्ति का B. शक्ति का
C. अहिंसा का D. क्रान्ति का

अभ्यास-50

यह सर्वविदित है कि मानवता का सबसे घोर शत्रु विज्ञान नहीं वरन् युद्ध है, विज्ञान विद्यमान सामाजिक शक्तियों को प्रतिबिम्बित करता है, स्पष्टतया विज्ञान शान्ति के दौर में रचनात्मक होता है और युद्धकाल में यही विनाश-रूपी भूमिका में परिवर्तित हो जाता है। प्रायः विज्ञान द्वारा प्रदत्त अस्त्र युद्ध के लिए जिम्मेदार नहीं हैं, हालांकि वे युद्ध को अत्यधिक भयावह जरूर बना सकते हैं। अभी तक ये अस्त्र हमें विनाश के कगार तक ले आए हैं। अतः हमारी मुख्य समस्या विज्ञान को प्रतिबन्धित करना न होकर युद्ध रोकना है—बल प्रयोग के स्थान पर तथा विधि एवं राष्ट्रों के पारस्परिक सम्बन्धों में अराजकता के स्थान पर अन्तर्राष्ट्रीय सरकार की स्थापना करना है। ऐसे प्रयास में सभी लोगों की भागीदारी आवश्यक है जिनमें वैज्ञानिक भी शामिल हैं परन्तु हिरोशिमा पर बमबारी ने हमें यह चेतावनी दे दी है कि वास्तव में हमें तत्काल प्रभावी कदम उठाने पड़ेंगे। इसके लिए काफी विलम्ब हो चुका है, क्योंकि इस दिशा में अभी तक कार्य प्रारम्भ नहीं हो सका है। अब हमारे समक्ष यह प्रश्न मुँह खोले खड़ा है—"क्या शिक्षा एवं सहिष्णुता, सौहार्द एवं रचनात्मक सोच हमारी विनाशकारी क्षमताओं के साथ जारी प्रतिस्पर्द्धा में कभी जीत सकती है?" यह एक ऐसा प्रश्न है जिसका उत्तर किसी भी कीमत पर हमें इस पीढ़ी में अवश्य ही ढूँढ़ना होगा। विज्ञान को हम सभी को समाधान ढूँढ़ने में सहायता करनी होगी परन्तु प्रमुख निर्णय की क्षमता हम सभी को स्वयं विकसित करनी है।

1. लेखक के मतानुसार मानवता का वास्तविक शत्रु विज्ञान नहीं बल्कि युद्ध है, क्योंकि—
A. विज्ञान मात्र अस्त्रों का आविष्कार करता है जिससे युद्ध लड़े जाते हैं
B. विज्ञान युद्धकाल में विनाशकारी हो जाता है
C. विज्ञान द्वारा आविष्कृत अस्त्र ही युद्ध के असली कारण हैं
D. विज्ञान द्वारा आविष्कृत अस्त्र मात्र युद्ध के कारण नहीं हैं, यद्यपि इनके द्वारा घोर विनाश निश्चित है

2. युद्ध रोका जा सकता है यदि—
A. विज्ञान को समूल विनाश की अनुमति न दी जाय तो
B. विधि एवं अन्तर्राष्ट्रीय शासन पद्धति द्वारा हम बल प्रयोग एवं अराजकता के ऊपर नियंत्रण पा सकें
C. विज्ञान की सुविधाओं का प्रयोग मात्र युद्धकाल में ही हो
D. विज्ञान द्वारा आविष्कृत अस्त्र युद्ध घोषित करने के लिए प्रयुक्त न हों

3. लेखक के अनुसार हमारी समस्या है—
A. विज्ञान को सामाजिक शक्तियों का प्रतिबिम्ब बनाने से रोकना
B. वैज्ञानिक गतिविधियों को सर्वत्र प्रतिबन्धित करना
C. युद्ध समाप्ति सुनिश्चित करना
D. वैज्ञानिकों को विनाशकारी गतिविधियों से रोकना

4. विनाशकारी प्रवृत्तियों को नियंत्रित करने हेतु—
A. सामाजिक शक्तियों को प्रोत्साहित करना
B. शिक्षा और व्यापक दृष्टि
C. अन्तर्दृष्टि एवं रचनात्मक-चिन्तन
D. उपर्युक्त (B) एवं (C) को जोड़कर

5. 'विनाश की दहलीज पर खड़ा करना' का तात्पर्य है—
A. मृत्यु और विनाश के समीप ले जाना
B. नए भविष्य की दहलीज पर ले जाना
C. विध्वंसकारी गतिविधि में प्रवृत्त होना
D. रहस्यमय भाग को इंगित करना

6. निम्नलिखित में से कौन गद्यांश में सन्निहित नहीं है?
A. लोग अकारण युद्ध के लिए विज्ञान पर दोषारोपण करते हैं
B. विज्ञान का विध्वंसात्मक उद्देश्यों के लिए प्रयुक्त होना
C. विज्ञान और उसके द्वारा आविष्कृत अस्त्रों दोनों का ही युद्ध की विभीषिका की वृद्धि में कोई योगदान नहीं है
D. विश्व शान्ति की स्थापना हेतु विज्ञान की भूमिका का स्थान मनुष्य के बाद ही होता है

7. निम्नलिखित में से गद्यांश में प्रयुक्त कौन-सा शब्द 'अराजकता' का विलोमार्थी है?
A. कानून और व्यवस्था B. राजनीतिक दबंगपन
C. आर्थिक सम्पन्नता D. साम्प्रदायिक सौहार्द

8. 'हमारा कार्य कदाचित ही प्रारम्भ हो पाया है' का अभिप्राय है—
A. अभी प्रारम्भ ही नहीं हो पाया है
B. अभी-अभी प्रारम्भ हुआ है
C. आधा रास्ता तय कर लिया है
D. अभी प्रारम्भ हुआ है, परन्तु अभी तक समाप्त नहीं हुआ

9. गद्यांश में वर्णित 'कदम से कदम मिलाना' का क्या अभिप्राय है?
A. दूरी बनाए रखना
B. बराबरी बनाए रखना
C. चुनौती देना
D. पलायन से रोकना

10. निम्नलिखित में से कौन सर्वाधिक उपयुक्त शीर्षक है?
A. विज्ञान और सामाजिक शक्तियाँ
B. विज्ञान एवं युद्ध की विभीषिकाएँ
C. विज्ञान एवं विश्वशांति
D. विज्ञान एवं नई पीढ़ी

अभ्यास-51

जीवन का उद्देश्य एक रहस्य है। वह कठिन जरूर है फिर भी ऐसा नहीं है कि उसे जाना ही न जा सके। लगातार उस पर सोचते रहने से इसके भेदों से पर्दा उठा भी है। आधुनिक युग में अत्यंत सूक्ष्म तथा वैज्ञानिक आकलन से बने उपकरण सचमुच विलक्षण हैं। भौतिकशास्त्र के प्रचुर आविष्कार हमें उन विश्वसनीय उपायों का स्पष्ट आभास दे रहे हैं, जिनसे जीवन को उन्नत बनाया जा सकता है, लेकिन सारे उपकरणों, रणनीतियों तथा खोजों के बावजूद ऐसा लगता है कि हम अभी भी नियति के हाथ का खिलौना ही हैं। हम अपनी नियति तय नहीं कर पाते। प्रकृति हम पर हावी है। हम उसके आगे असहाय महसूस करते हैं। हमें प्रकृति के प्रभुत्व से मुक्ति पानी ही चाहए। उसे पाने के लिए हमें एक लम्बी यात्रा तय करनी होगी।

हम प्रकृति की दया पर जीते हैं। उसकी दया पर ही बने रहना सचमुच मुक्ति नहीं कही जा सकती है। हमारे उत्साही मन को उस समय बेरुख बेबसी जकड़ लेती है जब हम प्रकृति की मार को सहते हैं। बाढ़-तूफान या भूकम्प इत्यादि का शिकार हो जाते हैं। कभी-कभी महसूस करते हैं कि बिना किसी सीधी वजह के हमारे प्रियजन हमसे छिन जाते हैं। कभी कोई बीमारी या दुर्घटना हमें समय से पहले उठा लेती है। अक्सर हमें कोई प्रत्यक्ष तर्क और कारण समझ में नहीं आता तब हमें अहसास होता है कि हमने बहुत कुछ हासिल किया है, लेकिन हमने वास्तविक विजय नहीं पाई है। जीवन को हम जैसा जीना चाहते हैं वैसा जी नहीं पा रहे हैं। हम उसे अपने अनुरूप ढालने की तमाम कोशिशें करते हैं, लेकिन ढाल नहीं पाते हैं। हम गेहूँ के आटे की बनी रोटी खाते हैं क्या हम जानते हैं कि गेहूँ को किसने बनाया? रोटी का पाचन होकर आत्मसात् कराने का कार्य कौन करता है?

जीवन के हर पक्ष में तमाम निश्चितताओं के साथ हमें एक अनिश्चित सत्ता स्वीकारनी होगी, एक अपरिहार्य निर्भरता दिखाई देगी। हम नहीं जानते कि दिल धड़कना कब बन्द कर देगा? यहाँ हमें अपने सच्चे अमर आत्म की जरूरत महसूस होती है जिसके विश्वास से हम बिना किसी परेशानी के निबांध रूप से आगे जा सकें। उस उच्चतर सत्ता के सामने परम निर्भयता और समर्पण का अभ्यास किए बिना जीवन का परम रहस्य उद्घाटित नहीं होगा।

1. इस गद्यांश का उपयुक्त शीर्षक क्या होगा?
   A. जीवन का रहस्यमय उद्देश्य
   B. जीवन का परम रहस्य
   C. जीवन की बाध्यताएं
   D. निर्भयता और समर्पण का अभ्यास
2. जीवन को समुन्नत कैसे बनाया जा सकता है?
   A. वैज्ञानिक उपकरणों की उपलब्धि से
   B. प्रकृति पर विजय प्राप्त करके
   C. आत्मसत्ता की उपस्थिति का अभ्यास करके
   D. प्रकृति की दया पर निर्भर रहने से
3. 'नियति के हाथ का खिलौना' इस कथन का क्या तात्पर्य है?
   A. प्रकृति के साथ आनंदित रहना
   B. प्रकृति के आगे असहाय महसूस करना
   C. प्रकृति के अनुसार ढल जाना
   D. प्रकृति की सत्ता स्वीकार करना
4. 'हम अपनी नियति तय नहीं कर पाते' इस कथन का क्या अभिप्राय है?
   A. जीवन लक्ष्य निर्धारित नहीं कर पाते
   B. लम्बी यात्रा तय नहीं कर पाते
   C. जीवन जीना नहीं आता
   D. जीवन का परम रहस्य उद्घाटित नहीं होता
5. हमारी अपरिहार्य निर्भरता किस पर होगी?
   A. प्रकृति पर
   B. अमर आत्मा पर
   C. भौतिकशास्त्र के उपकरणों पर
   D. प्रकृति के प्रभुत्व से मुक्ति पर

अभ्यास-52

अंग्रेजों के पदार्पण के पश्चात् भारत की शिक्षा-पद्धति में आमूल-चूल परिवर्तन आया। उसका उद्देश्य शासन-व्यवस्था को चलाने के लिए कम खर्च पर क्लर्क पैदा करना था। मैकाले का कहना था– "हमें भारतीय लोगों के एक ऐसे वर्ग के निर्माण का भरसक प्रयत्न करना है जो हमारे और उन करोड़ों लोगों के बीच, जिन पर हम शासन करते हैं, दुभाषिये का काम कर सकें। हम ऐसे वर्ग का निर्माण करें जो रंग और रक्त में भले ही भारतीय हो, किन्तु रुचियों, विचारों, नैतिक मूल्यों और बौद्धिक दृष्टिकोण आदि में पूर्णरूपेण अंग्रेज़ हों।" मैकाले का स्वप्न साकार हो गया। प्रचलित शिक्षा-पद्धति लॉर्ड मैकाले द्वारा मुखरित उद्देश्य की पूर्ति में शत-प्रतिशत सफल रही है किन्तु अंग्रेज़ों की राजनैतिक कूटनीति का रोना रोने में भारत का कल्याण नहीं होगा। हमें स्वतंत्र भारत की परिस्थितियों और आवश्यकताओं के अनुरूप शिक्षा-प्रणाली को ढाल लेना चाहिए।

शिक्षा का वास्तविक उद्देश्य चरित्र को उन्नत करके जीव को उच्च आदर्शों से प्रेरित करना तथा व्यक्तित्व का सन्तुलित और समन्वित विकास करना है। विद्यार्थियों में निरन्तर बढ़ती हुई अनुशासनहीनता, उद्दण्डता, उच्छृंखलता और प्रशासनिक भ्रष्टाचार इस बात का प्रत्यक्ष प्रमाण है कि वर्तमान शिक्षा चरित्र-निर्माण और व्यक्तित्व के सन्तुलित और समन्वित विकास में असफल रही है। आज की खर्चीली शिक्षा जनसामान्य के पहुँच से दूर होती जा रही है। मुंशी प्रेमचन्द ने कहा था–खर्चीली शिक्षा कभी चरित्रवान् व्यक्ति पैदा नहीं कर सकती। कितना अच्छा हो कि 'पढ़ो और कमाओ' की योजनाएँ प्रचलन में आएँ।

1. मैकाले का कौन-सा स्वप्न साकार हुआ?
   A. ब्रिटिश साम्राज्य की स्थापना करना
   B. अंग्रेज़-भक्त क्लर्कों को पैदा करना
   C. अंग्रेज़ी पढ़ाकर विचारशील युवक तैयार करना
   D. भारतीयों को अपनी प्राचीन महत्ता और गौरव का विस्मरण कराना

2. आमूल-चूल परिवर्तन का अर्थ क्या है?
   A. आंशिक घटा-बढ़ी करना
   B. रसोई के चूल्हों में परिवर्तन
   C. प्रारम्भ से अन्त तक बदलाव लाना
   D. शासन-पद्धति में परिवर्तन लाना
3. स्वतंत्र भारत में शिक्षा का उद्देश्य निम्नलिखित में से सर्वाधिक महत्त्वपूर्ण कौन-सा है?
   A. नेतृत्व की शिक्षा देना
   B. व्यक्तित्व का समन्वित विकास करना
   C. बेरोजगारी दूर करना
   D. भ्रष्टाचार-उन्मूलन करना
4. किन लोगों को 'काले अंग्रेज' कहा जाता है?
   A. ऐसे भारतीय जो बौद्धिक दृष्टिकोण में अंग्रेजों जैसे हैं
   B. अफ्रीका के निवासी लोग
   C. दक्षिण भारतीय लोग
   D. अनुशासनहीन उच्छृंखल नवयुवक
5. जीवन को प्रेरित करने वाले उच्च आदर्श कौन-से हैं?
   A. रुचियों, विचारों और नैतिक मूल्यों में अंग्रेजों की तरह बनें
   B. देश-प्रेम और नैतिकता को जीवन में अपनाएँ
   C. शिक्षा को कम खर्चीला बनाएँ
   D. धर्मनिरपेक्ष शिक्षा-व्यवस्था अपनाएँ

अभ्यास-53

विकसित देशों के लोगों की अपेक्षा अविकसित देशों के लोगों की सोच ग्राम्यता के उत्प्रेरकों के सम्बन्ध में एकदम भिन्न है। वहाँ यह एक प्रकार से मानव के जीवित रहने की क्रिया के लिए केवल भौतिक आवश्यकता है। तीसरी दुनिया के देशों में, जो मुख्य रूप से ग्रामीण हैं, उनका एकमात्र आधार ग्रामीण विकास ही है, जिसके द्वारा मानव जीवन को इसके वर्तमान अवमानव स्तर से ऊपर उठाया जा सकता है। उन देशों में शताब्दियों से ग्रामीण जीवन जहाँ का तहाँ खड़ा अवरोधित है। उस ग्रामीण जनसंख्या की दशाओं को सुधारने के लिए कुछ नहीं किया गया जो अन्य चार पैर वाले प्रतिरूपों की तुलना में मामूली ढंग से भिन्न है। अविकसित एवं अर्द्धविकसित देशों में अज्ञान, कुस्वास्थ्य तथा गरीबी ग्रामीण जीवन के पर्याय बन गये हैं लेकिन सबसे दुःखद स्थिति यह है कि इस प्रकार की मानव जनसंख्या ने ऐसा स्वीकार कर लिया है कि यह दुरावस्था अपरिवर्तनीय है। यह एक ऐसी स्थिति है जिसकी कोई दवा नहीं है। उनके जीवन से आशा की सभी किरणें दूर हो गयी हैं। इस प्रकार के देशों में, ग्रामीण विकास किसी प्रकार की भौतिक अथवा अभौतिक विकास के लिए अपरिहार्य शर्त है। इसलिए इन सभी देशों का प्रबुद्ध वर्ग ग्रामीण विकास के प्रश्न पर निरन्तर बढ़-चढ़कर रुचि ले रहा है।

उनके स्वतंत्रता संघर्ष की विरासत का यह एक अंग भी था। भारत जैसे देश में, इस बात को सभी जानते हैं कि स्वतंत्रता आन्दोलन में ग्रामीण विकास की कोशिश एक अविभाज्य अंग था। गाँधीजी जैसे नेताओं को भली-भाँति यह एहसास था कि वास्तविक भारत अवरोधग्रस्त ग्रामों में निवास करता है। शहर जो ज्यादातर पश्चिमी उपनिवेशवाद की उपज हैं, केवल दिखावटी दर्शनीय वस्तुएँ हैं। तब भी दो प्रकार की दुनिया थी – वह जहाँ तड़क-भड़क के जीवन वाले जो शाही रुचियों के सुविधासम्पन्न कुछ गिने-चुने सम्भ्रान्त क्षेत्रवासी रहते थे। वे क्षेत्र छोटे-छोटे टापू जैसे थे जिनको धूल-मिट्टी और गंदगी के विशाल समुद्र ने घेर रखा है और बहुसंख्यक लोग उन स्थानों का प्रतिनिधित्व करते थे।

भारत नगरों से किसी भी तरह अपरिचित नहीं रहा। प्राचीन भारत में, नगर देश के अंगभूत भाग थे जो मूलरूप से शेष सारे देश और समग्र समाज से सम्बन्धित थे। वे संस्कृति के सुमन की भाँति तथा राष्ट्र की कलात्मक उत्कृष्टता के परिचायक थे। आधुनिक नगर केवल दूसरों के शिकार करने वाले परजीवीमात्र हैं जो देश को कमजोर बना रहे हैं।

इसीलिए गाँधीजी ने 'गाँवों की ओर लौट चलो' यह ग्राम आन्दोलन प्रारम्भ किया था। उनके मतानुसार यह आन्दोलन ही भारत को स्वतंत्रता दिलवा सकता था और स्वतंत्रता को सुरक्षित रख सकता था। राष्ट्र की स्वतंत्रता के लिए अपनायी गयी उनकी रणनीति में ग्रामीण विकास गर्व का स्थान रखता था। इस प्रकार ग्रामीण विकास का उद्गम स्वतंत्रता संग्राम के मूल में सन्निहित है।

1. लोग ग्रामीण विकास में अत्यधिक रुचि ले रहे हैं क्योंकि–
   A. उन्हें इसकी अपरिहार्यता का अनुभव हो चुका है
   B. वे घोर स्वास्थ्य-समस्याओं से दुःखी हैं
   C. निकट भविष्य में कुछ भी सार्थक करना सम्भव नहीं है
   D. अब वे इसके सम्बन्ध में आशावादी हो गए हैं
2. परिच्छेद के अनुसार निम्नलिखित में से कौन-सा 'सहारा' (उत्तोलक का काम करने वाला) है?
   A. अभौतिक विकास
   B. ग्रामीण जीवन में अवरोधन
   C. ग्रामीण जनता के स्तर को ऊँचा उठाना
   D. समाज के कुछ खास वर्गों को प्रबुद्ध बनाना
3. निम्नलिखित में से लेखक की दृष्टि से कौन-सी सर्वाधिक दुःखद घटना है?
   A. ग्रामों में लोगों की अमानवीय दशा
   B. ग्रामीण लोगों में स्व की दुर्दशा की ओर से निराशावाद
   C. ग्रामीण विकास के महत्त्व का एहसास होने की कमी
   D. नगर निवासियों के द्वारा ग्रामीणजनों का शोषण
4. इस परिच्छेद के सन्दर्भ में निम्नलिखित में से कौन-सा कथन सत्य नहीं है?
   A. तीसरी दुनिया के देशों की ग्रामीण जनता की यह सोच है कि उनकी अवमानवीय स्थिति सुधर नहीं सकती।
   B. तीसरी दुनिया के देशों के लोगों का जीवन-स्तर केवल ग्रामीण विकास द्वारा उठाया जा सकता है।
   C. आधुनिक नगरों में रहने वाले अधिकांश धनाढ्य लोग वास्तव में ग्रामीण विकास के सम्बन्ध में चिन्तित हैं।
   D. किसी भी प्रकार की अन्य उन्नति और विकास के लिए ग्रामीण विकास सर्वप्रथम आवश्यक है।

5. ग्रामीण विकास को भारत के स्वातंत्र्य आन्दोलन का एक अंग समझा गया था, क्योंकि–
A. केवल ग्रामों में ही शाही रुचि निवास करती थी
B. देश मुख्य रूप से ग्रामों से बना था
C. गाँधीजी पश्चिमी उपनिवेशवाद के विरुद्ध थे
D. उस समय वास्तविक भारत ब्रिटिश हुकूमत के मातहत था

6. तीसरी दुनिया के देशों में लोगों के रहन-सहन के स्तर–
A. बहुत शीघ्रता से सुधर रहे हैं
B. किसी भी सुधार के लिए निरापद हैं
C. सुधार लाने के बड़े से बड़े उपाय के बावजूद अमानवीय है
D. एक जानवर की स्थिति से किसी भाँति अच्छे नहीं हैं

7. निम्नलिखित में कौन-सा कथन आधुनिक नगरों वाली दो विपरीत दुनिया का सबसे उपयुक्त वर्णन करता है?
A. कुछ धनी लोग और अधिक गरीब लोग
B. चमक-दमक का क्षेत्र और धनाढ्य लोग
C. वाणिज्यिक तथा औद्योगिक शोषण
D. पश्चिमी उत्पादों के संरक्षक तथा शाही रुचियों के पोषक

8. परिच्छेद के सन्दर्भ में निम्नलिखित में से कौन-सा कथन सत्य है?
A. तीसरी दुनिया के अधिकांश देशों का त्वरित गति से नगरीकरण हो रहा है।
B. भारत का स्वतंत्रता आन्दोलन ग्रामीण विकास का अंगभूत समझा जाता है।
C. ग्रामीण जनता अपनी दशा सुधारने के बारे में बहुत आशावादीहै।
D. वर्तमान सन्दर्भ में अज्ञान, निर्धनता तथा रुग्ण-स्वास्थ्य ग्रामीण जीवन के अविभाज्य अंग हैं।

9. वह शब्द चुनिए जो परिच्छेद में प्रयुक्त शब्द 'मुख्य रूप से' जैसा हो।
A. रोगी
B. असंदिग्ध रूप से
C. अभाव रूप से
D. स्पष्ट रूप से दिखायी देने वाला

10. परिच्छेद में प्रयुक्त 'सुधारने के लिए' शब्द का विपरीतार्थक शब्द चुनिए।
A. खराब होना B. कम होना
C. शीघ्र पूरा करना D. जल्दी करना

अभ्यास-54

शिष्टजनों द्वारा अनुष्ठित आचरण मात्र कल्पना-उद्भूत सामाजिक शिष्टाचार नहीं है अपितु गंभीर वैज्ञानिक रहस्यों से ओत-प्रोत ऐसा संस्कार है जो मानव जीवन में गुणाधान प्रक्रिया को प्रशस्त करता है। भारतीय संस्कृति में शिष्टाचार का श्रीगणेश सामाजिक व्यवहार के सिंहद्वार – अभिवादन से होता है। ईश्वराभिवादन, पूज्यजनों को प्रणाम, नमस्कार, प्राञ्जलि, अञ्जलिपुट, प्रणिपात, नामोच्चारणपूर्वक नमन, प्रदक्षिणापूर्वक सम्मान तथा साष्टांग प्रणाम पर्यायभेद से अभिवादन के ही विविध रूप हैं। प्रतिदिन या विशिष्ट अवसरों पर कर्म में सफलता और दीर्घायुष्य-प्राप्ति हेतु माता-पिता तथा गुरुजनों को अभिवादन करना केवल भारतीय संस्कृति में ही विद्यमान है। अध्यात्म-विज्ञान की मान्यता है कि किसी वरेण्य व्यक्ति के आगमन पर प्राणस्पन्दन की गति ऊर्ध्वमुखी होकर ऊर्जस्वित हो जाती है। उनका आशीर्वाद प्राप्त कर प्राण ऊर्जावान् बन जाते हैं। आज अन्य क्षेत्रों की भाँति शिष्टाचार के विधि-विधान में प्रदूषण और अवमूल्यन निर्बाध गति से हो रहा है। 'हाय', 'ही', 'हलो' करने वालों को भला हाथ जोड़कर मस्तक झुकाना कैसे रास आ सकता है? त्याग-वैराग्यसम्पन्न अल्पवयस्क या वयोवृद्धों को अभिवादन करना हमारी पुरातन आचार-पद्धति है।

1. शिष्टाचार का प्रथम सोपान क्या है?
A. कुशलक्षेम पूछना B. मुस्कराते हुए बात करना
C. अभिवादन करना D. भेंट देना

2. गुरुजनों को अभिवादन करने का कौन-सा कृत्य विधिसम्मत नहीं है?
A. चरण स्पर्श करना B. हाथ जोड़कर सिर झुकाना
C. साष्टांग प्रणाम करना D. हाथ मिलाना

3. आशीर्वाद ग्रहण करने का वैज्ञानिक रहस्य क्या है?
A. मन प्रसन्न हो जाता है
B. प्राण ऊर्जस्वित हो जाते हैं
C. असम्भव कार्य सम्भव हो जाता है
D. हमारा आत्मविश्वास बढ़ता है

4. सामाजिक कुशलता प्राप्त करने का सिंहद्वार क्या है?
A. श्रीगणेश का पूजन
B. सहभोज का आयोजन
C. प्रत्येक व्यक्ति को अपना गुरु मानना
D. विधिपूर्वक यथायोग्य अभिवादन

5. 'सबहिं मानप्रद आप अमानी' का अभिप्राय है–
A. स्वयं सम्मान की चाह न कर सबको सम्मान देना
B. सबके मान की परवाह करने से पहले अपनी चिन्ता करना
C. मान पाकर आपा न खोना
D. अपने सम्मान के समान दूसरों का भी सम्मान करना

अभ्यास-55

मानव-जीवन के सौ वर्षों को चार भागों में बाँटा गया है। वास्तव में सम्पूर्ण जीवन सतत प्रयत्न करते हुए व्यक्तित्व का विकास करने के लिए है। व्यक्तित्व के विकास की दिशा अवस्था के अनुसार बदलती है। विशेष प्रकार की योग्यताओं को विकसित करने के लिए अनुकूल वातावरण की आवश्यकता पड़ती है। आश्रम-व्यवस्था के अनुसार जीवनभर श्रम करते हुए मानव अधिकाधिक सफलता प्राप्त कर सकता है। जीवन का प्रथम आश्रम ब्रह्मचर्य अधिक से अधिक ज्ञान करने के लिए था। ब्रह्मचर्याश्रम में जो ज्ञान प्राप्त किया जाता है उसी की मात्रा के अनुरूप जीवन की सफलता होती है। इसी के बल पर गृहस्थाश्रम में वह अधिक से अधिक धन कमा कर लोक-कल्याण कर सकता है। मनुष्य की आध्यात्मिक प्रवृत्तियाँ स्वान्तः सुखाय होती हैं। इनके द्वारा वह वानप्रस्थ और संन्यास में शान्ति प्राप्त करता है।

1. वास्तव में सम्पूर्ण जीवन किसलिए है?
A. सतत प्रयत्न करते हुए व्यक्तित्व के विकास के लिए
B. श्रम करते हुए सफलता प्राप्त करने के लिए
C. अधिक से अधिक धन कमाने के लिए
D. अधिक से अधिक ज्ञान प्राप्त करने के लिए

2. व्यक्तित्व के विकास की दिशा कैसे बदलती है?
A. योग्यताओं के विकास के अनुसार
B. अनुकूल वातावरण के अनुसार
C. अवस्था के अनुसार
D. सतत प्रयत्नों के अनुसार

3. प्राप्त ज्ञान की मात्रा के अनुरूप क्या होता है?
A. जीवन की सफलता B. सुख की प्राप्ति
C. धन की प्राप्ति D. शान्ति की प्राप्ति

4. लोक-कल्याण कब अधिक किया जा सकता है?
A. ब्रह्मचर्याश्रम में B. वानप्रस्थ में
C. गृहस्थाश्रम में D. संन्यास में

5. मनुष्य शान्ति किसके द्वारा प्राप्त करता है?
A. ज्ञान के द्वारा B. धन के द्वारा
C. लोक-कल्याण के द्वारा D. आध्यात्मिक प्रवृत्तियों के द्वारा

उत्तरमाला

अभ्यास-1

1	2	3	4	5
C	D	C	A	A
6	**7**	**8**	**9**	**10**
D	D	D	B	C

अभ्यास-2

1	2	3	4	5
A	B	D	C	B
6	**7**	**8**	**9**	**10**
C	A	B	C	A

अभ्यास-3

1	2	3	4	5
D	C	B	D	C
6	**7**	**8**	**9**	**10**
C	D	C	A	B

अभ्यास-4

1	2	3	4	5
D	B	C	D	A
6	**7**	**8**	**9**	**10**
C	A	A	C	B

अभ्यास-5

1	2	3	4	5
C	D	A	D	A
6	**7**	**8**	**9**	**10**
C	C	A	A	A

अभ्यास-6

1	2	3	4	5
A	C	B	C	B
6	**7**	**8**	**9**	**10**
D	A	D	D	A

अभ्यास-7

1	2	3	4	5
C	B	A	C	B
6	**7**	**8**	**9**	**10**
D	C	D	B	A

अभ्यास-8

1	2	3	4	5
A	D	B	C	B
6	**7**	**8**	**9**	**10**
D	D	C	D	A

अभ्यास-9

1	2	3	4	5
B	C	B	C	B
6	**7**	**8**	**9**	**10**
C	A	A	D	B

अभ्यास-10

1	2	3	4	5
D	D	B	A	C

अभ्यास-11

1	2	3	4	5
D	B	C	A	D

अभ्यास-12

1	2	3	4	5
C	B	D	B	D

अभ्यास-13

1	2	3	4	5
C	A	A	D	B

अभ्यास-14

1	2	3	4	5
A	D	A	D	B

अभ्यास-15

1	2	3	4	5
C	A	D	B	C

अभ्यास-16

1	2	3	4	5
B	C	B	A	B

अभ्यास-17

1	2	3	4	5
B	A	B	B	D

अभ्यास-18

1	2	3	4	5
A	D	C	C	A

अभ्यास-19

1	2	3	4	5
A	B	B	C	C

अभ्यास-20

1	2	3	4	5
C	A	B	C	A

अभ्यास-21

1	2	3	4	5
C	B	A	D	B

अभ्यास-22

1	2	3	4	5
D	A	B	D	A

अभ्यास-23

1	2	3	4	5
C	A	C	A	B

अभ्यास-24

1	2	3	4	5
A	B	B	A	C

अभ्यास-25

1	2	3	4	5
B	C	D	D	D

अभ्यास-26

1	2	3	4	5
D	A	C	D	C

अभ्यास-27

1	2	3	4	5
D	B	C	D	B

अभ्यास-28

1	2	3	4	5
D	B	C	A	C

अभ्यास-29

1	2	3	4	5
B	A	A	A	C

अभ्यास-30

1	2	3	4	5
C	A	B	B	B

अभ्यास-31

1	2	3	4	5
B	B	C	D	D

अभ्यास-32

1	2	3	4	5
A	B	D	C	C

अभ्यास-33

1	2	3	4	5
B	C	D	A	A

अभ्यास-34

1	2	3	4	5
C	B	B	B	C

अभ्यास-35

1	2	3	4	5
D	C	B	C	C
6	7	8	9	10
B	B	D	C	D

अभ्यास-36

1	2	3	4	5
C	B	B	A	D

6	7	8	9	10
A	C	C	A	D

अभ्यास-37

1	2	3	4	5
D	D	B	D	B

अभ्यास-38

1	2	3	4	5
A	B	C	D	D
6	7	8	9	10
C	B	C	C	C

अभ्यास-39

1	2	3	4	5
B	D	B	C	A

अभ्यास-40

1	2	3	4	5
D	B	D	D	C
6	7	8	9	10
C	A	B	A	D

अभ्यास-41

1	2	3	4	5
D	B	C	A	D

अभ्यास-42

1	2	3	4	5
A	D	D	B	A

अभ्यास-43

1	2	3	4	5
D	B	B	D	B
6	7	8	9	10
A	A	A	A	D

अभ्यास-44

1	2	3	4	5
A	D	C	C	C

अभ्यास-45

1	2	3	4	5
C	B	D	A	C
6	7	8	9	10
B	D	B	D	C

अभ्यास-46

1	2	3	4	5
B	D	D	D	D

अभ्यास-47

1	2	3	4	5
A	A	C	A	D
6	7	8	9	10
B	A	A	C	C

अभ्यास-48

1	2	3	4	5
C	C	A	C	D

अभ्यास-49

1	2	3	4	5
B	D	A	A	D

अभ्यास-50

1	2	3	4	5
D	B	C	D	A
6	7	8	9	10
C	A	A	C	B

अभ्यास-51

1	2	3	4	5
B	C	B	D	B

अभ्यास-52

1	2	3	4	5
B	C	B	A	B

अभ्यास-53

1	2	3	4	5
A	C	B	C	B
6	7	8	9	10
D	A	D	D	A

अभ्यास-54

1	2	3	4	5
C	D	B	D	A

अभ्यास-55

1	2	3	4	5
A	C	A	C	D